EL CUENTO

—¿Lo tomaron como una broma?

—De mal gusto en todo caso —replicó el doctor Vieli—. Bueno. Una vez casados vinieron las visitas de agradecimiento, nuevas presentaciones, resentimientos, personas que no saludaban a Max por la calle, partidos de bridge, incidentes desagradables, pues el suegro de Max no era amigo del Gobierno, y el señor gerente de la British Machinery Company detestaba al señor Villalonga. Max, por más visitas que hacía, acabó perdiendo el puesto. Felizmente Chabuca tenía su rentita. La familia se fue a Europa y ellos se quedaron en la casa del Paseo Colón. Chabuca no tardó en "salir mal". Max tenía que hacer las visitas solo y atender a las personas que venían a casa. Esto fue aumentando conforme avanzaba el estado de Chabuca. Cuando nació el bebé, Max no tenía manos para atender el teléfono, para comunicar a todos el acontecimiento, si era hombrecito o mujercita. La clínica Febres se repletaba de señoras, de tías de Chabuca, de amigas y amigos. Max era una verdadera máquina de frases políticas, de cumplimientos, de amabilidades. Vinieron después el bautismo, la fiesta, la repartición de cajitas y medallitas a cada uno, según la categoría, y siguieron las visitas, los "tés", las comidas, los bailecitos.

"Pocas semanas después, Max cayó enfermo. Una hernia. Chabuca dijo que mejor era no decirle a la gente que era hernia, sino apendicitis. Max explicaba veinte veces por día toda un historia sobre su apéndice. Lo operaron. Las relaciones, parientes y amigos acudían en tropel al Hospital Italiano. Max, debilitado, con fiebre, sentía el runrún de los consejos, de las exclamaciones, de las indicaciones, buenos deseos y dudas, el abrir y cerrar de paquetes, el ir y venir por el cuarto de personas silenciosas. Cuando oía voces que decían, por ejemplo: "volveré por la tarde", Max daba un salto en la cama, se abochornaba, se le nublaban los ojos, le aumentaba la fiebre. Una tarde, Max dio un grito interrumpiendo el cuchicheo de las visitas que atendía Chabuca.

"—¿Por qué no ha venido la señora Senteno? ¿Por qué? ¿Por qué? ¿Por qué?... —exclamaba Max, sentado en la cama y tirando violentamente todo lo que encontraba en la mesita de noche.

"Llamaron al doctor; inyecciones, baños, nada: Max ya no hablaba sino de visitas, enfureciéndose cuando no venían. Como es de suponer, la gente ya no iba al hospital. La locura de Max se volvía peligrosísima, y aquí lo tiene usted... Felizmente, ya se ha estacionado la enfermedad, y está, por lo general, tranquilo. Se pasa el día dejándoles tarjetas a los otros locos, convidándolos a tomar té, a jugar bridge, organizando bailes y recepciones, siempre de chaquet, amable, risueño, político... ¡Ah!, pero cuidado que un loco no le pague la visita o no le deje tarjeta. ¡Hay que amarrarlo!

—¿Y cómo hace usted? —le pregunté, admirado.

—Nada, el personal ya está al corriente, y se encarga de ese trabajo.

"¡Caray, caray! —pensaba mientras volvía a casa—; mañana tengo que ir a visitar a los Torres".

·6·

Wenceslao Fernández Flórez

(1886–   )

SOINA

Ella había nacido en San Juan de la Xebre, en las Mariñas.[1] Sirvió un año en la capital. Cuando sus amos la trajeron a Madrid, advirtióse como aislada súbitamente. Apenas hablaba el castellano, y las gentes se burlaban de ella. Era diminuta. Tenía
5 el pelo claro, los ojos grises y los pómulos abultados de los celtas. Era obediente y humilde, pero lenta y de torpe comprensión. Más de una vez la señora la había sorprendido con las manos cruzadas sobre el vientre, sonriéndose con gesto de idiota ante las tarteras o ante el agua que se enfriaba en el balde de cinc. La
10 señora gritaba entonces:

—¿Qué hace, Malvina?

Ella se asustaba.

—¡Jesús, Jesús! ¡Usted me hará enloquecer! ¡Tendré que enviarla a la aldea!

15 Verdaderamente, en la casa no la querían bien. Las dos hijas menores solían maltratarla. Las mayorcitas se quejaban de que tenía un aspecto tan raro y una ropa tan pobre, que era un bochorno hacerse acompañar de ella por la calle. Doña Julia, la madre, que estiraba hasta lo absurdo el escaso sueldo de su
20 marido, asentía, con gesto preocupado:

—Yo no sé en qué gasta el dinero. Se había de comprar un trajecito negro, como tantas otras. . .

Pero su adhesión a los rencores de sus hijas no pasaba de ahí. Malvina no le costaba más que dos duros al mes, y era trabajadora

1. las Mariñas: *the coastal region of Galicia.*

y callada. Doña Julia traía, además, de su rincón provinciano un recelo invencible contra las criadas de Madrid.

—No sabe una a quién mete en casa. ¡Se han oído tantas historias...!

No podía llamarse vida aquel monótono transcurrir de las horas sobre la aldeana. Padecía un constante sobresalto de merecer reprimendas, y procuraba encogerse, disimularse en el ajeno hogar; sus pasos por la casa eran silenciosos; no cantaba ni reía nunca. Decía "Sí, señora", "No, señora", cuando era oportuno, y no volvía a hablar. Sus amos afirmaban que esta conducta era fruto del perverso carácter de Malvina. La llamaban "Soina", vocablo que en la lengua gallega designa a la persona hipócritamente tímida y de apocamiento artero y engañoso.

—¡Soina! —gritaban.

Y ella acudía, diligente, como si hubiese oído un nombre de pila.

Soina tenía un único amigo en Madrid. Era un hombre de unos cuarenta años, flaco, nacido también en las Mariñas, y que estaba encargado de repartir el pan entre la clientela de la tahona del barrio. A las siete de la mañana hacía diariamente sonar el timbre de la casa de doña Julia, después de depositar en el suelo el crujiente canasto. Soina salía a recibir el pan, y entonces dialogaban brevemente. El día en que la casualidad les hizo descubrir su paisanaje fue feliz para la aldeana. Sorprendióse primero como ante la más impensada maravilla:

—¡Ay Jesús!

Tenía en sus manos una pirámide de panecillos, y miraba con asombro a aquel hombre de rostro blanqueado por la harina.

—¿Y luego? .... ¿También usted es de allá?

El dio detalles genealógicos.

—¿Conoce a los de Ameneiro, de Xebre?

—¡Y no he de conocer! ¡No conozco otra cosa!

—Pues primos hermanos míos...

—¡Ay Jesús!

Desde aquella mañana solían hablar unos minutos con apagada voz. Todos dormían aún en la casa. Las puertas de las alcobas

estaban cerradas, y el silencio era triunfador. Una luz suave, casi azul, entraba en el vestíbulo; a veces se acercaba el gato con pisadas cautelosas; de cuando en cuando, al pasar por la calle un tranvía, el cañón de la escalera llenábase de tumulto y todo el
5 edificio retemblaba. El hombre asía, al fin, el cestón—del que huía un caliente vaho—por un extremo. Soina ayudábale, irguiéndose sobre las puntas de los pies para alzarlo. Despedíanse.

—Hasta mañana.

Y ella esperaba cada día con más creciente interés el momento
10 en que el timbre anunciaba la visita del conterráneo. Tuteábanse desde que se supieron de la misma parroquia. Malvina recordaba después todas las confidencias de sus breves charlas. Le dijo en una de ellas:

—Los que están allá no saben su bien. Allá no falta nunca la
15 borona en el horno, ni el cerdo por San Martiño,[2] ni el pescado en el mar. Y hasta los pobres de Dios tienen un pajar donde dormir por las noches. Trabajamos más nosotros y vivimos peor, Malvina. Si allí caes enferma, no te faltará nunca una mano que te cuide y un cuenco de caldo. Aquí te morirás en la calle o te
20 llevarán al hospital, que es peor, para despedazarte como a una bestia, fuera el alma.

La obsesión de Rosendo era el hospital. Temblaba ante la idea del hospital, donde nunca había estado, y de cuyas prácticas admitía las más despiadadas narraciones. Este temor se había
25 agudizado en él desde que estaba enfermo. A veces presentábase desencajado ante Soina. Contaba:

—Esta noche no pude dormir. Tuve un sudor frío y sentí como si un perro me mordiese el estómago.

—¿Por qué no vuelves a la tierra, Rosendo?

30 —No puedo ir; vendí lo poco que me tocó de mis padres... Ya no sirvo para las labores del campo, ni para andar en la traíña... Y allá suponen que estoy bien. Los de Ameneiro me han pedido dinero cuando la peste les mató el ganado. Creen que

2. cerdo por San Martiño *pork for the feast of St. Martin (on November 11th, the traditional day for the slaughtering of pigs). Hence the proverb:* "A cada puerco (cerdo) le llega su San Martín."

esto es América... Esto no es América, ¡caramba! Trabajas mucho para malvivir... y después, ya se sabe, al hospital con tus huesos...

Aconsejaba Soina:

—Así solo, no estás bien. Debieras casarte.

El se había sentado en la escalera, ante el cestón cubierto con una blanca lona. Tenía el rostro hundido entre las manos.

—Sí... Quizá hubiera debido casarme. Lo pensé muchas veces. Pero ahora, ya... La vida está andada... No encontraría una mujer que me quisiera.

—O sí. ¿Qué sabes tú?

Movió la cabeza melancólicamente y marchóse.

Poco a poco fue despertando un sentimiento dulce en el corazón de Malvina. En la soledad, más bien en la hostilidad que la rodeaba, Rosendo era para ella el único ser compasivo y bueno. Mujer al fin, y mujer de un país de bruma, Soina gustaba de soñar. Fue urdiendo en sus soliloquios una ilusión. Acariciábala en su humilde alcoba, después de rezar las oraciones y mientras velaba en la cocina por los cacharros puestos a la lumbre. En una estrecha ventana batía entonces el viento de la sierra y la ventana se estremecía incesantemente... Pero dentro había un grato calor. La plancha de hierro se enrojecía; el gato hacíase un ovillo bajo el fogón y las marmitas cantaban dulcemente... Nada hay que dé una sensación de hogar venturoso como este canto de marmitas, en el que, a veces, parecen adivinarse palabras. Dícese que el hombre primitivo aprendió a hablar oyendo el hervor del agua. Por lo menos es seguro que el primer ensueño nació al arrullo de esa música suave, contenida e igual, y que las madres que vigilaban la preciosa vida del fuego copiaron de ella el acento con que dormir a sus hijos.

Rosendo regaló un día su retrato a Malvina. Echó su aliento en el descolorido cartón, lo frotó después con el codo, y se lo ofreció:

—¿Qué te parezco?

—Estás muy bien.

El rio, satisfecho:

—Me parece que tú y yo aún vamos a dar un buen día a los de San Juan de Xebre.

Otra vez ella le contó sus padecimientos bajo la tiranía de los amos. El la oyó entristecido. Después comentó:

—Tú, como yo, Malvina, eres un ser desgraciado. Hemos venido al mundo para sufrir. Somos de peor condición que los bueyes. Pero tú eres joven aún...

La ilusión forjada por Soina concluyó por decirle al oído: "Rosendo está enamorado de ti."

Y toda ella palpitó de ventura.

Aún quiso añadir la ilusión placentera:

"Rosendo y tú os casaréis. Juntos, seréis más fuertes para la vida... Tú le cuidarás cuando se ponga enfermo y no podrán llevarlo nunca al hospital..."

Enternecióse súbitamente. Sí, le cuidaría, sabría trabajar para él si preciso fuera. Y si alguna vez pudieran tener algún dinero, marcharían a Xebre y labrarían alegremente unas tierras donde los tallos del maíz o las hierbas del prado se encorvarían bajo el viento fuerte y sano de las Mariñas...

Desde que aquella idea la acarició, Soina fijóse en las frases y gestos de su paisano, y creyó descubrir en todas ellas un sentido amoroso. Entonces cohibíase de él, y se sonreía a veces sin razón, o bajaba los ojos porque una turbación la asaltaba. La realidad y la ilusión entretejiéronse tan apretadamente, que ya no sabría ella decir qué era lo soñado y qué lo vivido. Sus soliloquios eran ya diálogos en los que ella se hablaba en nombre de él y ella se respondía. Ocurriósele que en algún lugar de Madrid podrían, ya casados, alquilar un local e instalar en él una tiendecita. El pan, para venderlo, no se lo habían de negar a su hombre. Y ella estaría allí desde bien temprano, atendiendo a los compradores. Y tendrían ahorros, pasado algún tiempo. Y marcharían después... Le regocijó la idea hasta tal punto, que se dijo:

"Mañana se lo contaré."

Al día siguiente no se atrevió. Fue aplazando la confesión de una a otra mañana. Pero estaba contenta y le miraba con mayor felicidad, y hasta oponía frases optimistas a las habituales quejas del amado:

—¡Bah! —le decía—. Alguna vez nos tocará ser felices.

El, sin comprender, movía la cabeza con lentitud y callaba.

La dicha es locuaz. Una tarde, mientras vestía a una de las pequeñuelas de la casa, dijo Malvina:

—¿Sabe, señorita Gloriña?... Me voy a casar.

La pequeñuela se arrancó el zapato que le acababan de abrochar, y decretó sencillamente:

—No.

—Sí, señorita Gloriña; me voy a casar.

La criatura dio un berrido y le tiró de los pelos.

—¡Nooo!... ¡Tú no te casas!

Si le hubiese dicho que se iba a quedar soltera, el angelito se hubiera opuesto también con la misma energía.

—¿Qué le haces a la pequeña, Soina?

La pequeña gritó:

—Mamá, mamá: Soina dice que se va a casar y que se marcha de nuestro lado.

La hermana mayor acudió.

—¡Soina! ¿Vas a casarte, Soina? ¿Con quién, mujer? ¡Mira a la Soina, que quiere casarse!

Las otras mujeres aproximáronse:

—¿Quién se enamoró de ti, Soina?

—¿Fue de tu tipo o de tu cara, Soiniña?

—¿Has de llevar un ramo de queiroas en el pecho?

Soina, enrojecida, casi a punto de llorar, protestaba:

—¡No hagan caso!... Yo no he dicho eso, señorita Gloriña!

La "señorita" Gloriña berreaba:

—Sí, sí! ¡Dijiste! ¡Dijiste!

Y éste fue ya tema diario para burlarse de la infeliz aldeana.

* * * *

Al volver de la calle, Malvina buscó en vano el billete de cinco duros que debía traer en su bolso. El billete no apareció.

Doña Juana gritó, desesperada; reprochóse el haber entregado la cuantiosa suma de cincuenta pesetas a una criada idiota; la requirió para que se acordase de si, en efecto, le habían dado los cinco duros o se los había estafado el carnicero, después le suplicó que volviese a mirar el bolso, el bolsillo, el cesto de la compra; hizo que sacudiese las hortalizas, de las que sólo cayeron dos caracoles... Pretendió que volviera sobre sus pasos, mirando atentamente al suelo para ver si encontraba el billete... Cuando se convenció de que todas las pesquisas eran inútiles, la colmó de injurias:

—¿En qué ibas pensando, estúpida? ¿Crees tú que cinco duros se ganan así como así? ¡Bestia, que nunca debieras haber salido de escardar cebollinos!

Una hija apuntó:

—Le habrá sacado las pesetas ese novio que tiene.

—¡Qué va a tener, la "zoqueira"!

Malvina lloró abundantemente. Luego, en un arrebato, anunció que se marcharía, y que no era una ladrona, y que podrían registrar su baúl. Los pequeñuelos acogieron esta iniciativa con alborozo. El baúl fue registrado. Después, la Soina permaneció en su alcoba algún tiempo y salió con un hatillo y sin mandil, llevando puesto el traje de los domingos, rojos los ojos por las lágrimas, hipando aún...

Pero en el fondo una idea la consolaba... Vagó algún tiempo por las calles, abstraída... Más de una vez se paraba a contemplarse en los escaparates. De pronto, había comprendido que aquel doloroso incidente podía ser el pórtico de su felicidad... Iban a dar las doce cuando se detuvo cerca de la tahona donde Rosendo trabajaba. Esperó unos minutos. Rosendo apareció al fin. Sonrióle ella, un poco cohibida.

—¿Qué milagro? —preguntó el hombre.

—Milagro, ninguno.

Sentóse él en un banco de piedra, con un gemido de dolor o de fatiga.

—Hoy no me dejan estas víboras del estómago.

Soina, en pie, le contemplaba. Comenzó él a liar un cigarrillo.

—¿Sabes? —declaró la joven cuando transcurrió un silencio—. He dejado la casa.

El alzó la cabeza.

—¿Por qué?

—No he podido aguantarlos más. 5

Hubo otra pausa. El hombre acabó de liar su cigarrillo. Preguntó:

—¿Qué vas a hacer ahora?

—No sé.

El calló. Malvina aguardaba ansiosamente. Creía que era 10 llegado el momento en que se rompiese la débil reserva que aislaba aún sus amores. No escuchaba ni veía más que a él. Rosendo dijo lentamente, mirando al suelo:

—Has hecho mal.

La voz de la joven se llenó de lágrimas al contestarle: 15

—Me maltrataban, Rosendo. Todas eran contra mí.

—Sí —habló él—, sí; todos son contra uno; pero uno tiene que bajar la cabeza y sufrir.

Añadió después de un instante:

—Somos como las bestias, fuera el alma, Malvina, y tenemos 20 que portarnos como las bestias... El buey no se marcha de casa de su amo porque le agujereen la piel, ni el perro porque pase hambre...

Gruñó con rabia:

—¡Si se pudiese acabar con todo esto! 25

Malvina insinuó:

—Cuando está una sola, sin un cariño, siempre parece mayor la desgracia.

—Parece —otorgó él.

Hubo otra larga pausa. Aconsejó entonces Rosendo: 30

—Tú debes marcharte a la tierra. Aquí no estarás nunca bien. ¿Tienes dinero para el viaje?

—Alguno tengo.

—El tren sale a las cinco. Puedes irte hoy.

—¿Crees que debo marcharme? 35

El no advirtió la angustia de aquella voz. Replicó naturalmente:

—¿Qué esperas en Madrid, desempleada?

Soina bajó la cabeza.

—Es verdad. Entonces, hoy me marcho.

Alzóse Rosendo.

5 —Vaya, mujer, buen viaje.

—Gracias. Y tú que seas feliz.

—Sabe Dios cuánto te envidio. A todos los que allá veas dales mis recuerdos. Algunos no se acordarán ya... ¡Hace tantos años!...

10 Echó a andar, despacio, sin volver la cabeza... La aldeanita, pequeña y fea, permaneció inmóvil hasta que él se alejó. Acudieron las lágrimas a sus ojos, y se encontró tan sola en la ciudad y en el mundo... Sintió bruscamente deseos de correr hacia el hombre que se marchaba y preguntarle:

15 —Entonces, ¿es verdad que no me has querido nunca, que no has pensado que yo podía ser tu mujer?

Pero no lo hizo. Caminó lentamente también, en dirección opuesta.

·7·

Gregorio López y Fuentes

(1897–)

UNA CARTA A DIOS

La casa —única en todo el valle —estaba subida en uno de esos cerros truncados que, a manera de pirámides rudimentarias, dejaron algunas tribus al continuar sus peregrinaciones. Desde allá se veían las vegas, el río, los rastrojos y, lindando con el corral, la milpa, ya a punto de jilotear. Entre las matas del maíz, 5 el frijol con su florecilla morada, promesa inequívoca de una buena cosecha.

Lo único que estaba haciendo falta a la tierra era una lluvia, cuando menos un fuerte aguacero, de esos que forman charcos entre los surcos. Dudar de que llovería hubiera sido lo mismo 10 que dejar de creer en la experiencia de quienes, por tradición, enseñaron a sembrar en determinado día del año.

Durante la mañana, Lencho —conocedor del campo, apegado a las viejas costumbres y creyente a puño cerrado —no había hecho más que examinar el cielo por el rumbo del noreste. 15

—Ahora sí que se viene el agua, vieja.

Y la vieja, que preparaba la comida, le respondió:

—Dios lo quiera.

Los muchachos más grandes limpiaban de hierba la siembra, mientras que los más pequeños correteaban cerca de la casa, hasta 20 que la mujer les gritó a todos:

—Vengan que les voy a dar en la boca. . . .

Fue en el curso de la comida cuando, como lo había asegurado Lencho, comenzaron a caer gruesas gotas de lluvia. Por el noreste se veían avanzar grandes montañas de nubes. El aire olía a jarro 25 nuevo.

—Hagan de cuenta, muchachos —exclamaba el hombre mientras sentía la fruición de mojarse con el pretexto de recoger algunos enseres olvidados sobre una cerca de piedra—, que no son gotas de agua las que están cayendo: son monedas nuevas: las gotas grandes son de a diez y las gotas chicas son de a cinco...[1]

Y dejaba pasear sus ojos satisfechos por la milpa a punto de jilotear, adornada con las hileras frondosas del frijol, y entonces toda ella cubierta por la transparente cortina de la lluvia. Pero, de pronto, comenzó a soplar un fuerte viento y con las gotas de agua comenzaron a caer granizos tan grandes como bellotas. Esos sí que parecían monedas de plata nueva. Los muchachos, exponiéndose a la lluvia, correteaban y recogían las perlas heladas de mayor tamaño.

—Esto sí que está muy malo —exclamaba mortificado el hombre—; ojalá que pase pronto....

No pasó pronto. Durante una hora, el granizo apedreó la casa, la huerta, el monte, la milpa y todo el valle. El campo estaba tan blanco que parecía una salina. Los árboles, deshojados. El maíz, hecho pedazos. El frijol, sin una flor. Lencho, con el alma llena de tribulaciones. Pasada la tormenta, en medio de los surcos, decía a sus hijos:

—Más hubiera dejado una nube de langosta.... El granizo no ha dejado nada: ni una sola mata de maíz dará una mazorca, ni una mata de frijol dará una vaina....

La noche fue de lamentaciones:

—¡Todo nuestro trabajo, perdido!

—¡Y ni a quién acudir!

—Este año pasaremos hambre....

Pero muy en el fondo espiritual de cuantos convivían bajo aquella casa solitaria en mitad del valle, había una esperanza: la ayuda de Dios.

—No te mortifiques tanto, aunque el mal es muy grande. ¡Recuerda que nadie se muere de hambre!

1. Las gotas grandes . . . a cinco. *The large drops are ten-centavo coins and the small drops five-centavo coins.*

—Eso dicen: nadie se muere de hambre. . . .

Y mientras llegaba el amanecer, Lencho pensó mucho en lo que había visto en la iglesia del pueblo los domingos: un triángulo y dentro del triángulo un ojo, un ojo que parecía muy grande, un ojo que, según le habían explicado, lo mira todo, hasta lo que está en el fondo de las conciencias.

Lencho era hombre rudo y él mismo solía decir que el campo embrutece, pero no lo era tanto que no supiera escribir. Ya con la luz del día y aprovechando la circunstancia de que era domingo, después de haberse afirmado en su idea de que sí hay quien vele por todos, se puso a escribir una carta que él mismo llevaría al pueblo para echarla al correo.

Era nada menos que una carta a Dios.

"Dios —escribió—, si no me ayudas pasaré hambre con todos los míos, durante este año: necesito cien pesos para volver a sembrar y vivir mientras viene la otra cosecha, pues el granizo. . . ."

Rotuló el sobre "A Dios", metió el pliego y, aun preocupado, se dirigió al pueblo. Ya en la oficina de correos, le puso un timbre a la carta y echó ésta en el buzón.

Un empleado, que era cartero y todo en la oficina de correos, llegó riendo con toda la boca ante su jefe: le mostraba nada menos que la carta dirigida a Dios. Nunca en su existencia de repartidor había conocido ese domicilio. El jefe de la oficina —gordo y bonachón —también se puso a reír, pero bien pronto se le plegó el entrecejo y, mientras daba golpecitos en su mesa con la carta, comentaba:

—¡La fe! ¡Quién tuviera la fe de quien escribió esta carta! ¡Creer como él cree! ¡Esperar con la confianza con que él sabe esperar! ¡Sostener correspondencia con Dios!

Y, para no defraudar aquel tesoro de fe, descubierto a través de una carta que no podía ser entregada, el jefe postal concibió una idea: contestar la carta. Pero una vez abierta, se vio que contestar necesitaba algo más que buena voluntad, tinta y papel. No por ello se dio por vencido: exigió a su empleado una dádiva, él puso parte de su sueldo y a varias personas les pidió su óbolo "para una obra piadosa".

Fue imposible para él reunir los cien pesos solicitados por Lencho, y se conformó con enviar al campesino cuando menos lo que había reunido: algo más que la mitad. Puso los billetes en un sobre dirigido a Lencho y con ellos un pliego que no tenía más
5 que una palabra, a manera de firma: DIOS.

Al siguiente domingo Lencho llegó a preguntar, más temprano que de costumbre, si había alguna carta para él. Fue el mismo repartidor quien le hizo entrega de la carta, mientras que el jefe, con la alegría de quien ha hecho una buena acción, espiaba a
10 través de un vidrio raspado, desde su despacho.

Lencho no mostró la menor sorpresa al ver los billetes —tanta era su seguridad—, pero hizo un gesto de cólera al contar el dinero... ¡Dios no podía haberse equivocado, ni negar lo que se le había pedido!

15 Inmediatamente, Lencho se acercó a la ventanilla para pedir papel y tinta. En la mesa destinada al público, se puso a escribir, arrugando mucho la frente a causa del esfuerzo que hacía para dar forma legible a sus ideas. Al terminar, fue a pedir un timbre el cual mojó con la lengua y luego aseguró de un puñetazo.

20 En cuanto la carta cayó al buzón, el jefe de correos fue a recogerla. Decía:

"Dios: Del dinero que te pedí, sólo llegaron a mis manos sesenta pesos. Mándame el resto, que me hace mucha falta; pero no me lo mandes por conducto de la oficina de correos, porque los
25 empleados son muy ladrones. —*Lencho*".

·8·

Emilia Pardo Bazán
(1851–1925)

PRIMER AMOR

¿Qué edad contaría yo a la sazón? ¿Once o doce años? Más bien serían trece, porque antes es demasiado temprano para enamorarse tan de veras; pero no me atrevo a asegurar nada, considerando que en los países meridionales madruga mucho el corazón, dado que esta víscera tenga la culpa de semejantes 5 trastornos.

Si no recuerdo bien el *cuándo,* por lo menos puedo decir con completa exactitud el *cómo* empezó mi pasión a revelarse. Gustábame mucho —después de que mi tía se largaba a la iglesia a hacer sus devociones vespertinas —colarme en su dormitorio y 10 revolverle los cajones de la cómoda, que los tenía en un orden admirable. Aquellos cajones eran para mí un museo: siempre tropezaba en ellos con alguna cosa rara, antigua, que exhalaba un olorcillo arcaico y discreto, el aroma de los abanicos de sándalo que andaban por allí perfumando la ropa blanca. Acericos de raso 15 descolorido ya; mitones de malla, muy doblados entre papel de seda; estampitas de santos; enseres de costura; un ridículo de terciopelo azul bordado de canutillo; un rosario de ámbar y plata, fueron apareciendo por los rincones; yo los curioseaba y los volvía a su sitio. Pero un día —me acuerdo lo mismo que si fuese 20 hoy —en la esquina del cajón superior y al través de unos cuellos de rancio encaje, vi brillar un objeto dorado. . . . Metí las manos, arrugué sin querer las puntillas, y saqué un retrato, una miniatura sobre marfil, que mediría tres pulgadas de alto, con marco de oro.

Me quedé como embelesado al mirarla. Un rayo de sol se 25 filtraba por la vidriera y hería la seductora imagen, que parecía querer desprenderse del fondo obscuro y venir hacia mí. Era una criatura hermosísima, como yo no la había visto jamás sino en mis sueños de adolescente, cuando los primeros estremecimientos de la pubertad me causaban, al caer la tarde, vagas tristezas y anhelos indefinibles. Podría la dama del retrato frisar en los veinte y pico; no era una virgencita cándida, capullo a medio abrir, sino una mujer en quien ya resplandecía todo el fulgor de la belleza. Tenía la cara oval, pero no muy prolongada; los labios carnosos, entreabiertos y risueños; los ojos lánguidamente entornados, y un hoyuelo en la barba, que parecía abierto por la yema del dedo juguetón de Cupido. Su peinado era extraño y gracioso: un grupo compacto, a manera de piña de bucles al lado de las sienes, y un cesto de trenzas en lo alto de la cabeza. Este peinado antiguo, que remangaba en la nuca, descubría toda la morbidez de la fresca garganta, donde el hoyo de la barbilla se repetía más delicado y suave. En cuanto al vestido. . . . Yo no acierto a resolver si nuestras abuelas eran de suyo[1] menos recatadas de lo que son nuestras esposas, o si los confesores de antaño gastaban manga más ancha que los de hogaño; y me inclino a creer esto último, porque hará unos sesenta años las hembras se preciaban de cristianas y devotas, y no desobedecerían a su director de conciencia en cosa tan grave y patente. Lo indudable es que si en el día se presenta alguna señora con el traje de la dama del retrato, ocasiona un motín; pues desde el talle (que nacía casi en el sobaco) sólo le velaban leves ondas de gasa diáfanas, señalando, mejor que cubriendo, dos escándalos de nieve, por entre los cuales serpeaba un hilo de perlas, no sin descansar antes en la tersa superficie del satinado escote. Con el propio impudor se ostentaban los brazos redondos, dignos de Juno, rematados por manos esculturales. . . . Al decir *manos* no soy exacto, porque en rigor, sólo una mano se veía, y esa apretaba un pañuelo rico.

Aún hoy me asombro del fulminante efecto que la contemplación de aquella miniatura me produjo, y de cómo me quedé arrobado, suspensa la respiración, comiéndome el retrato con los

1. eran de suyo *were in themselves*

ojos. Ya había yo visto aquí y acullá estampas que representaban mujeres bellas; frecuentemente, en las *Ilustraciones,* en los grabados mitológicos del comedor, en los escaparates de las tiendas, sucedía que una línea gallarda, un contorno armonioso y elegante, cautivaba mis miradas precozmente artísticas; pero la miniatura encontrada en el cajón de mi tía, aparte de su gran gentileza, se me figuraba como animada de sutil aura vital; advertíase en ella que no era el capricho de un pintor, sino imagen de persona real, efectiva, de carne y hueso. El rico y jugoso tono del empaste hacía adivinar, bajo la nacarada epidermis, la sangre tibia; los labios se desviaban para lucir el esmalte de los dientes; y, completando la ilusión, corría alrededor del marco una orla de cabellos naturales castaños, ondeados y sedosos, que habían crecido en las sienes del original. Lo dicho: aquello, más que copia, era reflejo de persona viva, de la cual sólo me separaba un muro de vidrio. . . . Puse la mano en él, lo calenté con mi aliento, y se me ocurrió que el calor de la misteriosa deidad se comunicaba a mis labios y circulaba por mis venas. Estando en esto, sentí pisadas en el corredor. Era mi tía que regresaba de sus rezos. Oí su tos asmática y el arrastrar de sus pies gotosos. Tuve tiempo no más que de dejar la miniatura en el cajón, cerrarlo, y arrimarme a la vidriera, adoptando una actitud indiferente y nada sospechosa.

Entró mi tía sonándose recio, porque el frío de la iglesia le había recrudecido el catarro ya crónico. Al verme se animaron sus ribeteados ojillos, y, dándome un amistoso bofetoncito con la seca palma, me preguntó si le había revuelto los cajones, según costumbre.

Después, sonriéndose con picardía:

—Aguarda, aguarda —añadió —voy a darte algo. . . que te chuparás los dedos.

Y sacó de su vasta faltriquera un cucurucho, y del cucurucho tres o cuatro bolitas de goma adheridas, como aplastadas, que me infundieron asco.

La estampa de mi tía no convidaba a que uno abriese la boca y se zampase el confite: muchos años, la dentadura traspillada, los ojos enternecidos más de lo justo, unos asomos de bigote o cerdas sobre la hundida boca, la raya de tres dedos de ancho, unas canas sucias revoloteando sobre las sienes amarillas, un pescuezo fláccido y lívido como el moco del pavo cuando está de buen 5 humor.... Vamos, que yo no tomaba las bolitas, ¡ea! Un sentimiento de indignación, una protesta varonil se alzó en mí, y declaré con energía:

—No quiero, no quiero.

—¿No quieres? ¡Gran milagro! ¡Tú que eres más goloso que 10 la gata!

—Ya no soy ningún chiquillo —exclamé creciéndome, empinándome en la punta de los pies —y no me gustan las golosinas.

La tía me miró entre bondadosa e irónica, y al fin, cediendo a 15 la gracia que le hice, soltó el trapo, con lo cual se desfiguró y puso patente la espantable anatomía de sus quijadas. Reíase de tan buena gana, que se besaban barba y nariz, ocultando los labios, y se le señalaban dos arrugas, o mejor, dos zanjas hondas, y más de una docena de pliegues en mejillas y párpados; al mismo 20 tiempo, la cabeza y el vientre se le columpiaban con las sacudidas de la risa, hasta que al fin vino la tos a interrumpir las carcajadas, y entre risas y tos, involuntariamente, la vieja me regó la cara con un rocío de saliva.... Humillado y lleno de repugnancia, hui a escape y no paré hasta el cuarto de mi madre, donde me lavé con 25 agua y jabón, y me di a pensar en la dama del retrato.

Y desde aquel punto y hora ya no acerté a separar mi pensamiento de ella. Salir la tía y escurrirme yo hacia su aposento, entreabrir el cajón, sacar la miniatura y embobarme contemplándola, todo era uno. A fuerza de mirarla, figurábaseme que sus 30 ojos entornados, al través de la voluptuosa penumbra de las pestañas, se fijaban en los míos, y que su blanco pecho respiraba afanosamente. Me llegó a dar vergüenza besarla, imaginando que se enojaba de mi osadía, y sólo la apretaba contra el corazón, o arrimaba a ella el rostro. Todas mis acciones y pensamientos se 35 referían a la dama, tenía con ella extraños refinamientos y delicadezas nimias. Antes de entrar en el cuarto de mi tía y abrir el codiciado cajón, me lavaba, me peinaba, me componía, como vi después que suele hacerse para acudir a las citas amorosas.

Me sucedía a menudo encontrar en la calle a otros niños de mi edad, muy armados ya de su cacho de novia, que ufanos me enseñaban cartitas, retratos y flores, preguntándome si yo no escogería también *mi niña* con quien cartearme. Un sentimiento de pudor inexplicable me ataba la lengua, y sólo les contestaba con enigmática y orgullosa sonrisa. Cuando me pedían parecer acerca de la belleza de sus damiselillas, me encogía de hombros y las calificaba desdeñosamente de *feas* y *fachas*. Ocurrió cierto domingo que fui a jugar a casa de unas primitas mías, muy graciosas en verdad, y que la mayor no llegaba a los quince. Estábamos muy entretenidos en ver un estereóscopo, y de pronto una de las chiquillas, la menor, doce primaveras a lo sumo, disimuladamente me cogió la mano, y conmovidísima, colorada como una fresa, me dijo al oído:

—Toma.

Al propio tiempo sentí en la palma de la mano una cosa blanda y fresca, y vi que era un capullo de rosa, con su verde follaje. La chiquilla se apartaba sonriendo y echándome una mirada de soslayo; pero yo, con un puritanismo digno del casto José, grité a mi vez:

—¡Toma!

Y le arrojé el capullo a la nariz, desaire que la tuvo toda la tarde llorosa y de monos conmigo, y que aun a estas fechas, que se ha casado y tiene tres hijos, probablemente no me ha perdonado.

Siéndome cortas para admirar el mágico retrato las dos o tres horas que entre mañana y tarde se pasaba mi tía en la iglesia, me resolví por fin a guardarme la miniatura en el bolsillo, y anduvo todo el día escondiéndome de la gente lo mismo que si hubiese cometido un crimen. Se me antojaba que el retrato, desde el fondo de su cárcel de tela, veía todas mis acciones, y llegué al ridículo extremo de que si quería rascarme una pulga, atarme un calcetín o cualquiera otra cosa menos conforme con el idealismo de mi amor purísimo, sacaba primero la miniatura, la depositaba en sitio seguro y después me juzgaba libre de hacer lo que más me conviniese. En fin, desde que hube consumado el robo, no cabía en mí; de noche lo escondía bajo la almohada y me dormía en actitud de defenderlo; el retrato quedaba vuelto hacia la pared, yo hacia la parte de afuera, y despertaba mil veces con temor de que viniesen a arrebatarme mi tesoro. Por fin lo saqué de debajo de la almohada y lo deslicé entre la camisa y la carne, sobre la tetilla izquierda, donde al día siguiente se podían ver impresos los cincelados adornos del marco.

El contacto de la cara miniatura me produjo sueños deliciosos. La dama del retrato, no en efigie, sino en su natural tamaño y proporciones, viva, airosa, afable, gallarda, venía hacia mí para conducirme a su palacio, en un carruaje de blandos almohadones. Con dulce autoridad me hacía sentar a sus pies en un cojín, y me pasaba la torneada mano por la cabeza, acariciándome la frente, los ojos y el revuelto pelo. Yo le leía en un gran misal, o tocaba el laúd, y ella se dignaba sonreirse, agradeciéndome el placer que la causaban mis canciones y lecturas. En fin, las reminiscencias románticas me bullían en el cerebro, y ya era paje, ya trovador.

Con todas estas imaginaciones, el caso es que fui adelgazando de un modo notable, y lo observaron con gran inquietud mis padres y mi tía.

—En esa difícil y crítica edad del desarrollo, todo es alarmante —dijo mi padre, que solía leer libros de medicina y estudiaba con recelo las ojeras obscuras, los ojos apagados, la boca contraída y pálida, y, sobre todo, la completa falta de apetito que se apoderaba de mí.

—Juega, chiquillo; come, chiquillo —solían decirme.

Y yo les contestaba con abatimiento:

—No tengo ganas.

Empezaron a discurrirme distracciones; me ofrecieron llevarme al teatro; me suspendieron los estudios, y diéronme a beber leche recién ordeñada y espumosa. Después me echaron por el cogote y la espalda duchas de agua fría, para fortificar mis nervios; y noté que mi padre, en la mesa, o por las mañanas cuando iba a su alcoba a darle los buenos días, me miraba fijamente un rato y a veces sus manos se escurrían por mi espinazo abajo, palpando y tentando mis vértebras. Yo bajaba hipócritamente los ojos, resuelto a dejarme morir antes que confesar el delito. En librándome de la cariñosa fiscalización de la familia, ya estaba con mi dama del retrato. Por fin, para mejor acercarme a ella, acordé suprimir el frío cristal: vacilé al ir a ponerlo en obra; al cabo pudo más el amor que el miedo que semejante profanación me inspiraba, y con gran destreza logre arrancar el vidrio y dejar patente la plancha de marfil.

Al apoyar en la pintura mis labios y percibir la tenue fragancia de la orla de cabellos, se me figuró con más evidencia que era persona viviente la que estrechaban mis manos trémulas. Un desvanecimiento se apoderó de mí, y quedé en el sofá como privado de sentido, apretando la miniatura.

Cuando recobré el conocimiento vi a mi padre, a mi madre, a mi tía, todos inclinados hacia mí con sumo interés; leí en sus caras el asombro y el susto; mi padre me pulsaba, meneaba la cabeza y murmuraba:

—Este pulso parece un hilito, una cosa que se va.

Mi tía, con sus dedos ganchudos, se esforzaba en quitarme el retrato, y yo, maquinalmente, lo escondía y aseguraba mejor.

—Pero chiquillo... ¡suelta, que lo echas a perder! —exclamba ella. ¿No ves que lo estás borrando? Si no te riño, hombre... yo te lo enseñaré cuantas veces quieras; pero no lo estropees; suelta, que le haces daño.

—Déjaselo —suplicaba mi madre —el niño está malito.

—¡Pues no faltaba más! —contestó la solterona. —¡Dejarlo! ¿Y quién hace otro como ése... ni quién me vuelve a mí a los tiempos aquéllos? Hoy en día nadie pinta miniaturas... eso se acabó... y yo también me acabé y no soy lo que ahí aparece!

Mis ojos se dilataban de horror; mis manos aflojaban la pintura. No sé como pude articular:

—Usted... el retrato... es usted....

—¿No te parezco tan guapa, chiquillo? ¡Bah! veintiséis años son más bonitos que... que... que no sé cuántos, porque no llevo la cuenta; nadie ha de robármelos!

Doblé la cabeza, y acaso me desmayaría otra vez; lo cierto es que mi padre me llevó en brazos a la cama, y me hizo tragar unas cucharadas de Oporto.

Convalecí presto y no quise entrar más en el cuarto de mi tía.

·9·

José Echegaray
(1832–1916)

LA ESPERANZA

La mayor parte de las aguas medicinales son muy antiguas. Brotaron del seno de la tierra en épocas remotas y tienen a su favor sus méritos propios y el prestigio de la tradición.

No así las de Fuente-cálida, que son modernísimas.

Un día se sintió un terremoto en una de las sierras más ásperas de la península; se formaron anchas grietas en el terreno, y al cabo de poco tiempo cada grieta era la boca de un manantial.

Y la casualidad, y algún análisis que otro, practicado por médicos o químicos de la región, vinieron a demostrar que los nuevos manantiales eran eficacísimos para enfermedades diversas y principalmente para la tisis.

En efecto, las nuevas aguas hicieron en pocos años curas prodigiosas. De tal suerte, que a vivir en siglos menos descreídos que el nuestro, en vez del nombre que hoy tiene la fuente principal, y que, como queda dicho, es el de Fuente-cálida, hubiérase llamado Fuente-milagrosa.

Pero la ciencia moderna es grandemente prosaica, y a la substancia milagrosa del manantial, ha sustituído dos cuerpos simples de la química: el ázoe y el azufre, como notas dominantes; sin contar con otras muchas notas armónicas de otros diferentes cuerpos, porque los manantiales de Fuente-cálida son riquísimos en elementos minerales.

Ello es que Fuente-cálida se hizo célebre en pocos años y la más noble sociedad de tísicos y tuberculosos de la península, y aun del extranjero, acudieron llenos de esperanza a mineralizar sus decadentes y blanduchos organismos.

No en un todo como miembro de esta sociedad elevada, sino

como individuo modesto de la burguesía media, acudió también al generoso manantial D. Ángel de Alcocer.

Al pronto nadie fijó la atención en el nuevo bañista o en el nuevo tísico, ni él hizo tampoco nada para que en él se fijasen.
5 Después, ya le conocía todo el mundo en el establecimiento, no por su nombre, sino por el mote de *el Sabio triste*.

Si era sabio, en toda la extensión de la palabra, no podemos asegurarlo, aunque después hemos sabido que era un hombre de mérito; pero que era tristón, tímido y retraído, no cabe duda.
10 Siempre andaba por los rincones, leyendo o meditando. Se mostraba poco comunicativo, no acudía por las noches al salón de conciertos, ni por la tarde paseaba en compañía de otros bañistas.

Casi de continuo iba solo, buscaba los sitios más separados y agrestes; sobre la hierba o sobre las rocas se sentaba o se tendía y
15 dejaba vagar en rededor su mirada pálida y distraída.

Hemos dicho que era retraído, pero esto no significa que fuese adusto; su retraimiento más procedía de timidez o de tristeza, que de odio u hostilidad al género humano.

Con los niños y con los animales era comunicativo y cariñoso;
20 tanto, que algunos bañistas no le llamaban el sabio tristón, sino *el amigo de los animales*.

Digamos, para terminar lo poco que podía decirse de D. Ángel, que era hombre de unos cuarenta años, aunque representaba algunos más; que en su juventud habría sido guapo, y hasta
25 poético; y que en el momento actual, por más que vistiese modestamente, algo daba a entender en ciertos pormenores de indumentaria que allá en otro tiempo habría sido un joven elegante y de buena sociedad.

Se murmuró que fue poeta, y aun poeta aplaudido. Actual-
30 mente era profesor de física y estaba amenazado de una tuberculosis incipiente, que era la que le había traído a Fuente-cálida.

Cuando se supo todo esto, que fue todo lo que pudo saberse, ya nadie se ocupó de don Ángel, y se abandonó a su tristeza y a su insignificancia.
35 Ni era molesto, ni era bullanguero, ni era murmurador, ni era gran personaje; por lo tanto, no había para que ocuparse de él.

Pero cierto día ocurrió una cosa extraordinaria en el establecimiento. El corderillo habíase trocado en fiera. Algunos bañistas, al pasear por los alrededores, habían encontrado a don Ángel convertido en un verdadero demonio y en lucha espantosa con un pobre borrico. 5

Aunque a decir verdad no fue lucha, sino encarnizamiento de un verdugo contra una víctima. El borrico huía, llevando en la boca un manojo de hierba, y le perseguía frenético don Ángel con los ojos inyectados de sangre, la boca con la contracción de la ira, en la mano un bastón, con el que sacudía sobre las re- 10 dondas ancas del pobre animal, y en la garganta gritos que parecían maldiciones unas veces y otras veces insultos al borriquillo.

Al pronto nadie creía la noticia, que fue, como ahora se dice, el acontecimiento del día y la comidilla de la noche en el salón 15 de conciertos entre señoras y caballeros, que reían a carcajadas por lo grotesco de la escena y por lo inesperado también, y porque, además, la risa ayuda en gran parte a la acción terapéutica de las aguas medicinales.

Era lo imposible, era lo ridículo; y fue preciso que D. Tomás, 20 hombre de edad avanzada, formal y verídico, repitiese la historia para que los bañistas la creyesen.

Pero ¿por qué, por qué D. Ángel, que era un verdadero ángel de bondad, se había encarnizado de aquel modo, él, el amigo de los animales, contra aquel animal inofensivo? 25

En el fondo de semejante sainete debía agitarse una tragedia, por lo menos un drama; acaso era en compendio toda la historia de D. Ángel. Y, en efecto, la historia de su vida entera venía a reflejarse en aquella lucha desatinada del hombre y del borrico, al cual, dicho sea entre paréntesis, fue D. Ángel arrepentido y 30 confuso al día siguiente a dar explicaciones endulzadas con algún terrón de azúcar.

Don Tomás, que tomó empeño en descubrir el secreto de aquella cólera repentina, consiguió, a fuerza de paciencia, hacerse amigo de D. Ángel, y más tarde, cuando ya volvieron a Madrid, 35 le refirió el profesor de Física la historia de su juventud, de sus luchas, de sus esperanzas, de sus desengaños, y, por último, la causa de su enojo contra el borrico, a quien tan desaforadamente apaleó en un momento de locura.

Empecemos por esta escena final, modestísima, ridícula casi; pero que simbolizaba en su tosquedad campesina toda la existencia, o mejor dicho, toda la juventud de D. Ángel.

En el centro de las escena, imagínese el lector una noria de las antiguas, de las de cangilones de barro, que suben llenos de agua y bajan vacíos, como subimos por la vida, llenos de esperanza y bajamos boca abajo, sin una gota de líquido, secos y desesperados, hasta caer otra vez en el centro de la tierra.

Al engranaje de la noria iba unida, como de costumbre, una palanca, y al extremo de la palanca estaba encinchado un pobre mulo que daba vueltas sin cesar.

Pero por mulo que fuese alguna inteligencia tenía, la necesaria al menos para comprender que aquellas vueltas podrían aprovechar al hortelano, que utilizaba el agua de la noria en el riego de sus huertas; pero que a él no le aprovechaban ni poco ni mucho y, en cambio, le fatigaban los músculos y le molían los huesos.

El resultado de estas consideraciones era que el mulo se detenía con frecuencia. Y entonces el hortelano, para no tener que estar constantemente apaleando a su caballería, tuvo una idea ingeniosa, aunque, a la verdad, no era nueva, ni por ella le hubiese concedido privilegio el Gobierno.

Y fue que del eje vertical de la noria sacó otra palanca o brazo, a cuyo extremo colgó un haz de hierba, de modo que viniera a quedar suspendido delante de la cabeza del macho, pero a cierta distancia. Invención que produjo efectos maravillosos, sobre todo cuando nuestro hombre tomó la precaución de tener a su macho hambriento todo el día.

Porque el animal sentía hambre, veía oscilar a poca distancia la hierba; para alcanzarla, estiraba el cuello y echaba el cuerpo hacia adelante, es decir, que daba vueltas a la noria; pero como al mismo tiempo giraba también la palanca que sostenía la hierba. jamás podía morder en ella.

Esto era lo que presenciaba D. Ángel, sentado en un ribazo y pensando filosóficamente que en aquella noria pobre, tosca y rechinante, en aquel macho hambriento, y en aquella hierba, verde y jugosa, que el movimiento de rotación balanceaba, se venía a simbolizar toda su vida, con sus tristezas, sus luchas, sus 5
esperanzas, y tanta y tanta crueldad y tanto desengaño de la suerte como sufrió el pobre en su casi estéril juventud.

Y al mulo de la noria y al D. Ángel del ribazo, es forzoso agregar otro tercer personaje, un borrico, listo y bien mantenido, que andaba en libertad por un prado próximo. 10

Con lo cual llegamos al punto culminante de la tragicomedia.

El mulo, rendido de fatiga, se detuvo.

El manojo de hierba quedó inmóvil, siempre a la misma distancia de la hambrienta boca del animal. Y, aprovechando aquella parada, el borrico del prado se acercó lenta y tranquilamente y 15
empezó a comer los tallos y hojas más desprendidos del haz en los mismos hocicos del fatigado y desesperado mulo, concluyendo por arrancar el haz entero.

Aquí fue donde perdió la paciencia don Ángel. Recuerdos crueles, hondas desesperaciones, muchas lágrimas de dolor, mu- 20
chos gritos ahogados en largas noches de vigilia, acudieron en tropel a su memoria. La sangre le subió al cerebro, los ojos se le inyectaron, perdió el dominio de sí mismo, no vio lo que le rodeaba, sino otro cuadro bien distinto, porque todo se le transformó. 25

El círculo de la noria era el círculo en que había girado su existencía, siempre el mismo, siempre seco y estéril; aquel mulo no era un animal cualquiera, era la imagen fiel de D. Ángel, porque D. Ángel no era orgulloso, más bien era humilde y no se sentía humillado al compararse con aquella bestia de trabajo; 30
antes bien se había dicho a sí mismo muchas veces: "¡Pero qué bestia eres, Ángel!"; aquel trabajo era como el suyo: penosísimo, siempre estéril para sí, siempre jugoso y destilando riego fecundo para los demás; aquel haz de hierba, tan verde, tan lustrosa, era como el símbolo rústico de sus esperanzas, que también eran 35
verdes, porque es el color propio de toda ilusión que ante nosotros flota y que nunca alcanzamos.

Y aquellas esperanzas tenían un nombre, uno solo: se llamaban Adela, una chica preciosa, de quien estuvo enamorado don Ángel en aquellos tiempos en que se llamaba Angelito, y en que así le llamaba ella con su voz dulcísima.

Por ella trabajó Ángel como un desesperado durante seis o siete años; por ella fue periodista, fue autor dramático, y alentado por aquella esperanza y por aquella mujer, obtuvo algunos triunfos que duraban un día o una noche y que luego se desvanecían en la nada. Roca que rueda al fondo y que él tenía que subir a la cresta constantemente.

Por ella, agotadas sus fuerzas, marchito o fatigado su ingenio; cerrado el horizonte del arte por desengaños, desdichas y malos amigos, se lanzó a la ciencia como hubiera podido lanzarse al fondo de un pozo; y bregando, y bregando, y presentándose a unas y otras oposiciones, al fin obtuvo una cátedra de 12.000 reales.

Y llegado a este punto se detuvo jadeante, como se había detenido el mulo de la noria y ofreció su mano blanca o morena, que esto no se sabe a punto fijo, a su adorada Adela.

Pero ¡ay! que la niña tenía otras aspiraciones más en armonía con su hermosura.

Ello fue que se presentó de pronto un nuevo pretendiente, D. Anacleto. Hombre de cincuenta años, corpulento, feo, calvo y riquísimo.

El no había dado nunca vueltas a la noria como Ángel, él vagaba libremente en carretela. Y llegó y venció; y Adela fue suya, ni más ni menos que había sido del borriquillo del prado el haz de hierba tan penosa y tan estérilmente perseguido por el pobre mulo de la noria.

Por eso, al transformarse el mundo exterior, a los ojos de D. Ángel también se había transformado el borrico, con sus largas orejas y sus redondeces de bestia bien mantenida, en el propio D. Anacleto, y ésta fue la transformación más espontánea y, por lo tanto, menos difícil que tuvo que realizar la sobreexcitada imaginación del antiguo poeta; y he aquí por qué, sin saber lo que hacía, cediendo a instintivo impulso, saciando antiguos rencores y tomando estrepitosas venganzas, había apaleado al borrico mientras éste huía por el prado llevándose entre los dientes, como en asnal estuche, el jugoso manojo de hierba.

En substancia, esto vino a decir D. Ángel a D. Tomás cuando llegó el día de las amistosas confidencias, y aun agregó lo que sigue: 5

"Mire usted, amigo D. Tomás, el lance fue grotesco, lo reconozco; estas visiones mías han sido soberanamente ridículas; pero en el fondo el símbolo campestre no puede ser más exacto. Lo ha sido hasta el fin. Porque yo le quité al borrico el haz de hierba y se la llevé al mulo, y el mulo no la quiso; sin duda la 10 hierba estaba marchita por el sol de todo el día y mascullada por el borriquillo, y de este modo le repugnaba lo que antes le apetecía; debía ser un mulo dotado de sentimientos delicadísimos.

Pues bien; esto me pasó a mí.

En los últimos días de mi estancia en Fuente-cálida, llegó 15 Adela, viuda y rica, y, según decían los bañistas, todavía bastante guapa, aunque yo no era de esta opinión.

Doña Adela, que ya no era mi Adelita, se mostró conmigo atenta, cariñosa, y, sin vanagloria, puedo decir que hasta insinuante estuvo. 20

Pero yo he sido siempre una pobre bestia del trabajo, más bestia que el mulo de la noria y, como él, encontraba aquel verdor de mis ansias y de mis esperanzas marchito y mascullado por el borrico en libertad, y que D. Anacleto me perdone la comparación." 25

En este punto D. Ángel, melancólico y resignado, dejó a D. Tomás para irse a su gabinete a seguir estudiando ciertas experiencias sobre atracciones y repulsiones eléctricas.

De todo este drama, tan prosaico, tan grotesco, pero en el fondo tan doloroso, los bañistas de Fuente-cálida no vieron más 30 que la paliza propinada al borrico, y no pueden quejarse, porque en la realidad de la vida esto es lo que muy pocas veces suele verse.

·10·

Héctor Velarde

(1898-)

"IN CORIUM"

El otro día, vagando por una de esas callejuelas olvidadas, torcidas y polvorientas de Chorrillos, me llamaron la atención una puerta cerrada y una placa de hierro aporcelanado que decía: Sociedad Filosófica "In Corium".

5 No pude resistir la curiosidad y toqué, toqué tímidamente primero, luego di un golpe fuerte. Iba a dar otro golpe cuando me abrieron.

¡Qué vi, Dios mío! En una salita conversaba, como si tal cosa, un grupo de personas desnudas.

10 —Entre —me dijeron—, desvístase, está usted en su casa...

—Pero, ¿usted no es de los nuestros? —me preguntó una señora con anteojos al ver mi asombro.

—Pero si toca como nosotros... —dijo un joven levantándose de su asiento.

15 Yo no sabía qué hacer; balbucié algunas palabras:

—Ustedes son nudistas, perdón; yo no soy nudista, me retiro...

—¡Un momento! —exclamó un anciano muy amable—, no se vaya, nosotros no somos nudistas, somos filósofos; "In Corium" quiere decir en cueros, buscamos la verdad desnuda; no se asuste,

20 le voy a explicar. Siéntese, usted será de los nuestros.

Me iba a sentar cuando oí una voz del grupo que decía:

—¡No, así no, así no hay sinceridad posible; que se desvista!

Tuve que desvestirme.

—Ya está ese hombre decente —murmuró un chico que no

25 dejaba de observarme.

—Pues bien —principió a decirme el anciano—, y soy Pepeles,

teósofo y jonio de Halicarnaso; poseo todas las tradiciones de la Atlántida; éstos son mis discípulos.

Y me presentó, una por una, a las personas del grupo. Eran casi todas extranjeras.

Yo me sentía francamente molesto.

—Déjese de esos pudores elementales; el verdadero pudor está en el alma —me dijo una rubia protocolar y distinguida.

—Vamos al grano —prorrumpió el viejo—. Nosotros no somos nudistas, ni como principio ni como fin. No se trata de baños de sol, exposiciones al aire libre, posturas atléticas, primitivismos antropológicos o negocio de fotografías, no. Nosotros estamos así porque amamos la verdad, la verdad solita. Nada más simple... Por ejemplo, usted con cuello y corbata es otro hombre. Un señor vestido de frac, con pechera almidonada, es decir, cuando debe estar más importante, es justamente cuando menos lo está, pues en esas condiciones apenas puede pensar, y dice tonterías. Observe usted cómo se idiotizan los jóvenes por el solo hecho de ponerse un sweater de color o un pantalón blanco que los haga muy ingleses. Un plastrón, unos guantes, un par de escarpines, un tongo, en fin, una sola prenda de vestir basta para que muchas personas se crean sinceramente lo que no son y se lo hagan creer a los demás. Los ejemplos abundan... Un hombre desnudo miente poco, y con el tiempo no dice sino la verdad; no le queda otra cosa. Sin ropa, la inclinación al bien es evidente; usted no puede concebir que viva desnudo un caballero de industria, un intrigante, un agente de armamentos o una mujer mal intencionada. Esto es lo más elemental de nuestros principios, y si se lo digo ahora es para que sepa usted que está entre gente honorable.

No me cabía la menor duda.

Pepeles siguió diciéndome:

—La desorientación, la inquietud, el caos, que vemos hoy en el mundo, no son debidos sino a la acumulación de tres mil años de convencionalismo y mentiras. La humanidad se ha saturado de ficciones, se está ahogando bajo una inmensa trapería de ideas y de técnicas. Hay muy pocos que llegan a ver ingenuamente, alegremente, generosamente, a los demás hombres, a las mujeres, a la naturaleza, a Dios. Hay demasiada ropa, demasiada... Ese viejo cuco de Bernard Shaw pensaba bien cuando escribía: "Dios trae al mundo a los hombres desnudos, y se los lleva del mundo desnudos. Si en el mundo los hombres se arrancan la ropa, no es culpa de Dios."

—Nosotros, querido amigo —exclamó Pepeles—, no nos arrancamos nada, estamos como vinimos al mundo y listos para que Dios nos lleve; ya no hay culpa. Estamos, pues, en lo justo, por lo menos en lo que se refiere al cuerpo, que es el causante de casi todos los tapujos serios y de las artimañas decorativas que ponen en movimiento la moda...

—¡Ah!, el ropaje —suspiró Pepeles—. Hasta la experiencia es un ropaje. No hay nada más peligroso que un hombre bruto con experiencia.

Yo comencé a sentir frío.

—Nosotros no renunciamos a las grandes conquistas de la ciencia, a la belleza de todas las artes, al ingenio, al cigarrillo. No. Pero, eso sí, no permitimos que nada de eso nos vele la luz, nos opaque la verdad, nos impida ser amplios, generosos, tolerantes, alegres, sanos y felices. Así quiere el Creador que seamos, y así somos.

Yo principié a tiritar.

Pepeles no terminaba.

—La desnudez del cuerpo y del alma resolvería hoy, y en forma encantadora, el problema magno de la conservación del individuo y de la especie. Los hombres desnudos ocupan menos lugar, comen menos, son forzosamente metódicos y democráticos, se levantan con la luz, por la noche duermen (de otra manera les daría pulmonía), las grandes diferencias de fortuna y clases debidas al vestido desaparecerían, y con ellas las inquietudes actuales. Luego, las guerras se irían suprimiendo poco a poco. Nadie ametralla a personas desnudas. A un hombre completamente desnudo se le respeta siempre. En cuanto a la conservación de la especie, ésta sería de primer orden. Los hombres y las mujeres, llenos de salud y de inocencia, darían generaciones magníficas. Nada de farsas, de dotes en ropaje de toda clase, de engaños sobre la edad de los cónyuges, de coqueterías artificiosas, coloretes o tentaciones malsanas a fuerza de velos y de trapos.

—Aunque la mona se vista de seda, mona se queda —murmuré yo, tartamudeando de frío.

Pepeles no me hizo caso.

—El amor será platónico, único, espiritual... Debemos llegar a esto, a nuestro estado de felicidad primera, al momento en que nos pusieron en el Paraíso. Si llegamos a esto, Dios nos perdonará la primera desobedencia, causa de toda la ropa que se ha usado hasta hoy.

—¿Y qué debemos hacer para llegar a este estado? —le pregunté a Pepeles, ya con escalofríos y con señales de fiebre.

—Algo muy fácil y que ya tengo estudiado. ¿Usted se ha fijado con qué naturalidad se pasea semidesnuda la juventud en las playas? Ese es el principio. Los jóvenes y la gente evolucionada sienten ya la necesidad de estar así, libres, al sol, alegres, sin ningún artificio, sin ninguna malicia. ¿No le causan a usted cierta impresión de vetustez y asco esos señores todos vestidos, que miran socarronamente a las muchachas en las playas? Esos son ya unos pobres diablos; nadie les hace caso... Esto también es sintomático: Es, pues, el momento de seguir adelante. Creo que podría principiar así:

1.° —Hacer que la gente tome la costumbre de pasearse en traje de baño por las calles y en sus casas, cosa que ya se logra en algunos lugares de los Estados Unidos.

2.° —Acostumbrar a los reacios con dos métodos: que se vayan desprendiendo poco a poco de sus ropas, prenda por prenda, hasta llegar a la indiferencia; o, repetir la presencia en condiciones mínimas de una misma persona hasta que su estado parezca natural.

3.° —Hacer ensayos generales por la noche y durante el día, con careta.

4.° —Emprender estos métodos con las instituciones, diferenciando a los funcionarios y profesionales con simples gorros de forma y de colores diferentes.

5.° —Que las revistas bataclánicas sean a todo trapo. para que la desnudez adquiera toda su nobleza.

6.° —Establecer finalmente la República de Platón.

—Pero, ¿por qué han escogido ustedes esta tierra de Lima para realizar semejante empresa? —le pregunté a Pepeles, ya helado.

—Por el clima —me contestó—. En esta tierra podemos andar desnudos todo el año. Si aquí la gente quisiera y comprendiera, nadie tendría por qué arrancarle la ropa a nadie.

Di tres estornudos, me desperté, estaba completamente destapado sobre la cama.

·11·

Emilia Pardo Bazán

(1851–1925)

EL ENCAJE ROTO

Convidada a la boda de Micaelita Aránguiz con Bernardo de Meneses, y no habiendo podido asistir, grande fue mi sorpresa cuando supe al día siguiente —la ceremonia debía verificarse a las diez de la noche, en casa de la novia— que ésta, al pie del mismo altar, al preguntarle el Obispo de San Juan de Acre si recibía a Bernardo por esposo, soltó un *no* claro y enérgico; y como reiterada con extrañeza la pregunta se repitiese la negativa, el novio, después de arrostrar un cuarto de hora la situación más ridícula del mundo, tuvo que retirarse, deshaciéndose la reunión y el enlace a la vez.

No son inauditos casos tales, y solemos leerlos en los periódicos; pero ocurren entre gente de clase humilde, de muy modesto estado, en esferas donde las conveniencias sociales no embarazan la manifestación franca y espontánea del sentimiento y de la voluntad.

Lo peculiar de la escena provocada por Micaelita, era el medio ambiente en que se desarrolló. Parecíame ver el cuadro, y no podía consolarme de no haberlo contemplado por mis propios ojos. Figurábame el salón atestado, la escogida concurrencia, las señoras vestidas de seda y terciopelo, con collares de pedrería, al brazo la mantilla blanca para tocársela en el momento de la ceremonia; los hombres con resplandecientes placas o luciendo veneras de Ordenes militares en el delantero del frac; la madre de la novia, ricamente prendida, atareada, solícita, de grupo en grupo, recibiendo felicitaciones; las hermanitas, conmovidas, muy monas, de rosa la mayor, de azul la menor, ostentando los brazaletes de turquesas, regalo del cuñado futuro; el Obispo que ha de bendecir la boda, alternando grave y afablemente, sonriendo, dignándose soltar chanzas urbanas o discretos elogios, mientras allá en el fondo se adivina el misterio del oratorio revestido de flores, una inundación de rosas blancas, desde el suelo hasta la cupulilla, donde convergen radios de rosas y de lilas como la nieve, sobre rama verde, artísticamente dispuesta; y en el altar, la efigie de la Virgen protectora de la aristocrática mansión, semioculta por una cortina de azahar, el contenido de un departamento lleno de azahar que envió de Valencia el riquísimo propietario Aránguiz, tío y padrino de la novia, que no vino en persona por viejo y achacoso —detalles que corren de boca en boca, calculándose la magnífica herencia que corresponderá a Micaelita, una esperanza más de ventura para el matrimonio, el cual irá a Valencia a pasar su luna de miel—. En un grupo de hombres me representaba al novio, algo nervioso, ligeramente pálido, mordiéndose el bigote sin querer, inclinando la cabeza para contestar a las delicadas bromas y a las frases halagüeñas que le dirigen.

Y por último, veía aparecer en el marco de la puerta que da a las habitaciones interiores una especie de aparición, la novia, cuyas facciones apenas se divisan bajo la nubecilla del tul, y que pasa haciendo crujir la seda de su traje, mientras en su pelo brilla como sembrado de roció la roca antigua del aderezo nupcial... Y ya la ceremonia se organiza, la pareja avanza conducida por los padrinos, la cándida figura se arrodilla al lado de la esbelta y airosa del novio... Apíñase en primer término la familia, buscan buen sitio para ver amigos y curiosos, y entre el silencio y la respetuosa atención de los circunstantes... el Obispo formula una interrogación, a la cual responde un *no* seco como un disparo, rotundo como una bala. Y —siempre con la imaginación— notaba el movimiento del novio, que se revuelve herido; el ímpetu de la madre, que se lanza como para proteger y amparar a su hija, la insistencia del Obispo, forma de su asombro, el estremecimiento del concurso, el ansia de la pregunta transmitida en un segundo: "¿Qué pasa? ¿Qué hay? ¿La novia se ha puesto mala? ¿Que dice *no*? Imposible... ¿Pero es seguro? ¡Qué episodio!..."

Todo esto, dentro de la vida social, constituye un terrible drama. Y en el caso de Micaelita, al par que drama, fue logogrifo. Nunca llegó a saberse de cierto la causa de la súbita negativa.

Micaelita se limitaba a decir que había cambiado de opinión y que era bien libre y dueña de volverse atrás, aunque fuese al pie del ara, mientras el sí no partiese de sus labios. Los íntimos de la casa se devanaban los sesos, emitiendo suposiciones inverosímiles. Lo indudable era que todos vieron, hasta el momento fatal, a los novios satisfechos y amarteladísimos; y las amiguitas que entraron a admirar a la novia engalanada, minutos antes del escándalo, referían que estaba loca de contento, y tan ilusionada y satisfecha, que no se cambiaría por nadie. Datos eran estos para obscurecer más el extraño enigma que por largo tiempo dio pábulo a la murmuración, irritada con el misterio y dispuesta a explicarlo desfavorablemente.

A los tres años, cuando ya casi nadie iba acordándose del sucedido de las bodas de Micaelita, me la encontré en un balneario de moda, donde su madre tomaba las aguas. No hay cosa que facilite las relaciones como la vida de balneario, y la señorita de Aránguiz se hizo tan íntima mía, que una tarde, paseando hacia la iglesia, me reveló su secreto, afirmando que me permitía divulgarlo, en la seguridad de que explicación tan sencilla no sería creída por nadie.

—Fue la cosa más tonta. De puro tonta no quise decirla; la gente siempre atribuye los sucesos a causas profundas y trascendentales, sin reparar en que a veces nuestro destino lo fijan las niñerías, las *pequeñeces* más pequeñas... Pero son pequeñeces que significan algo, y para ciertas personas significan demasiado. Verá usted lo que pasó; y no concibo que no se enterase nadie; porque el caso ocurrió allí mismo, delante de todos; sólo que no se fijaron, porque fue, realmente, un decir Jesús.

Ya sabe usted que mi boda con Bernardo de Meneses parecía

reunir todas las condiciones y garantías de felicidad. Además, confieso que mi novio me gustaba mucho, más que ningún hombre de los que conocía y conozco; creo que estaba enamorada de él. Lo único que sentía era no poder estudiar su carácter: algunas personas le juzgaban violento; pero yo le veía siempre cortés, deferente, blando como un guante, y recelaba que adoptase apariencias destinadas a engañarme y a encubrir una fiera y avinagrada condición. Maldecía yo mil veces la sujeción de la mujer soltera, para la cual es un imposible seguir los pasos de su novio, ahondar la realidad y obtener informes leales, sinceros hasta la crudeza —los únicos que me tranquilizarían. Intenté someter a varias pruebas a Bernardo, y salió bien de ellas; su conducta fue tan correcta, que llegué a creer que podía fiarle sin temor alguno mi porvenir y mi dicha.

Llegó el día de la boda. A pesar de la natural emoción, al vestirme el traje blanco reparé una vez más en el soberbio volante de encaje que lo adornaba, y era regalo de mi novio. Había pertenecido a su familia aquel viejo Alenzón auténtico, de una tercia de ancho —una maravilla— de un dibujo exquisito, perfectamente conservado, digno del escaparate de un museo. Bernardo me lo había regalado, encareciendo su valor, lo cual llegó a impacientarme, pues por mucho que el encaje valiese, mi futuro debía suponer que era poco para mí.

En aquel momento solemne, al verlo realzado por el denso raso del vestido, me pareció que la delicadísima labor significaba una promesa de ventura, y que su tejido tan frágil y a la vez tan resistente prendía en sutiles mallas dos corazones. Este sueño me fascinaba cuando eché a andar hacia el salón, en cuya puerta me esperaba mi novio. Al precipitarme para saludarle llena de alegría, por última vez antes de pertenecerle en alma y cuerpo, el encaje se enganchó en un hierro de la puerta, con tan mala suerte, que al quererme soltar oí el ruido peculiar del desgarrón, y pude ver que un girón del magnífico adorno colgaba sobre la falda. Sólo que también vi otra cosa: la cara de Bernardo, contraída y desfigurada por el enojo más vivo; sus pupilas chispeantes, su boca entreabierta ya para proferir la reconvención y la injuria...

No llegó a tanto, porque se encontró rodeado de gente; pero en aquel instante fugaz se alzó un telón y detrás apareció desnuda un alma.

Debí de inmutarme; por fortuna, el tul de mi velo me cubría el rostro. En mi interior, algo crujía y se despedazaba, y el júbilo con que atravesé el umbral del salón se cambió en horror profundo. Bernardo se me aparecía siempre en aquella expresión de ira, dureza y menosprecio que acababa de sorprender en su rostro; esta convicción se apoderó de mí, y con ella vino otra: la de que no podía, la de que no quería entregarme a tal hombre, ni entonces, ni jamás... Y, sin embargo, fui acercándome al altar, me arrodillé, escuché las exhortaciones del Obispo... Pero cuando me preguntaron, la verdad me saltó a los labios, impetuosa, terrible...

Aquel *no* brotaba sin proponérmelo; me lo decía a mí propia... ¡para que lo oyesen todos!

—¿Y por qué no declaró usted el verdadero motivo, cuando tantos comentarios se hicieron?

—Lo repito: por su misma sencillez... No se hubiesen enterado. Preferí dejar creer que había razones de esas que llaman serias...

·12·

Alfonso Hernández-Catá

(1885–1940)

EL MAESTRO

El director, antes de aceptar sus servicios, resumió el interrogatorio. Sin duda el traje deslucido, la camisa de un blanco amarillento y, sobre todo, la palidez enjuta de su cara, le debían inspirar recelo. El vicio y la miseria, ¿no dejan en los hombres
5 huellas parecidas?

Las pupilas azules del director —un azul sin bondad, un azul como equivocado —añadían a las semiinterrogaciones una sombra capciosa.

—Nada de beber, por supuesto.

10 —Nada, señor.

—Y fumar, lo menos posible.

—Nada. No fumo.

—Mejor. Claro que esos que llaman pequeños vicios son válvulas de la naturaleza. Yo mismo, después de las comidas. . . .
15 El caso es hacerlo con moderación. Al último profesor, precisamente, tuve que expulsarle por el cigarrillo. No se extrañe: además del mal ejemplo dado a los muchachos, me quemaba las mesas. . . . De sus conocimientos no he querido hablarle: los supongo. . . . Lo que sí tendrá que hacer es cuidar un poco el
20 indumento. Poco a poco el colegio sube de categoría. Aún tenemos, por lo de la subvención oficial a los zarrapastrosos del barrio. Pero las familias ricas ya empiezan a otorgarnos su confianza. Quién sabe si hasta don Miguel el banquero mande su niño. ¿Comprende usted?

25 —Comprendo, sí. Apenas pueda me compraré otro traje y dos camisas.

—Pues, entonces, aceptado. Dijimos cuarenta y la comida de mediodía en vez de cincuenta. Los tiempos son malos.

...Sin beber ni fumar, aunque tome café, ya tiene. Desde el lunes.

Aceptó la merma. Al llegar contento a su casa, su mujer le dijo sonriéndole:

—Ojalá nos dure ese refugio y no haya nada que te lo haga dejar. ¡Ah, el día en que logres colocar uno de tus libros a un editor y se reconozca tu talento!...

Empezó sus lecciones con la semana, y antes del jueves el director estaba seguro de haber escogido el mejor aspirante al puesto.... Explicaba a conciencia y sabía hacerse querer de los muchachos manteniéndolos en el difícil equilibrio situado entre la rigidez y el exceso de confianza. Por las tardes, en la última lección, su diestra solía vagabundear por los países sintéticos del globo terraqueo colocado sobre la mesa; y en tanto el primero de la clase dibujaba mapas sobre el encerado, poníase a garrapatear renglones cortos en hojas que guardaba después. El director dudó varios días si aquellos renglones serían verso o cuentas domésticas, y se decidió por lo último.

Pero el primero de la clase, en cambio, no dudó. Era uno de los "zarrapastrosos": carita de anemia, frente bombeada sobre un mirar ancho y humilde, blusa oscura hasta los tobillos, y una voluntad de aprender impresionante, casi dramática. No era esa memoria fiel e inconsciente de las cabezas nuevas: era un inclinarse patético hacia el fondo de las cosas, un abrirse paso entre las dificultades de la letra para llegar al espíritu. Y todo ello animado de tiempo en tiempo por un resplandor adivinatorio.

—Lo que usted escribe, señor maestro, son versos, ¿verdad?

—¿Cómo lo sabes?

—Porque.... Me lo he figurado así, de pronto. Cuando en la hoja del calendario de casa hay versos, yo los leo siempre. Y guardo un papel que mandaron de la tienda, envolviendo arroz, con unos versos preciosos, muy tristes. Papá dice que esos son tonterías. Pero mamá dice que los versos los hacen los poetas. Yo no sabía que se pudiera ser maestro y poeta.

—No se puede, no.

—Cuando tuve la fiebre, que estuve tan malo, soñé dos veces que hacía versos.

Así se estableció entre ellos el lazo de la simpatía.... Ni una palabra ajena a las lecciones se volvió a cruzar entre ellos; y sin embargo, ¡cuántos mensajes fueron y vinieron del uno al otro sin que los demás discípulos lo advirtiesen, en aquellas preguntas y respuestas sólo para ellos libres de sonsonete y tedio! A veces los lagos, los istmos, los océanos, los continentes, las estrellas, las nebulosas, adquirían para ambos una novedad rara, suavísima como un buen secreto; y hasta los mismos problemas de aritmética, al resolverse, les ofrecían una especie de prodigio gozoso.

En su casa, cuando tras la parca cena el niño ponía en la almohada la cabecita, cerraba los párpados avaramente para aprisionar entre ellos un sueño que lo llevase de prisa a la próxima mañana; y en su buhardilla, al acostarse..., el maestro pensaba: "¡Ah, si ese muchacho cayera en buenas manos, si no lo debilitase la miseria y no lo reclamase un oficio en cuanto pueda ganar jornal!".... Y para los dos el sábado era peor que el domingo, porque el domingo era la víspera del primer día de clase....

Pero el reloj de la felicidad anda de prisa, y en él las horas densas vienen a detener el ritmo de las horas ingrávidas. Empezó la hora densa con el minuto en que el director, todo oronda sonrisa, con un poco del oro de la cadena del reloj reflejando en el erróneo azul de sus ojos, entró en el aula trayendo de la mano al nuevo discípulo.

—¡De pie todos! Así. Hay que cuidar la cortesía colectiva.... Le presento a un nuevo alumno, señor profesor. Está un poco atrasado, a causa de que sus padres han viajado mucho y atendieron en primer lugar a robustecerlo: *Primo vivere,*[1] ya sabe usted.... Es hijo de don Miguel de Siles, el ilustre financiero Desde luego yo le daré cada dos o tres días una clase especial para poder pasarlo cuanto antes a mi grupo. He preferido traerlo aquí

1. Primo vivere *Life comes first.*

para hacerle la aclimatación más fácil. Entre los mayores, de pronto, quizás se hubiera sentido extraño.

El nuevo discípulo era recio y vestía con primor. Además no era torpe. Un amor propio elástico lo ahincaba en el estudio. A diario venía a traerlo y a buscarlo un criado, y por las tardes la cestita de su merienda era cuerno de la abundancia y centro de una viva circunferencia de envidia y de gula. El comía y daba después el resto. Pero había en su generosidad, igual que en su aplicación, un sentimiento para el maestro poco simpático. Era caritativo, no generoso; codicioso de las buenas notas, no del saber lento, callado. El tesón marcaba el vértice de su carácter y la retentiva el de su inteligencia. A pesar de su afabilidad con sus compañeros, se notaba que pensaba en silencio: "Si quisiera podía tratarlos de otro modo."

Al final de la primera semana de estar en clase el nuevo discípulo, el director llamó al maestro para decirle:

—Veo que el hijo de don Miguel avanza. Hay que ayudarle. Comprenda usted... Su padre no quiere ponerle un profesor particular porque como él salió de familia humilde... Piensa que lo mejor que se enseña en la escuela es el aprendizaje de la vida.... Manías.... Usted procure, en lo posible, aislarle en clase y....

—Aislarlo, no. En eso tiene razón su padre. Sería vejaminoso para los demás, y una mala lección para él mismo. Yo le ayudo según usted quiere; procuro enseñarlo a estudiar, que es lo que más necesita. Si no fuera exclusivamente memorista avanzaría mejor.

—Parece que hay en la clase otro que es su preferido.

—No. Otro que sobrepasa al hijo del señor banquero en entendimiento por lo menos lo que su padre en fortuna a mí. Más aún que en el trato de los hombres, estimo que la justicia se hace precisa en el de los niños, y tengo la conciencia tranquila: mis notas son justas, justas en absoluto.

El azul engañador de las pupilas dictatoriales se nubló, y la boca plegóse en un gesto ceniciento, de experiencia.

—Déjese usted de sutilezas, amigo. Lo absoluto tiene poco que ver con la vida humana. Esos tiquis miquis pedagógicos son buenos para llenar páginas de libros, pero en lo práctico, en la clase... No me niegue que los progresos del muchacho saltan a la vista. Si se tratara de un zopenco, de un haragán... Ea, usted es demasiado inteligente para necesitar que prolonguemos esta conversación. Ábrame la mano en las notas y empújeme al muchacho.

Y comenzó la pugna, azuzada por la pasión de toda la clase. Arbitrariamente, bajo la mirada inquieta del maestro, dos bandos se formaron. Y el niño pobre, el casi amortajado en la blusa oscura, no obtuvo siquiera el sufragio de sus hermanos en pobreza. Hasta allí el reflejo de oro de la banca impurificaba las simpatías elementales. No necesitaba el niño rico ni compartir sus sobras para atraerse partidarios. Su salud, el aire grave con que el criado de teatrales patillas lo llevaba por la acera, le bastaban. "Mi padre me comprará una bicicleta el día que le quite a ése el primer puesto, y no la pierdo aunque tenga que romperme los codos estudiando" —decía con fuerte ingenuidad. Ya estaba el segundo de la clase. A diario recitaba las lecciones sin dejar coma. Y una especie de ansia de empujar, de quitar de en medio al taponcito humano que apretando también en el estudio hasta desmejorarse, se aferraba al lugar eminente, movía cada mañana y cada tarde a casi todos los chicos a realizar actos de violencia espiritual.

Sin duda el maestro era justo. Su simpatía no destilaba jamás del lápiz empleado para las calificaciones. Pero ni los niños, ni el director, ni siquiera el banquero, que ya empezaba a irritarse, aspiraban a la justicia. La presión de la pugna sobrepasaba ya los limites del colegio y amenazaba extravasarse hasta las casas, hasta la ciudad entera. El niño rico estudiaba y rabiaba; el otro estudiaba y languidecía.

Don Miguel, al terminar la cena, decía entre burlesco y colérico a su heredero: "Parece ser que hay un Salomón perdulario que no te deja echarle la zancadilla, ¿eh? Por supuesto que —esto dirigiéndose a la esposa —el maestro es otro perdulario y ahí esta el *quid*. Habrá que decirle al director del colegio una palabrita." Y, paralelamente, el padre del perdulario, cuando acaban de comer y veía al niño meterse en un rincón con los libros, le gritaba: "¡Deja eso ya, que gastas velas que da grima! ¡Bueno es lo bueno, pero no tanto!"

La palabrita al director fue dicha, y una vigilancia severa se organizó contra el maestro obstinado en no avenirse a razones. "Si hace falta se le echa, ¡no faltaba más!" —ofrecieron los labios del director. Pero el banquero, interesado ya en la aventura como si el crédito de su banca fuese también en ella, afirmó que su interés era que el muchacho alcanzara el primer puesto con aquel maestro y no con otro. El director apeló entonces a subterfugios. Antes de las vacaciones se efectuaría un certamen, y de él saldrían las calificaciones finales. El mismo —los ojos azules, la cadena de oro sobre el vientre —daría a los *centuriones* de cada grupo, la víspera, nota de los temas a desarrollar.

Oyéndolo, el maestro esbozó una sonrisa. El ejercicio desarrollado así era arma de dos filas: si se prestaba a una preparación previa al hijo del banquero, prestábase también a la polémica, en la cual el conocimiento verdadero de las cosas triunfaría de la memoria fácilmente. Deseoso de no caer en partidarismo, el maestro advirtió a toda la clase:

—El señor director me ha dicho que antes de fin de curso habrá un certamen. La clase se dividirá en dos bandos, capitaneados por... usted y por... usted. Supongo que aprovecharemos el tiempo que falta.

Y cuando en su fuero interno se felicitaba de que la simpatía no le hubiese detenido y dulcificado la mirada en el discípulo predilecto, el otro, con ingenuidad, amplió la noticia:

—Sí, señor, y habrá invitados. Van a venir papá y mamá. Y me han encargado un traje a Inglaterra para ese día. Y si me llevo el primer puesto iré a patinar a Suiza en las vacaciones.

Durante los días restantes del curso la competencia siguió encarnizada. El segundo de la clase revelaba no sólo el esfuerzo sino la ayuda de alguien —acaso un profesor particular, tal vez el director mismo; —pero el primero no cedía. Para el uno los textos eran meta; para el otro, ventanas hacia perspectivas confusas aún, pero menos oscuras y más anchurosas cada vez.

Llegó al fin el día de la fiesta. Mientras su mujer le prodigaba al traje que no había podido sustituir esos cuidados de amoniaco y cepillo que restituyen a la ropa gravemente enferma mejora efímera, el maestro le dijo:

—Me hubiera gustado amanecer enfermo para no ir.

Su integridad le impedía emboscarse tras un pretexto para rehuir un deber. Pero llegó al colegio con el tiempo justo, y ocupó su puesto subalterno en el estrado.

La vasta sala, llena a diario de murmullos alegres, parecía otra: guirnaldas y trofeos de papel señoreaban sobre los mapas mustios, y unos cuantos caballeros y damas le enajenaban todo aire infantil. Los mismos niños alineados en bancos paralelos, parecían menos niños con sus ropitas de día feriado. Desde sus puestos eminentes el banquero y su mujer sonreían al joven gladiador intelectual que se aprestaba a luchar bajo su divisa. Su contrincante no llevaba la blusa oscura, sino un traje semejante al traído de Inglaterra, más basto y sin gracia.

La pugna inicióse dentro del marco de un silencio eléctrico. Al requerimiento sonriente, ante la atención de toda la sala, el trajecito venido de Inglaterra se irguió, y dos labios recitaron con puntos y comas durante diez minutos. Crepitaron aplausos. Después, tras un "Ahora le toca a usted" de la cadena de oro y los ojos de usurpado azul, el trajecito de imitación se puso vertical, y palabras tímidas creadas de momento por la imaginación para vestir las nociones que penetraron desnudas, verdaderas, en la mente infantil, vibraron durante corto tiempo. Los mismos conceptos repetidos y dichos con acento tímido, inseguro, no podían interesar ya al auditorio. Al terminar el trajecito basto, sólo dos ojos estaban fijos en él, y sólo una cabeza asentía.

Con las impugnaciones, la derrota aceleró su marcha —una ansia de acabar pronto, de escapar con su fracaso, dominó al vencido. Tartamudeaba, sudaba y miraba a la puerta. ¡Que lo dejasen a poner su blusa! Que se fuera el otro a Suiza en su bicicleta nueva, ¡mejor! ¿Por qué aquella crueldad de prolongar el torneo, si no resistía ya? Era inútil que lo exhortasen a fijarse, a recobrar la sangre fría. Dentro de su cabeza reinaba la niebla, y un frío, como de hambre, en su corazón. Ni siquiera escuchaba las preguntas que se sucedían sarcásticas, acorralándolo. Ni siquiera le pareció ofensa la falsa condescendencia del director cuando, sonriéndole, le dijo que lo suponía mejor preparado. Y su estupor fue inmenso cuando detrás de la primera fila del estrado vio alzarse los ojos que en vano quiso evitar, y oyó la voz del maestro, siempre dulce para él, gritar en una explosión tremenda de rabia:

—¡Basta ya! Ya tiene el triunfo el que no lo debe tener: el papagayo! ¡Dejen al pobre niño en paz, verdugos!... ¡El señor director ha preparado esta farsa para que el señor banquero y su esposa puedan babear de gusto! ¡La inteligencia de ese pobre niño era su único bien en la tierra, y acaban ustedes de robársela luego de manchársela de duda! ¡Pueden estar contentos! ¡Todo lo que haya usted robado en su vida de banquero, es menor que lo que acaba de robarse aquí! ¡En las escuelas como ésta es donde se incuban para el mañana venganzas que parecerán después crímenes!

Y rompiendo por entre la sorpresa paralizada del salón, salió. Ya había traspuesto la puerta cuando surgieron las primeras exclamaciones: "¡Es un loco!", "¡Debe de haber bebido!", "¡Es un bolchevique!"... A pesar de los esfuerzos del director, el reparto de premios no logró ser alegre. Para los mismos niños el sabor de los dulces repartidos después no fue el mismo de otros dulces peores y más sabrosos comidos otras veces.

* * * *

El maestro llegó a su casa, y su mujer advirtió en seguida en su rostro ecos de la escena.

—Te ha pasado algo, no me lo niegues. ¿Qué ha sido?

—Me he ido del colegio. Ya estamos en la calle otra vez... Quizás una intemperancia mía. Siempre seré un estúpido... ¡Pero, no! Le han robado al mejor de mi clase el premio para dárselo a otro, al hijo de un banquero, y... ¡Ah, si vieras la carita de anemia del pobre despojado!... Suponte que tú y yo hubiéramos tenido un hijo y que le hubieran hecho eso... ¡Ah, no! Me levanté y los llamé ladrones, infames... No sé. No les llamé todo lo que se merecían... ¿Es que debí callarme? Dime.

—No. ¡Has hecho bien! Siempre haces bien, y por eso nos va mal en la vida. No importa. La miseria y nosotros somos amigos... Por eso no nos trata demasiado mal... ¿Cómo me preguntas si debiste callar? ¡Si fueras capaz de callarte cuando otros se callan, yo no te querría tanto!

·13·

Emilia Pardo Bazán

(1851–1925)

LA CAJA DE ORO

Siempre la había visto sobre su mesa, al alcance de su mano bonita, que a veces se entretenía en acariciar la tapa suavemente; pero no me era posible averiguar lo que encerraba aquella caja de filigrana de oro con esmaltes finísimos, porque apenas intentaba apoderarme del juguete, su dueña lo escondía precipitada y nerviosamente en los bolsillos de la bata, o en lugares todavía más recónditos, dentro del seno, haciéndola así inaccesible.

Y cuanto más la ocultaba su dueña, mayor era mi afán por enterarme de lo que la caja contenía. ¡Misterio irritante y tentador! ¿Qué guardaba el artístico chirimbolo? ¿Bombones? ¿Polvos de arroz? ¿Esencias? Si encerraba alguna de estas cosas tan inofensivas, ¿a qué venía la ocultación? ¿Encubría un retrato, una flor seca, pelo? Imposible: tales prendas, o se llevan mucho más cerca o se custodian mucho más lejos: o descansan sobre el corazón, o se archivan en un secreter bien cerrado, bien seguro... No eran despojos de amorosa historia los que dormían en la cajita de oro, esmaltada de azules quimeras, fantásticas rosas y volutas de verde ojiacanto.

Califiquen como gusten mi conducta los incapaces de seguir la pista a una historia, tal vez a una novela. Llámenme enhorabuena indiscreto, antojadizo, y por contera, entrometido y fisgón impertinente. Lo cierto es que la cajita me volvía tarumba, y agotados los medios legales, puse en juego los ilícitos y heroicos... Mostréme perdidamente enamorado de la dueña, cuando sólo lo estaba de la cajita de oro; cortejé en apariencia a una mujer, cuando sólo cortejaba a un secreto; hice como si persiguiese la dicha... cuando sólo perseguía la satisfacción de la curiosidad. Y la suerte, que acaso me negaría la victoria si la victoria realmente me importase, me la concedió... por lo mismo que al concedérmela me echaba encima un remordimiento.

No obstante, después de mi triunfo, la que ya me entregaba cuanto entrega la voluntad rendida, defendía aún, con invencible obstinación, el misterio de la cajita de oro. Desplegando zalameras coqueterías o repentinas y melancólicas reservas; discutiendo o bromeando, apurando los ardides de la ternura o las amenazas del desamor, suplicante o enojado —, nada obtuve; la dueña de la caja persistió en negarse a que me enterase de su contenido, como si dentro del lindo objeto existiese la prueba de algún crimen.

Repugnábame emplear la fuerza y proceder como procedería un patán, y además, exaltado ya mi amor propio (a falta de otra exaltación más dulce y profunda), quise deber al cariño y sólo al cariño de la hermosa la clave del enigma. Insistí, me sobrepujé a mí mismo, desplegué todos los recursos, y como el artista que cultiva por medio de las reglas la inspiración, llegué a tal grado de maestría en la comedia del sentimiento, que logré arrebatar al auditorio. Un día en que algunas fingidas lágrimas acreditaron mis celos, mi persuasión de que la cajita encerraba la imagen de un rival, de alguien que aún me disputaba el alma de aquella mujer, la vi demudarse, temblar, palidecer, echarme al cuello los brazos y exclamar, por fin, con sinceridad que me avergonzó:

—¡Qué no haría yo por ti! Lo has querido... pues sea. Ahora mismo verás lo que hay en la caja.

Apretó un resorte; la tapa de la caja se alzó y divisé en el fondo unas cuantas bolitas tamañas como guisantes, blanquecinas, secas. Miré sin comprender, y ella, reprimiendo un gemido, dijo solemnemente:

—Esas píldoras me las vendió un curandero que realizaba curas casi milagrosas en la gente de mi aldea. Se las pagué muy caras, y me aseguró que, tomando una al sentirme enferma, tengo asegurada la vida. Sólo me advirtió que si las apartaba de mí o las enseñaba a alguien, perdían su virtud. Será superstición o lo que quieras: lo cierto es que he seguido la prescripción del curandero, y no sólo se me quitaron achaques que padecía (pues soy muy débil), sino que he gozado salud envidiable. Te empeñaste en averiguar... Lo conseguiste... Para mí vales tú más que la salud y que la vida. Ya no tengo panacea, ya mi remedio ha perdido su eficacia: sírveme de remedio tú; quiéreme mucho, y viviré.

Quedéme frío. Logrado mi empeño, no encontraba dentro de la cajita sino el desencanto de una superchería y el cargo de conciencia del daño causado a la persona que al fin me amaba. Mi curiosidad, como todas las curiosidades, desde la fatal del Paraíso hasta la no menos funesta de la ciencia contemporánea, llevaba en sí misma su castigo y su maldición. Daría entonces algo bueno por no haber puesto en la cajita los ojos. Y tan arrepentido que me creí enamorado; cayendo de rodillas a los pies de la mujer que sollozaba, tartamudeé:

—No tengas miedo... Todo eso es una farsa, un indigno embuste... El curandero mintió... Vivirás, vivirás mil años... Y aunque hubiesen perdido su virtud las píldoras, ¿qué? Nos vamos a la aldea y compramos otras... Todo mi capital le doy al curandero por ellas.

Me estrechó, y sonriendo en medio de su angustia, balbuceó a mi oído:

—El curandero ha muerto.

Desde entonces la dueña de la cajita—que ya no la ocultaba ni la miraba siquiera, dejándola cubrirse de polvo en un rincón de la estantería forrada de felpa azul —empezó a decaer, a consumirse, presentando todos los síntomas de una enfermedad de languidez, refractaria a los remedios. Cualquiera que no me tenga por un monstruo supondrá que me instalé a su cabecera y la cuidé con caridad y abnegación. Caridad y abnegación digo, porque otra cosa no había en mí para aquella criatura de quien había sido verdugo involuntario. Ella se moría, quizás de pasión de ánimo, quizás de aprensión, pero por mi culpa; y yo no podía ofrecerla, en desquite de la vida que le había robado, lo que todo lo compensa: el don de mí mismo, incondicional, absoluto. Intenté engañarla santamente para hacerla dichosa, y ella, con tardía lucidez, adivinó mi indiferencia y mi disimulado tedio, y cada vez se inclinó más hacia el sepulcro.

Y al fin cayó en él, sin que ni los recursos de la ciencia ni mis
5 cuidados consiguiesen salvarla. De cuantas memorias quiso legarme su afecto, sólo recogí la caja de oro. Aún contenía las famosas píldoras, y cierto día se me ocurrió que las analizase un químico amigo mío, pues todavía no se daba por satisfecha mi maldita curiosidad. Al preguntar el resultado del análisis, el
10 químico se echó a reir.

—Ya podía usted figurarse —dijo —que las píldoras eran de miga de pan. El curandero (¡si sería listo!) mandó que no las viese nadie... para que a nadie se le ocurriese analizarlas. ¡El maldito análisis lo seca todo!

·14·

Manuel Beingolea
(1876–1956)

MI CORBATA

Me la regaló Marta, una provincianita a quien seduje con mi aplomo y mis modales de limeño. Estaba hecha de un retazo de seda rosa, oriundo quizá de algún vestido en receso, y sobre ella la donante había bordado, con puntadas gordas e ingenuas, multitud de florecillas azules que no pude reconocer si eran miosotis. Me la envió en una caja de jabón Windsor, que olía muy bien.

Yo, por aquel tiempo, era un pobrete que me comía los codos y andaba de Ceca en Meca, galopando tras un empleo en una oficina del Estado. Ser amanuense era entonces mi mayor ambición. Cincuenta soles de sueldo eran para mí inestimable tesoro que sólo muy escasos mortales podían poseer. ¡Oh, cincuenta soles de sueldo! Con esa suma asegurada hubiera yo doblado el cabo de la felicidad. ¿Qué cómo? Cuando se es amado a pesar de ser pobre, una gran confianza en el porvenir nos alienta. Y la dulce serranita me amaba. Muchos pretendientes había despachado por mi causa. Felices horteras endomingados que le hacían rueda mientras le vendían media vara de surah o un corte de indiana. Así como eran mejores que yo los tales horteras desde el punto de vista matrimonial. Tenían regulares sueldos, y lo que ellos llamaban las rebuscas, cosa que, probablemente, yo me moriría sin conocer. Pero Marta los mandaba a paseo sin escucharlos siquiera. Sólo yo era el preferido. Quizá me encontraba distinto también a los jóvenes de su tierra, sentimentales y turbulentos. A mí no me disgustaba la muchacha. Tenía bonito pelo, ojos tiernos y tocaba en el piano "Al pie del Misti" con bastante sentimiento. Con ella y mis cincuenta soles hubiera sido feliz.

Lo único que parecía apenarla era mi poca fe. Mi carencia de religión.

—¿Cree usted en Dios? —me preguntaba a menudo.

—Naturalmente —le respondía yo.

5 —No es bastante; es preciso cumplir con la Iglesia, es preciso creer.

La verdad es que yo no creía sino en mi pobreza. Sólo se cree en Dios a partir de cincuenta soles de sueldo.

Un día fui invitado, sin saber cómo, a una reunión. Figuraos 10 mi alborozo cuando recibí la siguiente esquela:

"Grimanesa de Bocardo e hijas tienen el honor de invitar a usted a su casa, Aumente 341, a tomar una taza de té la noche del martes."

Y en el reverso: "Señor Idiáquez". ¡Canastos! ¡Una taza de té! 15 Yo que ni siquiera había comido seriamente aquel día.

Parecíome recibir una invitación celestial y me preguntaba si los filetes de oro de la esquelita no serían una insignia angélica. Bocardo... Bocardo. Nombre sonoro. ¡Qué diablo! Nombre perteneciente sin duda a algún abogado de nota de esos que 20 llevan siempre como cola esta frase: "Lumbrera del foro peruano". Nombre que quizá hace y deshace de millones de empleos de cincuenta soles.

Me emperejilé lo mejor que pude, con un chaquet de diagonal ribeteado con trencilla, unos pantalones de esa tela a cuadritos 25 que parece un trazado para jugar al "león y las ovejas";[1] un chaleco despampanante, escotado hasta el ombligo, dejando al descubierto la dudosa pechera de mi única camisa formal, donde figuraba un grueso botón de doublé, y un sombrero hongo de copa no más alta que una cáscara de nuez, de esos que puso en 30 moda en Lima el ya olvidado actor Perrin. Y, en medio de todo esto, replandeciente como un astro de primera magnitud, mi famosa corbata. Famosa, sí. ¡Voto al chápiro!

La casa de Aumente No. 341 era un majestuoso prodigio de simetría. Constaba de dos ventanas de reja, una a cada lado de la

1. para jugar al "león y las ovejas" *for playing hop-scotch.*

puerta; dos balcones, uno sobre cada ventana. Adentro, dos departamentos, uno a cada lado del zaguán. En el fondo, una mampara de vidrieras con una ventana a cada lado. Todo allí parecía en equilibrio, repartido a ambos lados de alguna cosa, como hecho ex profeso[2] para demostrar la ley de compensaciones. Entré. Alguien tocaba un vals al piano, cuyos fragmentos se escuchaban entre un sordo murmullo. Dejé mi sombrero en una salita y penetré en el salón. Multitud de parejas bailaban atropellándose. Grupos animados conversaban en los rincones, en el hueco de las ventanas; algunos jóvenes se paseaban solos con las manos en los bolsillos. Vi asímismo a niñas a quienes nadie sacaba a danzar, bien por negligencia o por ignorancia del baile. Yo hubiera querido ponerme a las órdenes de la dueña de casa, como se estila en semejantes ocasiones, pero —la verdad —sentí embarazo. No me atreví a preguntar dónde se la podía encontrar. Una linda morena vestida color malva, sentada en el extremo de un sofá, me cautivó desde el primer instante. Resolví bailar con ella. Cuando se lo propuse, pareció sorprendida, y me miró de arriba abajo. Sin embargo, me dijo con amabilidad exquisita:

—Tengo ya compromiso, caballero.

Yo me senté a su lado, sin saber qué decirla al pronto. Me concreté a olerla. Y qué bien olía. ¡Voto al chápiro! ¡Qué pobre me pareció Marta con su jabón de Windsor! Esta en cambio, embriagaba. De su seno elevado y palpitante se escapaban oleadas que me desvanecían. Indudablemente, la dicha debía oler a eso. Empezaba a dirigirla la palabra, cuando un joven se acercó, le dio el brazo y desapareció dejándome lelo. Entonces me juzgué en la obligación de sacar a una esbelta rubia que mordía nerviosamente el extremo de su abanico. Miróme de hito en hito, y me dijo secamente: "Estoy cansada". Luego creí oportuno dirigirme a otra señorita, la cual me dijo con marcado desdén lo mismo. Volví a la carga con otra, que también me despachó fulminándome con una mirada despreciativa. Recorrí las restantes, a las

2. ex profeso *specifically (i.e., made to order)*

que acababan de bailar y a las que no habían bailado aún, y todas me petrificaban con aquel terrible y descortés "Estoy cansada". ¡Y lo mejor es que salían con el primero que se les presentaba! Empecé a amoscarme. Me pareció notar que algo chocarrero, 5 existente en mí, me hacía acreedor al desprecio. Entonces, sin saber qué partido tomar, rogué a un joven que discurría por allí, y que me infundió confianza (hay rostros así, que infunden confianza), que me explicara el caso. Miróme con impertinencia, y me dijo: "Tiene usted una corbata *imposible*. Lo mejor que 10 puede usted hacer es largarse, joven". ¡Corbata imposible! Y me fijé en la de él. En efecto, era una hermosa corbata color de vino, hecha de mano maestra, atravesada por un alfiler de oro.

Salí avergonzado, sin despedirme. ¿De quién me iba a despedir? Tal como había entrado. Nunca he comprendido por qué me 15 invitaron a aquella casa. Quizá por equivocación

* * * *

Como es de suponerse, la sangre me hervía. Hubiera deseado aporrear, abofetear, pisar a alguien. Maquinaba venganzas terribles contra la para mí desconocida señora Bocardo. Hubiera deseado decirle: "Venga usted para acá, grandísima tía, ¿con qué 20 objeto me invita a su cochina taza de té, que ni siquiera he bebido?" Y en cuanto a Marta, la muy serrana, ya podía esperarme sentada. ¡Qué ridícula me pareció su corbata! Una corbata que no servía ni para ahorcarse. Que fuera allá con sus horteras. Lo que es yo... ¡Que si quieres!

25 Desde aquel día se presentó a mi mente un mundo elegante y seductor, desconocido hasta entonces. Comprendí que en la vida había algo mejor que empleos de cincuenta soles. Me harté de las perrerías de mi existencia, de las monsergas de mi patrona, de las comidas del restaurante a diez centavos el plato, esas 30 infames comidas con sabor a chamusquina. ¡Ah, qué mundo tan perro! Qué indecencia. ¡Había que salir de él a todo trance, como se pudiera, sin reparar en los medios!

Por lo pronto era menester vestir elegante y usar corbatas

atravesadas por un alfiler de oro. Haciendo acopio de todo el aplomo que me quedaba, me lancé donde el mejor sastre de Lima. Me hice confeccionar un traje de chaquet según la última moda. Di las señas de mi patrona, a quien anticipadamente anuncié un supuesto destino en la aduana con sueldo fabuloso, y esperé los acontecimientos. Mi patrona era viuda de un coronel, cuyo retrato al óleo, obra del pintor Palas, se exhibía en el salón amueblado con buen gusto. Cuán distinto del cuarto que me alquilaba en el interior, donde apenas cabía una cama de dobleces. Le rogué, poniéndome grave, que recibiera la ropa que había mandado hacer por cuenta del Ministerio de Hacienda. Cuando oyó "Ministerio de Hacienda" abrió cada ojo la señora... ¡Voto al chápiro! Jamás he mentido con más aplomo.

—¿Supongo que me pagará usted lo atrasado? —me dijo con júbilo.

—Con creces, mi querida señora, con creces —le respondí yo, echándome atrás.

El mejor sastre de Lima no tuvo inconveniente en dejar el traje en el salón de una señora donde se exhibía un retrato tan prócer. Cuando la criada le dijo: "El joven ha salido", hizo la mar de reverencias.

¡Oh!, no había para qué molestarse, mandaría la cuenta, ¡bah! Apenas le vi torcer la esquina, me colé a la casa de mi patrona. Ya estaba allí mi traje extendido sobre un sofá. ¡Oh, qué maravilla de traje! Figuraos un chaquet redondeado correctamente, con una gracia mundana singular, una hilera de botones forrados en tela, unas solapas bien alisadas, con poca hombrera. Un chaquet digno del Ministerio de Hacienda. Corrí a mi tugurio, lo dejé sobre mi camastro y volví donde mi patrona, desolado...

—Qué necesita usted? —me dijo ésta, con tono cariñoso.

—¡Ah, señora, usted sabe! Mi sueldo no lo recibiré hasta fin de mes..., ¡necesito ahora cien soles para ciertos gastos!...

—Con el mayor gusto, Idiáquez —respondióme—. Sólo le voy a pedir un favor: si usted puede colocar a mi hijo en su oficina..., no es porque necesite nada mientras yo viva..., ¡usted sabe!..., ¡pero! ¡Es tan bonito estar en la Aduana!

Le ofrecí destinar a toda su familia. Entonces me dijo: "¿Gusta usted doscientos?" Puse una cara de banquero que teme comprometerse, y por fin dije: "¡Bueno, vengan!"

Si me hubierais visto volver, una hora después, en un coche cargado de camisas, sombreros, pares de botas, bastones y cajas de estupendas y lujosísimas corbatas... Pero prefiero mostrarme en Mercaderes, con mi chaquet, exhibiendo una corbata modelo, atravesada por un alfiler de oro, y con una espejeante chistera. Me calé los guantes color patito, me puse el pantalón bien planchado, cayendo sobre unos escarpines que a su vez caían sobre dos botas de charol, flamantes. Ninguna mujer me pareció bastante bonita. Ninguna tienda bastante abastecida. Ninguna corbata bastante lujosa. La calle de Mercaderes fue para mí estrecho sitio donde no cabía mi persona. Hombres y mujeres me miraban fija y tenazmente, con envidia aquéllos, con complacencia éstas. De pronto, al salir de Guillón, encontré a la morena del baile, magníficamente ataviada, irresistible, encantadora. Estaba vestida de claro y llevaba en la mano multitud de paquetitos. Me miró con una de aquellas miradas con que las mujeres suelen decir "me gustas". La seguí. Iba en compañía de una criada, de una persona de esas en quienes no se repara jamás. Ella volvió la cara sonriente. Parecía que quisiera decirme: "Atrévete". Yo me acerqué, y después de saludarla correctamente le deslicé al oído todas aquellas frases que son del caso: "¿Tan temprano de paseo?" "¡Con razón la mañana está tan hermosa!" "¿Qué le parece a usted el calor?" Contestóme con amabilidad inusitada, hízome recuerdos del baile donde "nos divirtimos tanto", y luego me rogó que fuera a su casa, donde sus padres tendrían gran gusto recibiéndome.

Me enamoré terriblemente de la señorita en cuestión. Acudí a su casa, donde fui tratado con grandes agasajos. La despatarré con una docena de corbatas hábilmente combinadas. La pedí en matrimonio, y a los cuatro meses me casaba con ella, entrando en posesión de una fortuna respetable. ¡Al demontre las perrerías!

Hoy soy padre de una numerosa familia, que da bailes a los que concurren las mejores corbatas de Lima. Poseo casas en la capital, una hacienda en las afueras. Quintas en el campo. Minas en Casapalca. Voy jueves y domingos al paseo Colón en un elegante carruaje, y he hecho varios viajes a Europa. Mi mujer, no contenta con hacerme rico, ha querido hacerme célebre: gracias a ella he sido diputado, senador y... lo demás. Todo sin más esfuerzo que un cambio de corbata.

Pero, aquí entre nosotros, os confesaré que no soy feliz. Mi mujer es cariñosa, es cierto. ¡Me anuda cada corbata! Pero me parece que piensa más en sus trajes que en su marido. Mis hijos también piensan más en sus caballos que en su padre. Yo me he vuelto ambicioso, y pienso más en la "cosa pública" que en mi mujer y en mis hijos. Más feliz hubiera sido con mi arequipeñita. ¡Oh!, esa que me quería arrancado y por mí mismo. Con ella y mis cincuenta soles hubiera vivido ignorado, sin ambiciones que me consumen, ni desengaños que me torturan. ¿Qué habrá sido de ella? A veces, cuando estoy muy triste, saco del fondo de mi gaveta la corbata que me regaló, y me enternezco recordando a Marta y aspirando ese olor ya desvanecido del jabón de Windsor. Decididamente, la verdadera dicha debe oler a jabón de Windsor.

·15·

Gregorio Martínez Sierra
(1881–1947)

PASTORAL

Tiempo de Nieve

Es la noche del último día del año. El bosque está cubierto de nieve, y sobre su blancura surgen los troncos negros de los árboles, como columnas de ébano; las copas desnudas cruzan su ramaje bajo el cielo, 5 que está sereno. Aparece la luna y pinta su luz pálida, sobre la nitidez del suelo, sombras azules. Todo es silencio y parece llegado el reino de la paz. Sobre el techo inclinado de la cabaña, que tiene nieve encima de las pajas y diamantea bajo la claridad de la luna, hay un penacho de humo, y su sombra, como sombra de alas, inquieta y ligera, es lo único 10 que vive en la calma tenaz del paisaje, dormido por la noche y el invierno.

Dentro de la cabaña, junto al hogar que hace fiesta de llamas y chispas, Eudoro, el pastor viejo, y Alcino, el pastor mozo, tienen una charla en la que el viejo dice las amables mentiras de un cuento.

15 EUDORO. Erase[1] una reina blanca y rosa, como una rosa que hubiese caído en la nieve; tenía los ojos azules como el azul del cielo en noche de agosto, y cabellos dorados y lucientes como el dorado musgo que nace entre las peñas.

ALCINO. ¿Has visto alguna vez a esa reina, abuelo?

20 EUDORO. Sí, muchas veces... cuando he soñado.

ALCINO. ¿Iba vestida de blanco?

EUDORO. Iba vestida del color del sueño.

ALCINO. Tienen color los sueños?

EUDORO. Tiénenle:[2] los sueños de los niños son blancos y

1. Érase *Once upon a time there was . . .*
2. Tiénenle [*Yes*] *they do have (*i.e., *color)*

llevan lentejuelas de plata; los sueños de los mozos tienen el carmín de las rosas y están recamados de oro; los sueños de los hombres son púrpura y topacio, del color de las puestas de sol; los sueños de los viejos tienen el color indeciso de las hojas que van a caer, color en que se funden y se anegan todos los colores 5 que fueron, color de recuerdos: porque has de saber, hijo, que el soñar de los viejos es sólo recordar.

ALCINO. Yo no quiero soñar con la reina que dices; quiero verla. ¿No vive?

EUDORO. Dicen que vive. 10

ALCINO. ¿No es posible encontrarla?

EUDORO. Dicen que hay quien la encuentra.

ALCINO. ¿La oíste hablar?

EUDORO. Hablaba como el agua que corre: con voz de cristal.

ALCINO. ¿Y qué decía? 15

EUDORO. Nunca supe entender sus decires, pero eran amables y sonaban a promesa.

ALCINO. ¿Y sonreía cuando tú la viste?

EUDORO. Siempre sonríe.

ALCINO. ¿No quisieras tú hallarla? 20

EUDORO. Ya es tarde: soy viejo y moriré este año.

ALCINO. ¿Por qué? Ya han caído las hojas y vives.

EUDORO. Los viejos no se mueren cuando caen las hojas, sino cuando las flores van a nacer.

Por la ventana entra un rayo de luna y las llamas del hogar palidecen. 25

ALCINO. Y dime, abuelo: ¿cómo se llama la reina de tu cuento?

EUDORO. Se llama reina Sol.

ALCINO. ¡Sol! Es lindo nombre, y parece que cuando se pronuncia llueve paz. 30

EUDORO. Es que al oirlo se duermen en el alma los deseos.

En el hogar vase muriendo el fuego: ya no hay llamas. Los troncos hechos ascua se cubren de ceniza que es como espuma gris; uno cae y se quiebra; suscítase un chisporroteo moribundo.

EUDORO. Hora es de recogerse, rapaz. Signémonos. "En el nombre del Padre y del Hijo y del Espíritu Santo: que el Señor Dios nos libre de los malos sueños y de la muerte súbita que viene callando, con paso de lobo: que Santa María nos guarde 5 bajo su manto, y el Angel Custodio bajo la sombra de sus alas."

Es la hora del alba. A oriente, rojo y formidable, surge de entre las nieblas del crepúsculo el sol. Las ramas altas se doran y la nieve desde ellas cae a tierra fundida en gotas de cristal. Con el primer rayo de sol levántase Alcino: tiene en el rostro rosetas de fiebre y en los ojos fulgores 10 extraños.

ALCINO. Abuelo: dadme la bendición. Márchome en busca de la reina Sol.

EUDORO. Ve que es invierno y ha cubierto la nieve los caminos.

15 ALCINO. Acaso en la nieve encuentre sus huellas.

EUDORO. Mira que es frío el aire y son cortos los días.

ALCINO. El frío es buen amigo del caminar y en las noches de invierno la luna es clara.

EUDORO. ¡Que Dios te bendiga!

20 ALCINO. Es blanca y rosa; tiene voz de cristal, ojos color de cielo, y cabellos dorados como el musgo que crece entre las peñas. La encontraré.

Pasa junto al río, que está quieto y callado, porque el hielo tiene presas las aguas. De los palos del puente cuelgan témpanos turbios que 25 poco a poco se van fundiendo. Más allá del río hay una colina, y en las laderas crecen los pinos siempre verdes y siempre tristes. Bajo aquel pino hay una cabaña y junto a la cabaña un huerto: tiene cerca de piedras vestida de zarza, y en los espinos parece la nieve vellón de cordero. Rosa María está hilando a la puerta de la cabaña, y mientras hila, canta esta 30 copla vieja:

La Nochebuena se viene,
la Nochebuena se va,
y nosotros nos iremos
y no volveremos más.

35 Alcino pasa, pero, absorto en su ensueño, no la ve.

ROSA MARÍA. ¿Dónde tan de mañana, pastor?

ALCINO. Marcho a peregrinar por el mundo hasta que encuentre a la reina Sol.

ROSA MARÍA. Iré contigo.

Rosa María deja la rueca y camina junta al pastor.

Tiempo de Rosas 5

En el reino de la Primavera. Hay un mullido tapiz de césped y en él las margaritas muestran sus corazones de oro circundados de coronas blancas; las borrajas yerguen sus corolas azules henchidas de miel; un boscaje de almendros floridos hace dosel al trono de la reina, que está coronada de violetas. Zephiros guarda la entrada del boscaje escoltado 10 por susurrante legión de abejas.

Alcino y Rosa María aparecen. Vienen de tierras en que reina el invierno y sus ojos se alegran mirando las flores.

ROSA MARÍA. ¿Dónde estamos, Alcino? ¿Cuál es este país donde no hay nieve y sobre el cual parece que han llovido flores? 15

ALCINO. Acaso es el reino de la reina Sol. Acerquémonos.

ZEPHIROS. ¿Quiénes sois?

ALCINO. Somos peregrinos.

ZEPHIROS. ¿Cumplís un voto?

ALCINO. Vamos en busca de una promesa. 20

ROSA MARÍA. ¿Podremos descansar en este boscaje?

ZEPHIROS. Sí, si hacéis homenaje a nuestra reina.

ALCINO. ¿Se llama Sol?

ZEPHIROS. Se llama Primavera. Entrad. Señora: ved estos peregrinos que traigo a vuestros pies. 25

LA PRIMAVERA. ¿Dónde vais?

ALCINO. Yo voy en busca de la dicha.

ROSA MARÍA. Yo voy con Alcino.

ALCINO. Yo sé que es hermosa.

ROSA MARÍA. Yo sé que está lejos. 30

ALCINO. Yo sé que su reino es triunfante.

ROSA MARÍA. Yo sé que en el camino de su reino hay flores y hay espinas.

ALCINO. Y voy a él mirando a lo alto.

ROSA MARÍA. Y voy junto a él quitando las espinas de su paso y cortando las flores para su frente.

ALCINO. Voy con mi ensueño.

ROSA MARÍA. Voy con Alcino.

5 LA PRIMAVERA. Rapaza, tú tienes el secreto de la vida. Zephiros, coronadla de rosas, porque sabe amar. Y tú, pastor, ¿no sabes que es locura desdeñar el amor que pasa por la dicha que ha de venir?

ALCINO. Señora, ¿conocéis a la reina Sol?

10 LA PRIMAVERA. Conózcola.

ALCINO. ¿Dónde es su reino?

LA PRIMAVERA. No tiene reino, porque es inquieta como el agua que corre; donde quiera que va, reina y pasa.

ALCINO. ¿Cómo encontrarla, entonces?

15 LA PRIMAVERA. Dejándose encontrar por ella. Algunos, a la sombra de mis boscajes, gustaron el gozo de su visitación, porque es mi amiga y a menudo descansa entre la pompa de mis flores. Breve y fugaz es mi reinado; mientras dura, puedes vivir bajo mi cetro y esperar, si te place.

20 ALCINO. Señora, soy vuestro esclavo.

ROSA MARÍA. Alcino, mira las rosas sobre mi frente.

ALCINO. Así serán las rosas de su rostro: rosas caídas en la nieve.

ROSA MARÍA. Mira las borrajas azules que traigo prendidas 25 en el pecho.

ALCINO. Así serán sus ojos: azules como el cielo de agosto.

ROSA MARÍA. Mira el rayo del sol que me ha dado esta reina por corona.

ALCINO. Dorados han de ser sus cabellos como el dorado 30 musgo que crece entre las peñas.

LA PRIMAVERA. ¿No piensas, Zephiros, que el pastor está loco?

ZEPHIROS. Pienso que su alma no merece la dicha, puesto que desoye el amor y cierra los ojos a la Primavera.

35 *Alcino y Rosa María descansan a la sombra del boscaje; viene la noche.*

ROSA MARÍA. ¿Por qué no te duermes sobre mi corazón?

ALCINO. No dormiré: es preciso que atisbe su venida. Duerme tú.

ROSA MARÍA. No dormiré; porque si pasa, huirás con ella y me quedaré sola. 5

ALCINO. Duerme: dondequiera que vaya, vendrás conmigo.

ROSA MARÍA. ¿Y qué harás tú en la noche?

ALCINO. Mientras duermes cantaré mi ensueño.

ROSA MARÍA. Y yo, durmiendo, soñaré que le cantas para mí. 10

Rosa María se reclina en el césped; un rayo de luna la besa en la boca y luego en los ojos y luego en la frente; después la sombra movediza de las ramas floridas la envuelve en los encajes de un velo. Un ruiseñor trina en lo alto de una copa; y ajustando estrofas a la música de sus trinos, Alcino canta su canción. 15

Por el mes era de mayo,
cuando hace la calor,
cuando canta la calandria
y responde el ruiseñor:
cuando los enamorados 20
van a servir al amor.

Tiempo de Amapolas

Es mediodía. En la planicie, que está cubierta de mies madura, ponen las amapolas el triunfo de sus pétalos rojos; el cielo, placa de azul esmalte, está bañado en sol, y la planicie, espejo de los cielos, refulge. 25 Son los caminos polvorientos y la fatiga pesa sobre los caminantes; las cigarras, ásperamente, cantan la gloria del verano.

El pastor y su amiga van camino adelante.

ROSA MARÍA. ¿Estás triste?

ALCINO. Pasó la Primavera y no vino. Aquella reina burlóse 30 de nosotros.

ROSA MARÍA. Nos dio todas las flores de su jardín.

ALCINO. Que se han caído.

ROSA MARÍA. Nos convidó con la frescura de sus arroyos.

ALCINO. Que se han secado.

ROSA MARÍA. Nos halagó con sus promesas.

ALCINO. Que han mentido.

ROSA MARÍA. Pero que estaban dichas con tan dulce voz...
5 Escucha, Alcino: puesto que todo pasa, gocémoslo todo mientras vive; mira las espigas, que son de oro; mira la luz, que es como una cascada que cae del cielo; mira las amapolas, que son como bocas de niño que se ríen. ¿No te gustan los niños? Yo soy amiga de los niños y de los corderos. Cuando encontremos a tu reina
10 Sol, le pedirás una cabaña con un jardín y un prado; en el jardín habrá una parra y en el prado un arroyo; las flores de la parra, cuando llega el verano, huelen a gloria y la corriente del arroyo canta con voz de fiesta. Nacerán en la orilla juncos felpudos y habrá piedras redondas y blancas, y cantarán los sapos y las ranas,
15 como si fuesen flautas, con notas de cristal. ¿No me escuchas, Alcino?

ALCINO. ... Su vestidura es de color de ensueño.

ROSA MARÍA. ¡Ay de mí!

Siguen caminando; la planicie se puebla de gentes que trabajan: son
20 segadores que van cortando la rubia mies; con las espigas caen las amapolas; el suelo, despojado, se riza con la aspereza del rastrojo; el sudor diamantea en las frentes de los que trabajan, y uno de ellos canta.

Viento, vientiño del norte,
viento, vientiño nortero:
25 viento, vientiño del norte...
¡Arriba mi compañero!

ALCINO. ¿Oyes cómo canta ese hombre?

ROSA MARÍA. Acerquémonos.

ALCINO. Vos, el que cantáis..., ¿queréis decirme quién sois
30 y a quién servís?

SEGADOR. Estos campos son el imperio del Estío, poderoso señor que dora la mies y madura los frutos.

ALCINO. ¿Y decís que la reina Sol mora entre vosotros?

SEGADOR. La reina Sol es extranjera en todos los países; pero
35 si hombres hay cerca de su trono y propicios ante su corazón, somos nosotros, los trabajadores de la tierra, porque ella es amiga

de la abundancia. ¿Queréis vivir a nuestro lado mientras dura el agosto? Acaso venga y logréis su favor.

ALCINO. Viviremos a vuestro lado y esperaremos vuestra promesa.

SEGADOR. Tomad vuestras hoces; el trabajo es buen compañero de la esperanza. 5

Los peregrinos emprenden la tarea. Rosa María va y viene entre la mies, ligera y reidora como sirena entre las aguas; su hoz centellea, y sus brazos estrechan las espigas para formar el haz, como brazos de madre ciñen al hijo; y piensa con gozo en la abundancia del hogar, en el 10 pan blanco que saldrá de los granos dorados, y canta la canción de los segadores y se corona con las amapolas que caen también segadas.

ROSA MARÍA. Escucha, Alcino. En nuestra casa tendremos un horno para cocer el pan; yo amasaré la harina, y será gozo remover con los brazos su blancura, y respirar aquella fragancia de 15 las cortezas que se van tostando, y ver como la pasta blanca se va haciendo morena. Mira, yo, que era blanca también, estoy morena, porque el sol me ha besado. ¿Te gusta el sol?

ALCINO. A ti todo te place y a todas horas estás contenta.

ROSA MARÍA. Porque soy amiga de todo lo que veo. Parece 20 que el alma se me rompe en pedazos y cada uno halla morada en un rincón del mundo. Si oigo cantar un pájaro, paréceme que tengo corazón del pájaro; si huelo una flor, paréceme que su aroma es mi alma; si miro al cielo, creo que soy el cielo; si me baño en las aguas, soy como las aguas y en ellas me pierdo: todo 25 el mundo está en mí y todas sus alegrías son mi gozo.

ALCINO. Yo estoy lejos del mundo y su alegría parece un insulto a mi añoranza.

ROSA MARÍA. Acaso esa reina que buscas no existe.

ALCINO. Existe y me llama. 30

ROSA MARÍA. Tal vez pasó junto a nosotros y no la conocimos.

ALCINO. Mi corazón ha de reconocerla dondequiera que esté.

En la noche los pastores peregrinos duermen en la era, sobre el montón fragante de mies cortada; las estrellas tejen y destejen su eterno 35 caminar bajo el azul perlino de los cielos; la Vía Láctea se tiende en el espacio como blanca bandera de paz. Cantan los grillos y parecen en su áspera salmodia burlarse del pastor enamorado de la reina de un cuento.

Tiempo de hojas secas

En el bosque, que comienza a vestirse de púrpura. Los vientos pasan, 5 y las ramas, sintiéndolos pasar, murmuran: "Estamos en el reino del Otoño." Alcino y Rosa María caminan lentamente.

ROSA MARÍA. Mira, Alcino: la primera hoja que ha caído de un árbol; parece una mariposa. ¿Te has fijado? En todas las estaciones hay mariposas: en invierno son blancas y se llaman 10 copos de nieve; en el otoño son las hojas que caen; en el verano... ¿Te acuerdas del verano?

ALCINO. En el verano no hay mariposas.

ROSA MARÍA. Sí que las hay. ¿No has visto en las eras como revolotea el tamo al aventar la mies, y como el sol le dora? Aquel 15 polvillo de oro es un enjambre de mariposas.

ALCINO. No me hables de la mies ni de las eras; entre ellas ha caído el sudor de mi frente, y la reina Sol no ha querido venir.

Se oyen cantos, que vienen de lejos. Es un coro en que hombres y mujeres mezclan su voz para ensalzar el gozo de la vendimia.

20 ROSA MARÍA. Otros que cantan.

ALCINO. Otros que prometen.

ROSA MARÍA. Acaso estos digan la verdad.

Más allá de la linde del bosque se extienden los viñedos, surgen los sarmientos poblados de pámpanos, gallardamente retorcidos como 25 cuernos de sátiro. Cantan y danzan los vendimiadores, celebrando el fin de la tarea; en los labios rojos rebosa la miel del racimo y en los ojos se encienden chispas febriles.

Por San Juan y San Pedro
pintan las uvas;
30 por San Miguel Arcángel[3]
ya están maduras.

3. San Juan *the feast of Saint John (June 24th, the midsummer festival);* San Pedro *the feast of Saint Peter (June 29th) and the feast of Michael the Archangel (September 29th).*

UNA MUJER (que agita un tirso vestido de follaje). ¡Viva la vida! Cantad conmigo la alegría que ha puesto el sol en las uvas color de ámbar, en las uvas color de ajenjo, en las uvas color de púrpura. ¡Venid a gustar su gozo en mis labios!

UN HOMBRE (que lleva en alto el último racimo). ¡Viva la vida! Cantad conmigo el placer que se encuentra en el vino color de oro, en el vino color de sangre; la vida que salta en la espuma. 5

Hombres y mujeres danzan, formando corro.

¡Viva la vida!

ALCINO (adelantándose). ¿Sabéis de la reina Sol? 10

LOS VENDIMIADORES. ¡Viva la vida!

ALCINO (ansiosamente). ¿Digo que si sabéis de la reina Sol?

ELLAS. La dicha está en las mieles de la uva.

ELLOS. La dicha está en la espuma y en el vino rojo, que es fuego y es sangre. 15

ELLAS. Probad nuestros labios.

ELLOS. Bebed nuestro vino.

ALCINO. ¿Y la hallaré?

TODOS. Está con nosotros.

ALCINO. Dadme vuestros labios y vuestras copas. 20

ROSA MARÍA. ¡Alcino, Alcino, vámonos de aquí... huyamos de estas gentes, que están locas!

ALCINO. Dicen que la dicha mora con ellos.

ROSA MARÍA. ¡Vámonos de aquí!

ELLOS. Gusta nuestro vino. 25

ROSA MARÍA. ¡Huyamos; no saben lo que dicen!

ALCINO. Vuestro soy.

Entra en el corro, que se cierra en derredor suyo y que emprende nueva danza y canto nuevo. Rosa María huye y se pierde en el bosque; llega la noche; despiértanse los vientos y las hojas caen de prisa, más de prisa. 30

La voz de Alcino, que se escucha lejana:

¡Viva la vida!

Epílogo

En la cabaña de Eudoro. Alcino duerme. Rosa María le mira dormir y suspira. Ha vuelto el invierno y otra vez cae la nieve. Rosa María canta bajito su copla de Navidad.

5 ALCINO (despertándose). ¿Dónde estamos?

ROSA MARÍA. En nuestra tierra.

ALCINO. Y en nuestro invierno.

ROSA MARÍA. En el invierno del año.

ALCINO. ¿Y cómo hemos venido hasta aquí? No me acuerdo 10 de nada.

ROSA MARÍA. Aquellas gentes te hicieron perder la razón.

ALCINO. Tampoco estaba con ellos mi sueño. ¿Por qué me abandonaron?

ROSA MARÍA. Una manaña, cuando salí del bosque, te hallé 15 a la orilla de la carretera: decías locuras como ellos. Te cogí de la mano como a un niño, y te he traído aquí.

ALCINO. ¿Quién te mostró el camino?

ROSA MARÍA. Nadie. Mi alma le sabía de haberle recorrido tantas veces... ¿Estás contento?

20 ALCINO. Mírame bien. Parece que hasta hoy no te he visto.

ROSA MARÍA. Acaso hasta hoy no quisiste mirarme.

ALCINO. Eres blanca y rosa.

ROSA MARÍA. ¿Nunca lo viste?

ALCINO. Y tienes los ojos azules.

25 ROSA MARÍA. Viniste a mi lado y nunca en ellos te miraste.

ALCINO. Y los cabellos dorados como musgo. ¿Por qué hasta hoy no me mostraste tus cabellos?

ROSA MARÍA. Junto a ti los peiné muchas veces; nunca me los viste peinar.

30 ALCINO. Tu eres la reina Sol.

ROSA MARÍA. Tal vez sí; tal vez tú sueñas que lo soy. ¿Qué importa?

ALCINO. Perdóname.

ROSA MARÍA. Yo no guardo rencores... Perdonado estás. 35 Adiós.

ALCINO. ¿Qué dices?

ROSA MARÍA. Vuélvome a mi cabaña, a hilar mi rueca.

ALCINO. ¿Apenas conocida he de dejarte?

ROSA MARÍA. Has de saber, pastor, que una vez en la vida soy compañera de cada mortal. Pasa por mi cabaña; voyme con él; si su amor me adivina, suya soy; si le ciega el orgullo de su sueño, finado el camino, me aparto de él. Adiós...

ALCINO. ¿Y no volveré nunca a encontrarte en la puerta de tu cabaña?

ROSA MARÍA. Acaso; pero sabe que jamás hilo la misma rueca ni canto la misma canción.

La reina Sol desaparece.

ALCINO. ¡Ay de mí!

·16·

Horacio Quiroga
(1878–1937)

EL SÍNCOPE BLANCO

Yo estaba dispuesto a cualquier cosa; pero no a que me dieran cloroformo.

Soy de una familia en que las enfermedades del corazón se han sucedido de padre a hijo con lúgubre persistencia. Algunos 5 han escapado —cuentan en mi familia— y, según el cirujano que debía operarme, yo gozaba de ese privilegio. Lo cierto es que él y sus colegas me examinaron a conciencia, siendo su opinión unánime que mi corazón podía darse por bueno a carta cabal, tan bueno como mi hígado y mis riñones. No quedaba, en con- 10 secuencia, sino dejarme aplicar la careta y confiar mis sagradas entrañas al bisturí.

Me di, pues, por vencido, y una tarde de otoño me hallé acostado con la nariz y los labios llenos de vaselina, aspirando ansiosamente cloroformo, como si el aire me faltara. Y es que 15 realmente no había aire, y sí cloroformo, que entraba a chorros de insoportable dulzura: chorros de dulce por la nariz, por la boca, por los oídos. La saliva, los pulmones, la extremidad de los dedos, todo era náuseas y dulce a chorros.

Comencé a perder la noción de las cosas, y lo último que vi 20 fue, sobre un fondo negrísimo, fulgurantes cristales de nieve.

* * * *

Estaba en el cielo. Si no lo era, se parecía a él muchísimo. Mi primera impresión al volver en mí fue de que yo había muerto.

—¡Esto es! —me dije—. Allá abajo, quién sabe ahora dónde y a qué distancia, he muerto de resultas de la operación. En una infinita y perdida sala de la Tierra, que es apenas una remota lucecilla en el espacio, está mi cuerpo sin vida, mi cuerpo que ayer había escapado triunfante del examen de los médicos. Ahora ese cuerpo se queda allá; no tengo ya nada que ver con él. Estoy en el cielo, vivo, pues soy un alma viva.

Pero yo me veía, sin embargo, una figura humana, sobre un blanco y bruñido piso. ¿Dónde estaba, pues? Observé entonces el lugar con atención. La vista no pasaba más allá de los cien metros, pues una densa bruma cerraba el horizonte. En el ámbito que abarcaban los ojos, la misma niebla, pero vaguísima, velaba las cosas. La luz cenital que había allí parecía de focos eléctricos, muy tamizada. Delante de mí, a 30 o 40 metros, se alzaba un edificio blanco con aspecto de templo griego. A mi izquierda, pero en la misma línea del anterior, y esfumado en la neblina, se alzaba otro templo semejante.

¿Dónde estaba yo, en definitiva? A mi lado, y surgiendo de detrás, pasaban seres, personas humanas como yo, que se encaminaban al edificio de enfrente, donde entraban. Y otras personas salían, emprendiendo el mismo camino de regreso. Más lejos, a la izquierda, idéntico fenómeno se repetía, desde la bruma insondable hasta el templo esfumado. ¿Qué era eso? ¿Quiénes eran esas personas que no se conocían unas a otras, ni se miraban siquiera, y que llevaban todas el mismo rumbo de sonámbulos?

Cuando comenzaba a hallar todo aquello un poco fuera de lo común, aún para el cielo, oí una voz que me decía:

—¿Qué hace usted aquí?

Me volví y vi a un hombre en uniforme de portero o de guardián, con gorra y corto palo en la mano. Lo veía perfectamente en su figura humana, pero no estoy seguro de que fuera del todo opaco.

—No sé —le respondí, perplejo yo mismo—. Me encuentro aquí sin saber cómo...

—Pues bien, ése es su camino —dijo el guardián, señalándome el edificio de enfrente—. Es allí donde debe usted ir. ¿Usted no ha sido operado?

Instantáneamente, en una lejanía inmemorial de tiempo y espacio, me ví tendido en una mesa, en un remotísimo pasado...

—En efecto —murmuré nebuloso—. He sido, *fui* operado... Y he muerto.

5 El guardián sacudió la cabeza.

—Todos dicen lo mismo... Nos dan ustedes más trabajo del que se imaginan... ¿No ha tenido aún tiempo de leer la inscripción?

—¿Qué inscripción?

10 —En ese edificio —señaló el guardián con su palo corto.

Miré sorprendido hacia el templo griego, y con mayor sorpresa aún leí en el frontispicio, en grandes caracteres de luz tamizada:

SÍNCOPE AZUL[1]

—Este es su domicilio, por ahora —agregó el guardián—.

15 Todos los que durante una operación con cloroformo caen en síncope, esperan allí. Vamos andando, porque usted hace rato que debía tener su número de orden.

Turbado, me encaminé al edificio en cuestión. Y el guardián iba conmigo.

20 —Muy bien —le dije, por fin, al llegar—. Aquí debo entrar yo, que he caído en síncope... ¿Pero aquel otro edificio?

—¿Aquél? Es la misma cosa, casi... Lea el letrero... Nunca he visto uno de ustedes los cloroformizados, que lea los letreros. ¿Qué dice ése? Puede leerlo bien, sin embargo.

25 Y leí:

SÍNCOPE BLANCO

—Así es —confirmó el hombre—. Síncope blanco. Los que entran allí no salen más, porque han caído en síncope blanco. ¿Comprende, por fin?

30 Yo no comprendía del todo, por lo que el guardián perdió otro

1. *Síncope* is a medical term meaning "a temporary cessation of respiration and circulation." *Blue syncope* may be overcome by the body, but *white syncope* is the final coma which leads to death.

minuto en explicármelo, mientras señalaba uno y otro edificio con su corto palo.

Según él, los cloroformizados están expuestos a dos peligros, independientes del de un vaso cortado u otro detalle de la operación. En uno de los casos, y al inspirar la primera bocanada de cloroformo, el paciente pierde súbitamente el sentido; una palidez mortal invade el semblante, y el enfermo, con sus labios de cera y el corazón paralizado, queda listo para el entierro.

Es el síncope blanco.

El otro peligro se manifiesta en el curso de la operación. El rostro del cloroformizado se congestiona de pronto; los labios, las encías y la lengua se amoratan, y si el organismo del individuo no es bastante fuerte para reaccionar contra la intoxicación, la muerte sobreviene.

Es el síncope azul.

Como se ve, la persona que cae en este último síncope, tiene la vida pendiente de un hilo sumamente fino. En verdad vive aún; pero anda tanteando ya con el pie el abismo de la Muerte.

—Usted está en este estado —concluyó el guardián—. Y allí debe ir usted. Si tiene suerte y los cirujanos logran revivirlo, volverá a salir por la misma puerta que entró. Por el momento, espere allí. Los que entran allá, en cambio —señaló al otro edificio—, no salen más; pasan de largo la sala. Pero son raros los que caen en síncope blanco.

—Sin embargo —objeté— cada dos o tres minutos veo entrar uno.

—Porque son todos los cloroformizados en el mundo. ¿Cuántas personas operadas cree usted que hay un momento dado? Usted no lo sabe, ni yo tampoco. Pero vea, en cambio, los que entran aquí.

En efecto, en el sendero nuestro, era un ir y venir sin tregua, una incesante columna, de hombres, mujeres y niños, entrando y saliendo en orden y sin prisa. La particularidad de aquella avenida de seres fantasmas era la ignorancia total en que parecían estar unos de otros y del lugar en que actuaban. No se conocían, ni se miraban, ni se veían tal vez. Pasaban con su expresión habitual, acaso distraídos o pensando en algo, pero con preocupaciones de la vida normal —negocios o detalles domésticos—, la expresión de las gentes que se encaminan o salen de una estación.

5 Antes de entrar en mi sala eché una ojeada a los visitantes del Síncope Blanco. Tampoco ellos parecían darse cuenta de lo que significaba el templo griego esfumado en la bruma. Iban a la muerte vestidos de saco o en femeniles blusas de paseo, con triviales inquietudes de la vida que acababan de abandonar.

10 Y este mundanal aspecto de estación ferroviaria se hizo más sensible al entrar en el Síncope Azul. Mi guardián me abandonó en la puerta, donde un nuevo guardián, más galoneado que el anterior, me dio y cantó en voz alta mi número: ¡834!, mientras me ponía la palma en el hombro para que entrara de una vez.

15 El interior era un solo *hall,* un largo salón con bancos en el centro y a los costados. La luz cenital, muy tamizada, y aun la ligera bruma del ambiente, reforzaban la impresión de sala de espera a altas horas de la noche. Los bancos estaban ocupados ya por personas que entraban y se sentaban a esperar, resignadas a

20 un trámite ineludible, como si se tratara de un simple contratiempo inevitable al que se está acostumbrado. La mayoría ni siquiera se echaba contra el respaldo del banco; esperaban pacientes, rumiando aún alguna preocupación trivial. Otros se recostaban y cerraban los ojos para matar el tiempo. Algunos se

25 acodaban sobre las rodillas y ponían la cara entre las manos.

Nadie —y no salía yo de mi asombro— parecía estar enterado de lo que significaba aquella espera. Nadie hablaba. En el *hall* no se oía sino el claro paso de los visitantes y la voz de los guardianes cantando el número de orden. Al oirlos, los dueños

30 de los números se levantaban y salían por la puerta de entrada. Pero no todos, porque en el otro extremo del salón había otra puerta también grandemente abierta, con un guardián que cantaba otros números.

Los dueños de estos números se levantaban con igual in-

35 diferencia que los otros y se encaminaban a dicha puerta posterior.

Algunos, sobre todo las personas que esperaban con los ojos cerrados o estaban con la cara en las manos, se equivocaban en el primer momento de puerta y se encaminaban a otra. Pero ante un nuevo canto del número, notaban su error y se dirigían con alguna prisa a su puerta, como quien ha sufrido un ligero error de oído. No siempre tampoco se cantaba el número; si la persona estaba cerca o miraba distraída en aquella dirección, el guardián la chistaba y le indicaba su destino con el dedo.

¿La puerta del fondo era entonces?. . . Para mayor certidumbre me encaminé hasta dicha puerta y abordé al guardián.

—Perdón —le dije. —¿Puede decirme qué significado concreto tiene esta puerta?

El guardián, al parecer bastante fastidiado de sus propias funciones para tomar sobre sí las del público, me miró como miraría un boletero de estación al sujeto que le preguntara si el lugar donde se hallaba era la misma estación.

—Perdón —le dije de nuevo—. Yo tengo derecho a que los empleados me informen correctamente.

—Muy bien —repuso el hombre, tocándose la gorra y cuadrándose—. ¿Qué desea saber?

—Lo que significa esta puerta.

—En seguida; por ahí salen los que han muerto.

—¿Los que mueren?. . .

—No; los que han muerto en el Síncope.

—¿En el Síncope Azul?

—Así parece.

No pregunté más, y me asomé a la puerta; más allá no se veía nada, todo era tiniebla. Y se sentía una impresión muy desagradable de frescura.

Volví sobre mis pasos y me senté a mi vez. A mi lado, una joven de traje obscuro esperaba con los ojos cerrados y la cabeza recostada en el respaldo del banco. La miré un largo rato y me acodé con la cara entre las manos.

¡Perfectamente! Yo sabía que de un momento a otro los guardianes debían cantar mi número; pero por encima de esto yo acababa de mirar a la jovencita de falda corta y pies cruzados, que en una remota sala de operaciones acababa de caer en síncope como yo. Y nunca, en los breves días de mi vida anterior, había visto una belleza mayor que la de aquel pálido y distraído encanto en el dintel de la muerte.

Levanté la cabeza y fijé otra vez la mirada en ella. Ella había abierto los ojos y miraba a uno y otro guardián, como extrañada de que no la llamaran de una vez. Cuando iba a cerrarlos de nuevo:

—¿Impaciente? —le dije.

Ella volvió a mí los ojos, me miró un breve momento y sonrió.

—Un poco.

Quiso adormecerse otra vez, pero yo le dije algo más. ¿Qué le dije? ¿Qué sed de belleza y adoración había en mi alma, cuando en aquellas circunstancias hallaba modo de henchirla de aquel amor terrenal?

No lo sé; pero sé que durante tres cuartos de hora —si es posible contar con el tiempo mundano el éxtasis de nuestros propios fantasmas— su voz y la mía, sus ojos y los míos hablaron sin cesar.

Y sin poder cambiar una sola promesa, porque ni ella ni yo conocíamos nuestros mutuos nombres, ni sabíamos si reviviríamos, ni en qué lugar de la tierra habíamos caminado un día con firmes pies.

¿La volvería a ver? ¿Era nuestro viejo mundo bastante grande para ocultar a mis ojos aquella bien amada criatura, que me entregaba su corazón paralizado en el limbo del Síncope Azul? No. Yo volvería a verla —porque no tenía la menor duda de que ella regresaba a la vida—. Por esto cuando el guardián de entrada cantó el número y ella se encaminó a la puerta despidiéndose con una sonrisa, la seguí con los ojos como a una prometida...

¿Pero qué pasa? ¿Por qué la detienen? Aparecen nuevos empleados en cabeza —jefes, seguramente— que observan el número de orden de la joven. Al fin le dejan el paso libre, con un ademán que no alcanzo a comprender. Y oigo algo así como:

—Otro error... Habrá que vigilar a los guardianes de abajo...

¿Qué error? ¿Y quiénes son los guardianes de abajo? Vuelvo

a sentarme, indiferente al nocturno vaivén, cuando el guardián de la puerta del fondo grita: ¡124!

Mi vecino, un hombre de rostro enérgico y al parecer de negocios, se levanta indiferente como si fuera a su despacho como todos los días. Y en ese instante, al oir el cuatro final recién cantado, siento por primera vez la probabilidad de que yo puedo ser llamado desde *la otra puerta.*

¿Es posible? Pero ella acaba de levantarse y la veo aún sonriéndome, con su vestido corto y sus medias traslúcidas. Y antes de un segundo, menos quizá, puedo quedar separado de ella para siempre jamás, en el más infinito jamás que establece una puerta abierta detrás de la cual no hay más que tinieblas y una sensación de fresco muy desagradable. ¿Desde dónde se va a cantar mi número? ¿A qué puerta debo volver los ojos? ¿Qué guardián aburrido de su oficio va a indicarme con la cabeza, el rastro aún tibio del vestido obscuro o la Gran Sombra Tiritante?

* * * *

—¡De buena hemos escapado!

—Ya vuelve el mozo... ¡Diablo de corazón incomprensible que tienen estos neurópatas!

Yo volvía en mí, todo zumbante aún del cloroformo. Abrí los ojos y vi los fantasmas blancos que acababan de operarme.

Uno de ellos me palmeó el hombro, diciendo:

—Otra vez trate de tener menos apuro en pasarse de largo, amigo. En fin, dese por muy contento.

Pero yo no lo oía más, porque había vuelto a caer en sopor. Cuando torné a despertar, me hallaba ya en la cama.

¿En la cama?... ¿En un sanatorio?... ¿En el mundo, no es esto?... Mas la luz, el olor a formol, los ruidos metálicos —la vida tal cual— me dañaban los ojos y el alma. Lejos, quién sabe a qué remota eternidad de tiempo y espacio, estaba el salón de espera y la jovencita a mi lado que miraba a uno y otro guardián. Eso sólo había sido, era y sería mi vida en adelante. ¿Dónde hallarla a ella? ¿Cómo buscarla entre el millar de sanatorios del mundo, entre los operados que en todo instante están incubando tras la careta asfixiante el síncope del cloroformo?

¡La hora! ¡Sí! Sólo ese dato preciso tenía, y podía bastarme. Debí comenzar a buscarla en seguida, en el sanatorio mismo. ¿Quién sabe?... Quise llamar a un médico, a mi médico de confianza, que había asistido a la operación.

—Óigame, Fitzsimmons —murmuré—. Tengo un interés muy grande en saber si, al mismo tiempo que a mí, se ha operado a otras personas en este sanatorio.

—¿Aquí? ¿Le interesa mucho saber esto?

—Muchísimo. A la misma hora... O un momento antes, si acaso.

—Pero sí, me parece que sí... ¿Quiere saberlo con seguridad?

—Hágame el favor...

Al quedar solo cerré de nuevo los ojos, porque lo que yo quería ver era muy distinto de los crudos reflejos de la cama laqué y de la mesa giratoria, también laqué.

—Puedo satisfacerlo —me dijo Fitzsimmons, volviendo a entrar—. Se ha operado al mismo tiempo que a usted a tres personas: dos hombres y una mujer. Los hombres...

—No, Fitzsimmons; la mujer sólo me interesa. ¿Usted la ha visto?

—Perfectamente. Pero —se detuvo mirándome a los ojos— ¿qué diablo de pesadilla sigue usted rumiando con el cloroformo?

—No es pesadilla... ¡Después le explicaré! Óigame: ¿la ha visto bien cuando estaba vestida? ¿Puede describírmela en detalles?

Fitzsimmons la había visto bien, y no tuve la menor duda. Era ella. ¡Ella! ¡A despecho de la vida y la muerte y la inmensidad de los mundos, la jovencita estaba a mi lado! Viva, tangible, como lo estaba en un pasado remoto, infinitamente anterior, en la luz tamizada de una sala de espera ultraterrestre.

El médico vio mi cambio de expresión y se mordió los labios.

—¿Usted la conocía?

—¡Sí! Es decir... ¿Sigue bien?

Titubeó un instante. Luego:

—No sé si esa joven es la que usted cree. Pero la enferma que han operado... ha muerto.

—¡Muerta!

—Sí... Hoy hemos tenido poca suerte en el sanatorio. Usted, que casi se nos va; y esa chica, con un síncope...

—Azul... —murmuré.

—No, blanco.

—¿Blanco?—me volví aterrado—. ¡No, azul! ¡Estoy seguro!...

Pero mi médico:

—No sé de donde saca usted ahora sus diagnósticos... Síncope blanco, le digo, de los más fulminantes que se pueda pedir. Y sosiéguese ahora... deje sus sueños de cloroformo que a nada lo conducirán.

Quedé otra vez solo. ¡Síncope blanco! Súbitamente se hizo la luz: volví a ver a los jefes en la sala de espera, revisando el número de la joven; y aprecié ahora en su total alcance las palabras que en aquel momento no había comprendio: *ha habido un error...*

El error consistía en que la jovencita había muerto en la mesa de operaciones del síncope blanco; que había entrado muerta en la sala de espera, por el error de algún guardián; y que yo había estado haciendo el amor, cuarenta minutos, a una joven ya muerta, que por error me sonreía y cruzaba aún los pies.

En el curso de mi vida yo he recorrido sin duda las mismas calles que ella, tal vez con segundos de diferencia; hemos vivido posiblemente en la misma cuadra, y quizás en distintos pisos de la misma casa. ¡Y nunca, nunca, nos hemos encontrado! Y lo que nos negó la vida, tan fácil, nos lo concede al fin una estación ultraterrestre, donde por un error he volcado todo el amor de mi vida oscilante sobre el espectro en medias traslúcidas —de un cadáver.

Es o no cierto lo que me dice el médico; pero al cerrar los ojos la veo siempre, despidiéndose con su sonrisa, dispuesta a esperarme. Al salir de la sala ha tomado a la derecha, para entrar en el Síncope Blanco. Jamás volverá a salir. Pero no importa; allí me espera, estoy seguro.

Bien. Mas yo mismo, este cuarto de sanatorio, estos duros ángulos y esta cama laqué, ¿son cosa real? ¿He vuelto en realidad a la vida, o mi despertar y la conversación con mi médico de blanco no son sino nuevas formas de sueño sincopal? ¿No es posible un nuevo error a mi respecto, consecutivo al que ha desviado hacia la derecha a mi Novia-Muerta? ¿No estoy muerto yo mismo desde hace un buen rato, esperando en el Síncope Azul el control que de nuevo efectúan los jefes con mi número?

Ella salió y entró serena, calmada ya su impaciencia, en el edificio blanco, ante el cual toda ilusión humana debe retroceder. Nunca más será ella vista por nadie en la Tierra.

¿Pero yo? ¿Es real esta cama laqué, o sueño con ella definitivamente instalado en la Gran Sombra, donde por fin los jefes me abren paso irritados ante el nuevo error, señalándome el Síncope Blanco, donde yo debía estar desde hace un largo rato?...

·17·

Baldomero Lillo
(1867–1923)

"INAMIBLE"

Ruperto Tapia, alias "El Guarén", guardián tercero de la policía comunal, de servicio esa mañana en la población, iba y venía por el centro de la boca-calle con el cuerpo erguido y el ademán grave y solemne del funcionario que está penetrado de la importancia del cargo que desempeña. 5

De treinta y cinco años, regular estatura, grueso, fornido, el guardián Tapia goza de gran prestigio entre sus camaradas. Se le considera un pozo de ciencia, pues tiene en la punta de la lengua todas las ordenanzas y reglamentos policiales, y aun los artículos pertinentes del Código Penal le son familiares. Contribuye a 10 robustecer esta fama de sabiduría su voz grave y campanuda, la entonación dogmática y sentenciosa de sus discursos y la estudiada circunspección y seriedad de todos sus actos. Pero de todas sus cualidades, la más original y característica es el desparpajo pasmoso con que inventa un término cuando el verdadero no acude 15 con la debida oportunidad a sus labios. Y tan eufónico y pintoresco le resultan estos vocablos, con que enriquece el idioma, que no es fácil arrancarles de la memoria cuando se les ha oído siquiera una vez.

Mientras camina haciendo resonar sus zapatos claveteados 20 sobre las piedras de la calzada, en el moreno y curtido rostro de "El Guarén" se ve una sombra de descontento. Le ha tocado un sector en que el tránsito de vehículos y peatones es casi nulo. Las calles plantadas de árboles, al pie de los cuales se desliza el agua de las acequias, estaban solitarias y va a ser dificilísimo sor- 25 prender una infracción, por pequeña que sea. Esto le desazona, pues está empeñado en ponerse en evidencia delante de los jefes como un funcionario celoso en el cumplimiento de sus deberes para lograr esas jinetas de cabo que hace tiempo ambiciona. De pronto, agudos chillidos y risas que estallan resonantes a su espalda lo hacen volverse con presteza. A media cuadra escasa una muchacha de 16 a 17 años corre por la acera perseguida de cerca por un mocetón que lleva en la diestra algo semejante a un latiguillo. "El Guarén" conoce a la pareja. Ella es sirvienta en la casa de la esquina y él es Martín, el carretelero, que regresa de las afueras de la población, donde fue en la mañana a llevar sus caballos para darles un poco de descanso en el petrero. La muchacha, dando gritos y risotadas, llega a la casa donde vive y se entra en ella corriendo. Su perseguidor se detiene un momento delante de la puerta y luego avanza hacia el guardián y le dice sonriente:

—¡Cómo gritaba la picarona, y eso que no alcancé a pasarle por el cogote el bichito éste!

Y levantando la mano en alto mostró una pequeña culebra que tenía asida por la cola, y agregó:

—Está muerta, la pillé al pie del cerro cuando fui a dejar los caballos. Si quieres te la dejo para que te diviertas asustando a las prójimas que pasean por aquí.

Pero "El Guarén", en vez de coger el reptil que su interlocutor le alargaba, dejó caer su manaza sobre el hombro del carretelero y le intimó:

—Vais a acompañarme al cuartel.

—¡Yo al cuartel! ¿Cómo? ¿Por qué? ¿Me lleváis preso, entonces? —profirió rojo de indignación y sorpresa el alegre bromista de un minuto antes.

Y el aprehensor, con el tono y ademán solemnes que adoptaba en las grandes circunstancias, le dijo, señalándole el cadáver de la culebra que él conservaba en la diestra:

—Te llevo porque andas con animales (aquí se detuvo, hesitó un instante y luego con gran énfasis prosiguió). Porque andas con animales *inamibles* en la vía pública.

Y a pesar de las protestas y súplicas del mozo, quien se había librado del cuerpo del delito, tirándolo al agua de la acequia, el representante de la autoridad se mantuvo inflexible en su determinación.

A la llegada al cuartel, el oficial de guardia, que dormitaba delante de la mesa, los recibió de malísimo humor. En la noche había asistido a una comida dada por un amigo para celebrar el bautizo de una criatura y la falta de sueño y el efecto que aún persistía del alcohol ingerido durante el curso de la fiesta, mantenía embotado su cerebro y embrolladas todas sus ideas. Su cabeza, según el concepto vulgar, era una olla de grillos.

Después de bostezar y revolverse en el asiento, enderezó el busto y lanzando furiosas miradas a los inoportunos cogió la pluma y se dispuso a redactar la anotación correspondiente en el libro de novedades. Luego de estampar los datos concernientes al estado, edad y profesión del detenido, se detuvo e interrogó:

—¿Por qué le arrestó, guardián?

Y el interpelado, con la precisión y prontitud del que está seguro de lo que dice, contestó:

—Por andar con animales inamibles en la vía pública, mi inspector.

Se inclinó sobre el libro, pero volvió a alzar la pluma para preguntar a Tapia lo que aquella palabra, que oía por primera vez, significaba, cuando una reflexión lo detuvo: si el vocablo estaba bien empleado, su ignorancia iba a restarle prestigio ante un subalterno, a quien ya una vez había corregido un error de lenguaje, teniendo más tarde la desagradable sorpresa al comprobar que el equivocado era él. No, a toda costa había que evitar la repetición de un hecho vergonzoso, pues el principio básico de la disciplina se derrumbaría si el inferior tuviese razón contra el superior. Además, como se trataba de un carretelero, la palabra aquella se refería, sin duda, a los caballos del vehículo que su conductor tal vez hacía trabajar en malas condiciones, quien sabe si enfermos o lastimados. Esta interpretación del asunto le pareció satisfactoria y tranquilizado ya se dirigió al reo:

—¿Es efectivo eso? ¿Qué dices tú?

—Sí, señor; pero yo no sabía que estaba prohibido.

Esta respuesta, que parecía confirmar la idea de que la palabra estaba bien empleada, terminó con la vacilación del oficial que, concluyendo de escribir, ordenó en seguida al guardián:

—Páselo al calabozo.

Momentos más tarde, reo, aprehensor y oficial se hallaban delante del prefecto de policía. Este funcionario, que acababa de recibir una llamada por teléfono de la gobernación, estaba impaciente por marcharse.

—¿Está hecho el parte? —preguntó.

—Sí, señor —dijo el oficial, y alargó a su superior jerárquico la hoja de papel que tenía en la diestra.

El jefe la leyó en voz alta, y al tropezar con un término desconocido se detuvo para interrogar.

—¿Qué significa esto? —Pero no formuló la pregunta. El temor de aparecer delante de sus subalternos ignorando, le selló los labios. Ante todo había que mirar por el prestigio de la jerarquía. Luego la reflexión de que el parte estaba escrito de puño y letra del oficial de guardia, que no era un novato, sino un hombre entendido en el oficio, lo tranquilizó. Bien seguro estaría de la propiedad del empleo de la palabreja, cuando la estampó ahí con tanta seguridad. Este último argumento le pareció concluyente, y dejando para más tarde la consulta del Diccionario para aclarar el asunto, se encaró con el reo y lo interrogó:

—Y tú, ¿qué dices? ¿Es verdad lo que te imputan?

—Sí, señor Prefecto, es cierto, no lo niego. Pero yo no sabía que estaba prohibido.

El jefe se encogió de hombros, y poniendo su firma en el parte, lo entregó al oficial, ordenando.

—Que lo conduzcan al juzgado.

En la sala del juzgado, el juez, un jovencillo imberbe que, por enfermedad del titular, ejercía el cargo en calidad de suplente, después de leer el parte en voz alta, tras un breve instante de meditación, interrogó al reo:

—¿Es verdad lo que aquí se dice? ¿Qué tienes que alegar en tu defensa?

La respuesta del detenido fue igual a las anteriores:

—Sí, US.;[1] es la verdad, pero yo ignoraba que estaba prohibido.

El magistrado hizo un gesto que parecía significar: "Sí, conozco la cantinela; todos dicen lo mismo". Y, tomando la pluma, escribió dos renglones al pie del parte policial, que en seguida devolvió al guardián, mientras decía, fijando en el reo una severa mirada: 5

—Veinte días de prisión, conmutables en veinte pesos de multa.

En el cuartel el oficial de guardia hacía anotaciones en una libreta, cuando "El Guarén" entró en la sala y, acercándose a la mesa, dijo: 10

—El reo pasó a la cárcel, mi inspector.

—¿Lo condenó el juez?

—Sí; a veinte días de prisión, conmutables en veinte pesos de multa; pero como a la carretela se le quebró un resorte y hace varios días que no puede trabajar en ella, no le va a ser posible pagar la multa. Esta mañana fue a dejar los caballos al potrero. 15

El estupor y la sorpresa se pintaron en el rostro del oficial.

—Pero si no andaba con la carretela, ¿cómo pudo, entonces, infringir el reglamento de tránsito? 20

—El tránsito no ha tenido nada que ver con el asunto, mi inspector.

—No es posible, guardián; usted habló de animales...

—Sí, pero de animales *inamibles,* mi inspector, y usted sabe que animales *inamibles* son sólo tres: el sapo, la culebra y la lagartija. Martín trajo del cerro una culebra y con ella andaba asustando a la gente en la vía pública. Mi deber era arrestarlo, y lo arresté. Eran tales la estupefacción y el aturdimiento del oficial que, sin darse cuenta de lo que decía, balbuceó: 25

—*Inamibles,* ¿por qué son *inamibles?* 30

El rostro astuto y socarrón de "El Guarén" expresó la mayor extrañeza. Cada vez que inventaba un vocablo, no se consideraba su creador, sino que estimaba de buena fe que esa palabra había existido siempre en el idioma; y si los demás la desconocían, era

1. US. = usía *Your Honor.*

por pura ignorancia. De aquí la orgullosa suficiencia y el aire de superioridad con que respondió:

—El sapo, la culebra y la lagartija asustan, dejan sin ánimo a las personas cuando se las ve de repente. Por eso se llaman *inamibles,* mi inspector.

Cuando el oficial quedó solo, se desplomó sobre el asiento y alzó las manos con desesperación. Estaba aterrado. Buena la había hecho, aceptando sin examen aquel maldito vocablo, y su consternación subía de punto al evidenciar el fatal encadenamiento que su error había traído consigo. Bien advirtió que su jefe, el Prefecto, estuvo a punto de interrogarlo sobre aquel término; pero no lo hizo, confiando, seguramente, en la competencia del redactor del parte. ¡Dios misericordioso! ¡Qué catástrofe cuando se descubriera el pastel! Y tal vez ya estaría descubierto. Porque en el juzgado, al juez y al secretario debía haberles llamado la atención aquel vocablo que ningún Diccionario ostentaba en sus páginas. Pero esto no era nada en comparación de lo que sucedería si el editor del periódico local, "El Dardo", que siempre estaba atacando a las autoridades, se enterase del hecho. ¡Qué escándalo! ¡Ya le parecía oir el burlesco comentario que haría caer sobre la autoridad policial una montaña de ridículo!

Se había alzado del asiento y se paseaba nervioso por la sala, tratando de encontrar un medio de borrar la torpeza cometida, de la cual se consideraba el único culpable. De pronto se acercó a la mesa, entintó la pluma y en la página abierta del libro de novedades, en la última anotación y encima de la palabra que tan trastornado lo traía, dejó caer una gran mancha de tinta. La extendió con cuidado, y luego contempló su obra con aire satisfecho. Bajo el enorme borrón era imposible ahora descubrir el maldito término, pero esto no era bastante; había que hacer lo mismo con el parte policial. Felizmente, la suerte érale favorable, pues el escribiente de la Alcaldía era primo suyo y, como el Alcaide estaba enfermo, se hallaba a la sazón solo en la oficina. Sin perder un momento, se trasladó a la cárcel, que estaba a un paso del cuartel, y lo primero que vio encima de la mesa en sujeta-papeles, fue el malhadado parte. Aprovechando la momentánea ausencia de su pariente, que había salido para dar algunas órdenes al personal de guardia, hizo desaparecer bajo una mancha de tinta el término que tan despreocupadamente había puesto en circulación. Un suspiro de alivio salió de su pecho. Estaba conjurado el peligro, el documento era en adelante inofensivo y ninguna mala consecuencia podía derivarse de él.

Mientras iba de vuelta al cuartel, el recuerdo del carretelero lo asaltó y una sombra de disgusto veló su rostro. De pronto se detuvo y murmuró entre dientes:

—Eso es lo que hay que hacer, y todo queda así arreglado.

Entre tanto, el Prefecto no había olvidado la extraña palabra estampada en un documento que llevaba su firma y que había aceptado, porque las graves preocupaciones que en ese momento lo embargaban relegaron a segundo término un asunto que consideró en sí mínimo e insignificante. Pero más tarde, un vago temor se apoderó de su ánimo, temor que aumentó considerablemente al ver que el Diccionario no registraba la palabra sospechosa.

Sin perder tiempo, se dirigió donde el oficial de guardia, resuelto a poner en claro aquel asunto. Pero al llegar a la puerta por el pasadizo interior de comunicación, vio entrar a la sala a "El Guarén", que venía de la cárcel a dar cuenta de la comisión que se le había encomendado. Sin perder una sílaba, oyó la conversación del guardián y del oficial, y el asombro y la cólera lo dejaron mudo e inmóvil, clavado en el pavimento.

Cuando el oficial hubo salido, entró y se dirigió a la mesa para examinar el Libro de Novedades. La mancha de tinta que había hecho desaparecer el odioso vocablo tuvo la rara virtud de calmar la exitación que lo poseía. Comprendió en el acto que su subordinado debía estar en ese momento en la cárcel, repitiendo la misma operación en el maldito papel que en mala hora había firmado. Y como la cuestión era gravísima y exigía una solución inmediata, se propuso comprobar personalmente si el borrón salvador había ya apartado de su cabeza aquella espada de Dámocles que la amenazaba.

Al salir de la oficina del Alcaide el rostro del Prefecto estaba tranquilo y sonriente. Ya no había nada que temer; la mala racha había pasado. Al cruzar el vestíbulo divisó tras la verja de hierro un grupo de penados.

Su semblante cambió de expresión y se tornó grave y meditabundo. Todavía queda algo que arreglar en ese desagradable negocio, pensó. Y tal vez el remedio no estaba distante, porque murmuró a media voz:

—Eso es lo que hay que hacer; así queda todo solucionado.

Al llegar a la casa, el juez, que había abandonado el juzgado ese día un poco más temprano que de costumbre, encontró a "El Guarén" delante de la puerta, cuadrado militarmente. Habíanlo designado para el primer turno de punto fijo en la casa del magistrado. Este, al verle, recordó el extraño vocablo del parte policial, cuyo significado era para él un enigma indescifrable. En el Diccionario no existía y por más que registraba su memoria no hallaba en ella rastro de un término semejante.

Como la curiosidad lo consumía, decidió interrogar diplomáticamente al guardián para inquirir de un modo indirecto algún indicio sobre el asunto. Contestó el saludo del guardián, y le dijo afable y sonriente:

—Lo felicito por su celo en perseguir a los que maltratan a los animales. Hay gentes muy salvajes. Me refiero al carretelero que arrestó usted esta mañana, por andar, sin duda, con los caballos heridos o extenuados.

A medida que el magistrado pronunciaba estas palabras, el rostro de "El Guarén" iba cambiando de expresión. La sonrisa servil y gesto respetuoso desaparecieron y fueron reemplazados por un airecillo impertinente y despectivo. Luego, con un tono irónico bien marcado, hizo una relación exacta de los hechos, repitiendo lo que ya había dicho en el cuartel, al oficial de guardia.

El juez oyó todo aquello manteniendo a duras penas su seriedad, y al entrar a la casa iba a dar rienda suelta a la risa que le retozaba en el cuerpo, cuando el recuerdo del carretelero, a quien había enviado a la cárcel por un delito imaginario, calmó súbitamente su alegría. Sentado en su escritorio, meditó largo rato profundamente, y de pronto, como si hubiese hallado la solución de un arduo problema, profirió con voz queda:

—Sí, no hay duda, es lo mejor, lo más práctico que se puede hacer en este caso.

En la mañana del día siguiente de su arresto, el carretelero fue conducido a presencia del Alcaide de la cárcel, y este funcionario le mostró tres cartas, en cuyos sobres, escritos a máquina, se leía: "Señor Alcaide de la Cárcel de... —Para entregar a Martín Escobar. (Este era el nombre del detenido)".

Rotos los sobres, encontró que cada uno contenía un billete de veinte pesos. Ningún escrito acompañaba el misterioso envío. El Alcaide señaló al detenido el dinero, y le dijo sonriente:

—Tome, amigo, esto es suyo, le pertenece.

El reo cogió dos billetes y dejó el tercero sobre la mesa, profiriendo:

—Ese es para pagar la multa, señor Alcaide.

Un instante después, Martín el carretelero se encontraba en la calle, y decía, mientras contemplaba amorosamente los dos billetes:

—Cuando se me acaben, voy al cerro, pillo un animal *inamible,* me tropiezo con "El Guarén" y ¡zas! al otro día en el bolsillo tres papelitos iguales a éstos.

·18·

Horacio Quiroga
(1878–1937)

LA MUERTE DE ISOLDA

Concluía el primer acto de *Tristán e Isolda*. Cansado de la agitación de ese día, me quedé en mi butaca, muy contento con la falta de vecinos. Volví la cabeza a la sala, y detuve en seguida los ojos en un palco bajo.

5 Evidentemente, un matrimonio. El, un marido cualquiera, y tal vez por su mercantil vulgaridad y la diferencia de años con su mujer, menos que cualquiera. Ella, joven, pálida, con una de esas profundas bellezas que más que en el rostro, —aun bien hermoso, —están en la perfecta solidaridad de mirada, boca, cuello, 10 modo de entrecerrar los ojos. Era, sobre todo, una belleza para hombres, sin ser en lo más mínimo provocativa; y esto es precisamente lo que no entenderán nunca las mujeres.

La miré largo rato a ojos descubiertos porque la veía muy bien, y porque cuando el hombre está así en tensión de aspirar fija- 15 mente un cuerpo hermoso, no recurre al arbitrio femenino de los anteojos.

Comenzó el segundo acto. Volví aún la cabeza al palco y nuestras miradas se cruzaron. Yo, que había apreciado ya el encanto de aquella mirada vagando por uno y otro lado de la sala, 20 viví en un segundo, al sentirla directamente apoyada en mí, el más adorable sueño de amor que haya tenido nunca.

Fue aquello muy rápido: los ojos huyeron, pero dos o tres veces, en mi largo minuto de insistencia, tornaron fugazmente a mí.

25 Fue asimismo, con la súbita dicha de haberme soñado un instante su marido, el más rápido desencanto de un idilio. Sus ojos

volvieron otra vez, pero en ese instante sentí que mi vecino de la izquierda miraba hacia allá, y después de un momento de inmovilidad de ambas partes, se saludaron.

Así, pues, yo no tenía el más remoto derecho a considerarme un hombre feliz, y observé a mi compañero. Era un hombre de 5 más de treinta y cinco años, barba rubia y ojos azules de mirada clara y un poco dura, que expresaba inequívoca voluntad.

—Se conocen —me dije —y no poco.

En efecto, después de la mitad del acto, mi vecino, que no había vuelto a apartar los ojos de la escena, los fijó en el palco. 10 Ella, la cabeza un poco echada atrás, y en la penumbra, lo miraba también. Me pareció más pálida aún. Se miraron fijamente, insistentemente, aislados del mundo en aquella recta paralela de alma a alma que los mantenía inmóviles.

Durante el tercero, mi vecino no volvió un instante la cabeza. 15 Pero antes de concluir aquél, salió por el pasillo lateral. Miré al palco, y ella también se había retirado.

—Final de idilio —me dije melancólicamente.

El no volvió más y el palco quedó vacío.

* * * *

—Sí, se repiten —sacudió largamente la cabeza. —Todas las 20 situaciones dramáticas pueden repetirse, aun las más inverosímiles se repiten. Es menester vivir, y usted es un muchacho. . . Y las de su *Tristán* también, lo que no obsta para que haya allí el más sostenido alarido de pasión que haya gritado alma humana. . . . Yo quiero tanto como usted a esa obra, y acaso más. . . No me 25 refiero, querrá creer, al drama de Tristán, y con él las treinta y dos situaciones del dogma, fuera de las cuales todas son repeticiones. No; la escena que vuelve como una pesadilla, los personajes que sufren la alucinación de una dicha muerta, es otra cosa. . . Usted asistió al preludio de una de esas repeticiones. . . 30 Sí, ya sé que se acuerda. . . No nos conocíamos con usted entonces. . . . ¡Y precisamente a usted debía de hablarle de esto! Pero juzga mal lo que vio y creyó un acto mío feliz. . . ¡Feliz!. . . Oigame. El buque parte dentro de un momento, y esta vez no vuelvo más... Le cuento esto a usted, como si se lo pudiera escribir, por dos razones: Primero, porque usted tiene un parecido pasmoso con lo que yo era entonces —en lo bueno únicamente, por suerte. Y segundo, porque usted, mi joven amigo, es perfectamente incapaz de pretenderla, después de lo que va a oir. Oigame:

La conocí hace diez años, y durante los seis meses que fui su novio, hice cuanto estuvo en mí para que fuera mía. La quería mucho, y ella, inmensamente a mí. Por esto se dio un día, y desde ese instante, privado de tensión, mi amor se enfrió.

Nuestro ambiente social era distinto, y mientras ella se embriagaba con la dicha de mi nombre —se me consideraba buen mozo entonces —yo vivía en una esfera de mundo donde me era inevitable flirtear con muchachas de apellido, fortuna, y a veces muy lindas.

Una de ellas llevó conmigo el flirteo bajo parasoles de garden-party a un extremo tal, que me exasperé y la pretendí seriamente. Pero si mi persona era interesante para esos juegos, mi fortuna no alcanzaba a prometerle el tren necesario, y me lo dio a entender claramente.

Tenía razón, perfecta razón. En consecuencia flirteé con una amiga suya, mucho más fea, pero infinitamente menos hábil para estas torturas del *tête-a-tête* a diez centímetros, cuya gracia exclusiva consiste en enloquecer a su flirt, manteniéndose uno dueño de sí. Y esta vez no fui yo quien se exasperó.

Seguro, pues, del triunfo, pensé entonces en el modo de romper con Inés. Continuaba viéndola, y aunque no podía ella engañarse sobre el amortiguamiento de mi pasión, su amor era demasiado grande para no iluminar los ojos de dicha cada vez que me veía entrar.

La madre nos dejaba solos; y aunque hubiera sabido lo que pasaba, habría cerrado los ojos para no perder la más vaga posibilidad de subir con su hija a una esfera mucho más alta.

Una noche fui allá dispuesto a romper, con visible malhumor, por lo mismo. Inés corrió a abrazarme, pero se detuvo, bruscamente pálida.

—¿Qué tienes? —me dijo.

—Nada —le respondí con sonrisa forzada, acariciándole la frente. Dejó hacer, sin prestar atención a mi mano y mirándome insistentemente. Al fin apartó los ojos contraídos y entramos.

La madre vino, pero sintiendo cielo de tormenta, estuvo sólo un momento y desapareció.

Romper, es palabra corta y fácil; pero comenzarlo. . . .

Nos habíamos sentado y no hablábamos. Inés se inclinó, me apartó la mano de la cara y me clavó los ojos, dolorosos de angustioso examen.

—¡Es evidente!. . . —murmuró.

—¿Qué? —le pregunté fríamente.

La tranquilidad de mi mirada le hizo más daño que mi voz, y su rostro se demudó:

—¡Que ya no me quieres! —articuló en una desesperada y lenta oscilación de cabeza.

—Ésta es la quincuagésima vez que dices lo mismo —respondí.

No podía darse respuesta más dura; pero yo tenía ya el comienzo.

Inés me miró un rato casi como a un extraño, y apartando bruscamente mi mano y el cigarro, su voz se rompió:

—¡Esteban!

—¿Qué? —torné a repetir.

Esta vez bastaba. Dejó lentamente mi mano y se reclinó atrás en el sofá, manteniendo fijo en la lámpara su rostro lívido. Pero un momento después su cara caía de costado bajo el brazo crispado al respaldo.

Pasó un rato aún. La injusticia de mi actitud —no veía más que injusticia —acrecentaba el profundo disgusto de mí mismo. Por eso cuando oí, o más bien sentí, que las lágrimas salían al fin, me levanté con un violento chasquido de lengua.

—Yo creía que no íbamos a tener más escenas —le dije paseándome.

No me respondió, y agregué:

—Pero que sea ésta la última.

Sentí que las lágrimas se detenían, y bajo ellas me respondió un momento después:

—Como quieras.

Pero en seguida cayó sollozando sobre el sofá:

—¡Pero qué te he hecho! ¡Qué te he hecho!

—¡Nada! —le respondí. —Pero yo tampoco te he hecho nada a tí... Creo que estamos en el mismo caso. Estoy harto de estas cosas!

Mi voz era seguramente mucho más dura que mis palabras. Inés se incorporó, y sosteniéndose en el brazo del sofá, repitió, helada:

—Como quieras.

Era una despedida. Yo iba a romper, y se me adelantaron. El amor propio, el vil amor propio tocado a vivo, me hizo responder:

—Perfectamente... Me voy. Que seas más feliz... otra vez.

No comprendió, y me miró con extrañeza. Había cometido la primera infamia; y como en esos casos, sentí el vértigo de enlodarme más aún.

—¡Es claro! —apoyé brutalmente —porque de mí no has tenido queja.... ¿No?

Es decir: te hice el honor de ser tu amante, y debes estarme agradecida.

Comprendió más mi sonrisa que las palabras, y salí a buscar mi sombrero en el corredor, mientras que con un ¡ah! su cuerpo y su alma de desplomaban en la sala.

Entonces, en ese instante en que cruzó la galería, sentí intensamente cuánto la quería y lo que acababa de hacer. Aspiración de lujo, matrimonio encumbrado, todo me resaltó como una llaga en mi propia alma. Y yo, que me ofrecía en subasta a las mundanas feas con fortuna, que me ponía en venta, acababa de cometer el acto más ultrajante, con la mujer que nos ha querido demasiado.... Flaqueza en el Monte de los Olivos, o momento vil en un hombre que no lo es, llevan al mismo fin: ansia de sacrificio, de reconquista más alta del propio valer. Y luego, la inmensa sed de ternura, de borrar beso tras beso las lágrimas de la mujer adorada, cuya primera sonrisa tras la herida que le hemos causado, es la más bella luz que pueda inundar un corazón de hombre.

¡Y concluído! No me era posible ante mí mismo volver a tomar lo que acababa de ultrajar de ese modo: ya no era digno de ella, ni la merecía más. Había enlodado en un segundo el amor más puro que hombre alguno haya sentido sobre sí, y acababa de perder con Inés la irreencontrable felicidad de poseer a quien nos ama entrañablemente. 5

Desesperado, humillado, crucé por delante de la puerta, y la vi echada en el sofá, sollozando el alma entera sobre sus brazos. ¡Inés! ¡Perdida ya! Sentí más honda mi miseria ante su cuerpo, todo amor, sacudido por los sollozos de su dicha muerta. Sin 10 darme cuenta casi, me detuve.

—¡Inés! —llamé.

Mi voz no era ya la de antes. Y ella debió notarlo bien, porque su alma sintió, en aumento de sollozos, el desesperado llamado que le hacía mi amor, ¡esta vez sí, inmenso amor! 15

—No, no... —me respondió. —¡Es demasiado tarde!

* * * *

Padilla se detuvo. Pocas veces he visto amargura más seca y tranquila que la de sus ojos cuando concluyó. Por mi parte, no podía apartar de los míos aquella adorable cabeza de palco, sollozando sobre el sofá.... 20

—Me creerá —reanudó Padilla —si le digo que en mis muchos insomnios de soltero descontento de sí mismo, la tuve así ante mí... Salí de Buenos Aires sin ver casi a nadie, y menos a mi flirt de gran fortuna.... Volví a los ocho años, y entonces supe que se había casado, a los seis meses de haberme ido yo. Torné a 25 alejarme, y hace un mes regresé, bien tranquilizado ya, y en paz.

No había vuelto a verla. Era para mí como un primer amor, con todo el encanto dignificante que un idilio virginal tiene para el hombre hecho, que después amó cien veces... Si usted es querido alguna vez como yo lo fui, y ultraja como yo lo hice, 30 comprenderá toda la pureza viril que hay en mi recuerdo.

Hasta que una noche tropecé con ella. Sí, esa misma noche en el teatro... Comprendí, al ver a su marido de opulenta fortuna, que se había precipitado en el matrimonio como yo al Ucayalí... Pero al verla otra vez, a veinte metros de mí, mirándome, sentí que en mi alma, dormida en paz, surgía sangrando la desolación de haberla perdido, como si no hubiera pasado un solo día de 5 esos diez años. ¡Inés! Su hermosura, su mirada, única entre todas las mujeres, habían sido mías, bien mías, porque me habían sido entregadas con adoración —también apreciará esto usted algún día.

Hice lo humanamente posible para olvidar, me rompí las 10 muelas tratando de concentrar todo mi pensamiento en la escena. Pero la prodigiosa partitura de Wágner, ese grito de pasión enfermante, encendió en llama viva lo que quería olvidar. En el segundo o tercer acto no pude más y volví la cabeza. Ella también sufría la sugestión de Wágner, y me miraba. ¡Inés, mi vida! 15 Durante medio minuto, su boca, sus manos, estuvieron bajo mi boca, y durante ese tiempo ella concentró en su palidez la sensación de esa dicha muerta hacía diez años. ¡Y Tristán siempre, sus alaridos de pasión sobrehumana, sobre nuestra felicidad yerta!

Salí entonces, atravesé las butacas como un sonámbulo, y 20 avancé por el pasillo aproximándome a ella sin verla, sin que me viera, como si durante diez años no hubiera sido yo un miserable...

Y como diez años atrás, sufrí la alucinación de que llevaba mi sombrero en la mano e iba a pasar delante de ella.

25 Pasé, la puerta del palco estaba abierta, y me detuve enloquecido. Como diez años antes sobre el sofá, ella, Inés, tendida en el diván del antepalco sollozaba la pasión de Wágner y su dicha deshecha.

¡Inés!... Sentí que el destino me colocaba en un momento 30 decisivo. ¡Diez años!... ¿Pero habían pasado? ¡No, no, Inés mía!

Y como entonces, al ver su cuerpo todo amor, sacudido por los sollozos, la llamé:

—¡Inés!

Y como diez años antes, los sollozos redoblaron, y como 35 entonces me respondió bajo sus brazos:

—No, no... ¡Es demasiado tarde!...

·19·

Leopoldo Alas ("Clarín")

(1852–1901)

DOS SABIOS

En el balneario de Aguachirle, situado en lo más frondoso de una región de España muy fértil y pintoresca, todos están contentos, todos se entienden, menos dos ancianos venerables, que desprecian al miserable vulgo de los bañistas y mutuamente se aborrecen.

¿Quiénes son? Poco se sabe de ellos en la casa. Es el primer año que vienen. No hay noticias de su procedencia. No son de la provincia, de seguro; pero no se sabe si el uno viene del Norte y el otro del Sur, o vice-versa,... o de cualquier otra parte. Consta que uno dice llamarse D. Pedro Pérez y el otro D. Álvaro Álvarez. Ambos reciben el correo en un abultadísimo paquete, que contiene multitud de cartas, periódicos, revistas, y libros muchas veces. La gente opina que son un par de sabios.

Pero ¿qué es lo que saben? Nadie lo sabe. Y lo que es ellos, no lo dicen. Los dos son muy corteses, pero muy fríos con todo el mundo e impenetrables. Al principio se les dejó aislarse, sin pensar en ellos; el vulgo alegre desdeñó el desdén de aquellos misteriosos pozos de ciencia, que, en definitiva, debían de ser un par de chiflados caprichosos, exigentes en el trato doméstico y con berrinches endiablados, bajo aquella capa superficial de fría buena crianza. Pero, a los pocos días, la conducta de aquellos señores fue la comidilla de los desocupados bañistas que vieron una graciosísima comedia en la antipatía y rivalidad de los viejos.

Con gran disimulo, porque inspiraban respeto y nadie osaría reirse de ellos en sus barbas, se les observaba, y se saboreaban y comentaban las vicisitudes de la mutua ojeriza que se exacerbaba por las coincidencias de sus gustos y manías, que les hacían buscar lo mismo y huir de lo mismo, y sobre ello, morena.

* * * *

Pérez había llegado a Aguachirle algunos días antes que Álvarez. Se quejaba de todo; del cuarto que le habían dado, del lugar que ocupaba en la mesa redonda, del bañero, del pianista, del médico, de la camarera, del mozo que limpiaba las botas, de la campana de la capilla, del cocinero, y de los gallos y los perros de la vecindad, que no le dejaban dormir. De los bañistas no se atrevía a quejarse, pero eran la mayor molestia. "¡Triste y enojoso rebaño humano! Viejos verdes, niñas cursis, mamás grotescas, canónigos egoístas, pollos empalagosos, indianos soeces y avaros, caballeros sospechosos, maníacos insufribles, enfermos repugnantes, ¡peste de clase media! ¡Y pensar que era la menos mala! Porque el pueblo... ¡uf! ¡el pueblo! Y aristocracia, en rigor, no la había. ¡Y la ignorancia general! ¡Qué martirio tener que oir, a la mesa, sin querer, tantos disparates, tantas vulgaridades que le llenaban el alma de hastío y de tristeza!"

Algunos entrometidos, que nunca faltan en los balnearios, trataron de sonsacar a Pérez sus ideas, sus gustos; de hacerle hablar, de intimar en el trato, de obligarle a participar de los juegos comunes; hasta hubo un tontiloco que le propuso bailar un rigodón con cierta dueña... Pérez tenía un arte especial para sacudirse estas moscas. A los discretos los tenía lejos de sí a las pocas palabras; a los indiscretos, con más trabajo y alguna frialdad inevitable; pero no tardaba mucho en verse libre de todos.

Además, aquella triste humanidad le estorbaba en la lucha por las comodidades; por las pocas comodidades que ofrecía el establecimiento. Otros tenían las mejores habitaciones, los mejores puestos en la mesa; otros ocupaban antes que él los mejores aparatos y pilas de baño; y otros, en fin, se comían las mejores tajadas.

El puesto de honor en la mesa central, puesto que llevaba

anejo[1] el mayor mimo y agasajo del jefe del comedor y de los dependientes, y puesto que estaba libre de todas las corrientes de aire entre puertas y ventanas, terror de Pérez, pertenecía a un señor canónigo, muy gordo y muy hablador; no se sabía si por antigüedad o por odioso privilegio. 5

Pérez que no estaba lejos del canónigo, le distinguía con un particular desprecio; le envidiaba, despreciándole, y le miraba con ojos provocativos, sin que el otro se percatara de tal cosa. Don Sindulfo, el canónigo, había pretendido varias veces *pegar la hebra*[2] con Pérez; pero éste le había contestado siempre con 10 secos monosílabos. Y don Sindulfo le había perdonado, porque no sabía lo que se hacía, siendo tan saludable la charla a la mesa para una buena digestión.

Don Sindulfo tenía un estómago de oro, y le entusiasmaba la comida de fonda, con salsas picantes y otros atractivos; Pérez 15 tenía el estomago de acíbar, y aborrecía aquella comida llena de insoportables *galicismos.* Don Sindulfo soñaba despierto en la hora de comer; y don Pedro Pérez temblaba al acercarse el tremendo trance de tener que comer sin gana.

—¡Ya va un toque! —decía sonriendo a todos don Sindulfo, y 20 aludiendo a la campana del comedor.

—¡Ya han tocado dos veces! —exclamaba a poco, con voz que temblaba de voluptuosidad.

Y Pérez, oyéndole, se juraba acabar cierta monografía que tenía comenzada proponiendo la supresión de los cabildos 25 catedrales.

Fue el sabio díscolo y presunto minando el terreno, intrigando con camareras y otros empleados de más categoría, hasta hacerse prometer, bajo amenaza de marcharse, que en cuanto se fuera el canónigo, que sería pronto, el puesto de honor, con sus beneficios, 30 sería para él, para Pérez, costase lo que costase. También se le ofreció el cuarto de cierta esquina del edificio, que era el de mejores vistas, el más fresco y el más apartado del mundanal y *fondil* ruido. Y para tomar café, se le prometió cierto rinconcito,

1. llevaba anejo *customarily received.*
2. pegar la hebra *to strike up a conversation.*

muy lejos del piano, que ahora ocupaba un coronel retirado, capaz de andar a tiros con quien se lo disputara. En cuanto el coronel se marchase, que no tardaría, el rinconcito para Pérez.

* * * *

En esto llegó Álvarez. Aplíquesele todo lo dicho acerca de Pérez. Hay que añadir que Álvarez tenía el carácter más fuerte, el mismo humor endiablado, pero más energía y más desfachatez para pedir gollerías.

También le aburría aquel rebaño humano, de vulgaridad monótona; también se le puso en la boca del estómago el canónigo aquel, de tan buen diente, de una alegría irritante y que ocupaba en la mesa redonda el mejor puesto. Álvarez miraba también a don Sindulfo con ojos provocativos, y apenas le contestaba si el buen clérigo le dirigía la palabra. Álvarez también quiso el cuarto que solicitaba Pérez y el rincón donde tomaba café el coronel.

A la mesa notó Álvarez que todos eran unos majaderos y unos charlatanes... menos un señor viejo y calvo, como él, que tenía enfrente y que no decía palabra, ni se reía tampoco con los chistes grotescos de aquella gente.

"No era charlatán, pero majadero también sería. ¿Por qué no?" Y empezó a mirarle con antipatía. Notó que tenía mal genio, que era un egoísta y maniático por el afán de imposibles comodidades.

"Debe de ser un profesor de instituto o archivero lleno de presunción. Y él, Álvarez, que era un sabio de fama europea, que viajaba de incógnito, con nombre falso, para librarse de curiosos e impertinentes admiradores, aborrecía ya de muerte al necio pedantón que se permitía el lujo de creerse superior a la turbamulta del balneario. Además, se le figuraba que el archivero le miraba a él con ira, con desprecio; ¡habríase visto insolencia!"

Y no era eso lo peor: lo peor era que coincidían en gustos, en preferencias que les hacían muchas veces *incompatibles*.

No cabían los dos en el balneario. Álvarez se iba al corredor cuando el pianista la emprendía con la Rapsodia húngara... Y allí se encontraba a Pérez, que huía también de Liszt adulterado. En el gabinete de lectura nadie leía el *Times*... más que el archivero, y justamente a las horas en que él, Álvarez el falso, quería enterarse de la política extranjera en el único periódico de 5 la casa que no le parecía despreciable.

"El archivero sabe inglés. ¡Pedante!"

* * * *

No gustaba Álvarez de tomar el fresco en los jardines ramplones del establecimiento, sino que buscaba la soledad de un prado de fresca hierba, y en cuesta muy pina, que había a es- 10 paldas de la casa... Pues allá, en lo más alto del prado, a la sombra de *su* manzano... se encontraba todas las tardes a Pérez, que no soñaba con que estaba estorbando.

Ni Pérez ni Álvarez abandonaban el sitio; se sentaban muy cerca uno de otro, sin hablarse, mirándose de soslayo con rayos y 15 centellas.

* * * *

Si el archivero supuesto tales simpatías *merecía* al fingido Álvarez, Álvarez a Pérez le tenía frito, y ya Pérez le hubiera provocado abiertamente si no hubiera advertido que era hombre enérgico y, probablemente, de más puños que él. 20

Pérez, que era un sabio hispano-americano del Ecuador, que vivía en España muchos años hacía, estudiando nuestras letras y ciencias y haciendo frecuentes viajes a París, Londres, Rusia, Berlín y otras capitales; Pérez, que no se llamaba Pérez, sino Gilledo, y viajaba de incógnito, a veces, para estudiar las cosas 25 de España, sin que éstas se las disfrazara nadie al saberse quien él era; digo que Gilledo o Pérez había creído que el intruso Álvarez era alguna notabilidad de campanario que se daba tono de sabio con extravagancias y manías que no eran más que pura comedia. Comedia que a él le perjudicaba mucho, pues, sin duda 30 por imitarle, aquel desconocido, boticario probablemente, se le atravesaba en todas sus cosas: en el paseo, en el corredor, en el gabinete de lectura...

Pérez había notado también que Álvarez despreciaba o fingía despreciar a la multitud insípida y que miraba con rencor y
5 desfachatez al canónigo que presidía la mesa.

La antipatía, el odio se puede decir, que mutuamente se profesaban los sabios incógnitos crecía tanto de día en día, que los disimulados testigos de su malquerencia llegaron a temer que el sainete acabara en tragedia, y aquellos respetables y misteriosos
10 vejetes se fueran a las manos.

* * * *

Llegó un día crítico. Por casualidad, en el mismo tren se marcharon el canónigo, el bañista que ocupaba la habitación tan apetecida, y el coronel que dejaba libre el rincón más apartado del piano. Terrible conflicto. Se descubrió que el amo del es-
15 tablecimiento había ofrecido la sucesión de don Sindulfo, y la habitación más cómoda, a Pérez primero, y después a Álvarez.

Pérez tenía el derecho de prioridad, sin duda; pero Álvarez... era un carácter. ¡Solemne momento! Los dos, temblando de ira, echaron mano al respaldo. No se sabía si se disputaban un asiento
20 o un arma arrojadiza.

No se insultaron, ni se comieron la figura más que con los ojos.

El amo de la casa se enteró del conflicto, y acudió al comedor corriendo.

—¡Usted dirá! —exclamaron a un tiempo los sabios.

25 Hubo que convenir en que el derecho de Pérez era el que valía.

Álvarez cedió en latín, es decir, invocando un texto del Derecho romano que daba la razón a su adversario. Quería que constase que cedía a la razón, no al miedo.

30 Pero llegó lo del aposento disputado. ¡Allí fue ella! También Pérez era el *primero en el tiempo*... pero Álvarez declaró que lo que es absurdo desde el principio, y nulo, por consiguiente, *tractu temporis convalescere non potest,*[3] no puede hacerse bueno con

3. tractu temporis . . . potest *the passage of time cannot correct.*

el tiempo; y como era absurdo que todas las ventajas, por gollería, se las llevase Pérez, él se atenía a la promesa que había recibido. . ., y se instalaba desde luego en la habitación dichosa; donde, en efecto, ya había metido sus maletas.

Y plantado en el umbral, con los puños cerrados amenazando al mundo, gritó:

—*In pari causa, melior est conditio possidentis.*[4]

Y entró y se cerró por dentro.

Pérez cedió, no a los textos romanos, sino por miedo.

En cuanto al rincón del coronel, se lo disputaban todos los días, apresurándose a ocuparlo el que primero llegaba y protestando el otro con ligeros refunfuños y sentándose muy cerca y a la misma mesa de mármol. Se aborrecían, y por la igualdad de gustos y disgustos, simpatías y antipatías, siempre huían de los mismos sitios y buscaban los mismos sitios.

* * * *

Una tarde, huyendo de la Rapsodia húngara, Pérez se fue al corredor y se sentó en una mecedora, con un lío de periódicos y cartas entre las manos.

Y a poco llegó Álvarez con otro lío semejante, y se sentó, enfrente de Pérez, en otra mecedora. No se saludaron, por supuesto.

Se enfrascaron en la lectura de sendas cartas.

De entre los pliegues de la suya sacó Álvarez una cartulina, que contempló pasmado.

Al mismo tiempo, Pérez contemplaba una tarjeta igual con ojos de terror.

Álvarez levantó la cabeza y se quedó mirando atónito a su enemigo.

El cual también, a poco, alzó los ojos y contempló con la boca abierta al infausto Álvarez.

El cual, con voz temblona, empezando a incorporarse y alargando una mano, llegó a decir:

4. In pari causa, . . . possidentis *In such a case, it is better to have taken possession.*

—Pero... usted, señor mío..., ¿es... puede usted ser... el doctor... Gilledo?...

—Y usted... o estoy soñando... o se... parece ser... es... el ilustre Fonseca?

5 —Fonseca el amigo, el discípulo, el admirador, el apóstol del maestro Gilledo... de su doctrina...

—De nuestra doctrina, porque es de los dos; yo el inciador, usted el brillante, el sabio, el profundo, el elocuente reformador, propagandista... a quien todo se lo debo.

10 —¡Y estábamos juntos!...

—¡Y no nos conocíamos!...

—Y a no ser por esta flaqueza... ridícula... que partió de mí, lo confieso, de querer conocernos por estos retratos...

—Justo, a no ser por eso...

15 Y Fonseca abrió los brazos, y en ellos estrechó a Gilledo, aunque con la mesura que conviene a los sabios.

La explicación de lo sucedido es muy sencilla. A los dos se les había ocurrido, como queda dicho, la idea de viajar de incógnito. Desde su casa Fonseca, en Madrid, y desde no sé dónde Gilledo, 20 se hacían enviar la correspondencia al balneario, en paquetes dirigidos a Pérez y Álvarez, respectivamente.

Muchos años hacía que Gilledo y Fonseca eran uña y carne en el terreno de la ciencia. Iniciador Gilledo de ciertas teorías muy complicadas acerca del movimiento de las razas primitivas y otras 25 baratijas prehistóricas, Fonseca había acogido sus hipótesis con entusiasmo, sin envidia; había hecho de ellas aplicaciones muy importantes en lingüística y sociología, en libros más leídos, por más elocuentes, que los de Gilledo. Ni éste envidiaba al apóstol de su idea el brillo de su vulgarización, ni Fonseca dejaba de 30 reconocer la supremacía del iniciador, del maestro, como llamaba al otro sinceramente. La lucha de la polémica que unidos sostuvieron con otros sabios, estrechó sus relaciones; si al principio, en su ya jamás interrumpida correspondencia, sólo hablaban de ciencia, el mutuo afecto, y algo también la vanidad manco-35 munada, les hicieron comunicar más íntimamente, y llegaron a escribirse cartas de hermanos más que de colegas.

Álvarez, o Fonseca, más apasionado, había llegado al extremo de querer conocer la *vera effigies*[5] de su amigo; y quedaron, no sin confesarse por escrito la parte casi ridícula de esta debilidad, quedaron en enviarse mutuamente su retrato con la misma fecha... Y la casualidad, que es indispensable en esta clase de historias, hizo que las tarjetas aquellas, que tal vez evitaron un crimen, llegaran a su destino el mismo día.

Más raro parecerá que ninguno de ellos hubiera escrito al otro lo de la ida a tal balneario, ni el nombre falso que adoptaban... Pero tales noticias se las daban precisamente (¡claro!) en las cartas que con los retratos venían.

* * * *

Mucho, mucho se estimaban Álvarez y Pérez, a quienes llamaremos así por guardarles el secreto, ya que ellos nada de lo sucedido quisieron que se supiera en la fonda.

Tanto se estimaban, y tan prudentes y verdaderamente sabios eran, que depuestos, como era natural, todas las rencillas y odios que les habían separado mientras no se conocían, no sólo se trataron en adelante con el mayor respeto y mutua consideración, sin disputarse cosa alguna..., sino que, al día siguiente de su gran descubrimiento, coincidieron una vez más en el propósito de dejar cuanto antes las aguas, y volverse por donde habían venido. Y, en efecto, aquella misma tarde Gilledo tomó el tren ascendente, hacia el sur, y Fonseca el descendente, hacia el norte.

Y no se volvieron a ver en la vida.

Y cada cual se fue pensando para su coleto que había tenido la prudencia de un Marco Aurelio, cortando por lo sano y separándose cuanto antes del otro. Porque ¡oh miseria de las cosas humanas! la pueril, material antipatía que el amigo desconocido le había inspirado... no había llegado a desaparecer después del infructuoso reconocimiento.

El personaje *ideal,* pero de carne y hueso, que ambos se habían forjado cuando se odiaban y despreciaban sin conocerse, era el

5. vera effigies: *true image.*

que subsistía; el amigo real, pero invisible, de la correspondencia y de la *teoría común,* quedaba desvanecido... Para Fonseca el Gilledo que *había visto* seguía siendo el aborrecido archivero; y para Gilledo, Fonseca, el odioso boticario.

5 Y no volvieron a escribirse sino con motivo puramente científico.

Y al cabo de un año, un *Jahrbuch* alemán publicó un artículo de sensación para todos los arqueólogos del mundo.

Se titulaba *Una disidencia.*

10 Y lo firmaba *Fonseca.* El cual procuraba demostrar que las razas aquellas no se habían movido de Occidente a Oriente, como él había creído, influído por sabios maestros, sino más bien siguiendo la marcha aparente del sol... de Oriente a Occidente.

·20·

Enrique Amorim
(1900–1960)

MISS VIOLET MARCH

No podía haber escogido un sitio menos propicio al reposo que la estancia de los Melideo. Para descanso de los ojos, estaba el campo abierto, pero había que ir en su busca, atravesando una enmarañada arboleda. Luego de media hora de marcha hacia el norte, como un galgo cansado durmiendo al sol, aparecía la llanura, la estirada llanura por donde dejar correr los ojos, prisioneros de la arboleda selvática y del abigarrado caserío; víctimas de los anchos muros encalados, cubiertos de retratos, fotografías, estampas, cuando no con asomadas cabezas de jabalí y de claveteados cueros de nutrias, jaguares y lobos. Viejos arcabuces, látigos antiguos y escopetas modernas en siniestro desfile. Desde las paredes a la llanura, había un lapso nada fácil de atravesar. Y, en este tiempo, bien podía oirse la voz de Victoria, de tono varonil, o el tintineo metálico de las pulseras de los inquietos brazos de Sofía, o percibir la sombra melancólica de los ojos de Mila, o aparecer de pronto los labios humedecidos de "rouge" de miss Violet March. Miss Violet March, siempre surgiendo de la espesura verde o amaneciendo detrás de un fondo de helechos que quedaban vibrando a sus espaldas.

A miss Violet March le infundía terror la llanura desolada. Prefería jugar a las escondidas con su sombra entre la fronda siempre húmeda de la ribera de la laguna. No podía galopar con la pampa ante sus ojos, porque le daba la sensación del vacío, casi del vértigo.

Victoria, Sofía, Mila, hermanas de escasos años de diferencia entre ellas, giraban como satélites alrededor de la magia de los

20. Tres haces de luz que sabían avanzar impunemente por la llanura desierta.

En los paseos desiertos, desde una legua les agradaba volver la mirada sobre el monte, isla de verdura en la desolación circundante, donde se guarecía la casa. Tres amazonas hacia el norte, primero. Luego, tres imantados rayos, atraídos por el compacto macizo de la población. Los caballos se estiraban en el galope a la querencia y, silenciosas, las tres muchachas les dejaban correr a su albedrío. Entonces las tres cabelleras rubias se alzaban a un mismo tiempo en el galope uniforme. Parecía que los caballos jugasen con las amazonas. A veces se escalonaban los saltos. Uno, dos, tres... Victoria, Sofía, Mila... Uno, dos, tres.... Y en algunos segundos, cuando la cabeza de Sofía ascendía, las de fuera bajaban a un tiempo. Resultaba un juego delicioso e imprevisto. Los caballos se entretenían con aquel oro al sol, tres saltarinas monedas áureas... O quizás jugasen con la sombra de las muchachas que surcaban los pastos abundosos del suelo.

Yo me quedaba en la estancia. Yo era el hombre que se enredaba en el monte. Yo era el hombre que buscaba reposo absoluto. Yo era el que vivía apartando ramas, acechado por viejos arcabuces y retratos desvanecidos como mi alma.

¡Estancia de los Melideo!... Amontonamiento de apolillados álbumes, pilas de manuscritos amarillos, desfile constante de fotografías, de pájaros disecados; danza de muebles rengos, de sofás modernos junto a trajinadas cunas. De patios con madreselvas exuberantes y geranios y malvones y tinajas de bocas cachadas. Caídas ramas de limoneros, luchando con palmeras y sikas oprimidas, esgrimiendo estoques. Movible alegría de perros ladradores; zarabanda de troncos centenarios; desordenada multitud de árboles descarados, ramas, sarmientos, hojarasca. A unas seis cuadras de las casas, se remansaba una perezosa laguna, poblada de camalotes, bajo la sombra persistente de los sauces. Laguna no, garganta afónica de agua, atragantada de espadañas y maleza. Sonora moneda, para mi capricho, caída entre pajonales; opaca moneda herrumbrada.

Así la veía yo al asomarme a sus aguas, que no espejeaban el cielo en ocasiones, pues apenas cabía allí la pequeña nube viajera y sólo hallaban cómoda ubicación las estrellas, salpicando en diminutos círculos cristalinos.

Para ver campo abierto, había que andar media hora por senderos viboreantes. Sólo se hallaba espacio en lo alto, siempre un cielo limitado de copas suntuosas, y de suave movimiento.

Victoria, Sofía, Mila, avanzaban en busca de la pampa y la encontraban. Luego, ya de regreso, aterrorizadas de aquellos espacios abiertos, penetraban en la selva, exaltadas, alzando pájaros que al volar sorprendidos dejaban en el aire de la tarde alguna plumita indecisa. En fila india, por los senderos, al trote inglés, avanzaban las erguidas amazonas. Tres antorchas más de una vez vi por el sendero en el crepúsculo, al volver de la laguna fatigado, apartando zarzas, soportando la clásica rebeldía de las ramas. Miss Violet March, pobrecita, salía de una mata de achiras, con la boca recién pintada, impecable. Con las faldas abundantes, conseguía dar a las plantas ese temblor que sólo los pájaros pueden provocar con naturalidad.... No podía ser sombría la estancia de los Melideo con aquellas cuatro rubias, mis primas y la inglesita, cuya única misión era la de darles el diapasón a las voces de las muchachas. Estaba para eso, para darles el tono a las palabras de su idioma que Victoria, Sofía y Mila conocían perfectamente. Tenía un acento singular, una inflexión de voz que bien valía el sueldo que la señora Melideo le dejaba semanalmente en un sobre gris con timbradas letras verdes, sobre su velador. Costumbres americanas. Los Melideo volvían de los Estados Unidos con muy buenas prácticas, pero las niñas con un acento desastroso. Ese acento yanqui, que lucha en las fosas nasales. Miss March acabaría por darles el tono natural, de legítimo inglés correcto.

* * * *

Nos introducíamos en la espesura del bosque, horas enteras dedicados a la búsqueda de nidos, en despertar somnolientas palomas. Jamás cazábamos. Nos estaba prohibido. Y nos fatigábamos hasta llegar al borde de la selva, allí donde comenzaba el campo abierto y se divisaban los animales y las nubes parecían pequeñas y el círculo del horizonte infundía pavor a miss March.

—Y más allá... ¿qué hay? —preguntó un día la inglesita.

5 —Nada, la nada —le respondimos.

—¡Oh! Y esto, ¿cómo termina? ¿Con montañas? ¿Con mar?...

—No lo sabemos —se adelantó Victoria—. Es más lindo no saberlo. Me gusta ignorarlo...

10 Miss Violet March dio espaldas a la llanura, como quien cierra un libro cuyo contenido no puede explicárselo o no le interesa profundizar.

Se internó en el monte por uno de los tantos caminitos sinuosos y en zig-zag, seguida de Sofía y Mila.

15 —Podían haber trazado avenidas rectas, amplias —dijo Victoria—, desde la estancia al borde de las plantaciones de la selva. Algo así como soles que dibujan los niños resultaría este plan que imagino.

Me bastó aquella manera infantil, escasa, de expresarse, para 20 que yo la entendiese. El lector, de la misma manera, se imaginará el tipo físico, las fisonomías y todo aquello que necesite, de cada una de las chicas de Melideo, con el detalle nimio de sus cabelleras rubias. Así como a mí me alcanzó la explicación personalísima de Victoria en su plan de urbanización de la estancia, al lector le 25 debe ser suficiente el color de los cabellos de mis primas y sus prácticas de equitación para imaginárselas...

Victoria se quedó a conversar conmigo. Me dijo que al día siguiente llegaba el novio de Sofía. Conversábamos, oyendo al principio las voces de sus hermanas practicando el inglés con miss 30 March, que se fueron alejando por la floresta para dar paso luego a los trinos, ondulando en el silencio del mediodía.

Victoria esgrimía una rama, con la que a intervalos castigaba mis manos inquietas o se obstinaba en destruir una flor silvestre, cuando no se le ocurría hacer trepar por ella la hormiga perdida o 35 un escarabajo serio y parsimonioso que hundía su punto de luto entre las hierbas alegres...

Charlamos de cosas inesperadas que se nos ocurrían a granel. De la pampa, de la desolación, del amor, por fin, para terminar hablando de nosotros, de cuanto podíamos amarnos, si nos amásemos... Reímos de todo aquello.

—Se diría que no estoy para esas cosas... —decía coqueteando Victoria—. El amor es, para mí, tan sólo el "flirt." Y es flor de transátlanticos; perfume en el "hall" de los grandes hoteles; entusiasmo en las rutas de asfalto, a 150 kilómetros por hora.

Yo combatía su aparente frivolidad. Y ante mi argumentación favorable a un amor más bien nutrido, ella hizo esta reflexión:

—Sería sencillamente pavoroso amar frente a esta naturaleza... Se me ocurre que hasta los árboles se burlarían de nuestra pequeñez...

Pasaron las horas, porque llegamos a tener las manos juntas y nos ayudaron largos silencios, con la llanura a los pies y su vasto paisaje vacío más arriba de las miradas.

Se nos hizo tarde. Avanzábamos apresurados, cuando Victoria me obligó a consultar mi reloj de oro, que se abrió como una flor dorada, entre las ramas de los arbustos.

—La una menos cinco—respondí.

—Hay que buscar un pretexto, una excusa, algo que justifique esta demora. Papá perdona todo, menos las faltas de puntualidad. Es su única manía... Lo saca de quicio una falta semejante.

A mí no se me ocurrió nada.

—¿A tí te interesa el cinematógrafo europeo? —me preguntó alocadamente.

—Mucho, mucho —le respondí en igual tren de exaltación.

—Pues a mí me parece un mamarracho. Discutamos entonces ese punto. Sólo viéndome entusiasmada discutir algo, mi padre disculpará esta falta de respeto a las horas de las comidas.

Dicho y hecho. Al avanzar por el último sendero, Victoria ejercitaba mil argumentos en favor de las industria yanqui y yo presentaba algunos aspectos del arte cinematográfico europeo. Combatía el uso del "back-ground", la falta de aire que hace irrespirable la atmósfera del cinematógrafo americano.

El señor de Melideo, desde la terraza oía mis argumentos,

seguía la discusión. Había mudado su fisonomía, la que reservaba para las faltas de sus hijas y que Victoria conocía perfectamente. La disculpaba por aquel tema que, según su íntimo pensamiento, habríamos hecho harapos y trizas en el camino de regreso, como una veste entre zarzas.

Todo el mundo cayó en la trampa. La coartada no podía ser más terminante. Tan sólo sonrió, enigmática, miss March, como para dejar establecido que no hallaba muy clara la excusa. Sonrió, desde un extremo de las mesa, desdoblando a un tiempo la servilleta.

Sonó una hora, que pesó sobre mi pobre existencia de hombre en vacaciones.

El novio de Sofía practicaba la equitación con riguroso método. Atravesaba el macizo de árboles con el apresuramiento de un explorador que regresa. Y se abandonaba en la pampa, a la deriva como barcos en el mar. Victoria y Mila a corta distancia, acompañaban. Sobre todo por las riberas de la laguna... Si corrían por el campo, no reparaban en ello. Difícil perderse en la llanura... Si eran invisibles las patas de los caballos y se esfumaban sus siluetas, se les podía ver de pronto tornarse nítidas y al instante advertir el galope de los caballos que agrandaban las figuras. Yo les espiaba desde la arboleda. Los cuatro jinetes: Mila y Victoria adelante, Sofía y su novio, a pocos cuerpos, poseídos del papel de amantes de la equitación. Detrás de ellos, el enorme bostezo del horizonte, la indiferencia y la mudez del campo, bobalicón inmenso.

Metido entre los árboles, no podían distinguirme. Pero Mila, ella solamente me divisó desde lejos...

* * * *

—¿No te parece —inquirió Mila —que Sofía no ama a su novio?

—Opino como tú —la dije—. Sofía, por lo menos no se siente atraída por ese muchacho.

—Jamás discuten —observó Mila—; las ideas de su novio,

jamás le producen la más mínima impresión. Si se convirtiese al budismo, Sofía no pondría reparos...

—Creo que eres un espíritu observador —dije suavemente. Mila es la hermana más tierna y la menor. Victoria, la más resuelta, la mayor. Mila se parece tanto a una hoja de malva como Victoria a un chorro cristalino que quiere subir más y más en el aire circular de la fuente. Mila ofrece caminos para llegar a su alma, rectos caminos como los que imagina Victoria, en la urbanización de su heredad. Victoria, en cambio, tiene sus sendas dispuestas con altos álamos pero que no sólo en la perspectiva se unen, se cierran como dos paralelas en la distancia... También se cierran por que Victoria tiene misterio y Mila no ha aprendido a manejar las sombras...

Victoria y Mila y esos dos novios indiferentes. Miss March y mis vacaciones prontas a extinguirse.

Conversamos con Mila de cosas tiernas. Recuerdo algunas de las que nos dijimos. Pocas palabras, pero de una contenida emoción.... Dieciocho años tenía Mila y eran las doce y cuarenta y cinco minutos...

—¡Qué horror! —exclamó mi pequeña prima, sacudiéndose el brazo—. ¡Cómo ganar este tiempo perdido!... —sonrió con malicia—. O perder este maravilloso tiempo ganado contigo...

—¿Estás contenta, primita?

—¡Ay, mucho, mucho; tanto como quisiera haber nacido en estos campos!

Y corrimos por los senderos dando saltos, contentos de haber nacido en cualquier lado.

—Oye —la detuve—. A tí qué te gusta más, ¿París o Nueva York?

—A mí: ¡París! ¡París! —respondióme llena de gozo.

—Pues escucha. Yo defenderé a la ciudad americana contra tus ataques de entusiasta parisina. Y explicaremos que esta ardua discusión nos ha tomado el tiempo.

—Eso es, eso es lo más atinado —gritó Mila inocentemente—. ¡Qué buena excusa la que se te acaba de ocurrir!...

Esta vez en fila, en la terraza, nos estaban esperando Victoria, la madre y miss March. No se habían sentado aún a la mesa. Mi tía dijo sentenciosa:

—Siempre el mismo tú. Discutiendo tonterías y el padre, malhumorado en la mesa.

Victoria me miró implacable, encendiendo su mirada rubia. Unos pasos más atrás miss Violet March, impenetrablemente hermosa, dijo para que yo sólo la oyese:

—Please!...

Evidentemente, ella no podía tolerar el que yo la engañara con tanta facilidad. Sentíase herida en su amor propio y, como mal herida, saltaba por arriba de su discreción.

En el almuerzo me dije: "Victoria es más inteligente que Mila, pero la pequeña es mucho más buena y menos suspicaz".

Los novios entretenían al señor Melideo hablando de equitación y de no sé qué frenos y riendas que usaba el príncipe de Gales... Mis pobres ojos andaban por los muros sin saber dónde reposar. De la fronda tupida llegaba un atropellado desenfado de trinos. La primavera halló de par en par las ventanas y pudo instalarse entre los álbumes y las armas viejas; en una flor para cada vaso y un perfume extendido en los tapices.

* * * *

—Miss Violet March —me dijo el hombre en vacaciones —me destinó una pérfida jugada. Miss March, estés donde estés —continuó —es necesario que sepas que no te olvidaré jamás. Jamás dejaré de sopesar tu refinada femenidad, si no fue aquello la venganza de tu amor propio herido.

Miss March, con su acento maravilloso de mujer bien educada, pudo ser menos cruel con un hombre en vacaciones que no cabalga para hallar el desierto y volcar el cansancio ciudadano, exhausto en sus ausentes posibilidades de jinete. Miss March, con su boca impecablemente pintada, sacándole partido a la levísima ondulación de sus labios, pudo perdonarme las excusas falsas destinadas a conquistar clemencia de un tío maniático con las horas de las comidas. Muchacha inglesa a quien yo admiraba porque al alejarse de los jazmineros en flor los dejaba como si de ellos partiese una bandada de palomas. Quiso ejercitar conmigo su dormido juego de coquetería...

Estaba yo en la laguna, inclinado al borde del agua, e intentaba arrancar una flor para Mila, cuando siento que se escurren del bolsillo de mi chaleco cadena y reloj. Vi hundirse en el agua mi reloj de oro, el oro bruñido de su caja penetrar en las turbias aguas. En el paraje la profundidad excedía a tres varas. Mi desesperación tenía tanta o más hondura. No atiné a nada y me quedé pensativo ante aquel evidente suicidio de una cosa inanimada, de un objeto tan querido. Llegó miss March en ese momento. La vi reflejada con un fondo de nubes grises, en el agua tranquila, tumba de mi reloj. Eran las seis de la tarde. En esa hora se habrían detenido las agujas, se había ahogado la maquinaria. Minutos antes consulté por última vez su dorada amistad.

Nos hablamos con miss March, por las sombras. Ambos nos veíamos en la superficie del agua.

—¿Qué pasa?... ¡Tan triste!...

—He visto caer mi reloj al agua —dije acongojado. Y como me parecía un poco ridículo hablar así continué—: Seguido de su cadena, como un perrito que se escapa de su dueño...

¿Cómo rescatar mi reloj? Confieso que la inglesita se ingenió más que yo, porque estaba menos impresionada, sin duda alguna. Trajo ramas, improvisó aparejos, manipuleó alambres, hasta me prometió lanzarse al agua, zambullir si yo me alejaba un poco del lugar.

Aquello nos hizo mucha gracia a los dos. Ella, con su impecable boca pintada a la perfección, podía darle más color a la risa. Cruzaban pájaros sobre nuestras cabezas. La laguna, a pesar de mi desgraciado accidente, se me ocurrió más bella. Descubrí su hermosura gracias a la alegría de miss March. Y fue tan grato el encuentro y las ocurrencias de la dama de compañía, que se nos pasó el tiempo. Cuando nos decidimos a tomar el sendero de vuelta, caía la tarde, anochecía. Miss Violet March, vaporosa, de ropas amplias y blancas. Comenzaba ya el verano. A su alrededor, pude observarlo, vibraban los arbustos y los altos pastos. Cada vez que alzaba un poco las faldas para dar un paso mayor, se agitaban las hojas.

Regresamos con la noche tendida largo a largo sobre los campos. Claro que había una razón en nuestra demora que justificaba cualquier retardo. ¡Nada menos que mi reloj de oro!...

En el último recodo del camino divisé la terraza de la estancia iluminada como para una fiesta. La claridad me dio la impresión de una verdadera alarma. Así era. Todos se extrañaban a un tiempo. Las gentes, calculando lo que nos había pasado. Las luces, alargando su claridad como para buscarnos en lo intrincado del monte. Las dos hermanas de blanco, mis primas Victoria y Mila, aguardaban, inmóviles. Más atrás los novios, cubriendo con sus cuerpos un cuadro antiguo, retrato de un antepasado, bisabuelo gruñón, cuya protesta en ese momento era justificable al verse rodeado de un absurdo marco dorado.

Al subir los primeros peldaños de la escalinata, sentí a Miss March a mi vera. Marcaba los mismos pasos que yo. Me acompañaba.

Victoria parecía buscar algo en el rostro de la inglesita. Mila se compadecía piadosa, del sufrimiento de mi cara, bañada por la luz irritante de la terraza.

No sé si alguien oyó la voz grave de Victoria, que me salió al paso como un lebrel:

—¿Qué tema discutían?...

Yo no comprendí la intención, el alcance rápido de la pregunta.

—Intentamos pescar mi reloj de oro, mi dorado reloj de oro, que se arrojó, el muy villano a la laguna! —dije con énfasis burlón.

Nadie me presentó las condolencias. Mila sabía mi apego a aquella joya, pero nada agregó. Concentraron las miradas en la inglesita. Ante esta actitud general, inexplicable para mí, decidí mirarla a mi vez. Miss Violet March, la fría e impenetrable miss March, no había perdonado mis dos excusas, que ella consideraba falsas, presentadas para vencer la terca manía de los horarios, vallas insalvables de mis vacaciones.

Con una naturalidad inusitada e irritante, mientras sacaba un espejo de su bolso e iba organizando la armonía de su melena con la punta de los dedos, la inglesita dijo con aire teatral:

—A pesar de todos sus argumentos, señor, los mejores relojes, no me lo discuta usted, no se compran en Suiza, así como las mejores naranjas no están en el Paraguay y las americanas más bellas no se hallan en los Estados Unidos. Todo lo bueno se exporta, sale del país... ¡No me lo discuta usted!

Era tal el tono hipócrita de su charla, que no sé aún cómo me contuve. La imprevista e innecesaria excusa, me tomó tan desprevenido que no atiné nada más que a mirarla.

La miramos todos a un tiempo. Miss March presentaba ante los ojos severos de la familia desparramado el "rouge" de su boca.

¿Qué beso había alterado el dibujo de aquellos labios, ejemplo y modelo de labios tranquilos? ¿Qué boca masculina, había hecho correr su carmín? Miss Violet March, se miró solapadamente al pequeño espejo de su bolso, en una maniobra intencionada, de falso disimulo teatral. Con un pañuelito azul repasó los contornos de sus labios. La elocuencia del ademán fue de terrible eficacia. Todos se dieron por enterados...

Sólo ella y yo sabíamos el alcance de su mentira.

Separé los ojos de aquella pesadilla. Los novios habíanse alejado y, en su sitio, aparecía la cara gruñona del bisabuelo, con la mirada inquisidora. Aunque no tenía ya mi viejo reloj, lo sentí latir en el bolsillo del chaleco como en las horas de fiebre y soledad, cuando me acompañaba su tic tac desde el velador.

Fiebre, fiebre me da al recordar aquellas vacaciones en la estancia de los Melideo, tropezando con los muebles y ramas; llevándome por delante horarios, viejos atriles con álbumes, pájaros disecados y sonrisas de muchachas rubias. En el fondo de la laguna duerme la única excusa seria de mi vida, que se convirtió en farsa desleal.

El hombre de las vacaciones lindando con la pampa terminó su historia y se tornó pensativo, como si la contemplase.

·21·

Juan José Arreola
(1918–   )

EL GUARDAGUJAS

El forastero llegó sin aliento a la estación desierta. Su gran valija, que nadie quiso conducir, le había fatigado en extremo. Se enjugó el rostro con un pañuelo, y con la mano en visera miró los rieles que se perdían en el horizonte. Desalentado y pensativo consultó su reloj: la hora justa en que el tren debía partir.

Alguien, salido de quién sabe dónde, le dio una palmada muy suave. Al volverse, el forastero se halló ante un viejecillo de vago aspecto ferrocarrilero. Llevaba en la mano una linterna roja, pero tan pequeña, que parecía de juguete. Miró sonriendo al viajero, y éste le dijo ansioso su pregunta:

—Usted perdone, ¿ha salido ya el tren?

—¿Lleva usted poco tiempo en este país?

—Necesito salir inmediatamente. Debo hallarme en T. mañana mismo.

—Se ve que usted ignora por completo lo que ocurre. Lo que debe hacer ahora mismo es buscar alojamiento en la fonda para viajeros—. Y señaló un extraño edificio ceniciento que más bien parecía un presidio.

—Pero yo no quiero alojarme, sino salir en el tren.

—Alquile usted un cuarto inmediatamente, si es que lo hay. En caso de que pueda conseguirlo, contrátelo por mes, le resultará más barato y recibirá mejor atención.

—¿Está usted loco? Yo debo llegar a T. mañana mismo.

—Francamente, debería abandonarlo a su suerte. Sin embargo, le daré unos informes.

—Por favor. . . .

—Este país es famoso por sus ferrocarriles, como usted sabe.

Hasta ahora no ha sido posible organizarlos debidamente, pero se han hecho ya grandes cosas en lo que se refiere a la publicación de itinerarios y a la expedición de boletos. Las guías ferroviarias comprenden y enlazan todas las poblaciones de la nación; se expenden boletos hasta para las aldeas más pequeñas y remotas. Falta solamente que los convoyes cumplan las indicaciones contenidas en las guías y que pasen efectivamente por las estaciones. Los habitantes del país así lo esperan; mientras tanto, aceptan las irregularidades del servicio y su patriotismo les impide cualquier manifestación de desagrado.

—Pero ¿hay un tren que pase por esta ciudad?

—Afirmarlo equivaldría a cometer una inexactitud. Como usted puede darse cuenta, los rieles existen, aunque un tanto averiados. En algunas poblaciones están sencillamente indicados en el suelo, mediante dos rayas de gis. Dadas las condiciones actuales, ningún tren tiene la obligación de pasar por aquí, pero nada impide que eso pueda suceder. Yo he visto pasar muchos trenes en mi vida y conocí algunos viajeros que pudieron abordarlos. Si usted espera convenientemente, tal vez yo mismo tenga el honor de ayudarle a subir a un hermoso y confortable vagón.

—¿Me llevará ese tren a T.?

—¿Y por qué se empeña usted en que ha de ser precisamente a T.? Debería darse por satisfecho si pudiera abordarlo. Una vez en el tren, su vida tomará efectivamente algún rumbo. ¿Qué importa si ese rumbo no es el de T.?

—Es que yo tengo un boleto en regla para ir a T. Lógicamente, debo ser conducido a ese lugar, ¿no es así?

—Cualquiera diría que usted tiene razón. En la fonda para viajeros podrá usted hablar con personas que han tomado sus precauciones, adquiriendo grandes cantidades de boletos. Por regla general, las gentes previsoras compran pasajes para todos los puntos del país. Hay quien ha gastado en boletos una verdadera fortuna...

—Yo creí que para ir a T. me bastaba un boleto. Mírelo usted...

—El próximo tramo de los ferrocarriles nacionales va a ser

construído con el dinero de una sola persona que acaba de gastar su inmenso capital en pasajes de ida y vuelta para un trayecto ferroviario cuyos planos, que incluyen extensos túneles y puentes, ni siquiera han sido aprobados por los ingenieros de la empresa.

—Pero el tren que pasa por T. ¿ya se encuentra en servicio?

—Y no sólo ése. En realidad, hay muchísimos trenes en la nación, y los viajeros pueden utilizarlos con relativa frecuencia, pero tomando en cuenta que no se trata de un servicio formal y definitivo. En otras palabras, al subir a un tren, nadie espera ser conducido al sitio que desea.

—¿Cómo es eso?

—En su afán de servir a los ciudadanos, la empresa se ve en el caso de tomar medidas desesperadas. Hace circular trenes por lugares intransitables. Esos convoyes expedicionarios emplean a veces varios años en su trayecto, y la vida de los viajeros sufre algunas transformaciones importantes. Los fallecimientos no son raros en tales casos, pero la empresa, que todo lo ha previsto, añade a esos trenes un vagón capilla ardiente y un vagón cementerio. Es razón de orgullo para los conductores depositar el cadáver de un viajero —lujosamente embalsamado —en los andenes de la estación que prescribe su boleto. En ocasiones, estos trenes forzados recorren trayectos en que falta uno de los rieles. Todo un lado de los vagones se estremece lamentablemente con los golpes que dan las ruedas sobre los durmientes. Los viajeros de primera —es otra de las previsiones de la empresa —se colocan del lado en que hay riel. Los de segunda padecen los golpes con resignación. Pero hay otros tramos en que faltan ambos rieles; allí los viajeros sufren por igual, hasta que el tren queda totalmente destruído.

—¡Santo Dios!

—Mire usted: la aldea de F. surgió a causa de uno de esos accidentes. El tren fue a dar en un terreno impracticable. Lijadas por la arena, las ruedas se gastaron hasta los ejes. Los viajeros pasaron tanto tiempo juntos, que de las obligadas conversaciones triviales surgieron amistades estrechas. Algunas de esas amistades se transformaron pronto en idilios, y el resultado ha sido F., una aldea progresista llena de niños traviesos que juegan con los vestigios enmohecidos del tren.

—¡Dios mío, yo no estoy hecho para tales aventuras!

—Necesita usted ir templando su ánimo; tal vez llegue usted a convertirse en un héroe. No crea que faltan ocasiones para que los viajeros demuestren su valor y sus capacidades de sacrificio. En una ocasión, doscientos pasajeros anónimos escribieron una de las páginas más gloriosas en nuestros anales ferroviarios. Sucede que en un viaje de prueba, el maquinista advirtió a tiempo una grave omisión de los constructores de la línea. En la ruta faltaba un puente que debía salvar un abismo. Pues bien, el maquinista, en vez de poner marcha hacia atrás, arengó a los pasajeros y obtuvo de ellos el esfuerzo necesario para seguir adelante. Bajo su enérgica dirección, el tren fue desarmado pieza por pieza y conducido en hombros al otro lado del abismo, que todavía reservaba la sorpresa de contener en su fondo un río caudaloso. El resultado de la hazaña fue tan satisfactorio que la empresa renunció definitivamente a la construcción del puente, conformándose con hacer un atractivo descuento en las tarifas de los pasajeros que se atrevan a afrontar esa molestia suplementaria.

—¡Pero yo debo llegar a T. mañana mismo!

—¡Muy bien! Me gusta que no abandone usted su proyecto. Se ve que es usted un hombre de convicciones. Alójese por de pronto en la fonda y tome el primer tren que pase. Trate de hacerlo cuando menos; mil personas estarán para impedírselo. Al llegar un convoy, los viajeros, exasperados por una espera demasiado larga, salen de la fonda en tumulto para invadir ruidosamente la estación. Frecuentemente provocan accidentes con su increíble falta de cortesía y de prudencia. En vez de subir ordenadamente se dedican a aplastarse unos a otros; por lo menos, se impiden mutuamente el abordaje, y el tren se va dejándolos amotinados en los andenes de la estación. Los viajeros, agotados y furiosos, maldicen su falta de educación, y pasan mucho tiempo insultándose y dándose de golpes.

—¿Y la policía no interviene?

—Se ha intentado organizar un cuerpo de policía en cada

estación, pero la imprevisible llegada de los trenes hacía tal servicio inútil y sumamente costoso. Además, los miembros de ese cuerpo demostraron muy pronto su venalidad, dedicándose a proteger la salida exclusiva de pasajeros adinerados que les daban a cambio de ese servicio todo lo que llevaban encima. Se resolvió entonces el establecimiento de un tipo especial de escuelas, donde los futuros viajeros reciben lecciones de urbanidad y un entrenamiento adecuado, que los capacita para que puedan pasar su vida en los trenes. Allí se les enseña la manera correcta de abordar un convoy, aunque esté en movimiento y a gran velocidad. También se les proporciona una especie de armadura para evitar que los demás pasajeros les rompan las costillas.

—Pero una vez en el tren, ¿está uno a cubierto de nuevas dificultades?

—Relativamente. Sólo le recomiendo que se fije muy bien en las estaciones. Podría darse el caso de que usted creyera haber llegado a T., y sólo fuese una ilusión. Para regular la vida a bordo de los vagones demasiados repletos, la empresa se ve obligada a echar mano de ciertos expedientes. Hay estaciones que son pura apariencia: han sido construídas en plena selva y llevan el nombre de alguna ciudad importante. Pero basta poner un poco de atención para descubrir el engaño. Son como las decoraciones del teatro, y las personas que figuran en ellas están rellenas de aserrín. Esos muñecos revelan fácilmente los estragos de la intemperie, pero son a veces una perfecta imagen de la realidad: llevan en el rostro las señales de un cansancio infinito.

—Por fortuna, T. no se halla muy lejos de aquí.

—Pero carecemos por el momento de trenes directos. Sin embargo, bien podría darse el caso de que usted llegara a T. mañana mismo, tal como desea. La organización de los ferrocarriles, aunque deficiente, no excluye la posibilidad de un viaje sin escalas. Vea usted, hay personas que ni siquiera se han dado cuenta de lo que pasa. Compran un boleto para ir a T. Pasa un tren, suben, y al día siguiente oyen que el conductor anuncia: "Hemos llegado a T." Sin tomar precaución alguna, los viajeros descienden y se hallan efectivamente en T.

—¿Podría yo hacer alguna cosa para facilitar ese resultado?

—Claro que puede usted. Lo que no se sabe es si le servirá de algo. Inténtelo de todas maneras. Suba usted al tren con la idea fija de que va a llegar a T. No converse con ninguno de los pasajeros. Podrían desilusionarlo con sus historias de viaje, y hasta se daría el caso de que lo denunciaran.

—¿Qué está usted diciendo?

—En virtud del estado actual de las cosas los trenes viajan llenos de espías. Estos espías, voluntarios en su mayor parte, dedican su vida a fomentar el espíritu constructivo de la empresa. A veces uno no sabe lo que dice y habla sólo por hablar. Pero ellos se dan cuenta en seguida de todos los sentidos que puede tener una frase, por sencilla que sea. Del comentario más inocente saben sacar una opinión culpable. Si usted llegara a cometer la menor imprudencia, sería aprehendido sin más; pasaría el resto de su vida en un vagón cárcel, en caso de que no le obligaran a descender en una falsa estación, perdida en la selva. Viaje usted lleno de fe, consuma la menor cantidad posible de alimentos y no ponga los pies en el andén antes de que vea en T. alguna cara conocida.

—Pero yo no conozco en T. a ninguna persona.

—En ese caso redoble usted sus precauciones. Tendrá, se lo aseguro, muchas tentaciones en el camino. Si mira usted por las ventanillas, está expuesto a caer en la trampa de un espejismo. Las ventanillas están provistas de ingeniosos dispositivos que crean toda clase de ilusiones en el ánimo de los pasajeros. No hace falta ser débil para caer en ellas. Ciertos aparatos, operados desde la locomotora, hacen creer, por el ruido y los movimientos, que el tren está en marcha. Sin embargo, el tren permanece detenido semanas enteras, mientras los viajeros ven pasar cautivadores paisajes a través de los cristales.

—¿Y eso qué objeto tiene?

—Todo esto lo hace la empresa con el sano propósito de disminuir la ansiedad de los viajeros y de anular en todo lo posible las sensaciones de traslado. Se aspira a que un día se entreguen plenamente al azar, en manos de una empresa omnipotente, y que ya no les importe saber a dónde van ni de dónde vienen.

—Y usted, ¿ha viajado mucho en los trenes?

—Yo, señor, sólo soy guardagujas. A decir verdad, soy un guardagujas jubilado, y sólo aparezco aquí de vez en cuando para recordar los buenos tiempos. No he viajado nunca, ni tengo ganas de hacerlo. Pero los viajeros me cuentan historias. Sé que los trenes han creado muchas poblaciones además de la aldea de F., cuyo origen le he referido. Ocurre a veces que los tripulantes de un tren reciben órdenes misteriosas. Invitan a los pasajeros a que desciendan de los vagones, generalmente con el pretexto de que admiren las bellezas de un determinado lugar. Se les habla de grutas, de cataratas o de ruinas célebres: "Quince minutos para que admiren ustedes la gruta tal o cual," dice amablemente el conductor. Una vez que los viajeros se hallan a cierta distancia, el tren escapa a todo vapor.

—¿Y los viajeros?

—Vagan desconcertados de un sitio a otro durante algún tiempo pero acaban por congregarse y se establecen en colonia. Estas paradas intempestivas se hacen en lugares adecuados, muy lejos de toda civilización y con riquezas naturales suficientes. Allí se abandonan lotes selectos, de gente joven, y sobre todo con mujeres abundantes. ¿No le gustaría a usted acabar sus días en un pintoresco lugar desconocido, en compañía de una muchachita?

El viejecillo hizo un guiño, y se quedó mirando al viajero con picardía, sonriente y lleno de bondad. En ese momento se oyó un silbido lejano. El guardagujas dio un brinco, lleno de inquietud, y se puso a hacer señales ridículas y desordenadas con su linterna.

—¿Es el tren? —preguntó el forastero.

El anciano echó a correr por la vía, desaforadamente. Cuando estuvo a cierta distancia, se volvió para gritar:

—¡Tiene usted suerte! Mañana llegará a su famosa estación. ¿Cómo dice usted que se llama?

—¡X! —contestó el viajero.

En ese momento el viejecillo se disolvió en la clara mañana. Pero el punto rojo de la linterna siguió corriendo y saltando entre los rieles, imprudentemente, al encuentro del tren.

Al fondo del paisaje, la locomotora se acercaba como un ruidoso advenimiento.

·22·

Vicente Blasco Ibáñez

(1867–1928)

LA TUMBA DE ALÍ-BELLÚS

—Era en aquel tiempo —dijo el escultor García —en que me dedicaba, para conquistar el pan, a restaurar imágenes y dorar altares, corriendo de este modo casi todo el reino de Valencia. Tenía un encargo de importancia: restaurar el altar mayor de la iglesia de Bellús, obra pagada con cierta manda de una vieja señora, y allá fui con dos aprendices, cuya edad no se diferenciaba mucho de la mía. 5

Vivíamos en casa del cura, un señor incapaz de reposo, que apenas terminaba su misa ensillaba el macho para visitar a los compañeros de las vecinas parroquias o empuñaba la escopeta, y con balandrán y gorro de seda salía a despoblar de pájaros la huerta. Y mientras él andaba por el mundo, yo, con mis dos compañeros, metidos en la iglesia, sobre los andamios del altar mayor, complicada fábrica del siglo XVII, sacando brillo a los dorados o alegrándoles los mofletes a todo un tropel de angelitos que asomaban entre la hojarasca como chicuelos juguetones. 10 15

Por las mañanas, terminada la misa, quedábamos en absoluta soledad. La iglesia era una antigua mezquita de blancas paredes; sobre los altares laterales extendían las viejas arcadas su graciosa curva, y todo el templo respiraba ese ambiente de silencio y frescura que parece envolver a las construcciones árabes. Por el abierto portón veíamos la plaza solitaria inundada de sol; oíamos los gritos de los que se llamaban allá lejos, a través de los campos, rasgando la quietud de la mañana, y de vez en cuando las gallinas entraban irreverentemente en el templo, paseando ante los altares con grave contoneo, hasta que huían asustadas por nuestros cantos. Hay que advertir que, familiarizados con 20 25 aquel ambiente, estábamos en el andamio como en un taller, y yo obsequiaba a aquel mundo de santos, vírgenes y ángeles inmóviles y empolvados por los siglos, con todas las romanzas aprendidas en mis noches de *paraíso,* y tan pronto cantaba a la *celeste Aïda*[1] como repetía los voluptuosos arrullos de Fausto en el jardín.[2]

Por eso veía con desagrado por las tardes cómo invadían la iglesia algunas vecinas del pueblo, comadres descaradas y preguntonas, que seguían el trabajo de mis manos con atención molesta y hasta osaban criticarme por si no sacaba bastante brillo al follaje de oro o ponía poco bermellón en la cara de un angelito. La más guapetona y la más rica, a juzgar por la autoridad con que trataba a las demás, subía algunas veces al andamio, sin duda para hacerme sentir de más cerca su rústica majestad, y allí permanecía, no pudiendo moverme sin tropezar con ella.

El piso de la iglesia era de grandes ladrillos rojos, y tenía en el centro, empotrada en un marco de piedra, una enorme losa con anilla de hierro. Estaba yo una tarde imaginando qué habría debajo, y agachado sobre la losa rascaba con un hierro el polvo petrificado de las junturas, cuando entró aquella mujerona, la *siñá* Pascuala, que pareció extrañarse mucho al verme en tal ocupación.

Toda la tarde la pasó cerca de mí, en el andamio, sin hacer caso de sus compañeras, que parloteaban a nuestros pies, mirándome fijamente mientras se decidía a soltar la pregunta que revoloteaba en sus labios. Por fin la soltó. Quería saber qué hacía yo sobre aquella losa que nadie en el pueblo, ni aun los más ancianos, habían visto nunca levantada. Mis negativas excitaron más su curiosidad, y por burlarme de ella me entregué a un juego de muchacho, arreglando las cosas de modo que todas las tardes, al llegar a la iglesia, me encontraba mirando la losa, hurgando en sus junturas.

1. la celeste Aïda: *The principal tenor aria from the opera* Aïda *by Giuseppe Verdi (1813–1901).*

2. Fausto: *Faust, the hero of the opera by the same name of Charles François Gounod (1818–1893). The reference here is to the garden scene (Act III) during which Faust sings the famous aria, "Salut! demeure chaste et pure."*

Di fin a la restauración, quitamos los andamios; el altar lucía como un ascua de oro, y cuando le echaba la última mirada, vino la curiosa comadre a intentar por otra vez hacerse partícipe de "mi secreto."

—*Dígameu, pintor* —suplicaba—. *Guardaré el secret.*[3]

Y el pintor (así me llamaban), como era entonces un joven alegre y había de marchar en el mismo día, encontró muy oportuno aturdir a aquella impertinente con una absurda leyenda. La hice prometer un sinnúmero de veces, con gran solemnidad, que no repetiría a nadie mis palabras, y solté cuantas mentiras me sugirió mi afición a las novelas interesantes.

Yo había levantado aquella losa por arte maravilloso que me callaba, y visto cosas extraordinarias. Primero, una escalera honda, muy honda; después, estrechos pasadizos, vueltas y revueltas; por fin, una lámpara que debía estar ardiendo centenares de años, y tendido en una cama de mármol un *tío* muy grande, con la barba hasta el vientre, los ojos cerrados, una espada enorme sobre el pecho y en la cabeza una toalla arrollada con una media luna.

—*Será un mòro* —interrumpió ella con suficiencia.

Sí, un moro. ¡Qué lista era! Estaba envuelto en un manto que brillaba como el oro, y a sus pies una inscripción en letras enrevesadas que no las entendería el mismo cura; pero como yo era pintor, y los pintores lo saben todo, la había leído de corrido. Y decía... decía... ¡ah, sí! decía: "Aquí yace Alí-Bellús; su mujer Sarah y su hijo Macael le dedican este último recuerdo."

Un mes después supe en Valencia lo que ocurrió apenas abandoné el pueblo. En la misma noche, la *siñá* Pascuala juzgó que era bastante heroísmo callarse durante algunas horas, y se lo dijo todo a su marido, el cual lo repitió al día siguiente en la taberna. Estupefacción general. ¡Vivir toda la vida en el pueblo, entrar todos los domingos en la iglesia y no saber que bajo sus pies estaba el hombre de la gran barba, de la toalla en la cabeza, el marido de Sarah, el padre de Macael, el gran Alí-Bellús, que in-

3. Dígameu, ... secret: *Tell me ... I'll keep the secret.*

dudablemente habría sido el fundador del pueblo!... Y todo esto lo había visto un forastero, sin más trabajo que llegar, y ellos no. ¡Cristo!

Al domingo siguiente, apenas el cura abandonó el pueblo para comer con un párroco vecino, una gran parte del vecindario corrió a la iglesia. El marido de la *siñá* Pascuala anduvo a palos con el sacristán para quitarle las llaves, y todos, hasta el alcalde y el secretario, entraron con picos, palancas y cuerdas. ¡Lo que sudaron!... En dos siglos lo menos no había sido levantada aquella losa, y los mozos más robustos, con los bíceps al aire y el cuello hinchado por los esfuerzos, pugnaban inútilmente por removerla.

—*¡Fòrsa, fòrsa!* —gritaba la Pascuala capitaneando aquella tropa de brutos—. *¡Abaix está el mòro!*[4]

Y animados por ella redoblaron todos sus esfuerzos, hasta que después de una hora de bufidos, juramentos y sudor a chorros, arrancaron, no sólo la losa, sino el marco de piedra, saltando tras él una gran parte de los ladrillos del piso. Parecía que la iglesia se venía abajo. ¡Pero buenos estaban ellos para fijarse en el destrozo!... Todas las miradas eran para la lóbrega sima que acababa de abrirse ante sus pies.

Los más valientes rascábanse la cabeza con visible indecisión; pero uno más audaz se hizo atar una cuerda a la cintura y se deslizó, murmurando un credo. No se cansó mucho en el viaje. Su cabeza estaba aún a la vista de todos, cuando sus pies tocaban ya en el fondo.

—*¿Qué veus?*[5] —preguntaban los de arriba con ansiedad.

Y él se agitaba en aquella lobreguez, sin tropezar con otra cosa que montones de paja arrojada allí hacía muchos años, después de un desestero, y que putrefacta por las filtraciones despedía un hedor insufrible.

—*¡Busca, busca!* —gritaban las cabezas formando un marco gesticulante en torno de la lóbrega abertura. Pero el explorador

4. ¡Fòrsa, . . . el mòro! = ¡Fuerza, fuerza! . . . ¡Abajo está el moro! *Harder, harder! . . . . The Moor is down below!*
5. veus = *ves.*

sólo encontraba coscorrones, pues al avanzar su cabeza chocaba contra las paredes. Bajaron otros mozos, acusando de torpeza al primero, pero al fin tuvieron que convencerse de que aquel pozo no tenía salida alguna.

Se retiraron mohinos entre la rechifla de los chicuelos, ofendidos porque les habían dejado fuera de la iglesia, y el griterío de las mujeres, que aprovechaban la ocasión para vengarse de la orgullosa Pascuala.

—*¿Cóm*[6] *está Alí-Bellús?* —preguntaban—. *¿Y su hijo Macael?* Para colmo de sus desdichas, al ver el cura roto el piso de su iglesia y enterarse de lo ocurrido, púsose furioso; quiso excomulgar al pueblo por sacrílego, cerrar el templo, y únicamente se calmó cuando los aterrados descubridores de Alí-Bellús prometieron construir a sus expensas un pavimento mejor.

—¿Y no ha vuelto usted allá? —preguntaron al escultor algunos de sus oyentes.

—Me guardaré mucho. Más de una vez he encontrado en Valencia a alguno de los chasqueados; pero ¡debilidad humana! al hablar conmigo se reían del suceso, lo encontraban muy gracioso, y aseguraban que ellos eran de los que, presintiendo la jugarreta, se quedaron a la puerta de la iglesia. Siempre han terminado la conversación invitándome a ir allá para pasar un día divertido; cuestión de comerse una *paella*. . . ¡Que vaya el demonio! Conozco a mi gente. Me invitan con una sonrisa angelical, pero instintivamente guiñan el ojo izquierdo como si ya estuvieran echándose la escopeta a la cara.

6. ¿Cóm . . . ? = ¿Cómo . . . ?

·23·

Manuel Rojas
(1896–   )

EL HOMBRE DE LA ROSA

En el atardecer de un día de noviembre, hace ya algunos años, llegó a Osorno, en misión catequista, una partida de misioneros capuchinos.

Eran seis frailes barbudos, de complexión recia, rostros enérgicos y ademanes desenvueltos.

La vida errante que llevaban les había diferenciado profundamente de los individuos de las demás órdenes religiosas. En contacto continuo con la naturaleza bravía de las regiones australes, hechos sus cuerpos a las largas marchas a través de las selvas, expuestos siempre a los ramalazos del viento y de la lluvia, estos seis frailes barbudos habían perdido ese aire de religiosidad inmóvil que tienen aquellos que viven confinados en el calorcillo de los patios del convento.

Reunidos casualmente en Valdivia, llegados unos de las reducciones indígenas de Angol, otros de La Imperial, otros de Temuco, hicieron juntos el viaje hasta Osorno, ciudad en que realizarían una semana misionera y desde la cual se repartirían luego, por los caminos de la selva, en cumplimiento de su misión evangelizadora.

Eran seis frailes de una pieza y con toda la barba.

Se destacaba entre ellos el padre Espinoza, veterano ya en las misiones del sur, hombre de unos cuarenta y cinco años, alto de estatura, vigoroso, con empaque de hombre de acción y aire de bondad y de finura.

Era uno de esos frailes que encantan a algunas mujeres y que gustan a todos los hombres.

Tenía una sobria cabeza de renegrido cabello, que de negro azuleaba a veces como el plumaje de los tordos. La cara de tez morena pálida, cubierta profusamente por la barba y el bigote capuchinos. La nariz un poco ancha; la boca, fresca; los ojos, negros y brillantes. A través del hábito se adivinaba el cuerpo ágil y musculoso. 5

La vida del padre Espinoza era tan interesante como la de cualquier hombre de acción, como la de un conquistador, como la de un capitán de bandidos, como la de un guerrillero. Y un poco de cada uno de ellos parecía tener en su apostura, y no le 10 hubieran sentado mal la armadura del primero, la manta y el caballo fino de boca del segundo y el traje liviano y las armas rápidas del último. Pero, pareciendo y pudiendo ser cada uno de aquellos hombres, era otro muy distinto. Era un hombre sencillo, comprensivo, penetrante, con una fe ardiente y dinámica y un 15 espíritu religioso entusiasta y acogedor, despojado de toda cosa frívola.

Quince años llevaba recorriendo la región araucana. Los indios que habían sido catequizados por el padre Espinoza, adorábanlo. Sonreía al preguntar y al responder. Parecía estar siempre 20 hablando con almas sencillas como la suya.

Tal era el padre Espinoza, fraile misionero, hombre de una pieza y con toda la barba.

* * * *

Al día siguiente, anunciada ya la semana misionera, una heterogénea muchedumbre de catecúmenos llenó el primer patio 25 del convento en que ella se realizaría.

Chilotes, trabajadores del campo y de las industrias, indios, vagabundos, madereros, se fueron amontonando allí lentamente, en busca y espera de la palabra evangelizadora de los misioneros. Pobremente vestidos, la mayor parte descalzos o calzados con 30 groseras ojotas, algunos llevando nada más que camiseta y pantalón, sucias y destrozadas ambas prendas por el largo uso, rostros embrutecidos por el alcohol y la ignorancia; toda una fauna informe, salida de los bosques cercanos y de los tugurios de la ciudad.

Los misioneros estaban ya acostumbrados a ese auditorio y no ignoraban que muchos de aquellos infelices venían, más que en 5 busca de una verdad, en demanda de su generosidad, pues los religiosos, durante las misiones, acostumbraban repartir comida y ropa a los más hambrientos y desarrapados.

Todo el día trabajaron los capuchinos. Debajo de los árboles o en los rincones del patio, se apilaban los hombres, contestando 10 como podían, o como se les enseñaba, las preguntas inocentes del catecismo:

—¿Dónde está Dios?

—En el cielo, en la tierra y en todo lugar —respondían en coro, con una monotonía desesperante.

15 El padre Espinoza, que era el que mejor dominaba la lengua indígena, catequizaba a los indios, tarea terrible, capaz de cansar a cualquier varón fuerte, pues el indio, además de presentar grandes dificultades intelectuales, tiene también dificultades en el lenguaje.

20 Pero todo fue marchando, y al cabo de tres días, terminado el aprendizaje de las nociones elementales de la doctrina cristiana, empezaron las confesiones. Con esto disminuyó considerablemente el grupo de catecúmenos, especialmente el de aquellos que ya habían conseguido ropas o alimentos; pero el número siguió 25 siendo crecido.

A las nueve de la mañana, día de sol fuerte y cielo claro, empezó el desfile de los penitentes, desde el patio a los confesionarios, en hilera acompasada y silenciosa.

Despachados ya la mayor parte de los fieles, mediada la tarde, 30 el padre Espinoza, en un momento de descanso, dio unas vueltas alrededor del patio. Y volvía ya hacia su puesto, cuando un hombre lo detuvo, diciéndole:

—Padre, yo quisiera confesarme con usted.

—¿Conmigo, especialmente? —preguntó el religioso.

35 —Sí, con usted.

—¿Y por qué?

—No sé; tal vez porque usted es el de más edad entre los misioneros, y quizá, por eso mismo, el más bondadoso.

El padre Espinoza sonrió:

—Bueno, hijo; si así lo deseas y así lo crees, que así sea. Vamos. 5

Hizo pasar adelante al hombre y él fue detrás, observándolo.

El padre Espinoza no se había fijado antes en él. Era un hombre alto, esbelto, nervioso en sus movimientos, moreno, de corta barba negra terminada en punta; los ojos negros y ardientes, la nariz fina, los labios delgados. Hablaba correctamente y sus 10 ropas eran limpias. Llevaba ojotas, como los demás, pero sus pies desnudos aparecían cuidados.

Llegados al confesionario, el hombre se arrodilló ante el padre Espinoza y le dijo:

—Le he pedido que me confiese, porque estoy seguro de que 15 usted es un hombre de mucha sabiduría y de gran entendimiento. Yo no tengo grandes pecados; relativamente, soy un hombre de conciencia limpia. Pero tengo en mi corazón y en mi cabeza un secreto terrible, un peso enorme. Necesito que me ayude a deshacerme de él. Créame lo que voy a confiarle y, por favor, se 20 lo pido, no se ría de mí. Varias veces he querido confesarme con otros misioneros, pero apenas han oído mis primeras palabras, me han rechazado como a un loco y se han reído de mí. He sufrido mucho a causa de esto. Esta será la última tentativa que hago. Si me pasa lo mismo ahora, me convenceré de que no tengo 25 salvación y me abandonaré a mi infierno.

El individuo aquel hablaba nerviosamente, pero con seguridad. Pocas veces el padre Espinoza había oído hablar así a un hombre. La mayoría de los que confesaba en las misiones eran seres vulgares, groseros, sin relieve alguno, que solamente le comunicaban 30 pecados generales, comunes, de grosería o de liviandad, sin interés espiritual. Contestó, poniéndose en el tono con que le hablaban:

—Dime lo que tengas necesidad de decir y yo haré todo lo posible por ayudarte. Confía en mí como en un hermano. 35

El hombre demoró algunos instantes en empezar su confesión; parecía temer el confesar el gran secreto que decía tener en su corazón.

—Habla.

El hombre palideció y miró fijamente al padre Espinoza. En la oscuridad, sus ojos negros brillaban como los de un preso o como los de un loco. Por fin, bajando la cabeza, dijo, entre dientes:

—Yo he practicado y conozco los secretos de la magia negra.

Al oir estas extraordinarias palabras, el padre Espinoza hizo un movimiento de sorpresa, mirando con curiosidad y temor al hombre; pero el hombre había levantado la cabeza y espiaba la cara del religioso, buscando en ella la impresión que sus palabras producirían. La sorpresa del misionero duró un brevísimo tiempo. Tranquilizóse en seguida. No era la primera vez que escuchaba palabras iguales o parecidas. En ese tiempo los llanos de Osorno y las islas chilotas estaban plagadas de brujos, "machis" y hechiceros. Contestó:

—Hijo mío: no es raro que los sacerdotes que le han oído a usted lo que acaba de decir, lo hayan tomado por loco y rehusado oir más. Nuestra religión condena terminantemente tales prácticas y tales creencias. Yo, como sacerdote, debo decirle que eso es grave pecado; pero, como hombre, le digo que eso es una estupidez y una mentira. No existe tal magia negra, ni hay hombre alguno que pueda hacer algo que esté fuera de las leyes de la naturaleza y de la voluntad divina. Muchos hombres me han confesado lo mismo, pero, emplazados para que pusieran en evidencia su ciencia oculta, resultaron impostores groseros e ignorantes. Solamente un desequilibrado o un tonto puede creer en semejante patraña.

El discurso era fuerte y hubiera bastado para que cualquier hombre de buena fe desistiera de sus propósitos; pero, con gran sorpresa del padre Espinoza, su discurso animó al hombre, que se puso de pie y exclamó con voz contenida:

—¡Yo sólo pido a usted me permita demostrarle lo que le

confieso! Demostrándoselo, usted se convencerá y yo estaré salvado. Si yo le propusiera hacer una prueba, ¿aceptaría usted, padre? —preguntó el hombre.

—Sé que perdería mi tiempo lamentablemente, pero aceptaría.

—Muy bien —dijo el hombre—. ¿Qué quiere usted que haga? 5

—Hijo mío, yo ignoro tus habilidades mágicas. Propón tú.

El hombre guardó silencio un momento, reflexionando. Luego dijo:

—Pídame usted que le traiga algo que esté lejos, tan lejos que sea imposible ir allá y volver en el plazo de un día o dos. Yo se 10 lo traeré en una hora, sin moverme de aquí.

Una gran sonrisa de incredulidad dilató la fresca boca del fraile Espinoza:

—Déjame pensarlo —respondió —y Dios me perdone el pecado y la tontería que cometo. 15

El religioso tardó mucho rato en encontrar lo que se le proponía. No era tarea fácil hallarlo. Primeramente ubicó en Santiago la residencia de lo que iba a pedir y luego se dio a elegir. Muchas cosas acudieron a su recuerdo y a su imaginación, pero ninguna le servía para el caso. Unas eran demasiado comunes, 20 y otras pueriles y otras muy escondidas, y era necesario elegir una que, siendo casi única, fuera asequible. Recordó y recorrió su lejano convento; anduvo por sus patios, por sus celdas, por sus corredores y por su jardín; pero no encontró nada especial. Pasó después a recordar lugares que conocía en Santiago. ¿Qué 25 pediría? Y cuando, ya cansado, iba a decidirse por cualquiera de los objetos entrevistos por sus recuerdos, brotó en su memoria, como una flor que era, fresca, pura, con un hermoso color rojo, una rosa del jardín de las monjas Claras.

Una vez, hacía poco tiempo, en un rincón de ese jardín vio un 30 rosal que florecía en rosas de un color único. En ninguna parte había vuelto a ver rosas iguales o parecidas, y no era fácil que las hubiera en Osorno. Además, el hombre aseguraba que traería lo que él pidiera, sin moverse de allí. Tanto daba pedirle una cosa como otra. De todos modos no traería nada. 35

—Mira —dijo al fin—, en el jardín del convento de las

monjas Claras de Santiago, plantado junto a la muralla que da hacia la Alameda, hay un rosal que da rosas de un color granate muy lindo. Es el único rosal de esa especie que hay allí.... Una de esas rosas es lo que quiero que me traigas.

El supuesto hechicero no hizo objeción alguna, ni por el sitio en que se hallaba la rosa ni por la distancia a que se encontraba. Preguntó únicamente:

—Encaramándose por la muralla, ¿es fácil tomarla?

—Muy fácil. Estiras el brazo y ya la tienes.

—Muy bien. Ahora, dígame: ¿hay en este convento una pieza que tenga una sola puerta?

—Hay muchas.

—Lléveme usted a alguna de ellas.

El padre Espinoza se levantó de su asiento. Sonreía. La aventura era ahora un juego extraño y divertido y, en cierto modo, le recordaba los de su infancia. Salió acompañado del hombre y lo guió hacia el segundo patio, en el cual estaban las celdas de los religiosos. Lo llevó a la que él ocupaba. Era una habitación de medianas proporciones, de sólidas paredes; tenía una ventana y una puerta. La ventana estaba asegurada con una gruesa reja de fierro forjado y la puerta tenía una cerradura muy firme. Allí había un lecho, una mesa grande, dos imágenes y un crucifijo, ropas y objetos.

—Entra.

Entró el hombre. Se movía con confianza y desenvoltura; parecía muy seguro de sí mismo.

—¿Te sirve esta pieza?

—Me sirve.

—Tú dirás lo que hay que hacer.

—En primer lugar, ¿qué hora es?

—Las tres y media.

El hombre meditó un instante, y dijo luego:

—Me ha pedido usted que le traiga una rosa del jardín de las monjas Claras de Santiago y yo se la voy a traer en el plazo de una hora. Para ello es necesario que yo me quede solo aquí y que usted se vaya, cerrando la puerta con llave y llevándose la llave.

No vuelva hasta dentro de una hora justa. A las cuatro y media, cuando usted abra la puerta, yo le entregaré lo que me ha pedido.

El fraile Espinoza asintió en silencio, moviendo la cabeza. Empezaba a preocuparse. El juego iba tornándose interesante y misterioso, y la seguridad con que hablaba y obraba aquel hombre le comunicaba a él cierta intimidación respetuosa.

Antes de salir, dio una mirada detenida por toda la pieza. Cerrando con llave la puerta, era difícil salir de allí. Y aunque aquel hombre lograra salir, ¿qué conseguiría con ello? No se puede hacer, artificialmente, una rosa cuyo color y forma no se han visto nunca. Y, por otra parte, él rondaría toda esa hora por los alrededores de su celda. Cualquier superchería era imposible.

El hombre, de pie ante la puerta, sonriendo, esperaba que el religioso se retirara.

Salió el padre Espinoza, echó llave a la puerta, se aseguró que quedaba bien cerrada y guardándose la llave en sus bolsillos echó a andar tranquilamente.

Dio una vuelta alrededor del patio, y otra, y otra. Empezaron a transcurrir lentamente los minutos, muy lentamente; nunca habían transcurrido tan lentos los sesenta minutos de una hora. Al principio, el padre Espinoza estaba tranquilo. No sucedería nada. Pasado el tiempo que el hombre fijara[1] como plazo, él abriría la puerta y lo encontraría tal como lo dejara.[1] No tendría en sus manos ni la rosa pedida ni nada que se le pareciera. Pretendería disculparse con algún pretexto fútil, y él, entonces, le largaría un breve discurso, y el asunto terminaría ahí. Estaba seguro. Pero, mientras paseaba, se le ocurrió preguntarse:

—¿Qué estará haciendo?

La pregunta lo sobresaltó. Algo estaría haciendo el hombre, algo intentaría. Pero, ¿qué? La inquietud aumentó. ¿Y si el hombre lo hubiera engañado y fueran otras sus intenciones? Interrumpió su paseo y durante un momento procuró sacar algo en limpio, recordando al hombre y sus palabras. ¿Si se tratara de

1. fijara *had fixed;* dejara *had left.* (The imperfect subjunctive used as pluperfect indicative.)

un loco? Los ojos ardientes y brillantes de aquel hombre, su desenfado un sí es no es[2] inconsciente, sus propósitos....

Atravesó lentamente el patio y paseó a lo largo del corredor en que estaba su celda. Pasó varias veces delante de aquella puerta cerrada. ¿Qué estaría haciendo el hombre? En una de sus pasadas se detuvo ante la puerta. No se oía nada, ni voces, ni pasos, ningún ruido. Se acercó a la puerta y pegó su oído a la cerradura. El mismo silencio. Prosiguió sus paseos, pero a poco su inquietud y su sobresalto aumentaban. Sus paseos se fueron acortando y, al final, apenas llegaban a cinco o seis pasos de distancia de la puerta. Por fin, se inmovilizó ante ella. Se sentía incapaz de alejarse de allí. Era necesario que esa tensión nerviosa terminara pronto. Si el hombre no hablaba, ni se quejaba, ni andaba, era señal de que no hacía nada y no haciendo nada, nada conseguiría. Se decidió a abrir antes de la hora estipulada. Sorprendería al hombre y su triunfo sería completo. Miró su reloj: faltaban aún veinticinco minutos para las cuatro y media. Antes de abrir pegó nuevamente su oído a la cerradura: ni un rumor. Buscó la llave en sus bolsillos y colocándola en la cerradura la hizo girar sin ruido. La puerta se abrió silenciosamente.

Miró el fraile Espinoza hacia adentro y vio que el hombre no estaba sentado ni estaba de pie: estaba extendido sobre la mesa, con los pies hacia la puerta, inmóvil.

Esa actitud inesperada lo sorprendió. ¿Qué haría el hombre en aquella posición? Avanzó un paso, mirando con curiosidad y temor el cuerpo extendido sobre la mesa. Ni un movimiento. Seguramente su presencia no habría sido advertida; tal vez el hombre dormía; quizá estaba muerto... Avanzó otro paso y entonces vio algo que lo dejó tan inmóvil como aquel cuerpo. El hombre no tenía cabeza.

Pálido, sintiéndose invadido por la angustia, lleno de un sudor helado todo el cuerpo, el padre Espinoza miraba, miraba sin comprender. Hizo un esfuerzo y avanzó hasta colocarse frente a

2. un sí es no es: *somewhat.*

la parte superior del cuerpo del individuo. Miró hacia el suelo, buscando en él la desaparecida cabeza, pero en el suelo no había nada, ni siquiera una mancha de sangre. Se acercó al cercenado cuello. Estaba cortado sin esfuerzo, sin desgarraduras, finamente. Se veían las arterias y los músculos, palpitantes, rojos; los huesos blancos, limpios; la sangre bullía allí, caliente y roja, sin derramarse, retenida por una fuerza desconocida.

El padre Espinoza se irguió. Dio una rápida ojeada a su alrededor, buscando un rastro, un indicio, algo que le dejara adivinar lo que había sucedido. Pero la habitación estaba como él la había dejado al salir; todo en el mismo orden, nada revuelto y nada manchado de sangre.

Miró su reloj. Faltaban solamente diez minutos para las cuatro y media. Era necesario salir. Pero, antes de hacerlo, juzgó que era indispensable dejar allí un testimonio de su estada. Pero, ¿qué? Tuvo una idea; buscó entre sus ropas y sacó de entre ellas un alfiler grande, de cabeza negra, y al pasar junto al cuerpo para dirigirse hacia la puerta lo hundió íntegro en la planta de uno de los pies del hombre.

Luego cerró la puerta con llave y se alejó.

Durante los diez minutos siguientes el religioso se paseó nerviosamente a lo largo del corredor, intranquilo, sobresaltado; no quería dar cuenta a nadie de lo sucedido; esperaría los diez minutos y, transcurridos éstos, entraría de nuevo a la celda y si el hombre permanecía en el mismo estado comunicaría a los demás religiosos lo sucedido.

¿Estaría él soñando o se encontraría bajo el influjo de una alucinación o de una poderosa sugestión? No, no lo estaba. Lo que había acontecido hasta ese momento era sencillo: un hombre se había suicidado de una manera misteriosa... Sí, ¿pero dónde estaba la cabeza del individuo? Esta pregunta lo desconcertó. ¿Y por qué no había manchas de sangre? Prefirió no pensar más en ello; después se aclararía todo.

Las cuatro y media. Esperó aún cinco minutos más. Quería darle tiempo al hombre. ¿Pero tiempo para qué, si estaba muerto? No lo sabía bien, pero en esos momentos casi deseaba que aquel hombre le demostrara su poder mágico. De otra manera, sería tan estúpido, tan triste todo lo que había pasado...

* * * *

Cuando el fraile Espinoza abrió la puerta, el hombre no estaba ya extendido sobre la mesa, decapitado, como estaba quince minutos antes. Parado frente a él, tranquilo, con una fina sonrisa en los labios, le tendía, abierta, la morena mano derecha. En la palma de ella, como una pequeña y suave llama, había una fresca rosa: la rosa del jardín de las monjas Claras.

—¿Es ésta la rosa que usted me pidió?

El padre Espinoza no contestó; miraba al hombre. Este estaba un poco pálido y demacrado. Alrededor de su cuello se veía una línea roja, como una cicatriz reciente.

—Sin duda el Señor quiere hoy jugar con su siervo —pensó.

Estiró la mano y cogió la rosa. Era una de las mismas que él viera florecer en el pequeño jardín del convento santiaguino. El mismo color, la misma forma, el mismo perfume.

Salieron de la celda, silenciosos, el hombre y el religioso. Este llevaba la rosa apretada en su mano y sentía en la piel la frescura de los pétalos rojos. Estaba recién cortada. Para el fraile habían terminado los pensamientos, las dudas y la angustia. Sólo una gran impresión lo dominaba y un sentimiento de confusión y de desaliento inundaba su corazón.

De pronto advirtió que el hombre cojeaba.

—¿Por qué cojeas? —le preguntó.

—La rosa estaba apartada de la muralla. Para tomarla, tuve que afirmar un pie en el rosal y, al hacerlo, una espina me hirió el talón.

El fraile Espinoza lanzó una exclamación de triunfo:

—¡Ah! ¡Todo es una ilusión! Tú no has ido al jardín de las monjas Claras ni te has pinchado el pie con una espina. Ese dolor que sientes es el producido por un alfiler que yo te clavé en el pie. Levántalo.

El hombre levantó el pie y el sacerdote, tomando de la cabeza el alfiler, se lo sacó.

—¿No ves? No hay ni espina ni rosal. ¡Todo ha sido una ilusión!

Pero el hombre contestó:

—Y la rosa que lleva usted en la mano, ¿también es ilusión?

* * * *

Tres días después, terminada la semana misionera, los frailes capuchinos abandonaron Osorno. Seguían su ruta a través de las selvas. Se separaron, abrazándose y besándose. Cada uno tomó por su camino.

El padre Espinoza volvería hacia Valdivia. Pero ya no iba solo. A su lado, montado en un caballo oscuro, silencioso y pálido, iba un hombre alto, nervioso, de ojos negros y brillantes.

Era el hombre de la rosa.

·24·

Felipe Trigo
(1865–1915)

LUZBEL

Entre los invitados al estudio de Rangel con motivo de su última obra, estaban Jacinta Júver, una arrogante dama de ojos garzos, muy aficionada a la pintura, casi una artista, y su esposo, el señor La Riva, hombre que, según decía, desde hortera con 5 sabañones, supo caer en marqués con gabán de pieles, sin más que saltarse limpia y oportunamente el mostrador de un comercio.

Habían desfilado los demás visitantes y quedaban estos dos; intranquilo él porque se le hacía tarde para el Senado, y la bella marquesa ante el lienzo absorta cada vez más, examinándolo a 10 través de sus impertinentes y celebrando los detalles con el pintor en voluble charla. Era un *panneau* decorativo: el arcángel maldito, caído bajo un cielo de tempestad sobre una roca; Luzbel, con la túnica y el cabello rubio azotados por el vendaval, con el codo en la rodilla y la sien en el dorso de la mano, resplandecía 15 aún de divinidad, en la hierática rigidez de su soberbia, como el ascua que en su propia ceniza se va apagando.

Hubo necesidad de explicarle este simbolismo al banquero, que se acercaba nuevamente, después de entretener su impaciencia con estatuas y desnudos. Y como su mujer, con cierta coquetería 20 intelectual delante del artista, le señalaba los grandes aciertos de color y de dibujo, aquellas líneas onduladas de visión de ensueño, y aquellos tonos suaves que velaban la figura con neblinas de lo fantástico, harto La Riva de escuchar, exclamó:

—¡Hermoso! ¡Magnífico!

25 Añadió con franqueza mientras limpiaba los lentes:

—De todos modos... ¡yo no entiendo!, pero si es ángel, ¿por qué no ponerle alas?

Jacinta, avergonzada, con una dulce súplica de piedad para el marqués, miraba al pintor sonriendo. Este, a pesar suyo, tenía en los labios una contracción desdeñosa y compasiva, a cuyo estremecimiento le faltó poco para romper en esta palabra: "¡Imbécil!" Pero le volvió la espalda, cambiando con la gentil marquesa una mirada que se clavó en el orgullo de La Riva como un florete. 5

En aquel hombre veía el artista la vulgaridad de que creía él haber salido con vuelo de genio, al pintar un demonio sin rabo, sin cuernos, sin alas de grulla siquiera. . . 10

Dio La Riva un paso, cogiendo por el brazo al pintor. Hubiérase creído que lo iba a lanzar contra la pared. . . Mas no; ¡brusquedades de hombre de negocio!. . . se sonreía.

—¿Cuánto vale ese lienzo?

Rangel respondió altivo: 15

—Veinte mil pesetas.

—Lo compro. Enviaré por él, y mañana tendrá usted la bondad de almorzar con nosotros para colocarlo.

Ya en el coche, rodando hacia el Senado, le decía Jacinta:

—Has estado importunísimo. ¿Para qué hablas de lo que no entiendes? 20

—¡Oh! —respondía filosóficamente el banquero—. ¡Si no se hablase más que de lo que se entiende bien!. . . ¡Bah, los artistas! ¡Sois vanidosos como el mismo Luzbel, hija de mi alma! En fin, ya verás. . . Cada cual tiene su vanidad, y. . . no había de estar yo sin la mía. Mañana quiero dar a ese geniazo un banquete tan original y espléndido que no lo olvide jamás. . . 25

El almuerzo, en verdad, había sido regio. Los tres solos, en jovial y amena conversación, excitada por la abundancia de los mejores vinos, en aquel gran comedor, confortable, con sus dobles cortinas ante las policromas vidrieras de cristal cuajado, con sus plantas de hojas en abanico entre los muebles, y en medio de cuyo lujo sólido parecía la marquesita una figura de porcelana. 30

Su pelo negro, partido en dos bandas, con sencillez griega, hacía más transparente la blancura "violeta" de su carne; y en su pálido traje heliotropo adivinábase una gallardía de buen gusto brindada al pintor.

5 Obstinábase en relatar su historia el marqués a los postres, empuñando la panda copa de champaña. Una biografía interesante, empezada en un chiquillo con almadreñas que salió un día de su puebluco a mirar el mundo, y que, en fuerza de años, de voluntad y de instinto de la vida, realizó con brío su parte de 10 trabajo, colocándose a los cincuenta en blasonado palacio, para poder contemplar desde la altura de su corona de marqués y de su senaduría vitalicia el bien que había hecho. Y distinguía, en efecto, desde allí, aquellas tiendas humildísimas donde enriqueció a los dueños con su laboriosidad honrada; aquel gran 15 comercio suyo más tarde; aquellas locomotoras, luego, corriendo en su país porque él y otros como él habían puesto el dinero; aquellas fábricas que él fundó; aquel...

—¡Siempre francote y un poco tosco, eso sí, pero orgulloso de todos modos! —decía La Riva con una calma y un ritmo que 20 recordaban el paso del buey. Y observando a su mujer y al pintor, distraídos bajo la seducción vaporosa del champaña y de la espiritual cháchara que él había escuchado antes como un extraño, proseguía—: Mas a buen seguro que si no entiendo de esas monadas que compro para adornar mi palacio— (con el ademán 25 parecía incluir como un cuadro o un *bibelot* más a la bella marquesa) —tampoco Rangel sabrá mucho de los negocios ni de los ferrocarriles, en que viaja repantigadamente... ¡Cada cosa tiene sus méritos... y sus misterios, que sólo Dios puede conocer en todas!

30 En seguida dirigióse a un criado que traía el juego para el café:

—No, Gaspar. En mi despacho. ¿Has prendido la chimenea?

Salió el criado haciendo un gesto de confidencia, y manifestó el banquero que servían el café en su despacho para que aprecia-35 ran la buena colocación que por sí propio había dado a la gran obra de arte.

Y derecho invitándoles a salir, mientras su mujer y el pintor se miraban presintiendo alguna nueva necedad artística del hombre de negocios, añadió:

—¡Ah! ¡Se trata de mi hermosa chimenea con arco de roble, tallado por Seriño! 5

Presenciaron un espectáculo extraño en el despacho.

¡Vaya si lo entendía! ¿Qué se figuraban los dos?... ¿No era un lienzo decorativo? ¿No representaba un diablo más o menos bonito?... Pues ¡su pensamiento! en ningún sitio mejor que llenando el gran fondo de su chimenea antigua, con el fuego en 10 los mismísimos pies del mal arcángel.

Lo primero que vio Rangel fue su *panneau* llenando el hueco negro de la chimenea. Tocando al lienzo ardían los trozos secos de pino, y las llamas y el humo habían obscurecido la pintura, levantada hasta la rodilla del ángel. 15

La Riva, cruzado de brazos, con una sonrisa de agrado como quien espera un pláceme, contemplaba al pintor, cuyos labios temblaban.

Esta vez se lo dijo el artista:

—¡Imbécil! ¡Imbécil! 20

Con toda su alma, con toda su rabia, y comprendiendo la situación, salió como un loco.

—¿Qué significa esto? —preguntaba Jacinta irguiéndose frente a su marido.

—Esto significa que le acabo de probar a un infeliz, prácticamente, cómo yo sé hacer las cosas; que si él tiene orgullo de su fantasía para pintar, yo tengo el orgullo de mi talento para hacer dinero, que vale y puede más, porque vale y lo puede todo... todo...

Y concluyó, mirando a su mujer hasta la conciencia:[1] 30

—... incluso destruir la gloria... y haberte traído a mi palacio desde la estrechez, ¡no hay que olvidarlo, marquesa consorte de La Riva!

1. hasta la conciencia: *to the depths of her soul.*

·25·

Augusto D'Halmar
(1882–1950)

EN PROVINCIA

La vie est vaine:
un peu d'amour
un peu de haine
et puis, "bonjour."

5 La vie est brève:
un peu d'espoir,
un peu de rêve,
y puis, "bonsoir."[1]

Tengo cincuenta y seis años y hace cuarenta que llevo la pluma
10 tras la oreja; pues bien, nunca supuse que pudiera servirme para algo que no fuese consignar partidas en el "Libro Diario" o transcribir cartas con encabezamiento inamovible:

"En contestación a su grata, fecha... del presente, tengo el gusto de comunicarle..."

15 Y es que salido de mi pueblo a los diez y seis años, después de la muerte de mi madre, sin dejar afecciones tras de mí, viviendo desde entonces en este medio provinciano, donde todos nos entendemos verbalmente, no he tenido para qué escribir.

A veces lo hubiera deseado; me hubiera complacido que
20 alguien, en el vasto mundo, recibiese mis confidencias; pero ¿quién?

1. "Life is a sham: a little love, a little hate, and then, 'good day'. Life is short: a little hope, a little dream, and then 'good night'." This French folk poem appeared in the early editions of *En provincia.*

En cuanto a desahogarme con cualquiera, sería ridículo. La gente se forma una idea de uno y le duele modificarla.

Yo soy, ante todo, un hombre gordo y calvo, y un empleado de comercio: Borja Guzmán, tenedor de libros del "Emporio Delfín". 5

¡Buena la haría saliendo ahora con revelaciones sentimentales!

A cada cual se asigna, o escoge cada cual, su papel en la farsa, pero preciso es sostenerlo hasta la postre.

Debí casarme y dejé de hacerlo ¿por qué? No por falta de inclinaciones, pues aquello mismo de que no hubiera disfrutado 10 de mi hogar a mis anchas, hacía que soñase con formarlo. ¿Por qué entonces? ¡La vida! ¡Ah, la vida!

El viejo Delfín me mantuvo un honorario que el heredero mejoró, pero que fue reducido apenas cambió la casa de dueño.

Tres he tenido, y ni varió mi situación ni mejoré de suerte. 15

En tales condiciones se hace difícil el ahorro, sobre todo si no se sacrifica el estómago. El cerebro, los brazos, el corazón, todo trabaja para él: se descuida Smiles y cuando quisiera establecerse ya no hay modo de hacerlo.[2]

¿Es lo que me ha dejado soltero? Sí, hasta los treinta y un 20 años, que de ahí en adelante no se cuenta.

Un suceso vino a clausurar a esa edad mi pasado, mi presente y mi porvenir, y ya no fui, ya no soy sino un muerto que hojea su vida.

Aparte de esto he tenido poco tiempo de aburrirme. Por la 25 mañana, a las nueve, se abre el almacén; interrumpe su movimiento para el almuerzo y la comida, y al toque de retreta se cierra.

Desde esa hasta esta hora, permanezco en mi piso giratorio con los pies en el travesaño más alto y sobre el bufete los codos 30 forrados en percalina; después de guardar los libros y apagar la

2. se descuida Smiles . . . modo de hacerlo *one ignores Smiles (*i.e., *thrift) and when one wants to settle down, there is no longer any way to do it.* Samuel Smiles (1812–1904), *Scottish writer of popular works on how to save money. Widely read in Spanish-speaking countries were* Thrift *(El ahorro) and* Self-Help *(Ayúdate).*

lámpara que me corresponde, cruzo la plazoleta y, a una vuelta de llave, se franquea para mí una puerta: estoy en "mi casa".

Camino a tientas, cerca de la cómoda hago luz; allí, a la derecha, se halla siempre la bujía.

Lo primero que veo es una fotografía, sobre el papel celeste de la habitación; después, la mancha blanca del lecho, mi pobre lecho, que nunca sabe disponer Verónica, y que cada noche acondiciono de nuevo. Una cortina de cretona oculta la ventana que cae a la plaza.

Si no hace demasiado sueño, saco mi flauta de su estuche y ajusto sus piezas con vendajes y ligaduras.

Vieja, casi tanto como yo, el tubo malo, flojas las llaves, no regulariza ya sus suspiros, y a lo mejor deja una nota que cruza el espacio, y yo formulo un deseo invariable.

En tantos años se han desprendido muchas y mi deseo no se cumple.

Toco, toco. Son dos o tres motivos melancólicos. Tal vez supe más y pude aprender otros; pero éstos eran los que ella prefería, hace un cuarto de siglo, y con ellos me he quedado.

Toco, toco. Al pie de la ventana, un grillo, que se siente estimulado, se afina interminablemente. Los perros ladran a los ruidos y a las sombras. El reloj de una iglesia da una hora. En las casas menos austeras cubren los fuegos, y hasta el viento que transita por las calles desiertas pretende apagar el alumbrado público.

Entonces, si penetra una mariposa a mi habitación, abandono la música y acudo para impedir que se precipite sobre la llama. ¿No es el deber de la experiencia?

Además, comenzaba a fatigarme. Es preciso soplar con fuerza para que la inválida flauta responda, y con mi volumen excesivo yo quedo jadeante.

Cierro, pues, la ventana; me desvisto, y en gorro y zapatillas, con la palmatoria en la mano, doy, antes de meterme en la cama, una última ojeada al retrato.

El rostro de Pedro es acariciador; pero en los ojos de ella hay tal altivez, que me obliga a separar los míos. Cuatro lustros han pasado y se me figura verla así: así me miraba.

Esta es mi existencia, desde hace veinte años. Me han bastado, para llenarla, un retrato y algunos aires antiguos; pero está visto que, conforme envejecemos, nos tornamos exigentes. Ya no me basta y recurro a la pluma.

Si alguien lo supiera. Si sorprendiese alguien mis memorias, la novela triste de un hombre alegre, "don Borja", "el del Emporio del Delfín". ¡Si fuesen leídas!... ¡Pero no! Manuscritos como éste, que vienen en reemplazo del confidente que no se ha tenido, desaparecen con su autor.

El los destruye antes de embarcarse, y algo debe prevenirnos cuándo. De otro modo no se comprende que, en un momento dado, no más particular que cualquiera, menos tal vez que muchos momentos anteriores, el hombre se deshaga de aquel "algo" comprometedor, pero querido, que todos ocultamos, y, al hacerlo, ni sufra ni tema arrepentirse. Es como el pasaje, que, una vez tomado, nadie posterga su viaje.

O será que partimos precisamente porque ya nada nos detiene. Las últimas amarras han caído... ¡el barco zarpa!

Fue, como dije, hace veinte años; más, veinticinco, pues ello empezó cinco años antes. Yo no podía llamarme ya un joven y ya estaba calvo y bastante grueso; lo he sido siempre: las penas no hacen sino espesar mi tejido adiposo.

Había fallecido mi primer patrón, y el emporio pasó a manos de su sobrino, que habitaba en la capital; pero nada sabía yo de él, ni siquiera le había visto nunca, pero no tardé en conocerle a fondo: duro y atrabiliario con sus dependientes, con su mujer se conducía como un perfecto enamorado, y cuéntese con que su unión databa de diez años. ¡Como parecían amarse, santo Dios!

También conocí sus penas, aunque a simple vista pudiera creérseles felices. A él le minaba el deseo de tener un hijo, y, aunque lo mantuviera secreto, algo había llegado a sospechar ella. A veces solía preguntarle: "¿Qué echas de menos?", y él le cubría la boca de besos. Pero ésta no era una respuesta. ¿No es cierto?

Me habían admitido en su intimidad desde que conocieron mis aficiones filarmónicas. "Debimos adivinarlo: tiene pulmones a propósito". Tal fue el elogio que le hizo de mí su mujer en nuestra primera velada.

¡Nuestra primera velada! ¿Cómo acerté delante de aquellos señores de la capital, yo que tocaba de oído y que no había tenido otro maestro que un músico de la banda? Ejecuté, me acuerdo, "El ensueño", que esta noche acabo de repasar, "Lamentaciones de una joven", y "La golondrina y el prisionero"; y sólo reparé en la belleza de la principala, que descendió hasta mí para felicitarme.

De allí datό la costumbre de reunirnos, apenas se cerraba el almacén, en la salita del piso bajo, la misma donde ahora se ve luz, pero que está ocupada por otra gente.

Pasábamos algunas horas embebidos en nuestro corto repertorio, que ella no me había permitido variar en lo más mínimo, y que llegó a conocer tan bien que cualquiera nota falsa la impacientaba.

Otras veces me seguía tarareando, y, por bajo que lo hiciera, se adivinaba en su garganta una voz cuya extensión ignoraría ella misma. ¿Por qué, a pesar de mis instancias, no consintió en cantar?

¡Ah! Yo no ejercía sobre ella la menor influencia; por el contrario, a tal punto me imponía, que aunque muchas veces quise que charlásemos, nunca me atreví. ¿No me admitía en su sociedad para oirme? ¡Era preciso tocar!

En los primeros tiempos, el marido asistió a los conciertos y, al arrullo de la música, se adormecía; pero acabó por dispensarse de ceremonias y siempre que estaba fatigado nos dejaba y se iba a su lecho.

Algunas veces concurría uno que otro vecino, pero la cosa no debía parecerles divertida y con más frecuencia quedábamos solos.

Así fue como una noche que me preparaba a pasar de un motivo a otro, Clara (se llamaba Clara) me detuvo con una pregunta a quemarropa:

—Borja, ¿ha notado usted su tristeza?

—¿De quién?, ¿del patrón? —pregunté, bajando también la voz—. Parece preocupado, pero...

—¿No es cierto? —dijo, clavándome sus ojos afiebrados.

Y como si hablara consigo: 5

—Le roe el corazón y no puede quitárselo. ¡Ah, Dios mío!

Me quedé perplejo y debí haber permanecido mucho tiempo perplejo, hasta que su acento imperativo me sacudió:

—¿Qué hace usted así? ¡Toque, pues!

Desde entonces pareció más preocupada y como disgustada de 10 mí. Se instalaba muy lejos, en la sombra, tal como si yo le causara un profundo desagrado; me hacía callar para seguir mejor sus pensamientos y, al volver a la realidad, como hallase la muda sumisión de mis ojos a la espera de un mandato suyo, se irritaba sin causa. 15

—¿Qué hace usted así? ¡Toque, pues!

Otras veces me acusaba de apocado, estimulándome a que le confiara mi pasado y mis aventuras galantes; según ella, yo no podía haber sido eternamente razonable, y alababa con ironía mi "reserva", o se retorcía en un acceso de incontenible hilaridad: 20 "San Borja, tímido y discreto".

Bajo el fulgor ardiente de sus ojos, yo me sentía enrojecer más y más, por lo mismo que no perdía la conciencia de mi ridículo; en todos los momentos de mi vida, mi calvicie y mi obesidad me han privado de la necesaria presencia de espíritu, ¡y quién sabe si 25 no son la causa de mi fracaso!

Transcurrió un año, durante el cual sólo viví por las noches. Cuando lo recuerdo, me parece que la una se anudaba a la otra, sin que fuera posible el tiempo que las separaba, a pesar de que, en aquel entonces, debe de habérseme hecho eterno. 30

...Un año breve como una larga noche.

Llego a la parte culminante de mi vida. ¿Cómo relatarla para que pueda creerla yo mismo? ¡Es tan inexplicable, tan absurdo, tan inesperado!

Cierta ocasión en que estábamos solos, suspendido en mi mú- 35 sica por un ademán suyo, me dedicaba a adorarla, creyéndola abstraída, cuando de pronto la vi dar un salto y apagar la luz.

Instintivamente me puse de pie, pero en la obscuridad sentí dos brazos que se enlazaban a mi cuello y el aliento entrecortado de una boca que buscaba la mía.

Salí tambaléandome. Ya en mi cuarto, abrí la ventana y en ella pasé la noche. Todo el aire me era insuficiente. El corazón quería salirse del pecho, lo sentía en la garganta, ahogándome; ¡qué noche!

Esperé la siguiente con miedo. Creíame juguete de un sueño. El amo me reprendió un descuido, y, aunque lo hizo delante del personal, no sentí ira ni vergüenza.

En la noche él asistió a nuestra velada. Ella parecía profundamente abatida.

Y pasó otro día sin que pudiéramos hallarnos solos; al tercero ocurrió, me precipité a sus plantas para cubrir sus manos de besos y lágrimas de gratitud, pero, altiva y desdeñosa, me rechazó, y con su tono más frío, me rogó que tocase.

¡No, yo debí haber soñado mi dicha! ¿Creeréis que nunca, nunca más volví a rozar con mis labios ni el extremo de sus dedos? La vez que, loco de pasión, quise hacer valer mis derechos de amante, me ordenó salir en voz tan alta, que temí que hubiese despertado al amo, que dormía en el piso superior.

¡Qué martirio! Caminaron los meses, y la melancolía de Clara parecía disiparse, pero no su enojo. ¿En qué podía haberla ofendido yo?

Hasta que, por fin, una noche en que atravesaba la plaza con mi estuche bajo el brazo, el marido en persona me cerró el paso. Parecía extraordinariamente agitado, y mientras hablaba mantuvo su mano sobre mi hombro con una familiaridad inquietante.

—¡Nada de músicas! —me dijo—. La señora no tiene propicios los nervios, y hay que empezar a respetarle este y otros caprichos.

Yo no comprendía.

—Sí, hombre. Venga usted al casino conmigo y brindaremos a la salud del futuro patroncito.

Nació. Desde mi bufete, entre los gritos de la parturienta, escuché su primer vagido, tan débil. ¡Cómo me palpitaba el corazón! ¡Mi hijo! Porque era mío. ¡No necesitaba ella decírmelo! ¡Mío! ¡Mío!

Yo, el solterón solitario, el hombre que no había conocido nunca una familia, a quien nadie dispensaba sus favores sino por dinero, tenía ahora un hijo, ¡el de la mujer amada!

¿Por qué no morí cuando él nacía? Sobre el tapete verde de mi escritorio rompí a sollozar tan fuerte, que la pantalla de la lámpara vibraba y alguien que vino a consultarme algo se retiró en puntillas.

Sólo un mes después fui llevado a presencia del heredero. Le tenía en sus rodillas su madre, convaleciente, y le mecía amorosamente.

Me incliné, conmovido por la angustia, y, temblando, con la punta de los dedos alcé la gasa que lo cubría y pude verle; hubiese querido gritar: ¡hijo! pero, al levantar los ojos, encontré la mirada de Clara, tranquila, casi irónica.

"¡Cuidado!", me advertía.

Y en voz alta:

—No lo vaya usted a despertar.

Su marido, que me acompañaba, la besó tras la oreja delicadamente.

—Mucho has debido sufrir, ¡mi pobre enferma!

—¡No lo sabes bien! —repuso ella—; mas, ¡qué importa si te hice feliz!

Y ya sin descanso, estuve sometido a la horrible expiación de que aquel hombre llamas "su" hijo al mío, a "mi" hijo.

¡Imbécil! Tentado estuve mil veces de gritarle la verdad, de hacerle conocer mi superioridad sobre él, tan orgulloso y confiado; pero, ¿y las consecuencias, sobre todo para el inocente?

Callé, y en silencio me dediqué a amar con todas las fuerzas de mi alma a aquella criatura, mi carne y mi sangre, que aprendería a llamar padre a un extraño.

Entretanto, la conducta de Clara se hacía cada vez más obscura. Las escenas musicales, para qué decirlo, no volvieron a verificarse, y, con cualquier pretexto, ni siquiera me recibió en su casa las veces que fui.

Parecía obedecer a una resolución inquebrantable y hube de contentarme con ver a mi hijo cuando la niñera lo paseaba en la
5 plaza.

Entonces los dos, el marido y yo, le seguíamos desde la ventana de la oficina, y nuestras miradas, húmedas y gozosas, se encontraban y se entendían.

Pero andando esos tres años memorables, y a medida que el
10 niño iba creciendo, me fue más fácil verlo, pues el amo, cada vez más chocho, lo llevaba al almacén y lo retenía a su lado hasta que venían en su busca.

Y en su busca vino Clara una mañana que yo lo tenía en brazos; nunca he visto un arrebato semejante. ¡Como leona que
15 recobra su cachorro! Lo que me dijo más bien me lo escupía al rostro.

—¿Por qué lo besa usted de ese modo? ¿Qué pretende usted, canalla?

A mi entender, estos temores sobrepujaban a los otros, y para
20 no exasperarme demasiado, dejaba que se me acercase; pero otras veces lo acaparaba, como si yo pudiese hacerle algún daño.

¡Mujer enigmática! Jamás he comprendido qué fui para ella: ¡capricho, juguete o instrumento!

Así las cosas, de la noche a la mañana llegó un extranjero, y
25 medio día pasamos revisando libros y facturas.

A la hora del almuerzo el patrón me comunicó que acababa de firmar una escritura por la cual transfería el almacén; que estaba harto de negocios y de vida provinciana, y probablemente volvería con su familia a la capital.

30 ¿Para qué narrar las dolorosísimas presiones de esos últimos años de mi vida? Hará por enero veinte años y todavía me trastorna recordarlos.

¡Dios mío! ¡Se iba cuanto yo había amado! ¡Un extraño se lo llevaba lejos para gozar de ello en paz! ¡Me despojaba de todo lo
35 mío!

Ante esa idea tuve en los labios la confesión del adulterio.

¡Oh! ¡Destruir siquiera aquella feliz ignorancia en que viviría y moriría el ladrón! ¡Dios me perdone!

Se fueron. La última noche, por un capricho final, aquella que mató mi vida, pero que también le dio por un momento una intensidad a que yo no tenía derecho, aquella mujer me hizo tocarle las tres piezas favoritas, y al concluir, me premió permitiéndome que besara a mi hijo.

Si la sugestión existe, en su alma debe de haber conservado la huella de aquel beso.

¡Se fueron! Ya en la estacioncita, donde acudí a despedirlos, él me entregó un pequeño paquete diciendo que la noche anterior se le había olvidado.

—Un recuerdo —me repitió —para que piense en nosotros.

—¿Dónde les escribo? —grité cuando ya el tren se ponía en movimiento, y él, desde la plataforma del tren:

—No sé. ¡Mandaremos la dirección!

Parecía una consigna de reserva. En la ventanilla vi a mi hijo, con la nariz aplastada contra el cristal. Detrás, su madre, de pie, grave, la vista perdida en el vacío.

Me volví al almacén, que continuaba bajo la razón social, sin ningún cambio aparente, y oculté el paquete, pero no lo abrí hasta la noche, en mi cuarto solitario.

Era una fotografía.

La misma que hoy me acompaña; un retrato de Clara con su hijo en el regazo, apretado contra su seno, como para ocultarlo o defenderlo.

Y tan bien lo ha secuestrado a mi ternura, que en veinte años, ni una sola vez he sabido de él; ¡probablemente no volveré a verlo en este mundo de Dios!

Si vive, debe ser un hombre ya. ¿Es feliz? Tal vez a mi lado su porvenir habría sido estrecho. Se llama Pedro. . . . Pedro y el apellido del otro.

Cada noche tomo el retrato, lo beso y en el reverso leo la dedicatoria que escribieron por el niño.

"Pedro, a su amigo Borja".

—¡Su amigo Borja!. . . ¡Pedro se irá de la vida sin saber que haya existido tal amigo!

·26·

Manuel Rojas
(1896–)

EL VASO DE LECHE

Afirmado en la barandilla de estribor, el marinero parecía esperar a alguien. Tenía en la mano izquierda un envoltorio de papel blanco, manchado de grasa en varias partes. Con la otra mano atendía la pipa.

5 Entre unos vagones apareció un joven delgado; se detuvo un instante, miró hacia el mar y avanzó después, caminando por la orilla del muelle con las manos en los bolsillos, distraído o pensando.

Cuando pasó frente al barco, el marinero le gritó en inglés:

10 —I say; look here! (Oiga, mire).

El joven levantó la cabeza y, sin detenerse, contestó en el mismo idioma:

—Hallow! What? (¡Hola! ¿Qué?)

—Are you hungry? (¿Tiene hambre?)

15 Hubo un breve silencio, durante el cual el joven pareció reflexionar y hasta dio un paso más corto que los demás, como para detenerse; pero al fin dijo, mientras dirigía al marinero un sonrisa triste:

—No, I am not hungry. Thank you, sailor. (No, no tengo 20 hambre. Muchas gracias, marinero).

—Very well. (Muy bien).

Sacóse la pipa de la boca el marinero, escupió y colocándosela de nuevo entre los labios, miró hacia otro lado. El joven, avergonzado de que su aspecto despertara sentimientos de caridad, 25 pareció apresurar el paso, como temiendo arrepentirse de su negativa.

Un instante después, un magnífico vagabundo, vestido inverɒsímilmente de harapos, grandes zapatos rotos, larga barba rubia y ojos azules, pasó ante el marinero, y éste sin llamarlo previamente le gritó:

—Are you hungry?

No había terminado aún su pregunta, cuando el atorrante, mirando con ojos brillantes el paquete que el marinero tenía en las manos, contestó apresuradamente:

—Yes, sir, I am very hungry! (Sí, señor tengo harta hambre).

Sonrió el marinero. El paquete voló en el aire fue a caer entre las manos ávidas del hambriento. Ni siquiera dio las gracias y abriendo el envoltorio calientito aún, sentóse en el suelo, restregándose las manos alegremente al contemplar su contenido. Un atorrante de puerto puede no saber inglés, pero nunca se perdonaría no saber el suficiente como para pedir de comer a uno que hable ese idioma.

El joven que pasara momentos antes, parado a corta distancia de allí, presenció la escena.

El también tenía hambre. Hacía tres días justos que no comía, tres largos días. Y más por timidez y vergüenza que por orgullo, se resistía a pararse delante de las escalas de los vapores, a las horas de comida, esperando de la generosidad de los marineros algún paquete que contuviera restos de guisos y trozos de carne. No podía hacerlo, no podría hacerlo nunca. Y cuando, como en el caso reciente, alguno le ofrecía sus sobras las rechazaba heroicamente, sintiendo que la negativa aumentaba su hambre.

Seis días hacía que vagaba por las callejuelas y muelles de aquel puerto. Lo había dejado allí un vapor inglés procedente de Punta Arenas, puerto en donde había desertado de un vapor en que servía como muchacho de capitán. Estuvo un mes allí, ayudando en sus ocupaciones a un austríaco pescador de centollas, y en el primer barco que pasó hacia el norte embarcóse ocultamente.

Lo descubrieron al día siguiente de zarpar y enviáronlo a trabajar en las calderas. En el primer puerto grande que tocó el vapor lo desembarcaron, y allí quedó, como un fardo sin dirección ni destinatario, sin conocer a nadie, sin un centavo en los bolsillos y sin saber trabajar en oficio alguno.

Mientras estuvo allí el vapor, pudo comer, pero después... La ciudad enorme, que se alzaba más allá de las callejuelas llenas de tabernas y posadas pobres, no le atraía; parecíale un lugar de esclavitud, sin aire, oscura, sin esa grandeza amplia del mar, y 5 entre cuyas altas paredes y calles rectas la gente vive y muere aturdida por un tráfago angustioso.

Estaba poseído por la obsesión del mar, que tuerce las vidas más lisas y definidas como un brazo poderoso una delgada varilla. Aunque era muy joven había hecho varios viajes por las costas de 10 América del Sur, en diversos vapores, desempeñando distintos trabajos y faenas, faenas y trabajos que en tierra casi no tenían aplicación.

Después que se fue el vapor, anduvo y anduvo esperando del azar algo que le permitiera vivir de algún modo mientras tomaba 15 sus canchas familiares; pero no encontró nada. El puerto tenía poco movimiento y en los contados vapores en que se trabajaba no le aceptaron.

Ambulaban por allí infinidad de vagabundos de profesión; marineros sin contrata, como él, desertados de un vapor o pró- 20 fugos de algún delito; atorrantes abandonados al ocio, que se mantienen de no se sabe qué, mendigando o robando, pasando los días como las cuentas de un rosario mugriento, esperando quién sabe qué extraños acontecimientos, o no esperando nada, individuos de las razas y pueblos más exóticos y extraños, aun de 25 aquellos en cuya existencia no se cree hasta no haber visto un ejemplar vivo.

* * * *

Al día siguiente, convencido de que no podría resistir mucho más, decidió recurrir a cualquier medio para procurarse alimentos.

Caminando, fue a dar delante de un vapor que había llegado 30 la noche anterior y que cargaba trigo. Una hilera de hombres marchaba, dando la vuelta, al hombro los pesados sacos, desde los vagones, atravesando una planchada, hasta la escotilla de la bodega, donde los estribadores recibían la carga.

Estuvo un rato mirando hasta que atrevióse a hablar con el

capataz, ofreciéndose. Fue aceptado y animosamente formó parte de la larga fila de cargadores.

Durante el primer tiempo de la jornada trabajó bien; pero después empezó a sentirse fatigado y le vinieron vahidos, vacilando en la planchada cuando marchaba con la carga al hombro, viendo a sus pies la abertura formada por el costado del vapor y el murallón del muelle, en el fondo de la cual, el mar, manchado de aceite y cubierto de desperdicios, glogloteaba sordamente.

A la hora de almorzar hubo un breve descanso y en tanto que algunos fueron a comer en los figones cercanos y otros comían lo que habían llevado, él se tendió en el suelo a descansar, disimulando su hambre.

Terminó la jornada completamente agotado, cubierto de sudor, reducido ya a lo último. Mientras los trabajadores se retiraban, se sentó en unas bolsas acechando al capataz, y cuando se hubo marchado el último acercóse a él y confuso y titubeante, aunque sin contarle lo que le sucedía, le preguntó si podían pagarle inmediatamente o si era posible conseguir un adelanto a cuenta de lo ganado.

Contestóle el capataz que la costumbre era pagar al final del trabajo y que todavía sería necesario trabajar el día siguiente para concluir de cargar el vapor. ¡Un día más! Por otro lado, no adelantaban un centavo.

—Pero —le dijo —si usted necesita, yo podría prestarle unos cuarenta centavos... No tengo más.

Le agradeció el ofrecimiento con una sonrisa angustiosa y se fue.

Le acometió entonces una desesperación aguda. ¡Tenía hambre, hambre, hambre! Un hambre que lo doblegaba como un latigazo; veía todo a través de una niebla azul y al andar vacilaba como un borracho. Sin embargo, no habría podido quejarse ni gritar, pues su sufrimiento era oscuro y fatigante; no era dolor, sino angustia sorda, acabamiento; le parecía que estaba aplastado por un gran peso.

Sintió de pronto como una quemadura en las entrañas, y se detuvo. Se fue inclinando, inclinando, doblándose forzadamente como una barra de hierro, y creyó que iba a caer. En ese instante, como si una ventana se hubiera abierto ante él, vio su casa, el paisaje que se veía desde ella, el rostro de su madre y el de sus hermanos, todo lo que él quería y amaba apareció y desapareció ante sus ojos cerrados por la fatiga... Después, poco a poco, cesó el desvanecimiento y se fue enderezando, mientras la quemadura se enfriaba despacio. Por fin se irguió, respirando profundamente. Una hora más y caería al suelo.

Apuró el paso, como huyendo de un nuevo mareo, y mientras marchaba resolvió ir a comer a cualquier parte, sin pagar, dispuesto a que lo avergonzaran, a que le pegaran, a que lo mandaran preso, a todo; lo importante era comer, comer, comer. Cien veces repitió mentalmente esta palabra: comer, comer, comer, hasta que el vocablo perdió su sentido, dejándole una impresión de vacío caliente en la cabeza.

No pensaba huir; le diría al dueño: "Señor, tenía hambre, hambre, hambre, y no tengo con qué pagar... Haga lo que quiera".

Llegó hasta las primeras calles de la ciudad y en una de ellas encontró una lechería. Era un negocito muy claro y limpio, lleno de mesitas con cubiertas de mármol. Detrás de un mostrador estaba de pie una señora rubia con un delantal blanquísimo.

Eligió ese negocio. La calle era poco transitada. Habría podido comer en uno de los figones que estaban junto al muelle, pero se encontraban llenos de gente que jugaba y bebía.

En la lechería no había sino un cliente. Era un vejete de anteojos, que con la nariz metida entre las hojas de un periódico, leyendo, permanecía inmóvil, como pegado a la silla. Sobre la mesita había un vaso de leche a medio consumir.

Esperó que se retirara, paseando por la acera, sintiendo que poco a poco se le encendía en el estómago la quemadura de antes, y esperó cinco, diez, hasta quince minutos. Se cansó y paróse a un lado de la puerta, desde donde lanzaba al viejo unas miradas que parecían pedradas.

¡Qué diablos leería con tanta atención! Llegó a imaginarse que era un enemigo suyo, el cual, sabiendo sus intenciones, se hubiera propuesto entorpecerlas. Le daban ganas de entrar y decirle algo fuerte que le obligara a marcharse, una grosería o una frase que le indicara que no tenía derecho a permanecer una hora sentado, y leyendo, por un gasto tan reducido.

Por fin el cliente terminó su lectura, o por lo menos, la interrumpió. Se bebió de un sorbo el resto de leche que contenía el vaso, se levantó pausadamente, pagó y dirigióse a la puerta. Salió; era un vejete encorvado, con trazas de carpintero o barnizador.

Apenas estuvo en la calle, afirmóse los anteojos, metió de nuevo la nariz entre las hojas del periódico y se fue, caminando despacito y deteniéndose cada diez pasos para leer con más detenimiento.

Esperó que se alejara y entró. Un momento estuvo parado a la entrada, indeciso, no sabiendo dónde sentarse; por fin elegió una mesa y dirigióse hacia ella; pero a mitad de camino se arrepintió, retrocedió y tropezó en una silla, instálandose después en un rincón.

Acudió la señora, pasó un trapo por la cubierta de la mesa y con voz suave, en la que se notaba un dejo de acento español, le preguntó:

—¿Qué se va usted a servir?

Sin mirarla, le contestó.

—Un vaso de leche.

—¿Grande?

—Sí, grande.

—¿Solo?

—¿Hay bizcochos?

—No; vainillas.

—Buenos, vainillas.

Cuando la señora se dio vuelta, él se restregó las manos sobre las rodillas, regocijado, como quien tiene frío y va a beber algo caliente.

Volvió la señora y colocó ante él un gran vaso de leche y un platillo lleno de vainillas, dirigiéndose después a su puesto detrás del mostrador.

Su primer impulso fue el de beberse la leche de un trago y comerse después las vainillas pero en seguida se arrepintió; sentía que los ojos de la mujer lo miraban con curiosidad. No se atrevía a mirarla; le parecía que, al hacerlo, conocería su estado de ánimo y sus propósitos vergonzosos y él tendría que levantarse e irse, sin probar lo que había pedido.

Pausadamente tomo una vainilla, humedecióla en la leche y le dio un bocado; bebió un sorbo de leche y sintió que la quemadura, ya encendida en su estómago, se apagaba y deshacía. Pero, en seguida, la realidad de su situación desesperada surgió ante él y algo apretado y caliente subió desde su corazón hasta la garganta; se dio cuenta de que iba a sollozar, a sollozar a grito, y aunque sabía que la señora lo estaba mirando no pudo rechazar ni deshacer aquel nudo ardiente que se estrechaba más y más. Resistió, y mientras resistía comió apresuradamente, como asustado, temiendo que el llanto le impidiera comer. Cuando terminó con le leche y las vainillas, se le nublaron los ojos y algo tibio rodó por su nariz, cayendo dentro del vaso. Un térrible sollozo lo sacudió hasta los zapatos.

Afirmó la cabeza en las manos y durante much rato lloró, lloró con pena, con rabia, con ganas de llorar, como si nunca hubiese llorado.

* * * *

Inclinado estaba y llorando, cuando sintió que una mano le acariciaba la cansada cabeza y una voz de mujer, con un dulce acento español, le decía:

—Llore, hijo, llore...

Una nueva ola de llanto le arrasó los ojos y lloró con tanta fuerza como la primera vez, pero ahora no angustiosamente, sino con alegría sintiendo que una gran frescura lo penetraba, apagando eso caliente que le había estrangulado la garganta. Mientras lloraba, parecióle que su vida y sus sentimientos se limpiaban como un vaso bajo un chorro de agua, recobrando la claridad y firmeza de otros días.

Cuando pasó el acceso de llanto, se limpió con su pañuelo los ojos y la cara, ya tranquilo. Levantó la cabeza y miró a la señora, pero ésta no le miraba ya, miraba hacia la calle, a un punto lejano, y su rostro estaba triste.

En la mesita, ante él había un nuevo vaso lleno de leche y otro platillo colmado de vainillas; comió lentamente, sin pensar en nada, como si nada le hubiera pasado, como si estuviera en su casa y su madre fuera esa mujer que estaba detrás del mostrador.

Cuando terminó ya había oscurecido y el negocio se iluminaba con una bombilla eléctrica. Estuvo un rato sentado, pensando en lo que le diría a la señora al despedirse, sin ocurrírsele nada oportuno.

Al fin se levantó y dijo simplemente:

—Muchas gracias, señora; adiós...

—Adiós hijo... —le contestó ella.

Salió. El viento que venía del mar refrescó su cara, caliente aún por el llanto. Caminó un rato sin dirección, tomando después por una calle que bajaba hacia los muelles. La noche era hermosísima y grandes estrellas aparecían en el cielo de verano.

Pensó en la señora rubia que tan generosamente se había conducido, e hizo propósitos de pagarle y recompensarla de una manera digna cuando tuviera dinero; pero estos pensamientos de gratitud se desvanecían junto con el ardor de su rostro, hasta que no quedó ninguno, y el hecho reciente retrocedió y se perdió en los recodos de su vida pasada.

De pronto se sorprendió cantando algo en voz baja. Se irguió alegremente, pisando con firmeza y decisión.

Llegó a la orilla del mar y anduvo de un lado para otro, elásticamente, sintiéndose rehacer, como si sus fuerzas interiores, antes dispersas, se reunieran y amalgamaran sólidamente.

Después la fatiga del trabajo empezó a subirle por las piernas en un lento hormigueo y se sentó sobre un montón de bolsas.

Miró el mar. Las luces del muelle y las de los barcos se extendían por el agua en un reguero rojizo y dorado, temblando suavemente. Se tendió de espaldas, mirando el cielo largo rato. No tenía ganas de pensar, ni de cantar, ni de hablar. Se sentía vivir, nada más.

Hasta que se quedó dormido con el rostro vuelto hacia el mar.

·27·

Manuel Gutiérrez Nájera

(1859–1895)

LA MAÑANA DE SAN JUAN

Pocas mañanas hay tan alegres, tan frescas, tan azules como esta mañana de San Juan. El cielo está muy limpio, "como si los ángeles lo hubieran lavado por la mañana"; llovió anoche y todavía cuelgan de las ramas brazaletes de rocío que se evaporan 5 luego que el sol brilla, como los sueños luego que amanece; los insectos se ahogan en las gotas de agua que resbalan por las hojas, y se aspira con regocijo ese olor delicioso de tierra húmeda, que sólo puede compararse con el olor de las páginas recién impresas. También la naturaleza sale de la alberca con el cabello 10 suelto y la garganta descubierta; los pájaros, que se emborrachan con el agua, cantan mucho, y los niños del pueblo hunden su cara en la gran palangana de metal. ¡Oh mañanita de San Juan, la de camisa limpia y jabones perfumados, yo quisiera contemplarte al aire libre, allí donde apareces virgen todavía, con los brazos muy 15 blancos y los rizos húmedos! Allí eres virgen: cuando llegas a la ciudad, tus labios rojos han besado mucho; muchas guedejas rubias de tu undívago cabello se han quedado en las manos de tus mil amantes, como queda el vellón de los corderos en los zarzales del camino; muchos brazos han rodeado tu cintura; traes 20 en el cuello la marca roja de una mordida, y vienes tambaleando, con traje de raso blanco todavía, pero ya prostituido, profanado, semejante al de Giroflé después de la comida, cuando la novia muerde sus inmaculados azahares y empapa sus cabellos en el vino! ¡No, mañanita de San Juan, así yo no te quiero! Me gustas 25 en el campo: allí donde se miran tus azules ojitos y tus trenzas de oro. Bajas por la escarpada colina poco a poco; llamas a la puerta o entornas sigilosamente la ventana, para que tu mirada alumbre el interior, y todos te recibimos como reciben los enfermos la salud, los pobres la riqueza y los corazones el amor. ¿No eres amorosa? ¿No eres muy rica? ¿No eres sana? Cuando vienes, los novios hacen sus eternos juramentos; los que padecen, se levantan vueltos a la vida; y la dorada luz de tus cabellos siembra de lentejuelas y monedas de oro el verde obscuro de los campos, el fondo de los ríos, y la pequeña mesa de madera pobre en que se desayunan los humildes, bebiendo un tarro de espumosa leche, mientras la vaca muge en el establo. ¡Ah! Yo quisiera mirarte así cuando eres virgen, y besar las mejillas de Ninón... ¡sus mejillas de sonrosado terciopelo y sus hombros de raso blanco!

Cuando llegas, ¡oh mañanita de San Juan!, recuerdo una vieja historia que tú sabes y que ni tú ni yo podemos olvidar. ¿Te acuerdas? La hacienda en que yo estaba por aquellos días, era muy grande; con muchas fanegas de tierra sembrada e incontables cabezas de ganado. Allí está el caserón, precedido de un patio, con su fuente en medio. Allá está la capilla. Lejos, bajo las ramas colgantes de los grandes sauces, está la presa en que van a abrevarse los rebaños. Vista desde una altura y a distancia, se diría que la presa es la enorme pupila azul de algún gigante, tendido a la bartola sobre el césped. ¡Y qué honda es la presa! ¡Tú lo sabes...!

Gabriel y Carlos jugaban comúnmente en el jardín. Gabriel tenía seis años; Carlos siete. Pero un día, la madre de Gabriel y Carlos cayó en cama, y no hubo quien vigilara sus alegres correrías. Era el día de San Juan. Cuando empezaba a declinar la tarde, Gabriel dijo a Carlos:

—Mira, mamá duerme y ya hemos roto nuestros fusiles. Vamos a la presa. Si mamá nos riñe, le diremos que estábamos jugando en el jardín.

Carlos, que era el mayor, tuvo algunos escrúpulos ligeros. Pero el delito no era tan enorme, y además, los dos sabían que la presa estaba adornada con grandes cañaverales y ramos de zempazúchil. ¡Era día de San Juan!

—¡Vamos! —le dijo —llevaremos un *Monitor* para hacer

barcos de papel y les cortaremos las alas a las moscas para que sirvan de marineros.

Y Carlos y Gabriel salieron muy quedito para no despertar a su mamá, que estaba enferma. Como era día de fiesta, el campo estaba solo. Los peones y trabajadores dormían la siesta en sus cabañas. Gabriel y Carlos no pasaron por la tienda, para no ser vistos, y corrieron a todo escape por el campo. Muy en breve llegaron a la presa. No había nadie: ni un peón, ni una oveja. Carlos cortó en pedazos el *Monitor* e hizo dos barcos, tan grandes como los navíos de Guatemala. Las pobres moscas que iban sin alas y cautivas en una caja de obleas, tripularon humildemente las embarcaciones. Por desgracia, la víspera habían limpiado la presa, y estaba el agua un poco baja. Gabriel no la alcanzaba con sus manos. Carlos, que era el mayor, le dijo:

—Déjame a mí que soy más grande. Pero Carlos tampoco la alcanzaba. Trepó entonces sobre el pretil de piedra, levantando las plantas de la tierra, alargó el brazo e iba a tocar el agua y a dejar en ella el barco, cuando, perdiendo el equilibrio, cayó al tranquilo seno de las ondas. Gabriel lanzó un agudo grito. Rompiéndose las uñas con las piedras, rasgándose la ropa, a viva fuerza logró también encaramarse sobre la cornisa, tendiendo casi todo el busto sobre el agua. Las ondas se agitaban todavía. Adentro estaba Carlos. De súbito, aparece en la superficie, con la cara amoratada, arrojando agua por la nariz y por la boca.

—¡Hermano! ¡hermano!

—¡Ven acá! ¡ven acá! no quiero que te mueras.

Nadie oía. Los niños pedían socorro, estremeciendo el aire con sus gritos; no acudía ninguno. Gabriel se inclinaba cada vez más sobre las aguas y tendía las manos.

—Acércate, hermanito, yo te estiro.

Carlos quería nadar y aproximarse al muro de la presa, pero ya le faltaban fuerzas, ya se hundía. De pronto, se movieron las ondas y asió Carlos una rama, y apoyado en ella logró ponerse junto del pretil y alzó una mano; Gabriel la apretó con las manitas suyas, y quiso el pobre niño levantar por los aires a su hermano que había sacado medio cuerpo de las aguas y se agarraba a las salientes piedras de la presa. Gabriel estaba rojo y sus manos sudaban, apretando la blanca manecita del hermano.

—¡Si no puedo sacarte! ¡Si no puedo!

Y Carlos volvía a hundirse, y con sus ojos negros muy abiertos le pedía socorro. 5

—¡No seas malo! ¿Qué te he hecho? Te daré mis cajitas de soldados y el molino de marmaja que te gustan tanto. ¡Sácame de aquí!

Gabriel lloraba nerviosamente, y estirando más el cuerpo de su hermanito moribundo, le decía: 10

—¡No quiero que te mueras! ¡Mamá! ¡Mamá! ¡No quiero que se muera!

Y ambos gritaban, exclamando luego:

—¡No nos oyen! ¡No nos oyen!

¡Santo ángel de mi guarda! ¿Por qué no me oyes? 15

Y entretanto, fue cayendo la noche. Las ventanas se iluminaban en el caserío. Allí había padres que besaban a sus hijos. Fueron saliendo las estrellas en el cielo. ¡Diríase que miraban la tragedia de aquellas tres manitas enlazadas que no querían soltarse, y se soltaban! ¡Y las estrellas no podían ayudarles, porque las estrellas 20 son muy frías y están muy altas!

Las lágrimas amargas de Gabriel caían sobre la cabeza de su hermano. ¡Se veían juntos, cara a cara, apretándose las manos, y uno iba a morirse!

—Suelta, hermanito, ya no puedes más; voy a morirme. 25

—¡Todavía no! ¡Todavía no! ¡Socorro! ¡Auxilio!

—¡Toma! voy a dejarte mi reloj. ¡Toma, hermanito!

Y con la mano que tenía libre sacó de su bolsillo el diminuto reloj de oro que le habían regalado el Año Nuevo. ¡Cuántos meses había pensado sin descanso en ese pequeño reloj de oro! 30 El día en que al fin lo tuvo, no quería acostarse. Para dormir, lo puso bajo su almohada. Gabriel miraba con asombro sus dos tapas, la carátula blanca en que giraban poco a poco las manecitas negras y el instantero que, nerviosamente, corría, corría, sin dar jamás con la salida del estrecho círculo. Y decía: —¡Cuando 35 tenga siete años, como Carlos, también me comprarán un reloj de oro! —No, pobre niño; no cumples aún siete años y ya tienes el reloj. Tu hermano se muere y te lo deja. ¿Para qué lo quiere? La tumba es muy oscura, y no se puede ver la hora que es.

—¡Toma, hermanito, voy a darte mi reloj; toma, hermanito!

5 Y las manitas ya moradas, se aflojaron, y las bocas se dieron un beso desde lejos. Ya no tenían los niños fuerza en sus pulmones para pedir socorro. Ya se abren las aguas, como se abre la muchedumbre en una procesión cuando la Hostia pasa. Ya se cierran y sólo queda por un segundo, sobre la onda azul, un bucle lacio de 10 cabellos rubios!

Gabriel soltó a correr en dirección del caserío, tropezando, cayendo sobre las piedras que lo herían. No digamos ya más: cuando el cuerpo de Carlos se encontró, ya estaba frío, tan frío, que la madre, al besarlo, quedó muerta.

15 ¡Oh mañanita de San Juan! ¡Tu blanco traje de novia tiene también manchas de sangre!

·28·

Alfonso Hernández-Catá

(1884–1940)

LA CULPABLE

A las siete de la mañana todos los invitados estaban a bordo y el patrón, luego de desatracar la barca con un remo, mandó cargar las velas. Poco a poco las lonas se hincharon y el torbellino de espuma que nacía en la proa fue a formar detrás de la embarcación un camino. Los muelles, los malecones, las montañas doradas por el sol, las boyas pintadas de rojo, fueron quedándose atrás; de súbito, al tomar la vuelta de El Morro, el mar apareció vasto y tranquilo, turbado solamente de raro en raro por los triángulos diminutos de las velas, que parecían llamas.

—¿Se va a marear la *niña?* —preguntó con sorna el patrón.

La *niña* recogió las dos gasas flotantes de su sombrero y mostró orgullosa su rostro, sin responder. No, no se mareaba; ninguna de las gracias de su semblante había perdido vida; sus grandes ojos negros estaban ávidos de reflejar todos los horizontes a la vez. Aquélla era su primera salida después de casada y había que mostrar entereza. Asistía a la pesca por testarudez, para no separarse de su Emilio; y había opuesto a toda razón encaminada a disuadirla esa resistencia disfrazada de resignación que es la mejor arma de las mujeres.

Cuando ya los murmullos de la ciudad se extinguieron y, lejos de la costa, un gran silencio envolvió la barca, preguntó afectando serenidad:

—¿Y es cierto que hay tanto peligro en la pesca de agujas?

—Vaya, señorita.... Cuando se levanta grande, así, y viene derecha para el bote con su espolón, hay que tenderse en seguida y pensar en la Virgen del Cobre, por si acaso. Al hermano de un compadre mío, en Niple, le alcanzó una: partido en dos quedó. Pero es pesca que rinde, eso sí.

—Si no pica ninguna, tendremos que pescar tiburones —dijo el patrón.

—¡Ay, qué miedo!

Todos los hombres sonrieron. Y el marido de Luisa creyó necesario disculparse:

—Yo le dije que no debía venir; que ésta era una excursión para hombres solos; pero ella. . . .

—Es que no ha querido separarse de usted; se comprende. Mi mujer a los tres meses de casada hacía lo mismo. . . .

Y volviéndose hacia los otros:

—Parece que vamos a tener terral; sopla viento caliente.

La barca era grande, y además del patrón y del marinero —un negro de risa feroz —iban cuatro: Raúl Villa, un oficial de Marina, Emilio Granda y su mujer. De tiempo en tiempo Raúl iba a ver si las cuerdas de los anzuelos se mantenían flojas, y el negro guisaba en el fondo de la barca la sopa de pescado que lo había hecho famoso en el puerto. Luisa y Emilio permanecían inactivos, mirando el mar y la playa distante.

El viento se había hecho más rápido, la barca marchaba muy inclinada, rozando casi el nivel del agua por estribor. Dos veces había hundido Luisa una mano por gusto de sentir la espuma chocar y romperse contra su piel, e iba a sumergir la otra cuando dijo el patrón:

—No saque usted la mano, señorita, más vale.

—Le quieren meter miedo, Luisa.

—Ya sabe usted que todo puede ser, don Raúl; más de dos y más de tres casos se han visto.

Alzándose del fondo de la barca el negro dijo:

—No crea la *niña* que el patrón va mal. Allá en los mares de España no hay peces tan bravos. En tiempo de España tropezaron ahí a la entrada dos barcos y del que se hundió, que era de guerra, no quedó ni uno vivo. . . . Los tiburones se dieron el gran banquete. El mar estaba colorado de sangre.

La evocación del drama había puesto en el rostro de Luisa el incentivo del miedo, y los hombres no apartaban de ella los ojos, separándolos cuando Emilio miraba. Como tras un silencio preguntase al negro si era verdad que los tiburones para hacer presa habían de retroceder y volverse de modo que su mandíbula saliente quedara hacia abajo, el negro, después de chasquear la lengua, respondió:

—Pamplinas, *niña;* el tiburón come aunque sea de lado.

A un gesto de Raúl el negro volvió a su cocina, y al poco rato un vaho oloroso halagó los paladares. Aunque todos querían rehuir la conversación para no amedrentarla, Luisa insistía en sus preguntas de tal modo que en el patrón, en el oficial y en Raúl se despertaron los instintos de hombres de mar y empezaron a emularse con historias y hazañas cuya médula era el odio común a los tiburones. Raúl confesaba que al verlos cerca sentíase poseído por un furor ciego.

—Me tengo que contener mucho para olvidarme del peligro y no tirarme a pelear con ellos. Ya llevo matados más de cien.

Uno a otro se arrebataban las anécdotas de la boca y Luisa las oía apasionadamente. Sentado en su rollo de cuerdas Emilio rebuscaba en vano, con despecho, alguna aventura heroica que contar.

El oficial, que se había levantado a tantear los anzuelos, exclamó:

—¡Ya ha picado uno!. . . . ¡Cómo jala!

Arriaron las velas y la barca quedó abandonada al tenue vaivén del mar. Sin apartarse de su hornillo el negro preguntó al patrón:

—¿Es aguja, maestro?

—¡Quia!. . . . Es uno de esos condenados. . . . Échele soga, teniente; hay que cansarlo un poco.

Por turno todos fueron a tantear la cuerda, que estaba tensa y hacía marchar suavemente la barca. De pronto Raúl Villa gritó:

—¡Ya están aquí en bandada! ¡Ya están aquí! Subid los otros anzuelos por si acaso.

A diez o doce metros, por la proa, el tiburón se vislumbraba ya, sujeto al extremo del cable, y en torno a él siluetas veloces se iban acercando. La resistencia del pez herido debía ser enorme,

porque el oficial y el patrón, dedicados a rescatar la cuerda poco a poco, hubieron de pedir ayuda. Por fin el cautivo quedó sujeto a la borda y el patrón, inclinándose con un hacha en la diestra, le desarticuló las mandíbulas con sendos tajos. Una de las fauces
5 se desgajó, dejando ver siete hileras de dientes.

Luisa temblaba y seguía con el alma en la vista la escena, donde no era ya el bruto marino el más feroz. Al terminar, el patrón volvióse a mirarla, como dedicándole lo que acababa de hacer; y entonces Raúl, arrebatado por un repentino frenesí, cogió
10 un hierro de verja que estaba tirado en el fondo de la barca, y sujetándose de una de las cuerdas del palo mayor para poder proyectar el cuerpo fuera de la borda, hundió la punta lanceolada varias veces en la cabeza del tiburón, que todavía aleteaba con furia.

15 De un vigoroso esfuerzo el oficial lo izó hasta media altura de la borda. Todavía el cuerpo formidable se debatió un momento y, antes de que quedara inmóvil, uno de los tiburones indemnes, de una sola dentellada, le arrancó un pedazo cerca de la cola.

En seguida los otros se lanzaron también. Acometían desde
20 lejos, certeramente, como torpedos lanzados por barco invisible. Y un momento antes de llegar, las enormes cabezas se abrían y al retirarse, un tremendo semicírculo había desaparecido del cuerpo del cautivo.

—Son los tigres del mar —dijo Emilio. —¡Pobre del que
25 cayera aquí!

Luisa se sujetaba convulsivamente a la cuerda hasta hacerse daño en las manos. El negro, que había cogido el hacha para despedazar al tiburón, prendió con el anzuelo un gran trozo de carne y lo echó en cubierta. De repente, como si aun después de
30 separada del cuerpo persistiese en ella un instinto de exterminio, la masa sanguinolenta comenzó a agitarse, a saltar, golpear furiosamente una y otra banda.... Y hubo un momento de pánico.

—¡Botarlo fuera!
35 —¡Ayuda, tú, que nos va a desguazar!

—¡Cuidado!

Luisa lanzó un grito nervioso que se sobrepuso a todos. Al oirlo, las últimas prudencias se trocaron en enardecimiento, y el grupo de hombres se lanzó hacia proa, cual si hubiese sonado un clarín.

Pero ya sobre la carne palpitante había caído el etiópico cuerpo sudoroso, que volviéndose hacia la mujer le mostró, antes de devolverlo al mar, el pedazo de tiburón hostil todavía bajo sus brazos hinchados por el esfuerzo. . . . ¿Qué pasó entonces? Se dio ella cuenta de la sonrisa con que había premiado la hazaña?

Raúl aseguró un nuevo anzuelo bien cebado y lo echó al agua. El patrón cogió el hacha, el oficial cargó rápido su revólver, y otra vez Raúl, con un pie en la mura y sujeto con la mano izquierda a los cordajes, proyectó el cuerpo fuera de la barca para poder herir perpendicularmente con el hierro.

Los tiburones acudieron en grupo. Llegaban, emergían para alcanzar la presa, y un tajo, una bala o la lanza acerada y airada caían sobre ellos. A cada ataque los hombres volvíanse a mirar a Luisa, y aunque ella decía: "No, no. . . . Basta ya!", algo en su cara revelaba el orgullo de recibir aquel homenaje primitivo de peligro y fuerza. Dos veces Emilio quiso tomar parte, pero lo rechazaron:

—Usted no es para esto. Quédese allá.

Cada uno contaba en alta voz sus víctimas: "uno, dos. . . ¡van cuatro con éste!". . . . Raúl se quedó a la zaga y su brazo, que comenzó a blandir el hierro en golpes numerosos, se recogió de súbito, concentrando fuerza para asestar sólo golpes mortíferos. Su ímpetu era tal que la lanza se le fue de la mano para clavarse casi hasta desaparecer en la cabeza del tiburón.

Inmóvil en su sitio, sintiendo la rabia de la impotencia subirle a la garganta, vio que el tiburón, en lugar de morir, volvía a acometer. El pedazo de hierro que le asomaba sobre la cabeza se le antojaba a Raúl una ironía, una burla. ¡Y no tenía otra arma! El oficial quiso ultimarlo de un tiro; pero él, descompuesto, le gritó:

—¡Ese es mío, que nadie lo toque!

Y cuando lo tuvo cerca, inclinándose más, alzó el pie para

golpear el hierro, hundirlo más hondo y rematarlo al fin. El tiburón, rápido, esquivó el golpe y el pie, falto de resistencia, entró en el agua.

Un alarido rasgó la calma luminosa del día. Sin el socorro del 5 patrón y del oficial, el cuerpo se habría desplomado. Cuando ya entre todos lo tendieron sobre una de las bancadas, Raúl estaba sin conocimiento; le faltaba el pie derecho y casi media pierna. Veíase la carne y el hueso triturados, de donde la sangre manaba a borbotones esponjándose en la madera de cubierta.

10 Estaban muy lejos de la costa. El aire había encalmado. El patrón y el oficial cogieron los remos, y muy lentamente la barca se fue acercando a tierra. Nadie osaba hablar. El regreso duró más de una hora. De tiempo en tiempo los remeros se volvían furtivamente para ver si el cuerpo, exánime a proa, alentaba aún.

15 En la Capitanía del Puerto, después de declarar, Luisa tomó un coche hacia su casa, mientras los hombres, en la misma ambulancia pedida por teléfono, fueron al hospital donde debían amputar la pierna a Raúl.

Al llegar a su casa Luisa sintió apetito; pero indignada contra 20 sí misma por aquella exigencia física, se acostó en seguida sin comer. Mas las horas pasaban huecas, largas, eléctricas sin traerle sueño ni olvido.

La luz fue menguando en las junturas de las ventanas. Llegó la tarde. Y despierta, como nunca despierta, Luisa sentía al 25 mismo tiempo ansiedad y temor de que Emilio volviese.

Al fin oyó abrir la puerta y pasos en la alcoba contigua: ¡Era él! Sin saber por qué, tuvo miedo y se tapó la cabeza. La angustia la hacía estar con los ojos muy abiertos, en la sombra. Pasó un gran rato; una campana sonó. De repente, como si Emilio 30 hubiera tenido la certeza de que ella lo acechaba, le dijo en voz baja y colérica, con un tono opaco que Luisa no le había oído nunca:

—Si tú no te hubieras empeñado en ir, todos habrían sido prudentes. ¡Has sido tú la culpable, con tus gritos, con tu cara..., 35 con aquella manera sucia y provocativa de sonreir!

Ella hubiera querido protestar, exculparse; pero no era contra su marido, sino contra su propia conciencia, contra quien necesitaba hallar razones. Sí, había gozado y sufrido una excitación malsana viéndolos ante el peligro. ¡Tenía razón Emilio! Sin su sonrisa, sin sus ojos, todo habría ocurrido de otra manera.

Quiso saber de una vez la magnitud de su culpa y, tras un gran esfuerzo, balbució: 5

—¿Y qué ha pasado? ¿Han tenido que cortarle la pierna?

La respuesta tardó unos segundos angustiosos, interminables.

—Ha muerto.

Ella se incorporó; con visión repentina comparó al hombre 10 bello, fuerte, vivo horas antes, con el pedazo de carne yerta que sería ahora entre cuatro cirios; y en la garganta estrangulósele un grito de horror. Quiso refugiarse en vano en los brazos de Emilio que se separó de ella. Entonces una llama de remordimiento la abrasó toda; y en silencio, desconsoladamente, lloró, por primera 15 vez en su vida, esas lágrimas que dejan huellas en la piel y en el corazón.

·29·

María Luisa Bombal

(1910–)

EL ÁRBOL

El pianista se sienta, tose por prejuicio y se concentra un instante. Las luces en racimo que alumbran la sala declinan lentamente hasta detenerse en un resplandor mortecino de brasa, al tiempo que una frase musical comienza a subir en el silencio, a desenvolverse, clara, estrecha y juiciosamente caprichosa.

"Mozart, tal vez" —piensa Brígida. Como de costumbre se ha olvidado de pedir el programa. "Mozart, tal vez, o Scarlatti." ¡Sabía tan poca música! Y no era porque no tuviese oído ni afición. De niña fue ella quien reclamó lecciones de piano; nadie necesitó imponérselas, como a sus hermanas. Sus hermanas, sin embargo, tocaban ahora correctamente y descifraban a primera vista, en tanto que ella... Ella había abandonado los estudios al año de iniciarlos. La razón de su inconsecuencia era tan sencilla como vergonzosa: jamás había conseguido aprender la llave de Fa, jamás. "No comprendo, no me alcanza la memoria más que para la llave de Sol." ¡La indignación de su padre! "¿A cualquiera le doy esta carga de un hombre solo con varias hijas que educar! ¡Pobre Carmen! Seguramente habría sufrido por Brígida. Es retardada esta criatura."

Brígida era la menor de seis niñas todas diferentes de carácter. Cuando el padre llegaba por fin a su sexta hija, llegaba tan perplejo y agotado por las cinco primeras que prefería simplificarse el día declarándola retardada. "No voy a luchar más, es inútil. Déjenla. Si no quiere estudiar, que no estudie. Si le gusta pasarse en la cocina oyendo cuentos de ánimas, allá ella. Si le gustan las muñecas a los dieciséis años, que juegue." Y Brígida había conservado sus muñecas y permanecido totalmente ignorante.

¡Qué agradable es ser ignorante! ¡No saber exactamente quién fue Mozart, desconocer sus orígenes, sus influencias, las particularidades de su técnica! Dejarse solamente llevar por él de la mano, como ahora.

Y Mozart la lleva, en efecto. La lleva por un puente suspendido sobre un agua cristalina que corre en un lecho de arena rosada. Ella está vestida de blanco, con un quitasol de encaje, complicado y fino como una telaraña, abierto sobre el hombro.

—Estás cada día más joven, Brígida. Ayer encontré a tu marido, a tu ex-marido, quiero decir. Tiene todo el pelo blanco.

Pero ella no contesta, no se detiene, sigue cruzando el puente que Mozart le ha tendido hacia el jardín de sus años juveniles.

Altos surtidores en los que el agua canta. Sus dieciocho años, sus trenzas castañas que desatadas le llegaban hasta los tobillos, su tez dorada, sus ojos oscuros tan abiertos y como interrogantes. Una pequeña boca de labios carnosos, una sonrisa dulce y el cuerpo más liviano y gracioso del mundo. ¿En qué pensaba sentada al borde de la fuente? En nada. "Es tan tonta como linda", decían. Pero a ella nunca le importó ser tonta, ni "planchar" en los bailes. Una por una iban pidiendo en matrimonio a sus hermanas. A ella no la pedía nadie.

¡Mozart! Ahora le brinda una escalera de mármol azul por donde ella baja entre una doble fila de lirios de hielo. Y ahora le abre una verja de barrotes con puntas doradas para que ella pueda echarse al cuello de Luis, el amigo íntimo de su padre. Desde muy niña, cuando todos la abandonaban, corría hacia Luis. El la alzaba y ella le rodeaba el cuello con los brazos, entre risas que eran como pequeños gorjeos y besos que le disparaba aturdidamente sobre los ojos, frente y el pelo ya entonces canoso (¿es que nunca había sido joven?) como una lluvia desordenada. "Eres un collar" —le decía Luis—. "Eres como un collar de pájaros."

Por eso se había casado con él. Porque al lado de aquel hombre solemne y taciturno no se sentía culpable de ser tal cual era: tonta, juguetona y perezosa. Sí; ahora que han pasado tantos años comprende que no se había casado con Luis por amor; sin embargo no atina a comprender por qué, por qué se marchó ella un día, de pronto...

Pero he aquí que Mozart la toma nerviosamente de la mano y arrastrándola en un ritmo segundo por segundo más apremiante, la obliga a cruzar el jardín en sentido inverso, a retomar el puente en una carrera que es casi una huída. Y luego de haberla despojado del quitasol y de la falda transparente, le cierra la puerta de su pasado con un acorde dulce y firme a la vez, y la deja en una sala de conciertos, vestida de negro, aplaudiendo maquinalmente en tanto crece la llama de las luces artificiales.

De nuevo la penumbra y de nuevo el silencio precursor.

Y ahora Beethoven empieza a remover el oleaje tibio de sus notas bajo una luna de primavera. ¡Qué lejos se ha retirado el mar! Brígida se interna playa adentro hacia el mar contraído allá lejos, refulgente y manso, pero entonces el mar se levanta, crece tranquilo, viene a su encuentro, la envuelve, y con suaves olas la va empujando, empujando por la espalda hasta hacerle recostar la mejilla, sobre el cuerpo de un hombre. Y se aleja, dejándola olvidada sobre el pecho de Luis.

—No tienes corazón, no tienes corazón —solía decirle a Luis. Latía tan adentro el corazón de su marido que no pudo oirlo sino rara vez y de modo inesperado—. Nunca estás conmigo cuando estás a mi lado —protestaba en la alcoba, cuando antes de dormirse él abría ritualmente los periódicos de la tarde—. ¿Por qué te has casado conmigo?

—Porque tienes ojos de venadito asustado —contestaba él y la besaba. Y ella, súbitamente alegre, recibía orgullosa sobre su hombro el peso de su cabeza cana. ¡Oh, ese pelo plateado y brillante de Luis!

—Luis, nunca me has contado de qué color era exactamente tu pelo cuando eras chico, y nunca me has contado tampoco lo que dijo tu madre cuando te empezaron a salir canas a los quince años. ¿Qué dijo? ¿Se rio? ¿Lloró? ¿Y tú estabas orgulloso o tenías vergüenza? Y en el colegio, tus compañeros, ¿qué decían? Cuéntame, Luis, cuéntame...

—Mañana te contaré. Tengo sueño, Brígida, estoy muy cansado. Apaga la luz.

Inconscientemente él se apartaba de ella para dormir, y ella inconscientemente, durante la noche entera, perseguía el hombro de su marido, buscaba su aliento, trataba de vivir bajo su aliento, como una planta encerrada y sedienta que alarga sus ramas en busca de un clima propicio.

Por las mañanas, cuando la mucama abría las persianas, Luis ya no estaba a su lado. Se había levantado sigiloso y sin darle los buenos días, por temor al collar de pájaros que se obstinaba en retenerlo fuertemente por los hombros. —"Cinco minutos, cinco minutos nada más. Tu estudio no va a desaparecer porque te quedes cinco minutos más conmigo, Luis."

Sus despertares. ¡Ah, qué tristes sus despertares! Pero —era curioso —apenas pasaba a su cuarto de vestir, su tristeza se disipaba como por encanto.

Un oleaje bulle, bulle muy lejano, murmura como un mar de hojas. ¿Es Beethoven? No.

Es el árbol pegado a la ventana del cuarto de vestir. Le bastaba entrar para que sintiese circular en ella una gran sensación bienhechora. ¡Qué calor hacía siempre en el dormitorio por las mañanas! ¡Y qué luz cruda! Aquí en cambio, en el cuarto de vestir, hasta la vista descansaba, se refrescaba. Las cretonas desvaídas, el árbol que desenvolvía sombras como de agua agitada y fría por las paredes, los espejos que doblaban el follaje y se ahuecaban en un bosque infinito y verde. ¡Qué agradable era ese cuarto! Parecía un mundo sumido en un acuario. ¡Cómo parloteaba ese inmenso gomero! Todos los pájaros del barrio venían a refugiarse en él. Era el único árbol de aquella estrecha calle en pendiente que desde un costado de la ciudad se despeñaba directamente al río.

—Estoy ocupado. No puedo acompañarte... Tengo mucho que hacer, no alcanzo a llegar para el almuerzo... Holá, sí, estoy en el Club. Un compromiso. Come y acuéstate... No. No sé. Más vale que no me esperes, Brígida.

—¡Si tuviera amigas! —suspiraba ella. Pero todo el mundo se aburría con ella. ¡Si tratara de ser un poco menos tonta! ¿Pero cómo ganar de un tirón tanto terreno perdido? Para ser inteligente hay que empezar desde chica ¿no es verdad?

A sus hermanas, sin embargo, los maridos las llevaban a todas partes, pero Luis —¿por qué no había de confesárselo a sí misma? —se avergonzaba de ella, de su ignorancia, de su timidez y hasta de sus dieciocho años. ¿No le había pedido acaso que dijera que tenía por lo menos veintiuno, como si su extrema juventud fuera una tara secreta?

Y de noche ¡qué cansado se acostaba siempre! Nunca la escuchaba del todo. Le sonreía, eso sí, le sonreía con una sonrisa que ella sabía maquinal. La colmaba de caricias de las que él estaba ausente. ¿Por qué se habría casado con ella? Para continuar una costumbre, tal vez para estrechar la vieja relación de amistad con su padre. Tal vez la vida consistía para los hombres en una serie de costumbres consentidas y continuas. Si alguna llegaba a quebrarse, probablemente se producía el desbarajuste, el fracaso. Y los hombres empezaban entonces a errar por las calles de la ciudad, a sentarse en los bancos de las plazas, cada día peor vestidos y con la barba más crecida. La vida de Luis, por lo tanto, consistía en llenar con una ocupación cada minuto del día. ¡Cómo no haberlo comprendido antes! Su padre tenía razón al declararla retardada.

—Me gustaría ver nevar alguna vez, Luis.

—Este verano te llevaré a Europa, y como allá es invierno podrás ver nevar.

—Ya sé que es invierno en Europa cuando aquí es verano. ¡Tan ignorante no soy!

A veces, como para despertarlo al arrebato del verdadero amor, ella se echaba sobre su marido y lo cubría de besos, llorando, llamándolo: Luis, Luis, Luis...

—¿Qué? ¿Qué te pasa? ¿Qué quieres?

—Nada.

—¿Por qué me llamas de ese modo, entonces?

—Por nada, por llamarte. Me gusta llamarte.

Y él sonreía, acogiendo con benevolencia aquel nuevo juego.

Llegó el verano, su primer verano de casada. Nuevas ocupaciones impidieron a Luis ofrecerle el viaje prometido.

—Brígida, el calor va a ser tremendo este verano en Buenos Aires. ¿Por qué no te vas a la estancia con tu padre?

—¿Sola?

—Yo iría a verte todas las semanas de sábado a lunes.

Ella se había sentado en la cama, dispuesta a insultar. Pero en vano buscó palabras hirientes que gritarle. No sabía nada, nada. Ni siquiera insultar.

—¿Qué te pasa? ¿En qué piensas, Brígida?

Por primera vez Luis había vuelto sobre sus pasos y se inclinaba sobre ella inquieto, dejando pasar la hora de llegada a su despacho.

—Tengo sueño... —había replicado Brígida puerilmente, mientras escondía la cara en las almohadas.

Por primera vez él la había llamado desde el club a la hora del almuerzo. Pero ella había rehusado salir al teléfono, esgrimiendo rabiosamente el arma aquella que había encontrado sin pensarlo: el silencio.

Esa misma noche comía frente a su marido sin levantar la vista, contraídos todos sus nervios.

—¿Todavía estás enojada, Brígida?

Pero ella no quebró el silencio.

—Bien sabes que te quiero, collar de pájaros. Pero no puedo estar contigo a toda hora. Soy un hombre muy ocupado. Se llega a mi edad hecho un esclavo de mil compromisos.

...

—¿Quieres que salgamos esta noche?

...

—¿No quieres? Paciencia. Dime, ¿llamó Roberto desde Montevideo?

...

—¡Qué lindo traje! ¿Es nuevo?

. . .

—¿Es nuevo, Brígida? Contesta, contéstame...

Pero ella tampoco esta vez quebró el silencio.

Y en seguida lo inesperado, lo asombroso, lo absurdo. Luis que se levanta de su asiento, tira violentamente la servilleta sobre la mesa y se va de la casa dando portazos.

Ella se había levantado a su vez, atónita, tiritando de indignación por tanta injusticia. —"Y yo, y yo" —murmuraba desorientada, —"yo que durante casi un año... cuando por primera vez me permito un reproche... ¡Ah, me voy, me voy esta misma noche! No volveré a pisar nunca más esta casa...." Y abría con furia los armarios de su cuarto de vestir, tiraba desatinadamente la ropa al suelo.

Fue entonces cuando alguien golpeó con los nudillos en los cristales de la ventana.

Había corrido, no supo cómo ni con qué insólita valentía, hacia la ventana. La había abierto. Era el árbol, el gomero que un gran soplo de viento agitaba, el que golpeaba con sus ramas los vidrios, el que la requería desde fuera como para que lo viera retorcerse hecho una impetuosa llamarada negra bajo el cielo encendido de aquella noche de verano.

Un pesado aguacero no tardaría en rebotar contra sus frías hojas. ¡Qué delicia! Durante toda la noche, ella podría oir la lluvia azotar, escurrirse por las hojas del gomero como por los canales de mil goteras fantasiosas. Durante toda la noche oiría crujir y gemir el viejo tronco del gomero contándole de la intemperie, mientras ella se acurrucaría, voluntariamente friolenta, entre las sábanas del amplio lecho, muy cerca de Luis.

Puñados de perlas que llueven a chorros sobre un techo de plata. Chopin. *Estudios* de Federico Chopin.

¿Durante cuántas semanas se despertó de pronto, muy temprano, apenas sentía que su marido, ahora también él obstinadamente callado, se había escurrido del lecho?

El cuarto de vestir: la ventana abierta de par en par, un olor a río y a pasto flotando en aquel cuarto bienhechor, y los espejos velados por un halo de neblina.

Chopin y la lluvia que resbala por las hojas del gomero con ruido de cascada secreta, y parece empapar hasta las rosas de las cretonas, se entremezclan en su agitada nostalgia. 5

¿Qué hacer en verano cuando llueve tanto? ¿Quedarse el día entero en el cuarto fingiendo una convalecencia o una tristeza? Luis había entrado tímidamente una tarde. Se había sentado muy tieso. Hubo un silencio.

—Brígida, ¿entonces es cierto? ¿Ya no me quieres? 10

Ella se había alegrado de golpe, estúpidamente. Puede que hubiera gritado: —"No, no; te quiero Luis, te quiero" —si él le hubiese dado tiempo, si no hubiese agregado, casi de immediato, con su calma habitual:

—En todo caso, no creo que nos convenga separarnos, Brígida. 15 Hay que pensarlo mucho.

En ella los impulsos se abatieron tan bruscamente como se habían precipitado. ¡A qué exaltarse inútilmente! Luis la quería con ternura y medida; si alguna vez llegaba a odiarla la odiaría con justicia y prudencia. Y eso era la vida. Se acercó a la ventana, 20 apoyó la frente contra el vidrio glacial. Allí estaba el gomero recibiendo serenamente la lluvia que lo golpeaba, tranquila y regular. El cuarto se inmovilizaba en la penumbra, ordenado y silencioso. Todo parecía detenerse, eterno y muy noble. Eso era la vida. Y había cierta grandeza en aceptarla así, mediocre, como 25 algo definitivo, irremediable. Y del fondo de las cosas parecía brotar y subir una melodía de palabras graves y lentas que ella se quedó escuchando: "Siempre." "Nunca"... Y así pasan las horas, los días y los años. ¡Siempre! ¡Nunca! ¡La vida, la vida!

Al recobrarse cayó en la cuenta que su marido se había es- 30 currido del cuarto. ¡Siempre! ¡Nunca!...

Y la lluvia, secreta e igual, aun continuaba susurrando en Chopin.

El verano deshojaba su ardiente calendario. Caían páginas luminosas y enceguecedoras como espadas de oro, y páginas de 35 una humedad malsana como el aliento de los pantanos; caían páginas de furiosa y breve tormenta, y páginas de viento caluroso, del viento que trae el "clavel del aire" y lo cuelga del inmenso gomero.

Algunos niños solían jugar al escondite entre las enormes raíces convulsas que levantaban las baldosas de la acera, y el árbol se llenaba de risas y de cuchicheos. Entonces ella se asomaba a la ventana y golpeaba las manos; los niños se dispersaban asustados, sin reparar en su sonrisa de niña que a su vez desea participar en el juego.

Solitaria, permanecía largo rato acodada en la ventana mirando el tiritar del follaje —siempre corría alguna brisa en aquella calle que se despeñaba directamente hasta el río —y era como hundir la mirada en una agua movediza o en el fuego inquieto de una chimenea. Una podía pasarse así las horas muertas, vacía de todo pensamiento, atontada de bienestar.

Apenas el cuarto empezaba a llenarse del humo del crepúsculo ella encendía la primera lámpara, y la primera lámpara resplandecía en los espejos, se multiplicaba como una luciérnaga deseosa de precipitar la noche.

Y noche a noche dormitaba junto a su marido, sufriendo por rachas. Pero cuando su dolor se condensaba hasta herirla como un puntazo, cuando la asediaba un deseo demasiado imperioso de despertar a Luis para pegarle o acariciarlo, se escurría de puntillas hacia el cuarto de vestir y abría la ventana. El cuarto se llenaba instantáneamente de discretos ruidos y discretas presencias, de pisadas misteriosas, de aleteos, de sutiles chasquidos vegetales, del dulce gemido de un grillo escondido bajo la corteza del gomero sumido en las estrellas de una calurosa noche estival. Su fiebre decaía a medida que sus pies desnudos se iban helando poco a poco sobre la estera. No sabía por qué le era tan fácil sufrir en aquel cuarto.

Melancolía de Chopin engranando un estudio tras otro, engranando una melancolía tras otra, imperturbable.

Y vino el otoño. Las hojas secas revoloteaban un instante antes de rodar sobre el césped del estrecho jardín, sobre la acera de la calle en pendiente. Las hojas se desprendían y caían... La cima del gomero permanecía verde, pero por debajo el árbol enrojecía, se ensombrecía como el forro gastado de una suntuosa capa de baile. Y el cuarto parecía ahora sumido en una copa de oro triste.

Echada sobre el diván, ella esperaba pacientemente la hora de la cena, la llegada improbable de Luis. Había vuelto a hablarle, había vuelto a ser su mujer sin entusiasmo y sin ira. Ya no lo quería. Pero ya no sufría. Por el contrario, se había apoderado de ella una inesperada sensación de plenitud, de placidez. Ya nadie ni nada podría herirla. Puede que la verdadera felicidad esté en la convicción de que se ha perdido irremediablemente la felicidad. Entonces empezamos a movernos por la vida sin esperanzas ni miedos, capaces de gozar por fin todos los pequeños goces, que son los más perdurables.

Un estruendo feroz, luego una llamarada blanca que la echa hacia atrás toda temblorosa.

¿Es el entreacto? No. Es el gomero, ella lo sabe.

Lo habían abatido de un solo hachazo. Ella no pudo oir los trabajos que empezaron muy de mañana. "Las raíces levantaban las baldosas de la acera y entonces, naturalmente, la comisión de vecinos..."

Encandilada se ha llevado las manos a los ojos. Cuando recobra la vista se incorpora y mira a su alrededor. ¿Qué mira? ¿La sala bruscamente iluminada, la gente que se dispersa? No. Ha quedado aprisionada en las redes de su pasado, no puede salir del cuarto de vestir. De su cuarto de vestir invadido por una luz blanca, aterradora. Era como si hubieran arrancado el techo de cuajo; una luz cruda entraba por todos lados, se le metía por los poros, la quemaba de frío. Y todo lo veía a la luz de esa fría luz; Luis, su cara arrugada, sus manos que surcan gruesas venas desteñidas, y las cretonas de colores chillones. Despavorida ha corrido hacia la ventana. La ventana abre ahora directamente sobre una calle estrecha, tan estrecha que su cuarto se estrella casi contra la fachada de un rascacielos deslumbrante. En la planta baja, vidrieras y más vidrieras llenas de frascos. En la esquina de la calle, una hilera de automóviles alineados frente a una estación de servicio pintada de rojo. Algunos muchachos, en mangas de camisa, patean una pelota en medio de la calzada.

5 Y toda aquella fealdad había entrado en sus espejos. Dentro de sus espejos había ahora balcones de níquel y trapos colgados y jaulas con canarios.

Le habían quitado su intimidad, su secreto; se encontraba desnuda en medio de la calle, desnuda junto a un marido viejo
10 que le volvía la espalda para dormir, que no le había dado hijos. No comprende cómo hasta entonces no había deseado tener hijos, cómo había llegado a conformarse a la idea de que iba a vivir sin hijos toda su vida. No comprende cómo pudo soportar durante un año esa risa de Luis, esa risa demasiado jovial, esa
15 risa postiza de hombre que se ha adiestrado en la risa porque es necesario reir en determinadas ocasiones.

¡Mentira! Eran mentiras su resignación y su serenidad; quería amor, sí, amor, y viajes y locuras, y amor, amor...

—Pero Brígida ¿por qué te vas? ¿por qué te quedabas? —había
20 preguntado Luis.

Ahora habría sabido contestarle:

—¡El árbol, Luis, el árbol! Han derribado el gomero.

·30·

Emilia Pardo Bazán

(1851–1925)

SÍ, SEÑOR

Lo que voy a contar no lo he inventado. Si lo hubiese inventado alguien, si no fuese la exacta verdad, digo que bien inventado estaría; pero también me corresponde declarar que lo he oído referir... Lo cual disminuye muchísimo el mérito de este relato, y obliga a suponer que mi fantasía no es tan fértil y brillante como se ha solido suponer, en momentos de benevolencia.

¿Eres tímido, oh tú que me lees? Porque la timidez es uno de los martirios ridículos; nos pone en berlina, nos amarra a banco duro. La timidez es un dogal a la garganta, una piedra al pescuezo, una camisa de plomo sobre los hombros, una cadena a las muñecas, unos grillos a los pies... Y el peor género de timidez no es el que procede de modestia, de recelo por insuficiencia de facultades. Hay otro más terrible: la timidez por exceso de emoción; la timidez del enamorado ante su amada, del fanático ante su ídolo.

De un enamorado se trata en este cuento, y tan enamorado, que no sé si nunca Romeo el veronés, Marsilla el turolense, o Macías el galaico, lo estuvieron con mayor vehemencia. No envidiéis nunca a esta clase de locos. A los que mucho amaron se les podrá perdonar y compadecer; pero envidiarles, sería no conocer la vida. Son más desventurados que el mendigo que pide limosna; más que el sentenciado que en su cárcel cuenta las horas que le quedan de vida horrible... Son desventurados porque tienen dislocada el alma, y les duele a cada movimiento... Doble su desdicha si la acompaña el suplicio de la timidez. Y la timidez, en bastantes casos, se cura con la confianza; pero la hay crónica e invencible; la hay en maridos que llevan veinte años de unión conyugal y no se han acostumbrado a tener franqueza con sus mujeres; en mujeres que, viviendo con un hombre en la mayor intimidad, no se acercan a él sin temor y temblor... Generalmente, sin embargo, se presenta el fenómeno durante ese período en que el amor, sin fueros y sin gallardías, se estremece ante un gesto o una palabra... Y éste era el caso de Agustín Oriol, perdidamente esclavo de la coquetuela y encantadora Condesa viuda de Dolfos.

Dícese que una viuda es más fácil de galantear que una soltera; pero en estas cuestiones tan peliagudas, yo digo que no hay reglas ni axiomas; cada persona difiere o por su carácter o por el mismo exceso de su apasionamiento. Agustín sentía, al acercarse a la Condesa, todos los síntomas de la timidez enfermiza, y mientras a solas preparaba declaraciones abrasadoras, discursos perfectamente hilados y tan persuasivos que ablandarían las piedras, lo cierto es que en presencia de su diosa no sabía despegar los labios; su garganta no formaba sonidos, ni su pensamiento coordinaba ideas... Todos reconocerán que este estado tiene poco de agradable, y que Agustín no era dichoso, ni mucho menos.

Vanamente apelaba a su razón para vencer aquella timidez estúpida... Su razón le decía que él, Agustín Oriol de Lopardo, caballero por los cuatro costados, joven, con hacienda, inteligencia y aptitudes para abrirse camino, era un excelente candidato a la mano de cualquiera mujer, por bonita y encopetada que se la suponga... ¿Por qué no había de quererle la Condesa? ¿Por qué, vamos a ver, por qué? El debía acercarse a ella ufano, arrogante, seguro de su victoria. Y todas las noches, al retirarse a su casa, se lo proponía..., y al día siguiente procedía lo mismo que el anterior. Se insultaba a sí mismo; se trataba de menguado, de necio, pero no podía vencerse... No podía, y no podía.

De modo que, al año próximamente de un enamoramiento tan intenso que le ocasionaba trastornos cardíacos, violentos hasta el síncope, Agustín no había cruzado aún palabra, lo que se dice palabra con su idolatrada viuda. Iba a todas partes donde podía encontrarse con ella, pasaba muchas veces por debajo de sus balcones, se trasladaba a San Sebastián el mismo día que ella y en el mismo tren..., y aun ignoraría el sonido de su voz si no hubiese prestado ansioso oído a las conversaciones que ella sostenía con otras personas...

Por fin, un día —precisamente en San Sebastián —presentóse rodada la ocasión de romper el hielo. Fue en la terraza del Casino, a la hora en que una muchedumbre elegantemente ataviada respira el aire y escucha, o, por mejor decir, no escucha la música, sino las infinitas charlas, que hacen otro rumor más contenido y más suave, como de colmena. Agustín estaba muy próximo a su amada, y devoraba con los ojos el perfil fino, asomando bajo el sombrero todo empenachado de plumas. Ella le observaba de reojo; y viéndole tan cerca, de pronto sintió impulsos de dirigirle la palabra. No era correcto, no era serio, no era propio de una señora... Bueno. Por encima de las fórmulas sociales están las circunstancias, y hay de estas irregularidades que todo el mundo comete, cuando a ello le empuja un fuerte estímulo... La viudita no podía menos de haber notado aquella adoración profunda, continua, que la rodeaba como el cuerpo astral al cuerpo visible, y sentía una curiosidad femenil, ardorosa, el afán de saber qué diría aquel adorador mudo, que la bebía y la respiraba. Resuelta, con sonriente afabilidad, con un alarde infantil que disimulaba lo aturdido del procedimiento, exclamó:

—¡Qué noche tan hermosa! ¿Verdad que es una delicia?

Agustín sintió como si campanas doblasen en su cerebro, no sabía si a muerte o si a gloria; su sangre giró de súbito, sus oídos zumbaron..., y con tartajosa lengua, con voz imposible de reconocer, con un acento ronco y balbuciente, soltó esta frase:

—¡Sí... señor! ¡Sí... señor!

Fue como si otro hubiese hablado... Un individuo zumbón, dentro de Agustín, se reía sardónico, se mofaba de la extravagante respuesta... ¡Acababa de llamar "señor" a la única mujer que para él existía en el mundo! ¡No se le había ocurrido sino tal inepcia! Y ahora, con la lengua seca y el corazón inundado de

bochorno, tampoco se le ocurría más. ¡Qué había de ocurrírsele! La terraza daba vueltas, el suelo huía bajo sus pies... Exhaló un gemido ronco, se llevó las manos a la cabeza, y levantándose, tambaleándose, huyó sin volver la vista atrás. Aquella noche
5 pensó varias veces en el suicidio.

A la mañana siguiente, sintiéndose incapaz de presentarse de nuevo ante la que ya debía despreciarle, salió para Francia en el primer tren. Estuvo ausente muchos años; en ellos no volvió a saber de su adorada. Un día leyó en un periódico que se había
10 casado. Todavía la noticia le causó grave pena. Después, lentamente, fue olvidando, nunca del todo.

Habían corrido cerca de cuatro lustros; las canas rafagueaban el negro cabello de Agustín, cuando en uno de sus viajes entró una señora con dos señoritas en el mismo departamento. Agustín
15 la reconoció..., y aun su corazón (del cual padecía) le avisó de que era ella —muy cambiada, muy envejecida—, pero ella. ¿Fue reconocido Agustín? No se sabe. Lo cierto es que se trabó conversación entre ambos viajeros, y que esta vez, no habiendo el estorbo de un amor tan insensato, Agustín charló sin recelo, y
20 las horas corrieron sin sentir. La viajera habló de su juventud, y murmuró confidencialmente:

—De cuantos homenajes han podido tributarme, el que más agradecí, porque era el más sincero, consistió en que un joven, que me seguía como sombra, me contestase, al dirigirle yo por
25 primera vez la palabra: "Sí, señor..." ¿Comprende usted? Era tal su aturdimiento, que no acertó a decir otra cosa... Los requiebros más entusiastas no pueden halagar tanto a una mujer como una turbación, que sólo puede interpretarse como señal de pasión verdadera...

30 —¿De modo... que usted no se rio de aquel hombre? —preguntó Agustín.

—Al contrario... —respondió la señora, con acento en que parecía temblar una lágrima.

·31·

Jorge Luis Borges
(1900–)

EMMA ZUNZ

El catorce de enero de 1922, Emma Zunz, al volver de la fábrica de tejidos Tarbuch y Loewenthal, halló en el fondo del zaguán una carta, fechada en el Brasil, por la que supo que su padre había muerto. La engañaron, a primera vista, el sello y el sobre; luego, la inquietó la letra desconocida. Nueve o diez líneas 5
borroneadas querían colmar la hoja; Emma leyó que el señor Maier había ingerido por error una fuerte dosis de veronal y había fallecido el tres del corriente en el hospital de Bagé. Un compañero de pensión de su padre firmaba la noticia, un tal Fein o Fain, de Río Grande, que no podía saber que se dirigía a la 10
hija del muerto.

Emma dejó caer el papel. Su primera impresión fue de malestar en el vientre y en las rodillas; luego de ciega culpa, de irrealidad, de frío, de temor; luego, quiso ya estar en el día siguiente. Acto continuo comprendió que esa voluntad era inútil porque la 15
muerte de su padre era lo único que había sucedido en el mundo, y seguiría sucediendo sin fin. Recogió el papel y se fue a su cuarto. Furtivamente lo guardó en un cajón, como si de algún modo ya conociera los hechos ulteriores. Ya había empezado a vislumbrarlos, tal vez; ya era la que sería. 20

En la creciente oscuridad, Emma lloró hasta el fin de aquel día el suicidio de Manuel Maier, que en los antiguos días felices fue Emanuel Zunz. Recordó veraneos en una chacra, cerca de Gualeguay, recordó (trató de recordar) a su madre, recordó la casita de Lanús que les remataron, recordó los amarillos losanges de 25
una ventana, recordó el auto de prisión, el oprobio, recordó los

anónimos con el suelto sobre "el desfalco del cajero," recordó (pero eso jamás lo olvidaba) que su padre, la última noche, le había jurado que el ladrón era Loewenthal. Loewenthal, Aarón Loewenthal, antes gerente de la fábrica y ahora uno de los
5 dueños. Emma, desde 1916, guardaba el secreto. A nadie se lo había revelado, ni siquiera a su mejor amiga, Elsa Urstein. Quizá rehuía la profana incredulidad; quizá creía que el secreto era un vínculo entre ella y el ausente. Loewenthal no sabía que ella sabía; Emma Zunz derivaba de ese hecho ínfimo un sentimiento
10 de poder.

No durmió aquella noche y cuando la primera luz definió el rectángulo de la ventana, ya estaba perfecto su plan. Procuró que ese día, que le pareció interminable, fuera como los otros. Había en la fábrica rumores de huelga; Emma se declaró, como siempre,
15 contra toda violencia. A las seis, concluido el trabajo, fue con Elsa a un club de mujeres, que tiene gimnasio y pileta. Se inscribieron; tuvo que repetir y deletrear su nombre y su apellido, tuvo que festejar las bromas vulgares que comentan la revisación. Con Elsa y con la menor de las Kronfuss discutió a qué cine-
20 matógrafo irían el domingo a la tarde. Luego, se habló de novios y nadie esperó que Emma hablara. En abril cumpliría diecinueve años, pero los hombres le inspiraban, aún, un temor casi patológico.... De vuelta, preparó una sopa de tapioca y unas legumbres, comió temprano, se acostó y se obligó a dormir. Así,
25 laborioso y trivial, pasó el viernes quince, la víspera.

El sábado, la impaciencia la despertó. La impaciencia, no la inquietud, y el singular alivio de estar en aquel día, por fin. Ya no tenía que tramar y que imaginar; dentro de algunas horas alcanzaría la simplicidad de los hechos. Leyó en *La Prensa* que el
30 *Nordstjärnan,* de Malmö, zarparía esa noche del dique 3; llamó por teléfono a Loewenthal, insinuó que deseaba comunicar, sin que lo supieran las otras, algo sobre la huelga y prometió pasar por el escritorio, al oscurecer. Le temblaba la voz; el temblor convenía a una delatora. Ningún otro hecho memorable ocurrió
35 esa mañana. Emma trabajó hasta las doce y fijó con Elsa y con Perla Kronfuss los pormenores del paseo del domingo. Se acostó

después de almorzar y recapituló, cerrados los ojos, el plan que había tramado. Pensó que la etapa final sería menos horrible que la primera y que le depararía, sin duda, el sabor de la victoria y de la justicia. De pronto, alarmada, se levantó y corrió al cajón de la cómoda. Lo abrió; debajo del retrato de Milton Sills, donde la 5 había dejado anteanoche, estaba la carta de Fain. Nadie podía haberla visto; la empezó a leer y la rompió.

Referir con alguna realidad los hechos de esa tarde sería difícil y quizá improcedente. Un atributo de lo infernal es la irrealidad, un atributo que parece mitigar sus terrores y que los agrava tal 10 vez. ¿Cómo hacer verosímil una acción en la que casi no creyó quien la ejecutaba, cómo recuperar ese breve caos que hoy la memoria de Emma Zunz repudia y confunde? Emma vivía por Almagro, en la calle Liniers; nos consta que esa tarde fue al puerto. Acaso en el infame Paseo de Julio se vio multiplicada en 15 espejos, publicada por luces y desnudada por los ojos hambrientos, pero más razonable es conjeturar que al principio erró, inadvertida, por la indiferente recova. . . . Entró en dos o tres bares, vio la rutina o los manejos de otras mujeres. Dio al fin con hombres del *Nordstjärnan*. De uno, muy joven, temió que le 20 inspirara alguna ternura y optó por otro, quizá más bajo que ella y grosero, para que la pureza del horror no fuera mitigada. El hombre la condujo a una puerta y después a un turbio zaguán y después a una escalera tortuosa y después a un vestíbulo (en el que había una vidriera con losanges idénticos a los de la casa en 25 Lanús) y después a un pasillo y después a una puerta que se cerró. Los hechos graves están fuera del tiempo, ya porque en ellos el pasado inmediato queda como tronchado del porvenir, ya porque no parecen consecutivas las partes que los forman.

¿En aquel tiempo fuera del tiempo, en aquel desorden perplejo 30 de sensaciones inconexas y atroces, pensó Emma Zunz *una sola vez* en el muerto que motivaba el sacrificio? Yo tengo para mí que pensó una vez y que en ese momento peligró su desesperado propósito. Pensó (no pudo no pensar) que su padre le había hecho a su madre la cosa horrible que a ella ahora le hacían. Lo 35 pensó con débil asombro y se refugió, en seguida, en el vértigo.

El hombre, sueco o finlandés, no hablaba español; fue una herramienta para Emma como ésta lo fue para él, pero ella sirvió para el goce y él para la justicia.

Cuando se quedó sola, Emma no abrió en seguida los ojos. En la mesa de luz estaba el dinero que había dejado el hombre. Emma se incorporó y lo rompió como antes había roto la carta. Romper dinero es una impiedad, como tirar el pan; Emma se arrepintió, apenas lo hizo. Un acto de soberbia y en aquel día. . . . El temor se perdió en la tristeza de su cuerpo, en el asco. El asco y la tristeza la encadenaban, pero Emma lentamente se levantó y procedió a vestirse. En el cuarto no quedaban colores vivos; el último crepúsculo se agravaba. Emma pudo salir sin que la advirtieran; en la esquina subió a un Lacroze, que iba al oeste. Eligió, conforme a su plan, el asiento más delantero, para que no le vieran la cara. Quizá le confortó verificar, en el insípido trajín de las calles, que lo acaecido no había contaminado las cosas. Viajó por barrios decrecientes y opacos, viéndolos y olvidándolos en el acto, y se apeó en una de las bocacalles de Warnes. Paradójicamente su fatiga venía a ser una fuerza, pues la obligaba a concentrarse en los pormenores de la aventura y le ocultaba el fondo y el fin.

Aarón Loewenthal era, para todos, un hombre serio; para sus pocos íntimos, un avaro. Vivía en los altos de la fábrica, solo. Establecido en el desmantelado arrabal, temía a los ladrones; en el patio de la fábrica había un gran perro y en el cajón de su escritorio, nadie lo ignoraba, un revólver. Había llorado con decoro, el año anterior, la inesperada muerte de su mujer —¡una Gauss, que le trajo una buena dote!—, pero el dinero era su verdadera pasión. Con íntimo bochorno se sabía menos apto para ganarlo que para conservarlo. Era muy religioso, creía tener con el Señor un pacto secreto, que lo eximía de obrar bien, a trueque de oraciones y devociones. Calvo, corpulento, enlutado, de quevedos ahumados y barba rubia, esperaba de pie, junto a la ventana, el informe confidencial de la obrera Zunz.

La vio empujar la verja (que él había entornado a propósito) y cruzar el patio sombrío. La vio hacer un pequeño rodeo cuando el perro atado ladró. Los labios de Emma se atareaban como los de quien reza en voz baja; cansados, repetían la sentencia que el señor Loewenthal oiría antes de morir.

Las cosas no ocurrieron como había previsto Emma Zunz. Desde la madrugada anterior, ella se había soñado muchas veces, dirigiendo el firme revólver, forzando al miserable a confesar la miserable culpa y exponiendo la intrépida estratagema que permitiría a la Justicia de Dios triunfar de la justicia humana. (No por temor sino por ser un instrumento de la Justicia, ella no quería ser castigada.) Luego, un solo balazo en mitad del pecho rubricaría la suerte de Loewenthal. Pero las cosas no ocurrieron así.

Ante Aarón Loewenthal, más que la urgencia de vengar a su padre, Emma sintió la de castigar el ultraje padecido por ello. No podía no matarlo, después de esa minuciosa deshonra. Tampoco tenía tiempo que perder en teatralerías. Sentada, tímida, pidió excusas a Loewenthal, invocó (a fuer de delatora) las obligaciones de la lealtad, pronunció algunos nombres, dio a entender otros y se cortó como si la venciera el temor. Logró que Loewenthal saliera a buscar una copa de agua. Cuando éste, incrédulo de tales aspavientos, pero indulgente, volvió del comedor, Emma ya había sacado del cajón el pesado revólver. Apretó el gatillo dos veces. El considerable cuerpo se desplomó como si los estampidos y el humo lo hubieran roto, el vaso de agua se rompió, la cara la miró con asombro y cólera, la boca de la cara la injurió en español y en ídisch. Las malas palabras no cejaban; Emma tuvo que hacer fuego otra vez. En el patio, el perro encadenado rompió a ladrar, y una efusión de brusca sangre manó de los labios obscenos y manchó la barba y la ropa. Emma inició la acusación que tenía preparada ("He vengado a mi padre y no me podrán castigar..."), pero no la acabó, porque el señor Loewenthal ya había muerto. No supo nunca si alcanzó a comprender.

Los ladridos tirantes le recordaron que no podía, aún, descansar. Desordenó el diván, desabrochó el saco del cadáver, le quitó los quevedos salpicados y los dejó sobre el fichero. Luego tomó el teléfono y repitió lo que tantas veces repetiría, con esas y con otras palabras: *Ha ocurrido una cosa que es increíble.... El señor Loewenthal me hizo venir con el pretexto de la huelga.... Abusó de mí, lo maté.*

La historia era increíble, en efecto, pero se impuso a todos, 5 porque sustancialmente era cierta. Verdadero era el tono de Emma Zunz, verdadero el pudor, verdadero el odio. Verdadero también era el ultraje que había padecido: sólo eran falsas las circunstancias, la hora y uno o dos nombres propios.

·32·

Alfonso Hernández-Catá

(1884–1940)

LA GALLEGUITA

El doctor, hombre bondadoso e inteligente que a veces necesitaba recordar la responsabilidad social de su misión de médico de puerto para no sucumbir de lástima ante infortunios individuales, la vio casi al bajar al entrepuente: Su cara atónita, anhelosa de borrarse, contrastraba con el ímpetu de la multitud ávida de resarcirse en tierra de los diez días de hacinamiento y vaivén sufridos desde Coruña a La Habana.

Mientras él cumplía los requisitos de revisar las vacunas y de abatir tal cual párpado sospechoso, en torno al buque pululaban remolcadores, lanchas, botes y cachuchos, en espera de que fuera arriada la bandera amarilla[1] para acercarse. Centelleaba el mar y los ribazos próximos a La Cabaña proyectaban contra la ciudad, apelotonada tras los muelles, el rigor tórrido del sol. Nombres vulgares gritados interrogativamente y la pregunta de si Juan López o Pedro Pérez tenían o no "Carta presentada," chocaban contra las planchas del navío e iban a multiplicarse en ecos tenues hasta el fondo del puerto.

En la cubierta de primera clase aleteaban las muselinas claras y empezaban a iniciarse, entre impaciencia, los incumplimientos de esos pactos de amistad eterna, hechos en viaje, que se contagian de la inestabilidad de las olas. Ya tocaba a su término la inspección de los inmigrantes. Sólo quedaban por examinar un hombre y la joven de ojos asustados que el doctor había visto casi huirle. El médico de a bordo dijo, señalándosela a su compañero de tierra:

1. *Yellow flag indicating that ship is in quarantine for medical inspection.*

—Aquí tiene usted una galleguita valiente. Viene a trabajar sola sin conocer a nadie... No, no se ocupe de mirarla: ¡es más fuerte que un roble!

—Pero, ¿no tiene idea siquiera del país? ¿De qué va a trabajar?

5 La galleguita, entonces, se decidió:

—De criada... Oyera[2] mucho hablar de Cuba y nada más... Tengo los *meus*[3] brazos muy sanos para trabajar por el rapaciño.

Había en su rostro una dulzura que la decisión de sus palabras no lograba mermar. Conmovido, el doctor preguntó:

10 —¿Y tiene los treinta pesos que exige *inmigración* para desembarcar?

—Cuando subió en Coruña ni un ochavo tenía; pero los ha ganado a bordo... Su voluntad de ganarlos ha podido más que la miseria de los otros emigrantes y que el mareo. Una heroína.

15 El doctor volvió a mirarla, interesado: No, no tendría más de veinticuatro años. Algo del verde de sus prados jugosos perduraba en sus pupilas de mirar infantil. Era recia, enjuta... Recordó haber oído a su mujer quejarse de una de sus criadas, y tomó repentina resolución:

20 —¿Quieres colocarte en mi casa? No sé lo que te darán; pero no será menos que en cualquier otra. Sólo somos mi mujer, mi cuñada y yo. No hay muchachos.

La galleguita aceptó entre los plácemes del médico de a bordo, que se esforzaba en encarecerle la suerte del hallazgo,[4] y desem-
25 barcaron. Camino de El Vedado apenas si sus ojos movíanse hacia los panoramas de la ciudad nueva. Sin duda una visión interior los absorbía. En la casa la recibieron bien; y la señora, bondadosamente, le enseñó sus obligaciones: limpiar, ayudarla a vestir a ella y a su hermana soltera, atender al teléfono cuando saliesen,
30 ayudar en la cocina si era menester. La galleguita asentía con la cabeza, en silencio. "El sueldo serían veinte pesos..., veinticinco si sabía cumplir." "¿Veinte pesos? ¿Veinte duros?" "Si, veinte duros, más, porque el peso valía más que el duro." En los ojos

2. Oyera = Había oído.
3. meus = míos.
4. suerte de hallazgo *good luck.*

tímidos se cuajaron dos lágrimas y en los labios una sonrisa... "¡Ya lo creo que sabría cumplir!... Cumplir y agradecer, *¿E logo?*[5] Ya verían los señores."

Y vieron el milagro de dos brazos incansables y de un tesón para el cual no existían distracciones. Las losas del suelo espejeaban; ni una bruma de polvo turbó desde su llegada el brillo de los muebles; la cocinera descansaba en ella sin levantar una sola protesta; y como si las horas adquiriesen ante su actividad una dimensión inverosímil, pidió aún que no enviasen la ropa íntima a la lavandera, y lavó, repasó, planchó... La señora y su hermana estaban a la vez temerosas y alegres. "¿No sería aquello añagaza de los primeros tiempos? ¡Escobita nueva barre bien!" Mas, no: los días tejían semanas, meses, y su ardor no cedía. Hasta los domingos se negaba a salir a la calle... "Pasear? No, ella no. ¿Para qué?" Y, a pesar de todo, no lograban tomarle cariño...

Algo de tímido, de lejano, de misterioso, de silencioso, la separaba de la efusividad locuaz de la casa. Puestos a buscar, al fin le hallaron el defecto: era avara, sórdida. Para que sustituyera sus andrajos fue preciso regalarle ropas de desecho. Antes que gastar un solo centavo habría abdicado de aquel pudor que la hacía huir como del *diaño* del paisano apuesto que casi desde el primer día empezó a rondarla. Guardaba con prontitud de urraca, y una tarde, después de haber dado muchas vueltas en torno al señor, azogada de miedo, le dijo en una decisión súbita:

—Eh, mi señor... *Eu quisiera* que me mandase este dinero a España... A la Puebla de Trives... A nombre de Santiago Pazos... ¿Quiere?

Y volcó sobre la mesa los treinta duros ganados a bordo, los setenta y cinco pesos ganados en la casa, los dos mensuales que la cocinera le daba por cederle sus salidas los días de fiesta, todo... ¡todo!

Cual si este primer grano del apretado collar de su mutismo dejase, al desprenderse, libre el hilo de las confidencias, aquel

5. ¿E logo? = ¿Y luego?

mediodía, a favor del sopor de la siesta, se acercó a la hermana de la señora —¡a la señora no se había atrevido! —y le pidió que le leyese las cartas llegadas hasta entonces. Las llevaba en el seno, en espera de que el sentido de las letras, para ella incomprensible, 5 se le trasfundiese por contacto, adivinando lo que le decían del *rapaciño,* del *neniño* querido.

La lectora se conmovió. ¡Cuán fácil era prejuzgar injuriosamente! La bestia de trabajo, la avara ahorradora para quien ni las solicitudes de un buen mozo ni las diversiones tenían imán al- 10 guno, no ahorraba por egoísmo, sino por generosidad, y acababa de darle una lección de abnegación... Las cartas perentorias, exigentes, revelaban todo: La galleguita había sido expulsada de su hogar para pagar con el sudor, no sólo de su alma, además, el pecado fatal de la mujer indefensa y joven. Una tarde de agosto, 15 después de una lluvia que arrancó a las tierras relentes de locura que olían mitad a flores, mitad a podredumbre, cayó entre las mieses altas impulsada por un hombre. Nueve meses después un pedacito de carne gemebunda se desprendía de sus entrañas. Y otra vez el honor sirvió de careta a la codicia.

20 La colérica autoridad del padre fulminó sobre ella, y no faltaron rudos castigos para lograr la sumisión. "En el pueblo no podía quedarse... La vergüenza más que la vejez iba a llamarlos a la huesa... ¡Tenía que marchar!... Si no por ella, por el *neno* que luego carecería hasta de un cuenco de caldo que llevarse a la 25 boca... ¡Aínda que en las Habanas se ganaban buenos *patacos* de jorná![6]... El se quedaría con el *pecado,* y ella, desde allá, mandaría." *Coitada, malpocada,*[7] ¿qué iba a hacer más que someterse? ¡Si ésa era su costumbre de siempre! ¡Si casi por obedecer había caído sin cariño la tarde de lluvia entre los trigales! La voz 30 paterna ahogó el vagido que no era voz aún, y embarcó en tercera, entre el pobre ganado humano, sucio y anhelante, que el hambre y la ilusión pastorean... Camino del puerto, en el mar y ahora en la ciudad en donde estaba deslumbrada, una idea única resumió su ser: "¡Era justo que ganara para su hijo!... Pero,

6. buenos patacos de jorná: *good daily wages.*
7. Coitada, malpocada: *unfortunate, shamed.*

además, no era castigo. Era la alegría de su vida. Se lo pedía su corazón."

El secreto dio en la casa donde trabajaba, al descubrirse, caracteres de heroicidad a lo que antes era el único punto oscuro de la galleguita: su tacañería. Y su ahorro fue, a partir de entonces, casi el fondo común de la economía de la casa. Si sobraba una vuelta menuda de cualquier pago, si se obtenía cualquier rebaja, la frase: "para la galleguita" surgía unánime. Las dádivas llegaron a tal punto, que el doctor decidió un día dividirlas en dos partes: una para atender al envío mensual; otra para formar, lentamente, un remanente que permitiese a la madre, un poco más tarde, ir a recoger a la criatura. Al saberlo los ojos atónitos se nublaron un largo minuto, en un esfuerzo de credulidad. "¿Ir ella?... ¿Ella?... ¡Era demasiado!" Luego se esmaltaron de un llanto que se los cubrió íntegros, dejando en el fondo dos inmensas llamas alegres, a modo de lluvia con sol. Redobló su gratitud y su actividad. Cual si quisiera borrar los días que la separaban del lejano en que podría ir a completar para siempre su ser, hundiéndose en el trabajo sin querer salir al portal más que para fregar las losas; sin hacer el menor caso del paisano incansable, que, con la humilde tenacidad de su raza, dirigíale desde la acera su aterciopelado mirar de *morriña,* blando y plañidero como su acento.

Y el tiempo, avalorado ya por la esperanza, empezó a marchar con ese paso desigual que se burla de la regularidad de los calendarios y de los relojes: unas veces monótono, otras saltarín. A modo de jalones traía el correo de España, cada mes, la misma carta llena de exigencias. Dijérase que el niño al crecer hubiese ensanchado, ensanchado, pues necesitaba al mismo tiempo la leche de una vaca y las medicinas de una botica entera. El cuerpecillo, que en una fotografía borrosa y tan estropeada que ni siquiera el nombre del fotógrafo pudo leerse, debía tener una dimensión invisible para justificar tantas varas de tela como le exigían para vestirlo. El sarampión fue para la galleguita una erupción de plata, y el primer diente del prodigioso niño fue, sin duda, de oro. ¿Qué le importaba a ella? ¡Mejor si eran precisos tantos extraordinarios! ¡Para eso tenía tantas fuerzas y el Apóstol[8] le había deparado la casa más buena del mundo! Y, confiada, metía su voluntad de trabajar hasta rendirse en los días, lo mismo que la proa de una nave anhelosa de llegar antes. Sólo en vísperas de recibir cartas —las cartas tirabuzón, según las llamaba la hermana de la señora —veíasela inquieta.

Mas, de pronto, su energía, que había resistido sin falta alguna cerca de tres años, tuvo un desfallecimiento. En la casa frontera cambiaron los vecinos y los nuevos tenían un niño. Era rubio, pálido, de una fragilidad que hacía temer que cualquier movimiento brusco lo quebrara. La galleguita se detenía a veces con la escoba o con las bayetas de limpiar en la mano, a contemplarlo en su sombrío ensimismamiento. El rondador, que al verla mirar a la calle tuvo la ilusión de haber triunfado con su larga asiduidad de la larga esquivez, la perdió al punto, sin cejar por eso en su empeño. La señora, su hermana y el doctor se dieron en cambio cabal cuenta y celebraron consejo de familia. "Había que repatriarla o se enfermaba." "¿No le era posible a él, con sus relaciones en el puerto, obtener un pasaje gratuito? ¡Así los ahorros le servirían para llegar allá, para callar las bocas ansiosas y poder rescatar su hijo y volver!" "Yo le voy a dar dos moneditas de oro que tengo guardadas" dijo la muchacha. "Yo he pensado, puesto que Dios no nos da hijos, en regalarle la onza que el padrino me dio para "el casi nieto," dijo con los ojos nublados la señora. El doctor aprobó... Vio al cónsul y arregló el viaje...

La antevíspera de salir el buque se lo dijeron de improviso a la galleguita, sonriendo, en son de quitarle importancia. Ella quedó rígida, sumida en un inmenso minuto de estupor la vida entera, y luego se dobló hasta desplomarse, para reaccionar en seguida en busca de pies y manos que besar.

Y dos días después, fueron a despedirla igual que habrían ido a despedir a una parienta. Por mediación del doctor la pasaron a segunda clase. El mar centelleaba y los mil ruidos del tráfico

8. El Apóstol: *The Apostle St. James, to whose shrine, located in Santiago de Compostela, Galicia (Spain), many pilgrimages are made.*

repercutían semiapagados en el fondo del puerto. Cuando el buque enfiló el canal, dejaron de ver su pañuelo en la borda.

—¡Qué pronto se ha entrado!

—Es que ya no nos ve.

—Allí está, allí está —dijo el doctor, que miraba con gemelos. 5

Y la vieron en la misma proa, ya sin volver la cabeza para la ciudad, inclinada hacia adelante cual si su ojos percibieran, entre la revuelta uniformidad de las olas, el camino que iba a llevarla hasta su *rapaciño*.

Lo mismo que el buque puso entre su mole y el muelle un 10 espacio poco a poco ensanchado, hasta hacerse invisible, el tiempo puso entre el hoy y la despedida de la galleguita un lapso más vago cada vez. La recordaban con afecto y su nombre salía de tiempo en tiempo en las conversaciones. "¿Volvería?" "No, se quedaría por allá; quizás estableciera con sus ahorros un comercio 15 minúsculo." Como no recibieron carta, "¿Quién le iba a escribir en la aldea?" Las remembranzas fueron amortiguándose, y a los tres meses pasaban ya dos y tres días seguidos sin nombrarla. Y una noche, inesperadamente, deshecha, rota, con las mismas ropas con que partió, pero hechas harapos, la vieron apoyada, derrum- 20 bada casi sobre la cancela del jardín, sin atreverse a entrar. Al principio, en la penumbra del crepúsculo, creyeron que fuera una mendiga.

—Dios la socorra hoy, hermana. Ya hemos dado.

—Dale un medio[9] siquiera. . . Tome. 25

—¡Si es la galleguita!

—¡Pasa, pasa, mujer!

Y tuvieron que irla a recoger como una cosa inerte. Venía famélica, con una debilidad ya cercana al desmayo, y tardaron mucho en reanimarla. Miraba a todas partes con lentitud, que- 30 riendo asirse con los ojos a aquel buen oasis de su vida. Pero a todas las preguntas oponía un mutismo denegador, y su respuesta única era un llanto difícil, como extraído por la bomba de los sollozos de lo más hondo de su ser.

9. peso.

—Vamos, cálmate... ¿Llegaste hoy? ¿Por qué no avisaste? ¿Y tu hijo?

—No le preguntes más... No pienses en nada, galleguita... Bebe este jerez... Luego te llevaremos un caldo a la cama...
5 Ahora lo que tú necesitas es dormir... Ya hablaremos... Anda.

Se dejó llevar y durmió de un tirón ese sueño de piedra[10] que sigue a los grandes dolores. Al despertar, la hermana de la señora, que estaba a su lado, recogió su confidencia: "¡La habían engañado! Hacía más de dos años y medio que su *neniño* pudría
10 bajo tierra y lo ocultaban para seguir sacándole dinero... El condenado retrato que mandaron era de otro... ¡De otro!" Y volvió a caer en un sopor alternado de hervores y de mansedumbres... Sólo de tarde en tarde pedazos de frases reveladoras desgarraban su jadeante silencio. Al principio pensó matar...
15 ¡A su padre, a su padre, sí! Como él había matado a su madre, quizá a su *neno*... Luego quiso huir, y todo era negro, negro ante sus pasos. Una idea sola era clara en aquella negrura: Quería verlos a ellos, que habían sido tan buenos, antes de morir. Embarcó igual que un bulto, no sabía cómo. En el fondo del mar
20 había dos bracitos llamándola; pero el cura de a bordo lo adivinó, y cuando iba a inclinarse sobre la borda para corresponder a aquel abrazo, la llevó a la capilla, la hizo jurar ante una imagen de San Yago... y luego le habló de Dios, de ellos que en La Habana le ayudarían a hacer vida nueva... Además —le dijo—, su hijito
25 estaba allí arriba, en el cielo, y si ella se tiraba al mar iría a lo profundo y no podría ya verle nunca... ¡Por eso había venido!

La cuidaron con amor, el cuerpo y el alma, con esa hospitalidad suave que es el don de Cuba. El barrio entero siguió durante unos días su gravedad, su mejora, su convalecencia. Luego su com-
30 plexión fuerte restituyó el vigor a su sangre y a sus músculos, y un día, por instinto, vióse camino del portal con la escoba y las bayetas en la mano.

—¿Vas a trabajar ya? Deja, mujer —le dijeron.

—Si me distraigo... ¡Si me gusta! Así no pienso y es mejor.

10. durmió de un tirón... piedra *she slept the sound, heavy sleep.*

Volvió a trabajar con aquel ardor juvenil de antes, a sonreir, a cantar las añosas cantigas melancólicas de su tierra, pero sin poner ya en ellas otra tristeza que la colectiva, de raza. Una tarde, al volver la señora y su hermana de paseo, la vieron, con inmensa sorpresa, hablando en la cancela con el rondador obstinado a quien durante tres años enteros ni siquiera miró una vez. Y entraron llenas de misteriosos aspavientos a referírselo al doctor.

—¡Ya está como si tal cosa![11] Y después de todo me alegro... Hablando con el gallego de los bigotes, sí...

—¡Quién lo iba a pensar!

—No sabe una nada del mundo... ¡Si a mí me lo hubiese dicho alguien!... ¡Si parece imposible!

El doctor alzó del libro que leía su cara bondadosa e inteligente, y:

—No juzguéis de ligero —dijo—. Lo único que ha puesto la Naturaleza en esa alma rudimentaria como la de una bestia buena, es la maternidad... Por la maternidad la hemos visto hacerse grande, admirable... ¡No es que ha cambiado: es que busca el camino del hijo, de otro hijo vivo a quien querer y por quien volver a sacrificarse! ¿No lo comprendéis?

11. como si tal cosa *as if nothing had happened.*

·33·

Emilia Pardo Bazán

(1851–1925)

AFRA

La primera vez que asistí al teatro de Marineda —cuando me destinaron con mi regimiento a la guarnición de esta bonita capital de provincia —recuerdo que asesté los gemelos a la triple hilera de palcos, para enterarme bien del mujerío y las esperanzas 5 que en él podía cifrar un muchacho de veinticinco años no cabales.

Gozan las marinedinas fama de hermosas, y vi que no usurpada. Observé también que su belleza consiste principalmente en el color. Blancas (por obra de naturaleza, no del perfumista), de 10 bermejos labios, de floridas mejillas y mórbidas carnes, las marinedinas me parecieron una guirnalda de rosas tendida sobre un barandal de terciopelo obscuro. De pronto, en el cristal de los anteojos que yo paseaba lentamente por la susodicha guirnalda, se encuadró un rostro que me fijó los gemelos en la dirección que 15 entonces tenían. Y no es que aquel rostro sobrepujase en hermosura a los demás, sino que se diferenciaba de todos por la expresión y el carácter.

En vez de una fresca encarnadura y un plácido y picaresco gesto, vi un rostro descolorido, de líneas enérgicas, de ojos 20 verdes, coronados por cejas negrísimas, casi juntas, que les prestaban una severidad singular; de nariz delicada y bien diseñada, pero de alas movibles, reveladoras de la pasión vehemente; una cara de corte severo, casi viril, que coronaba un casco de trenzas de un negro de tinta; pesada cabellera que debía de absorber los 25 jugos vitales y causar daño a su poseedora... Aquella fisonomía, sin dejar de atraer, alarmaba, pues era de las que dicen a las claras desde el primer momento a quien las contempla: "Soy una voluntad. Puedo torcerme, pero no quebrantarme. Debajo del elegante maniquí femenino escondo el acerado resorte de un alma."

He dicho que mis gemelos se detuvieron, posándose ávidamente en la señorita pálida del pelo abundoso. Aprovechando los movimientos que hacía para conversar con unas señoras que la acompañaban, detallé su perfil, su acentuada barbilla, su cuello delgado y largo, que parecía doblarse al peso del voluminoso rodete, su oreja menuda y apretada, como para no perder sonido. Cuando hube permanecido así un buen rato, llamando sin duda la atención por mi insistencia en considerar a aquella mujer, sentí que me daban un golpecito en el hombro, y oí que me decía mi compañero de armas Alberto Castro:

—¡Cuidadito!

—Cuidadito ¿por qué? —respondí bajando los anteojos.

—Porque te veo en peligro de enamorarte de Afra Reyes, y si está de Dios que ha de suceder, al menos no será sin que yo te avise y te entere de su historia. Es un servicio que los hijos de Marineda debemos a los forasteros.

—¿Pero tiene historia? —murmuré haciendo un movimiento de repugnancia; porque, aun sin amar a una mujer, me gusta su pureza, como agrada el aseo de casas donde no pensamos vivir nunca.

—En el sentido que se suele dar a la palabra historia, Afra no la tiene... Al contrario, es de las muchachas más formales y menos coquetas que se encuentran por ahí. Nadie se puede alabar de que Afra le devuelva una miradita, o le diga una palabra de esas que dan ánimos. Y si no, haz la prueba: dedícate a ella; mírala más; ni siquiera se dignará volver la cabeza. Te aseguro que he visto a muchos que anduvieron locos y no pudieron conseguir ni una ojeada de Afra Reyes.

—Pues entonces... ¿qué? ¿Tiene algo... en secreto? ¿Algo que manche su honra?

—Su honra, o si se quiere, su pureza... repito que ni tiene ni tuvo. Afra, en cuanto a eso... como el cristal. Lo que hay te lo diré... pero no aquí; cuando se acabe el teatro saldremos juntos, y allá por el Espolón, donde nadie se entere... Porque se trata de cosas graves..., de mayor cuantía.

Esperé con la menor impaciencia posible a que terminasen de cantar *La bruja,* y así que cayó el telón, Alberto y yo nos dirigimos de bracero hacia los muelles. La soledad era completa, a pesar de que la noche tibia convidaba a pasear, y la luna plateaba las aguas de la bahía, tranquila a la sazón como una balsa de aceite, y misteriosamente blanca a lo lejos.

—No creas —dijo Alberto —que te he traído aquí sólo para que no me oyese nadie contarte la historia de Afra. También es que me pareció bonito referirla en el mismo escenario del drama que esta historia encierra. ¿Ves este mar tan apacible, tan dormido, que produce ese rumor blando y sedoso contra la pared del malecón? ¡Pues sólo este mar..., y Dios, que lo ha hecho, pueden alabarse de conocer la verdad entera respecto a la mujer que te ha llamado la atención en el teatro! Los demás la juzgamos por meras conjeturas..., ¡y tal vez calumniamos al conjeturar! Pero hay tan fatales coincidencias; hay apariencias tan acusadoras en el mundo..., que no podría disiparlas sino la voz del mismo Dios, que ve los corazones y sabe distinguir al inocente del culpado.

"Afra Reyes es hija de un acaudalado comerciante; se educó algún tiempo en un colegio inglés, pero su padre tuvo quiebras, y por disminuir gastos recogió a la chica, interrumpiendo su educación. Con todo, el barniz de Inglaterra se le conocía: traía ciertos gustos de independencia y mucha afición a los ejercicios corporales. Cuando llegó la época de los baños no se habló en el pueblo sino de su destreza y vigor para nadar; una cosa sorprendente.

"Afra era amiga íntima, inseparable, de otra señorita de aquí, Flora Castillo; la intimidad de las dos muchachas continuaba la de sus familias. Se pasaban el día juntas; no salía la una si no la acompañaba la otra; vestían igual y se enseñaban, riendo, las cartas amorosas que las escribían. No tenían novio, ni siquiera demostraban predilección por nadie. Vino del Departamento cierto marino muy simpático, de hermosa presencia, primo de

Flora, y empezó a decirse que el marino hacía la corte a Afra, y que Afra le correspondía con entusiasmo. Y lo notamos todos: los ojos de Afra no se apartaban del galán, y al hablarle, la emoción profunda se conocía hasta en el anhelo de la respiración y en lo velado de la voz. Cuando a los pocos meses se supo que 5 el consabido marino realmente venía a casarse con Flora, se armó un caramillo de murmuraciones y chismes y se presumió que las dos amigas reñirían para siempre. No fue así; aunque desmejorada y triste, Afra parecía resignada, y acompañaba a Flora de tienda en tienda a escoger ropas y galas para la boda. Esto sucedía 10 en Agosto.

"En Septiembre, poco antes de la fecha señalada para el enlace, las dos amigas fueron, como de costumbre, a bañarse juntas allí..., ¿no ves? en la playita de San Wintila, donde suele haber mar brava. Generalmente las acompañaba el novio, pero aquel 15 día sin duda tenía que hacer, pues no las acompañó.

"Amagaba tormenta; la mar estaba picadísima; las gaviotas chillaban lúgubremente, y la criada que custodiaba las ropas y ayudaba a vestirse a las señoritas, refirió después que Flora, la rubia y tímida Flora, sintió miedo al ver el aspecto amenazador 20 de las grandes olas verdes que rompían contra el arenal. Pero Afra, intrépida, ceñido ya su traje marinero, de sarga azul obscura, animó con chanzas a su amiga. Metiéronse mar adentro cogidas de la mano, y pronto se las vio nadar, agarradas también, envueltas en la espuma del oleaje. 25

"Poco más de un cuarto de hora después salió a la playa Afra sola, desgreñada, ronca, lívida, gritando, pidiendo socorro, sollozando que a Flora la había arrastrado el mar...

"Y tan de verdad la había arrastrado, que de la linda rubia sólo reapareció, al otro día, un cadáver desfigurado, herido en la 30 frente... El relato que de la desgracia hizo Afra entre gemidos y desmayos, fue que Flora, rendida de nadar y sin fuerzas, gritó "me ahogo"; que ella, Afra, al oirlo, se lanzó a sostenerla y salvarla; que Flora, al forcejear para no irse a fondo, se llevaba a Afra al abismo; pero que, aun así, hubiesen logrado quizá salir 35 a tierra, si la fatalidad no las empuja hacia un transatlántico fondeado en bahía desde por la mañana. Al chocar con la quilla, Flora se hizo la herida horrible, y Afra recibió también los arañazos y magulladuras que se notaban en sus manos y rostro...

"¿Que si creo que Afra...?

"Sólo añadiré que al marino, novio de Flora, no volvió a vérsele por aquí; y Afra, desde entonces, no ha sonreído nunca...

"Por lo demás, acuérdate de lo que dice la Sabiduría: el corazón del hombre... selva obscura. ¡Figúrate el de la mujer!"

·34·

Jorge Luis Borges

(1900–)

EL MILAGRO SECRETO

Y Dios lo hizo morir durante cien años
y luego lo animó y le dijo:
—¿Cuánto tiempo has estado aquí?
—Un día o parte de un día —respondió.
ALCORAN, II, 261. 5

La noche del catorce de marzo de 1939, en un departamento de la Zeltnergasse de Praga, Jaromir Hladík, autor de la inconclusa tragedia *Los enemigos,* de una *Vindicación de la eternidad* y de un examen de las indirectas fuentes judías de Jakob Boehme, soñó con un largo ajedrez. No lo disputaban dos individuos sino 10 dos familias ilustres; la partida había sido entablada hace muchos siglos; nadie era capaz de nombrar el olvidado premio, pero se murmuraba que era enorme y quizás infinito; las piezas y el tablero estaban en una torre secreta; Jaromir (en el sueño) era el primogénito de una de las familias hostiles; en los relojes 15 resonaba la hora de la impostergable jugada; el soñador corría por las arena de un desierto lluvioso y no lograba recordar las figuras ni las leyes del ajedrez. En ese punto, se despertó. Cesaron los estruendos de la lluvia y de los terribles relojes. Un ruido acompasado y unánime, cortado por algunas voces de mando, 20 subía de la Zeltnergasse. Era el amanecer; las blindadas vanguardias del Tercer Reich entraban en Praga.

El diecinueve, las autoridades recibieron una denuncia; el mismo diecinueve, al atardecer, Jaromir Hladík fue arrestado. Lo condujeron a un cuartel aséptico y blanco, en la ribera opuesta 25

del Moldau. No pudo levantar uno solo de los cargos de la Gestapo: su apellido materno era Jaroslavski, su sangre era judía, su estudio sobre Boehme era judaizante, su firma dilataba el censo final de una protesta contra el Anschluss. En 1928, había
5 traducido el *Sepher Yezirah*[1] para la editorial Hermann Barsdorf; el efusivo catálogo de esa casa había exagerado comercialmente el renombre del traductor; ese catálogo fue hojeado por Julius Rothe, uno de los jefes en cuyas manos estaba la suerte de Hladík. No hay hombre que, fuera de su especialidad, no sea
10 crédulo; dos o tres adjetivos en letra gótica bastaron para que Julius Rothe admitiera la preeminencia de Hladík y dispusiera que lo condenaron a muerte, *pour encourager les autres*.[2] Se fijó el día veintinueve de marzo, a las nueve a.m. Esa demora (cuya importancia apreciará después el lector) se debía al deseo ad-
15 ministrativo de obra impersonal y pausadamente, como los vegetales y los planetas.

El primer sentimiento de Hladík fue de mero terror. Pensó que no lo hubieran arredrado la horca, la decapitación o el degüello, pero que morir fusilado era intolerable. En vano se
20 redijo que el acto puro y general de morir era lo temible, no las circunstancias concretas. No se cansaba de imaginar esas circunstancias: absurdamente procuraba agotar todas las variaciones. Anticipaba infinitamente el proceso, desde el insomne amanecer hasta la misteriosa descarga. Antes del día prefijado por Julius
25 Rothe, murió centenares de muertes, en patios cuyas formas y cuyos ángulos fatigaban la geometría, ametrallado por soldados variables, en número cambiante, que a veces lo ultimaban desde lejos; otras, desde muy cerca. Afrontaba con verdadero temor (quizá con verdadero coraje) esas ejecuciones imaginarias; cada
30 simulacro duraba unos pocos segundos; cerrado el círculo, Jaromir interminablemente volvía a las trémulas vísperas de su muerte. Luego reflexionó que la realidad no suele coincidir con las previsiones; con lógica perversa infirió que prever un detalle

1. Sepher Yezirah (*Literally:* The Book of Creation), *Hebrew religious treatise and book of magic written in 2 B.C.(?).*
2. pour encourager les autres *for encouraging others.*

circunstancial es impedir que éste suceda. Fiel a esa débil magia, inventaba, *para que no sucedieran,* rasgos atroces; naturalmente, acabó por temer que esos rasgos fueran proféticos. Miserable en la noche, procuraba afirmarse de algún modo en la sustancia fugitiva del tiempo. Sabía que éste se precipitaba hacia el alba del día veintinueve; razonaba en voz alta: *Ahora estoy en la noche del veintidós; mientras dure esta noche (y seis noches más) soy invulnerable, inmortal.* Pensaba que las noches de sueño eran piletas hondas y oscuras en las que podía sumergirse. A veces anhelaba con impaciencia la definitiva descarga, que lo redimiría, mal o bien, de su vana tarea de imaginar. El veintiocho, cuando el último ocaso reverberaba en los altos barrotes, lo desvió de esas consideraciones abyectas la imagen de su drama *Los enemigos.*

Hladík había rebasado los cuarenta años. Fuera de algunas amistades y de muchas costumbres, el problemático ejercicio de la literatura constituía su vida; como todo escritor, medía las virtudes de los otros por lo ejecutado por ellos y pedía que los otros lo midieran por lo que vislumbraba o planeaba. Todos los libros que había dado a la estampa le infundían un complejo arrepentimiento. En sus exámenes de la obra de Boehme, de Abenesra y de Fludd, había intervenido esencialmente la mera aplicación; en su traducción del *Sepher Yezirah,* la negligencia, la fatiga y la conjetura. Juzgaba menos deficiente, tal vez, la *Vindicación de la eternidad*: el primer volumen historia las diversas eternidades que han ideado los hombres, desde el inmóvil Ser de Parménides hasta el pasado modificable de Hinton; el segundo niega (con Francis Bradley) que todos los hechos del universo integran una serie temporal. Arguye que no es infinita la cifra de las posibles experiencias del hombre y que basta una sola "repetición" para demostrar que el tiempo es una falacia. . . . Desdichadamente, no son menos falaces los argumentos que demuestran esa falacia; Hladík solía recorrerlos con cierta desdeñosa perplejidad. También había redactado una serie de poemas expresionistas; éstos, para confusión del poeta, figuraron en una antología de 1924 y no hubo antología posterior que no los heredara. De todo ese pasado equívoco y lánguido quería redimirse Hladík con el drama en verso *Los enemigos.* (Hladík preconizaba el verso, porque impide que los espectadores olviden la irrealidad, que es condición del arte.)

Este drama observaba las unidades de tiempo, de lugar y de acción; transcurría en Hradcany, en la biblioteca del barón de Roemerstadt, en una de las últimas tardes del siglo diecinueve. En la primera escena del primer acto, un desconocido visita a Roemerstadt. (Un reloj da las siete, una vehemencia de último sol exalta los cristales, el aire trae una apasionada y reconocible música húngara.) A esta visita siguen otras; Roemerstadt no conoce las personas que lo importunan, pero tiene la incómoda impresión de haberlos visto ya, tal vez en un sueño. Todos exageradamente lo halagan, pero es notorio —primero para los espectadores del drama, luego para el mismo barón —que son enemigos secretos, conjurados para perderlo. Roemerstadt logra detener o burlar sus complejas intrigas; en el diálogo, aluden a su novia, Julia de Weidenau, y a un tal Jaroslav Kubin, que alguna vez la importunó con su amor. Este, ahora, se ha enloquecido y cree ser Roemerstadt.... Los peligros arrecian; Roemerstadt, al cabo del segundo acto, se ve en la obligación de matar a un conspirador. Empieza el tercer acto, el último. Crecen gradualmente las incoherencias: vuelven actores que parecían descartados ya de la trama; vuelve, por un instante, el hombre matado por Roemerstadt. Alguien hace notar que no ha atardecido: el reloj da las siete, en los altos cristales reverbera el sol occidental, el aire trae una apasionada música húngara. Aparece el primer interlocutor y repite las palabras que pronunció en la primera escena del primer acto. Roemerstadt le habla sin asombro; el espectador entiende que Roemerstadt es el miserable Jaroslav Kubin. El drama no ha ocurrido: es el delirio circular que interminablemente vive y revive Kubin.

Nunca se había preguntado Hladík si esa tragicomedia de errores era baladí o admirable, rigurosa o casual. En el argumento que he bosquejado intuía la invención más apta para disimular sus defectos y para ejercitar sus felicidades, la posibilidad de rescatar (de manera simbólica) lo fundamental de su vida. Había terminado ya el primer acto y alguna escena del tercero; el carácter métrico de la obra le permitía examinarla continuamente, rectificando los hexámetros, sin el manuscrito a la vista. Pensó que aún le faltaban dos actos y que muy pronto iba a morir. Habló con Dios en la oscuridad: *Si de algún modo existo, si no soy una de tus repeticiones y erratas, existo como autor de* Los enemigos. *Para llevar a término ese drama, que puede justificarme y justificarte, requiero un año más. Otórgame esos días, Tú de quien son los siglos y el tiempo.* Era la última noche, la más atroz, pero diez minutos después el sueño lo anegó como un agua oscura.

Hacia el alba, soñó que se había ocultado en una de las naves de la biblioteca del Clementinum. Un bibliotecario de gafas negras le preguntó: *¿Qué busca?* Hladík le replicó: *Busco a Dios.* El bibliotecario le dijo: *Dios está en una de las letras de una de las páginas de uno de los cuatrocientos mil tomos del Clementinum. Mis padres y los padres de mis padres han buscado esa letra; yo me he quedado ciego buscándola.* Se quitó las gafas y Hladík vio los ojos, que estaban muertos. Un lector entró a devolver un atlas. *Este atlas es inútil,* dijo, y se lo dio a Hladík. Este lo abrió al azar. Vio un mapa de la India, vertiginoso. Bruscamente seguro, tocó una de las mínimas letras. Una voz ubicua le dijo: *El tiempo de tu labor ha sido otorgado.* Aquí Hladík se despertó.

Recordó que los sueños de los hombres pertenecen a Dios y que Maimónides ha escrito que son divinas las palabras de un sueño, cuando son distintas y claras y no se puede ver quién las dijo. Se vistió; dos soldados entraron en la celda y le ordenaron que los siguiera.

Del otro lado de la puerta, Hladík había previsto un laberinto de galerías, escaleras y pabellones. La realidad fue menos rica: bajaron a un traspatio por una sola escalera de hierro. Varios soldados —algunos de uniforme desabrochado —revisaban una motocicleta y la discutían. El sargento miró el reloj: eran las ocho y cuarenta y cuatro minutos. Había que esperar que dieran las nueve. Hladík, más insignificante que desdichado, se sentó en un

montón de leña. Advirtió que los ojos de los soldados rehuían los suyos. Para aliviar la espera, el sargento le entregó un cigarrillo. Hladík no fumaba; lo aceptó por cortesía o por humildad. Al encenderlo, vio que le temblaban las manos. El día se
5 nubló; los soldados hablaban en voz baja como si él ya estuviera muerto. Vanamente, procuró recordar a la mujer cuyo símbolo era Julia de Weidenau....

El piquete se formó, se cuadró. Hladík, de pie contra la pared del cuartel, esperó la descarga. Alguien temió que la pared que-
10 dara maculada de sangre; entonces le ordenaron al reo que avanzara unos pasos. Hladík, absurdamente, recordó las vacilaciones preliminares de los fotógrafos. Una pesada gota de lluvia rozó una de las sienes de Hladík y rodó lentamente por su mejilla; el sargento vociferó la orden final.

15 El universo físico se detuvo.

Las armas convergían sobre Hladík, pero los hombres que iban a matarlo estaban inmóviles. El brazo del sargento eternizaba un ademán inconcluso. En una baldosa del patio una abeja proyectaba una sombra fija. El viento había cesado, como en un cuadro.
20 Hladík ensayó un grito, una sílaba, la torsión de una mano. Comprendió que estaba paralizado. No le llegaba ni el más tenue rumor del impedido mundo. Pensó *estoy en el infierno, estoy muerto*. Pensó *estoy loco*. Pensó *el tiempo se ha detenido*. Luego reflexionó que en tal caso, también se hubiera detenido su pensa-
25 miento. Quiso ponerlo a prueba: repitió (sin mover los labios) la misteriosa cuarta égloga de Virgilio. Imaginó que los ya remotos soldados compartían su angustia; anheló comunicarse con ellos. Le asombró no sentir ninguna fatiga, ni siquiera el vértigo de su larga inmovilidad. Durmió, al cabo de un plazo inde-
30 terminado. Al despertar, el mundo seguía inmóvil y sordo. En su mejilla perduraba la gota de agua; en el patio, la sombra de la abeja; el humo del cigarrillo que había tirado no acababa nunca de dispersarse. Otro "día" pasó, antes que Hladík entendiera.

Un año entero había solicitado de Dios para terminar su labor:
35 un año le otorgaba su omnipotencia. Dios operaba para él un milagro secreto: lo mataría el plomo germánico, en la hora deter-

minada, pero en su mente un año transcurriría entre la orden y la ejecución de la orden. De la perplejidad pasó al estupor, del estupor a la resignación, de la resignación a la súbita gratitud.

No disponía de otro documento que la memoria; el aprendizaje de cada hexámetro que agregaba le impuso un afortunado rigor que no sospechan quienes aventuran y olvidan párrafos interinos y vagos. No trabajó para la posteridad ni aun para Dios, de cuyas preferencias literarias poco sabía. Minucioso, inmóvil, secreto, urdió en el tiempo su alto laberinto invisible. Rehizo el tercer acto dos veces. Borró algún símbolo demasiado evidente: las repetidas campanadas, la música. Ninguna circunstancia lo importunaba. Omitió, abrevió, amplificó; en algún caso, optó por la versión primitiva. Llegó a querer el patio, el cuartel; uno de los rostros que lo enfrentaban modificó su concepción del carácter de Roemerstadt. Descubrió que las arduas cacofonías que alarmaron tanto a Flaubert son meras supersticiones visuales: debilidades y molestias de la palabra escrita, no de la palabra sonora. . . . Dio término a su drama: no le faltaba ya resolver sino un solo epíteto. Lo encontró; la gota de agua resbaló en su mejilla. Inició un grito enloquecido, movió la cara, la cuádruple descarga lo derribó.

Jaromir Hladík murió el veintinueve de marzo, a las nueve y dos minutos de la mañana.

·35·

Manuel Gutiérrez Nájera
(1859–1895)

RIP-RIP

Este cuento yo no lo vi; pero creo que lo soñé.

¡Qué cosas ven los ojos cuando están cerrados! Parece imposible que tengamos tanta gente y tantas cosas dentro... porque, cuando los párpados caen, la mirada como una señora
5 que cierra su balcón, entra a ver lo que hay en casa. Pues bien, esta casa mía, esta casa de la señora mirada que yo tengo, o que me tiene, es un palacio, es una quinta, es una ciudad, es un mundo, es el universo... pero un universo en el que siempre están presentes el presente, el pasado y el futuro. A juzgar por lo
10 que miro cuando duermo, pienso para mí, y hasta para ustedes, mis lectores: ¡Jesús! ¡qué de cosas han de ver los ciegos! Esos que siempre están dormidos ¡qué verán! El amor es ciego, según cuentan. Y el amor es el único que ve a Dios.

¿De quién es la leyenda de Rip-Rip? Entiendo que la recogió
15 Washington Irving, para darle forma literaria en alguno de sus libros. Sé que hay una ópera cómica con el propio título y con el mismo argumento. Pero no he leído el cuento del novelador e historiador norteamericano, ni he oído la ópera... pero he visto a Rip-Rip.

20 Si no fuera pecaminosa la suposición, diría yo que Rip-Rip ha de haber sido hijo del monje Alfeo. Este monje era alemán, cachazudo, flemático y hasta presumo que algo sordo; pasó cien años, sin sentirlos, oyendo el canto de un pájaro. Rip-Rip fue más yankee, menos aficionado a músicas y más bebedor de whiskey;
25 durmió durante muchos años.

Rip-Rip, el que yo vi, se durmió, no sé por qué, en alguna caverna en la que entró... quién sabe para qué.

Pero no durmió tanto como el Rip-Rip de la leyenda. Creo que durmió diez años... tal vez cinco... acaso uno... en fin su sueño fue bastante corto: durmió mal. Pero el caso es que envejeció dormido, porque eso pasa a los que sueñan mucho. Y como Rip-Rip no tenía reloj, y como aunque lo hubiese tenido no le habría dado cuerda cada veinticuatro horas; como no se habían inventado aún los calendarios, y como en los bosques no hay espejos, Rip-Rip no pudo darse cuenta de las horas, los días o los meses que habían pasado mientras él dormía, ni enterarse de que era ya un anciano. Sucede casi siempre: mucho tiempo antes de que uno sepa que es viejo, los demás lo saben y lo dicen.

Rip-Rip, todavía algo soñoliento y sintiendo vergüenza por haber pasado toda una noche fuera de su casa —él que era esposo creyente y practicante —se dijo, no sin sobresalto: —¡Vamos al hogar!

Y allá va Rip-Rip con su barba muy cana (que él creía muy rubia) cruzando a duras penas aquellas veredas casi inaccesibles. Las piernas flaquearon; pero él decía: —¡Es efecto del sueño! ¡Y no, era efecto de la vejez, que no es suma de años, sino suma de sueños!

Caminando, caminando, pensaba Rip-Rip: —¡Pobre mujercita mía! ¡Qué alarmada estará! Yo no me explico lo que ha pasado.

Debo de estar enfermo... muy enfermo. Salí al amanecer... está ahora amaneciendo... de modo que el día y la noche los pasé fuera de casa. Pero ¿qué hice? Yo no voy a la taberna: yo no bebo.... Sin duda me sorprendió la enfermedad en el monte y caí sin sentido en esa gruta.... Ella me habrá buscado por todas partes.... ¿Cómo no, si me quiere tanto y es tan buena? No ha de haber dormido.... Estará llorando.... ¡Y venir sola, en la noche, por estos vericuetos! Aunque sola... no, no ha de haber venido sola. En el pueblo me quieren bien, tengo muchos amigos... principalmente Juan, el del molino. De seguro que, viendo la aflicción de ella, todos la habrán ayudado a buscarme. Juan principalmente. Pero ¿y la chiquita? ¿Y mi hija? ¿La traerán? ¿A tales horas? ¿Con este frío? Bien puede ser, porque ella me quiere tanto y quiere tanto a su hija y quiere tanto a los dos, que no dejaría por nadie sola a ella, ni dejaría por nadie de buscarme. ¡Qué imprudencia! ¿Le hará daño?... En fin, lo primero es que ella... pero, ¿cuál es ella?...

Y Rip-Rip andaba, andaba... y no podía correr.

Llegó por fin, al pueblo, que era casi el mismo... pero que no era el mismo. La torre de la parroquia le pareció como más blanca; la casa del Alcalde, como más alta; la tienda principal, como con otra puerta; y las gentes que veía, como con otras caras. ¿Estaría aún medio dormido? ¿Seguiría enfermo?

Al primer amigo a quien halló fue al señor Cura. Era él: con su paraguas verde; con su sombrero alto, que era lo más alto de todo el vecindario; con su Breviario siempre cerrado; con su levitón que siempre era sotana.

—Señor Cura, buenos días.

—Perdona, hijo.

—No tuve yo la culpa, señor Cura... no me he embriagado... no he hecho nada malo.... La pobrecita de mi mujer....

—Te dije ya que perdonaras. Y anda; ve a otra parte, porque aquí sobran limosneros.

¿Limosneros? ¿Por qué le hablaba así el Cura? Jamás había pedido limosna. No daba para el culto, porque no tenía dinero. No asistía a los sermones de cuaresma, porque trabajaba en todo tiempo de la noche a la mañana. Pero iba a la misa de siete todos los días de fiesta, y confesaba y comulgaba cada año. No había razón para que el cura lo tratase con desprecio. ¡No la había!

Y lo dejó ir sin decirle nada, porque sentía tentaciones de pegarle... y era el cura.

Con paso aligerado por la ira siguió Rip-Rip su camino. Afortunadamente la casa estaba muy cerca.... Ya veía la luz de sus ventanas.... Y como la puerta estaba más lejos que las ventanas, acercóse a la primera de éstas para llamar, para decirle a Luz: —¡Aquí estoy! ¡Ya no te apures!

No hubo necesidad de que llamara. La ventana estaba abierta: Luz cosía tranquilamente, y, en el momento en que Rip-Rip llegó, Juan —el del molino —la besaba en los labios.

—¿Vuelves pronto, hijito?

Rip-Rip sintió que todo era rojo en torno suyo. ¡Miserable! ¡Miserable!... Temblando como un ebrio o como un viejo entró en la casa. Quería matar pero estaba tan débil, que al llegar a la sala en que hablaban ellos, cayó al suelo. No podía levantarse, no podía hablar; pero sí podía tener los ojos abiertos, muy abiertos para ver cómo palidecían de espanto la esposa adúltera y el amigo traidor.

Y los dos palidecieron. Un grito de ella— ¡el mismo grito que el pobre Rip-Rip había oído cuando un ladrón entró en la casa! —y luego los brazos de Juan que lo enlazaban, pero no para ahogarlo, sino piadosos, caritativos, para alzarlo del suelo.

Rip-Rip hubiera dado su vida, también por poder decir una palabra, una blasfemia.

—No está borracho, Luz, es un enfermo.

Y Luz, aunque con miedo todavía, se aproximó al desconocido vagabundo.

—¡Pobre viejo! ¿Qué tendrá? Tal vez venía a pedir limosna y se cayó desfallecido de hambre.

—Pero si algo le damos, podría hacerle daño. Lo llevaré primero a mi cama.

—No, a tu cama no, que está muy sucio el infeliz. Llamaré al mozo, y entre tú y él lo llevarán a la botica.

La niña entró en esos momentos.

—¡Mamá, mamá!

—No te asustes, mi vida, si es un hombre.

—¡Qué feo, mamá! ¡Qué miedo! ¡Es como el coco!

Y Rip oía.

Veía también; pero no estaba seguro de que veía. Esa salita era la misma... la de él. En ese sillón de cuero y otate se sentaba por las noches cuando volvía cansado, después de haber vendido el trigo de su tierrita en el molino de que Juan era administrador. Esas cortinas de la ventana eran su lujo. Las compró a costa de muchos ahorros y de mucho sacrificios. Aquél era Juan, aquélla, Luz... pero no eran los mismos. ¡Y la chiquita no era la chiquita!

¿Se había muerto? ¿Estaría loco? ¡Pero él sentía que estaba vivo! Escuchaba... veía... como se oye y se ve en las pesadillas.

Lo llevaron a la botica en hombros, y allí lo dejaron, porque la niña se asustaba de él. Luz fue con Juan... y a nadie extrañó 5 que fueran del brazo y que ella abandonara, casi moribundo, a su marido. No podía moverse, no podía gritar, decir: ¡Soy Rip!

Por fin, lo dijo, después de muchas horas, tal vez de muchos años, o quizá de mucho siglos. Pero no lo conocieron, no lo quisieron conocer.

10 —¡Desgraciado! ¡es un loco! —dijo el boticario.

—Hay que llevarlo al señor alcalde, porque puede ser furioso —dijo otro.

—Sí, es verdad, lo amarraremos si resiste.

Y ya iban a liarlo; pero el dolor y la cólera habían devuelto a 15 Rip sus fuerzas. Como rabioso can acometió a sus verdugos, consiguió desasirse de sus brazos, y echó a correr. Iba a su casa... ¡iba a matar! Pero la gente lo seguía, lo acorralaba. Era aquello una cacería y era él la fiera.

El instinto de la propia conservación se sobrepuso a todo. Lo 20 primero era salir del pueblo, ganar el monte, esconderse y volver más tarde, con la noche, a vengarse, a hacer justicia.

Logró por fin burlar a sus perseguidores. ¡Allá va Rip como lobo hambriento! ¡Allá va por lo más intrincado de la selva! Tenía sed... la sed que han de sentir los incendios. Y se fue 25 derecho al manantial... a beber, a hundirse en el agua y golpearla con los brazos... acaso, acaso a ahogarse. Acercóse al arroyo, y allí a la superficie, salió la muerte a recibirlo. ¡Sí; porque era la muerte en figura de hombre, la imagen de aquel decrépito que se asomaba en el cristal de la onda! Sin duda venía 30 por él ese lívido espectro. No era de carne y hueso, ciertamente; no era un hombre, porque se movía a la vez que Rip, y esos movimientos no agitaban el agua. No era un cadáver, porque sus manos y brazos se torcían y retorcían. ¡Y no era Rip, no era él! Era como uno de sus abuelos que se le aparecían para llevarlo 35 con el padre muerto. —Pero ¿y mi sombra? —pensaba Rip. —¿Por qué no se retrata mi cuerpo en ese espejo? ¿Por qué veo y grito, y el eco de esa montaña no repite mi voz sino otra voz desconocida?

¡Y allá fue Rip a buscarse en el seno de las ondas! Y el viejo, seguramente, se lo llevó con el padre muerto, porque Rip no ha vuelto! 5

* * * *

¿Verdad que éste es un sueño extravagante?

Yo veía a Rip muy pobre, lo veía rico, lo miraba joven, lo miraba viejo; a ratos en una choza de leñador, a veces en una casa cuyas ventanas lucían cortinas blancas; ya sentado en aquel sillón de otate y cuero; ya en un sofá de ébano y raso... no era un 10 hombre, eran mucho hombres... tal vez todos los hombres. No me explico cómo Rip no pudo hablar; ni cómo su mujer y su amigo no lo conocieron, a pesar de que estaba tan viejo; ni por qué antes se escapó de los que se proponían atarlo como a loco; ni sé cuántos años estuvo dormido o aletargado en esa gruta. 15

¿Cuánto tiempo durmió? ¿Cuánto tiempo se necesita para que los seres que amamos y que nos aman nos olviden? ¿Olvidar es delito? ¿Los que olvidan son malos? Ya veis qué buenos fueron Luz y Juan cuando socorrieron al pobre Rip que se moría; la niña se asustó; pero no podemos culparla: no se acordaba de su 20 padre, todos eran inocentes, todos eran buenos... y sin embargo, todo esto da mucha tristeza.

Hizo muy bien Jesús de Nazareno en no resucitar más que a un solo hombre, y eso a un hombre que no tenía mujer, que no tenía hijas y que acababa de morir. Es bueno echar mucha tierra 25 sobre los cadáveres.

·36·

Emilia Pardo Bazán

(1851–1925)

LA ÚLTIMA ILUSIÓN DE DON JUAN

Las gentes superficiales, que nunca se han tomado el trabajo de observar al microscopio la complicada mecánica del corazón, suponen buenamente que a don Juan, el precoz libertino, el burlador sempiterno, le bastan para su satisfacción los sentidos y a lo sumo la fantasía, y que no necesita ni gasta el inútil lujo del sentimiento, ni abre nunca el dorado ajimez donde se asoma el espíritu para mirar al cielo cuando el peso de la tierra le oprime. Y yo os digo, en verdad, que esas gentes superficiales se equivocan de medio a medio, y son injustas con el pobre don Juan, a quien sólo hemos comprendido los poetas, los que tenemos el alma inundada de caridad y somos perspicaces... cabalmente porque, cándidos en apariencia, creemos en muchas cosas.

A fin de poner la verdad en su punto, os contaré la historia de como alimentó y sostuvo don Juan su última ilusión..., y cómo vino a perderla.

Entre la numerosa parentela de don Juan —que dicho sea de paso, es hidalgo como el Rey —se cuentan unas primitas provincianas muy celebradas de hermosas. La más joven, Estrella, se distinguía de sus hermanas por la dulzura del carácter, la exaltación de la virtud y el fervor de la religiosidad, por lo cual en su casa la llamaban *la beatita.* Su rostro angelical no desmentía las cualidades del alma: parecíase a una Virgen de Murillo, de las que respiran honestidad y pureza (porque algunas, como la morena *de la servilleta,* llamada *Refitolera,* sólo respiran juventud y vigor). Siempre que el humor vagabundo de don Juan le impulsaba a darse una vuelta por la región donde vivían sus primas, iba a verlas, frecuentaba su trato y pasaba con Estrella pláticas interminables. Si me preguntáis que imán atraía al perdido hacia la santa, y más aún a la santa hacia el perdido, os diré que era quizás el mismo contraste de sus temperamentos..., y después de esta explicación nos quedaremos tan enterados como antes.

Lo cierto es que mientras don Juan galanteaba por sistema a todas las mujeres, con Estrella hablaba en serio, sin permitirse la más mínima insinuación atrevida; y que mientras Estrella rehuía el trato de todos los hombres, veníase a la mano de don Juan como la mansa paloma confiada, segura de no mancharse el plumaje blanco. Las conversaciones de los primos podía oirlas el mundo entero; después de horas de charla inofensiva, reposada y dulce, levantábanse tan dueños de sí mismos, tan tranquilos, tan venturosos, y Estrella volaba a la cocina o a la despensa a preparar con esmero algún plato de los que sabía que agradaban a don Juan. Saboreaba éste, más que las golosinas, el mimo con que se las presentaban, y la frescura de su sangre y la anestesia de sus sentidos le hacían bien como un refrigerante baño al que caminó largo tiempo por abrasados arenales.

Cuando don Juan levantaba el vuelo, yéndose a las grandes ciudades en que la vida es fiebre y locura, Estrella le escribía difusas cartas, y él contestaba en pocos renglones —pero siempre—. Al retirarse a su casa al amanecer, tambaleándose, aturdido por la bacanal o vibrantes aún sus nervios de las violentas enociones de la profana cita; al encerrarse para mascar, entre risa irónica, la hiel de un desengaño —porque también don Juan los cosecha—; al prepararse al lance de honor templando la voluntad para arrostrar impávido la muerte; al reir; al blasfemar, al derrochar su mocedad y su salud cual pródigo insensato de los mejores bienes que nos ofrece el cielo, don Juan reservaba y apartaba, como se aparta el dinero para una ofrenda a Nuestra Señora, diez minutos que dedicar a Estrella. En su ambición de cariño, aquella casta consagración de un ser tan delicado y noble representaba el sorbo de agua que se bebe en medio del combate y restituye al combatiente fuerzas para seguir lidiando. Traiciones, falsías, perfidias y vilezas de otras mujeres podían llevarse en paciencia, mientras en un rincón del mundo alentase el leal afecto de Estrella la beatita. A cada carta ingenua y encantadora que recibía don Juan, soñaba el mismo sueño; se veía caminando difícilmente por entre tinieblas muy densas, muy frías, casi palpables, que rasgaban por intervalos la luz sulfurosa del relámpago y el culebreo del rayo; pero allá lejos, muy lejos, donde ya el cielo se esclarecía un poco, divisaba don Juan blanca figura velada, una mujer con los ojos bajos, sosteniendo en la diestra una lamparita encendida y protegiéndola con la izquierda. Aquella luz no se apagaba jamás.

En efecto, corrían años; don Juan se precipitaba despeñado, por la pendiente de su delirio, y las cartas continuaban con regularidad inalterable, impregnadas de igual ternura latente y serena. Eran tan gratas a don Juan estas cartas, que había determinado no volver a ver a su prima nunca, temeroso de encontraría desmejorada y cambiada por el tiempo, y no tener luego ilusión bastante para sostener la correspondencia. A toda costa deseaba eternizar su ensueño, ver siempre a Estrella con rostro murillesco, de santita virgen de veinte años. Las epístolas de don Juan, a la verdad, expresaban vivo deseo de hacer a su prima una visita, de renovar la charla sabrosa; pero como nadie le impedía a don Juan realizar este propósito; hay que creer, pues no lo realizaba, que la gana no debía de apretarle mucho.

Eran pasados dos lustros, cuando un día recibió don Juan, en vez del ancho pliego acostumbrado, escrito por las cuatro carillas y cruzado después, una esquelita sin cruzar, grave y reservada en su estilo, y en que hasta la letra carecía del abandono que imprime la efusión del espíritu guiando la mano y haciéndola acariciar, por decirlo así, el papel. ¡Oh mujer, oh agua corriente, oh llama fugaz, oh soplo de aire! Estrella pedía a don Juan que ni se sorprendiese ni se enojase, y le confesaba que iba a casarse muy pronto. . . . Se había presentado un novio a pedir de boca, un caballero excelente, rico, honrado, a quien el padre de Estrella debía atenciones sin cuento; y los consejos y exhortaciones de todos habían decidido a la santita, —que esperaba, con la ayuda de Dios, ser dichosa en su nuevo estado y ganar el cielo.

Quedó don Juan absorto breves instantes; luego arrugó el papel y lo lanzó con desprecio a la encendida chimenea. ¡Pensar que si alguien le hubiese dicho dos horas antes que podía casarse Estrella, al tal le hubiese tratado de bellaco calumniador! ¡Y se lo participaba ella misma, sin rubor, como el que cuenta la cosa más natural y lícita del mundo!

Desde aquel día don Juan, el alegre libertino, ha perdido su última ilusión; su alma va peregrinando entre sombras, sin ver jamás el resplandorcito de la lámpara suave que una virgen protege con la mano; y el que aún tenía algo de hombre, es sólo fiera, con dientes para morder y garras para destrozar sin misericordia. Su profesión de fe es una carcajada cínica, su amor un latigazo que quema y arranca la piel haciendo brotar la sangre. . . .

Me diréis que la santita tenía derecho a buscar felicidades reales y goces siempre más puros que los que libaba sin tregua su desenfrenado ídolo. Y acaso diréis muy bien, según el vulgar sentido común y la enana razoncilla práctica. ¡Que esa enteca razón os aproveche! En el sentir de los poetas, menos malo es ser galeote del vicio que desertor del ideal. La santita pecó contra la poesía y contra los sueños divinos del amor irrealizable. Don Juan, creyendo en su abnegación eterna, era, de los dos el verdadero soñador.

·37·

Carlos E. Zavaleta
(1928-)

LA REBELDE

La descomunal mansión irradiaba luces por doquiera. Huéspedes trajeados con elegancia rumoreaban en los amplios salones. Entre las voces, los chillidos, el color misterioso de los vasos y la fragancia del humo y de las mujeres, todos sonreían a sus vecinos,
5 iban de la sala al vestíbulo, y de allí al fresco *living* de paredes cristalinas. Al azar, subían torneadas escaleras de cedro y se derramaban dichosos por el segundo piso; o salían a la terraza y miraban abajo el jardín, sembrado de mesas y parejas. Y así vivían de las músicas de dos orquestas y miraban a esa muchacha
10 que, cantando en el jardín (el cual circundaba una laguna artificial y luminosa), parecía un cisne salido de las aguas.

—Señorita. . ., señorita. . . . —De todas partes, Hilda se sentía llamada. Los dueños de casa pugnaban con los jóvenes a fin de agasajarla: sus voces la perseguían adonde fuera—. ¿Bailamos?
15 ¿Qué se sirve usted? ¡La he estado buscando toda la noche! Sonría. . ., ¿por qué tal seriedad?

Hilda no se resistió. Con liviandad de pájaro, sonrió y se revolvió en su traje largo. Aun hizo platicar a sus manos, se dejó conducir por los gestos de los hombres y devolvió la alegría y los
20 vasos.

Pero, llegado un instante, se dijo que uno de los hombres no la dejaba en paz. No le disgustó el asedio, no; le mortificó el que ese hombre no fuera joven.

—Bailemos, Hilda —pidió él.

25 Bailaron.

—¿Fumas, Hilda? —añadió al cesar la música; ella tomó un cigarrillo ante los ojos del caballero.

—Hilda, salgamos al jardín. Quiero hablarte a solas.

Pensó que la tuteaba muy pronto y que sus ademanes al cogerla o susurrar en sus oídos la llevaban a cierta complicidad. Ahora mismo, tras ella, y fingiendo desasosiego, le echaba todo su cuerpo y presionaba cálidamente sus carnes.

Después, el hombre la hizo volverse. 5

—Aquí es imposible —dijo, mirándola de nuevo, como si ya fueran cómplices, y la invitó a salir mientras añadía que los dos eran de otra especie.

—¿Qué dirá su esposa? —preguntó ella—. Usted da la fiesta y no puede irse. 10

—Nada vale como tú —replicó. De pronto, la hundió bajo una enramada e hizo un ademán que Hilda se dio en contener—. Lo doy todo por ti —susurró lascivamente—. Es cierto, Hilda; es *realmente* cierto.

Ella pensó en sus padres; en Marta, su hermana; pensó en su 15 esposo y en sus hijos. Estaba sola en este aire que convidaba dulcemente a reir y a suponer que existía el olvido. Allá en su recuerdo, toda su familia seguía viviendo en una casa de apenas dos dormitorios: su afición por estas fiestas le había impedido auxiliar a sus padres. Su sueldo de secretaria era tan solo suyo. Se 20 había adueñado de uno de los dormitorios y se había comprado hermosos muebles. Ahora no dejaba que nadie ingresara en él y no quería pensar que por las noches su familia se apiñaba en la otra habitación. Sin dar cabida al arrepentimiento, sabía que en su casa la odiaban. 25

—Le he dicho que soy casada —se defendió—. Soy feliz con mi marido y mis dos hijos.

—Tú sólo serás feliz conmigo —repuso el hombre. Avanzó con ademán grosero y cogió partes de su cuerpo que sólo eran de su esposo. Rechazándolo, Hilda oyó la música y sintió que los 30 perfumes y la alegría de los huéspedes la ungían para un sueño de veleidades.

—Tuve un hermano —habló ella de pronto—. Recuerdo que sólo llegó a los cinco años: murió cuando no pudimos pagarnos un viaje hasta aquí. Vivíamos en un pueblo donde no había 35 médicos... —Luego, pensativa, se detuvo—: ¿Cuántos años tiene esta casa?

Febril, el hombre no la había escuchado. Ella aferró sus manos.
—¿Cuántos años hace que es de usted?
—Siempre —dijo él—. Pero sólo tú...
—¿O sea que esta casa ya existía cuando mi marido se iba a
5 pie a su trabajo y yo cosía para mis hijos?
El la besó furiosamente. Empezó a acezar y a desbocarse con lascivia que no asombró a Hilda, puesto que ella misma, traicionada por su cuerpo, acogía gustosa las caricias.
—Recuerdo que no tengo a nadie —dijo ésta, llegada una
10 tregua—. Todos han muerto: mis padres, mi marido y mis hijos.
—Pues entonces vivirás conmigo —habló él.
"Pero él es casado —pensó Hilda—. Ofrece ponerme una casa y dar rienda suelta a la inmundicia; pero aun así, no faltará quienes me envidien..."
15 —Todos en mi casa se lo pasaban siempre riñendo —prosiguió Hilda; a fin de ser escuchada, tomó la cabeza del hombre y acercó sus ojos a los de él—. Oyeme —dijo—. Mi padre, mi madre y mi esposo soñaron toda la vida con una casa como ésta. ¿Dices que estuvo aquí, a un costado de la avenida?...
20 —Sí, sí, siempre... —Volvió él a acariciarla—. Hemos debido conocernos hace tiempo... Has debido caminar por delante de mi casa... Entonces, lo nuestro hubiera empezado hace años y no esta noche.
Ella desvió sus ojos.
25 —Tal vez. Pero mi familia no seguiría viviendo.
—¡Cómo! ¿No has dicho que no tienes a nadie, que ya murieron *todos?*
—¡Ah! —se espantó ella—. Yo no dije que hubieran muerto. ¡Eres tú el que quiere matarlos! —chilló—. ¿Por qué los
30 odias?...
—¿Yo, mujer? —trató él de sonreir.
Juzgando que era una broma, salió de la enramada y se acercó al borde de la terraza.
—Ven —llamó a Hilda, mirando hacia abajo—. Oye cantar a
35 esa muchacha en el jardín. ¡Y mira cómo baila!
Hilda aguardó a que él estuviese de espaldas. Recordó a Marta, su hermana, a su marido y a sus dos hijos; y después, repentina,

sosegado ya un enloquecedor movimiento de sus brazos, vio que el hombre yacía junto a la voz de la muchacha, junto al cisne que cantaba sobre la pequeña laguna, y que todas las parejas del jardín corrían alarmadas hacia él. Y aun escuchó a Grimanesa, su compañera de oficina.

—¡Hilda! —le decía ella—. ¿Qué has hecho? ¡Lo has matado! ¿Entiendes, Hilda?

Al punto se vio rodeada por los huéspedes.

—Mató a mi marido —explicó—. Mató a mis dos hijos y a toda mi familia. Fue un canalla.

—¡Pero, Hilda...! —se escandalizó Grimanesa, y no se atrevió a tocarla—. Tú no tienes marido. No te has casado nunca y ni siquiera tienes hijos. Tus padres y tus hermanos murieron hace tiempo, y ya van para cinco años que vivimos juntas las dos en un departamento. ¿Qué tienes, Hilda?

Ella se abrió paso entre los huéspedes.

—¡Usted no se mueve de aquí! —se plantó un hombre en su camino.

—Mató a mi esposo y a mis hijos —volvió a decir.

—Hilda, entiende... —mendigó Grimanesa—: no te has casado nunca...

—Pero mi hermana sí —habló Hilda—; y a veces mi hermana soy yo misma de tanto quererla. Ella se casó y tuvo dos hijos... Ahora él los ha matado...

—¡Pero si están vivos! —chilló Grimanesa, casi llorando—. ¿Qué has hecho? ¡Tu hermana Marta y los niños están vivos!

—El iba a matarlos un día —repuso Hilda—. Los estaba matando a poco, sin conocerlos, tan sólo con no importarle que estuviesen vivos o muertos; y estaba matando a mi esposo, para evitar que yo lo encuentre y me case con él. Estaba matando a mis hijos, cuando ni siquiera habían nacido, y me propuso engañar a mi esposo, a quien ni siquiera conozco. ¿No fue el peor de los canallas? Este hombre rico quiso matar y comprar la vida que aún no tengo.

—¡HILDA! —exclamó su amiga.

Y la abrazó protegiéndola.

·38·

Mario Benedetti
(1920–   )

SÁBADO DE GLORIA

Desde antes de despertarme, oí caer la lluvia. Primero pensé que serían las seis y cuarto de la mañana y debía ir a la oficina, pero había dejado en casa de mi madre los zapatos de goma y tendría que meter papel de diario en los otros zapatos, los 5 comunes, porque me pone fuera de mí sentir cómo la humedad me va enfriando los pies y los tobillos. Después creí que era domingo y me podía quedar un rato bajo las frazadas. Eso —la certeza del feriado— me proporciona siempre un placer infantil. Saber que puedo disponer del tiempo como si fuera 10 libre, como si no tuviera que correr dos cuadras, cuatro de cada seis mañanas, para ganarle al reloj en que debo registrar mi llegada. Saber que puedo ponerme grave y pensar en temas importantes como la vida, la muerte, el fútbol y la guerra. Durante la semana no tengo tiempo. Cuando llego a la oficina 15 me esperan cincuenta o sesenta asuntos a los que debo convertir en asientos contables, estamparles el sello de *contabilizado en fecha* y poner mis iniciales con tinta verde. A las doce tengo liquidados aproximadamente la mitad y corro cuatro cuadras para poder introducirme en la plataforma del ómnibus. Si no corro 20 esas cuadras vengo colgado y me da náusea pasar tan cerca de los tranvías. En realidad no es náusea sino miedo, un miedo horroroso.

Eso no significa que piense en la muerte sino que me da asco imaginarme con la cabeza rota o despanzurrado en medio de 25 doscientos preocupados curiosos que se empinaran para verme y contarlo todo, al día siguiente, mientras saborean el postre en el almuerzo familiar. Un almuerzo familiar semejante al que liquido en veinticinco minutos, completamente solo, porque Gloria se va media hora antes a la tienda y me deja todo listo en cuatro viandas sobre el primus a fuego lento, de manera que no tengo más que lavarme las manos y tragar la sopa, la milanesa, la tortilla y la compota, echarle un vistazo al diario y lanzarme otra vez a la caza del ómnibus. Cuando llego a las dos, escrituro las veinte o treinta operaciones que quedaron pendientes y a eso de las cinco acudo con mi libreta al timbrazo puntual del vicepresidente que me dicta las cinco a seis cartas de rigor que debo entregar, antes de las siete, traducidas al inglés o al alemán.

Dos veces a la semana, Gloria me espera a la salida para divertirnos y nos metemos en un cine donde ella llora copiosamente y yo estrujo el sombrero o mastico el programa. Los otros días ella va a ver a su madre y yo atiendo la contabilidad de dos panaderías, cuyos propietarios —dos gallegos y un mallorquín— ganan lo suficiente fabricando bizcochos con huevos podridos, pero más aún regenteando las amuebladas más concurridas de la zona sur. De modo que cuando regreso a casa, ella está durmiendo o —cuando volvemos juntos— cenamos y nos acostamos en seguida, cansados como animales. Muy pocas noches nos queda cuerda para el consumo conyugal y así, sin leer un solo libro, sin comentar siquiera las discusiones entre mis compañeros o las brutalidades de su jefe, que se llama a sí mismo un pan de Dios y al que ellas denominan pan duro, sin decirnos a veces buenas noches, nos quedamos dormidos sin apagar la luz, porque ella quería leer el crimen y yo la página de deportes.

Los comentarios quedan para un sábado como éste. (Porque en realidad era un sábado, el final de una siesta de sábado). Yo me levanto a las tres y media y preparo el té con leche y lo traigo a la cama y ella se despierta entonces y pasa revista a la rutina semanal y pone al día mis calcetines antes de levantarse a las cinco menos cuarto para escuchar la hora del bolero. Sin embargo, este sábado no hubiera sido de comentarios, porque anoche después del cine me excedí en el elogio de Margaret Sullavan y ella, sin titubear, se puso a pellizcarme y, como yo seguía inmutable, me agredió con algo tanto más temible y

solapado como la descripción simpática de un compañero de la tienda, y es una trampa, claro, porque la actriz es una imagen y el tipo ese todo un baboso de carne y hueso. Por esa estupidez nos acostamos sin hablarnos y esperamos una media hora con la
5 luz apagada, a ver si el otro iniciaba el trámite reconciliatorio. Yo no tenía inconveniente en ser el primero, como en tantas otras veces, pero el sueño empezó antes de que terminara el simulacro de odio y la paz fue postergada para hoy, para el espacio blanco de esta siesta.

10 Por eso, cuando vi que llovía, pensé que era mejor, porque la inclemencia exterior reforzaría automáticamente nuestra intimidad y ninguno de los dos iba a ser tan idiota como para pasar de trompa y en silencio una tarde lluviosa de sábado que necesariamente deberíamos compartir en un departamento de dos habita-
15 ciones, donde la soledad virtualmente no existe y todo se reduce a vivir frente a frente. Ella se despertó con quejidos, pero yo no pensé nada malo. Siempre se queja al despertarse.

Pero cuando se despertó del todo e investigué en su rostro, la noté verdaderamente mal, con el sufrimiento patente en las
20 ojeras. No me acordé entonces de que no nos hablábamos y le pregunté qué le pasaba. Le dolía algo en el costado. Le dolía muy fuerte y estaba asustada.

Le dije que iba a llamar a la doctora y ella dijo que sí, que la llamara en seguida. Trataba de sonreir pero tenía los ojos tan
25 hundidos, que yo vacilaba entre quedarme con ella o ir a hablar por teléfono. Después pensé que si no iba se asustaría más y entonces bajé y llamé a la doctora.

El tipo que atendió dijo que no estaba en casa. No sé por qué se me ocurrió que mentía y le dije que no era cierto, porque yo
30 la había visto entrar. Entonces me dijo que esperara un momento y al cabo de cinco minutos volvió al aparato e inventó que yo tenía suerte, porque en este momento había llegado. Le dije mire qué bien[1] y le hice anotar la dirección y la urgencia.

Cuando regresé, Gloria estaba mareada y aquello le dolía

1. mire qué bien *well, how nice* (ironical).

mucho más. Yo no sabía qué hacer. Le puse una bolsa de agua caliente y después una bolsa de hielo. Nada la calmaba y le di una aspirina. A las seis la doctora no había llegado y yo estaba demasiado nervioso como para poder alentar a nadie. Le conté tres a cuatro anécdotas que querían ser alegres, pero cuando ella sonreía con una mueca me daba bastante rabia porque comprendía que no quería desanimarme. Tomé un vaso de leche y nada más, porque sentía una bola en el estómago. A las seis y media vino al fin la doctora. Es una vaca enorme, demasiado grande para nuestro departamento. Tuvo dos o tres risitas estimulantes y después se puso a apretarle le barriga. Le clavaba los dedos y luego soltaba de golpe. Gloria se mordía los labios y decía que sí, que ahí le dolía, y allí un poco más, y allá más aún. Siempre le dolía más.

La vaca aquella seguía clavándole los dedos y soltando de golpe. Cuando se enderezó tenía ojos de susto ella también y pidió alcohol para desinfectarse. En el corredor me dijo que era peritonitis y que había que operar de inmediato. Le confesé que estábamos en una mutualista y ella me aseguró que iba a hablar con el cirujano.

Bajé con ella y telefoneé a la parada de taxis y a la madre. Subí por la escalera porque en el sexto piso habían dejado abierto el ascensor. Gloria estaba hecha un ovillo y, aunque tenía los ojos secos, yo sabía que lloraba. Hice que se pusiera mi sobretodo y mi bufanda y eso me trajo el recuerdo de un domingo en que se vistió de pantalones y campera, y nos reíamos de su trasero saliente, de sus caderas poco masculinas.

Pero ahora ella con mi ropa era sólo una parodia de esa tarde y había que irse en seguida y no pensar. Cuando salíamos llegó su madre y dijo pobrecita y abrígate por Dios. Entonces ella pareció comprender que había que ser fuerte y se resignó a esa fortaleza. En el taxi hizo unas cuantas bromas sobre la licencia obligada que le darían en la tienda y que yo no iba a tener calcetines para el lunes y, como la madre era virtualmente un manantial, ella le dijo si se creía que esto era un episodio de radio. Yo sabía que cada vez le dolía más fuerte y ella sabía que yo sabía y se apretaba contra mí.

Cuando la bajamos en el sanatorio no tuvo más remedio que quejarse. La dejamos en una salita y al rato vino el cirujano. Era un tipo alto, de mirada distraída y bondadosa. Llevaba el guardapolvo desabrochado y bastante sucio. Ordenó que saliéramos y cerró la puerta. La madre se sentó en una silla baja y lloraba cada vez más. Yo me puse a mirar la calle; ahora no llovía. Ni siquiera tenía el consuelo de fumar. Ya en la época de liceo era el único entre treinta y ocho que no había probado nunca un cigarrillo. Fue en la época de liceo que conocí a Gloria y ella tenía trenzas negras y no podía pasar cosmografía. Había dos modos de trabar relación con ella. O enseñarle cosmografía o aprenderla juntos. Lo último era lo apropiado y, claro, ambos la perdimos.

Entonces salió el médico y me preguntó si yo era el hermano o el marido. Yo dije que el marido y él tosió como un asmático. "No es peritonitis", dijo, "la doctora esa es una burra." "Ah." "Es otra cosa. Mañana lo sabremos mejor". Mañana. Es decir que: "Lo sabremos mejor si pasa esta noche. Si la operábamos, se acaba. Es bastante grave, pero si pasa de hoy, creo que se salva." Le agradecí —no sé qué le agradecí— y él agregó: "La reglamentación no lo permite, pero esta noche puede acompañarla."

Primero pasó una enfermera con mi sobretodo y mi bufanda. Después pasó ella en una camilla, con los ojos cerrados, inconsciente.

A las ocho pude entrar en la salita individual donde habían puesto a Gloria. Además de la cama había una silla y una mesa. Me senté a horcajadas sobre la silla y apoyé los codos en el respaldo. Sentía un dolor nervioso en los párpados, como si tuviera los ojos excesivamente abiertos. No podía dejar de mirarla. La sábana continuaba en la palidez de su rostro y la frente estaba brillante, cerosa. Era una delicia sentirla respirar, aun así, con los ojos cerrados. Me hacía la ilusión de que no me hablaba sólo porque a mí me gustaba Margaret Sullavan, de que yo no le hablaba porque su compañero era simpático. Pero, en el fondo, yo sabía la verdad y me sentía como en el aire, como si este insomnio forzado fuera una lamentable irrealidad que me exigía esta tensión momentánea, una tensión que de un momento a otro iba a terminar.

Cada eternidad sonaba a lo lejos un reloj y había transcurrido solamente una hora. Una vez me levanté, salí al corredor y caminé unos pasos. Me salió un tipo al encuentro, mordiendo un cigarrillo y preguntándome con un rostro gesticuloso y radiante: "¿Así que usted también está de espera?" Le dije que sí, que también esperaba. "Es el primero", agregó, "parece que da trabajo". Entonces sentí que me aflojaba y entré otra vez en la salita a sentarme a horcajadas en la silla. Empecé a contar las baldosas y a jugar juegos de superstición, haciéndome trampas. Calculaba a ojo el número de baldosas que había en una hilera y luego me decía que si era impar se salvaba. Y era impar. También se salvaba si sonaban las campanadas del reloj antes de que contara diez. Y el reloj sonaba al contar cinco o seis. De pronto me hallé pensando: "Si pasa de hoy..." y me entró el pánico. Era preciso asegurar el futuro, imaginarlo a todo trance. Era preciso fabricar un futuro para arrancarla de esta muerte en cierne. Y me puse a pensar que en la licencia anual iríamos a Floresta, que el domingo próximo —porque era necesario crear un futuro bien cercano— iríamos a cenar con mi hermano y su mujer, y nos reiríamos con ellos del susto de mi suegra, que yo haría pública mi ruptura formal con Margaret Sullavan, que Gloria y yo tendríamos un hijo, dos hijos, cuatro hijos y cada vez yo me pondría a esperar impaciente en el corredor.

Entonces entró una enfermera y me hizo salir para darle una inyección. Después volví y seguí formulando ese futuro fácil, transparente. Pero ella sacudió la cabeza, murmuró algo y nada más. Entonces todo el presente era ella luchando por vivir, sólo ella y yo y la amenaza de la muerte, sólo yo pendiente de las aletas de su nariz que benditamente se abrían y se cerraban, sólo esta salita y el reloj sonando.

Entonces extraje la libreta y empecé a escribir esto, para leérselo a ella cuando estuviéramos otra vez en casa, para leérmelo a mí cuando estuviéramos otra vez en casa. Otra vez en casa. Qué bien sonaba. Y sin embargo parecía lejano, tan lejano como la primera mujer cuando uno tiene once años, como el reumatismo cuando uno tiene veinte, como la muerte cuando sólo era ayer. De pronto me distraje y pensé en los partidos de hoy, en si los habrían suspendido por la lluvia, en el juez inglés que debutaba en el Estadio, en los asientos contables que escrituré esta mañana. Pero cuando ella volvió a penetrar por mis ojos, con la frente brillante y cerosa, con la boca seca masticando su fiebre, me sentí profundamente ajeno en ese sábado que habría sido el mío.

Eran las once y media y me acordé de Dios, de mi antigua esperanza de que acaso existiera. No quise rezar, por estricta honradez. Se reza ante aquello en que se cree verdaderamente. Yo no puedo creer verdaderamente en él. Sólo tengo la esperanza de que exista. Después me di cuenta de que yo no rezaba sólo para ver si mi honradez lo conmovía. Y entonces recé. Una oración aplastante, llena de escrúpulos, brutal, una oración como para que no quedasen dudas de que yo no quería ni podía adularlo, una oración a mano armada. Escuchaba mi propio balbuceo mental, pero escuchaba sólo la respiración de Gloria, difícil, afanosa. Otra eternidad y sonaron las doce. Si pasa de hoy. Y había pasado. Definitivamente había pasado y seguía respirando. Seguíamos respirando y me dormí. No soñé nada.

Alguien me sacudió el brazo y eran las cuatro y diez. Ella no estaba. Entonces el médico entró y le preguntó a la enfermera si me lo había dicho. Yo grité que sí, que me lo había dicho —aunque no era cierto—, y que él era un animal, un bruto más bruto aún que la doctora, porque había dicho que si pasaba de hoy y sin embargo. Le grité, creo que hasta lo escupí, frenético, y él me miraba bondadoso, odiosamente comprensivo, y yo sabía que no tenía razón, porque el culpable era yo por haberme dormido, por haberla dejado sin mi única mirada, sin su futuro imaginado por mí, sin mi oración hiriente, castigada.

Y entonces pedí que me dijeran en donde podía verla. Me sostenía una insulsa curiosidad por verla desaparecer, llevándose consigo todos mis hijos, todos mis feriados, toda mi apática ternura hacia Dios.

·39·

José Martínez Ruíz (Azorín)

(1874–   )

UNA LUCECITA ROJA

De los oios tan fuerte mientre lorando...

Poema del Cid

Si queréis ir allá, a la casa del Henar, salid del pueblo por la calle de Pellejeros, tomad el camino de los molinos de Ibangrande, pasad junto a las casas de Marañuela y luego comenzad a ascender por la cuesta de Navalosa. En lo alto, asentada en una ancha meseta, está la casa. La rodean viejos olmos; dos cipreses 5 elevan sobre la fronda sus cimas rígidas, puntiagudas. Hay largos y pomposos arriates en el jardín. Hay en la verdura de los rosales, rosas bermejas, rosas blancas, rosas amarillas. Desde lo alto se descubre un vasto panorama: ahí tenéis a la derecha, sobre aquella lomita redonda, la ermita de Nuestra Señora del Pozo 10 Viejo: más lejos, cierra el horizonte una pincelada zarca de la sierra; a la izquierda, un azagador hace serpenteos entre los recuestos y baja hasta el río, a cuya margen, entre una olmeda, aparecen las techumbres rojizas de los molinos. Mirad al cielo: está limpio, radiante, azul; unas nubecillas blancas y redondas 15 caminan ahora lentamente por su inmensa bóveda. Aquí en la casa, las puertas están cerradas; las ventanas cerradas también. Tienen las ventanas los cristales rotos y polvorientos. Junto a un balcón hay una alcarraza colgada. En el jardín, por las viales de viejos árboles avanzan las hierbas viciosas de los arriates. Crecen 20 los jazmineros sobre los frutales; se empina una pasionaria hasta las primeras ramas de los cipreses y desde allí deja caer flotando unos floridos festones.

Cuando la noche llega, la casa se va sumiendo poco a poco en la penumbra. Ni una luz ni un ruido. Los muros desaparecen esfumados en la negrura. A esta hora, allá abajo, se escucha un sordo, formidable estruendo que dura un breve momento. 5 Entonces, casi inmediatamente, se ve una lucecita roja que aparece en la negrura de la noche y desaparece en seguida. Ya sabréis lo que es; es un tren que todas las noches, a esta hora, en este momento, cruza el puente de hierro tendido sobre el río y luego se esconde tras una loma.

10 La casa ha abierto sus puertas y sus ventanas. Vayamos desde el pueblo hasta las alturas del Henar. Salgamos por la calle de Pellejeros; luego tomemos el camino de los molinos de Ibangrande; después pasemos junto a las casas de Marañuela; por último ascendamos por la cuesta de Navalosa. El espectáculo que 15 descubramos desde arriba nos compensará de las fatigas del camino. Desde arriba se ven los bancales y las hazas como mantos diminutos formados de distintos retazos —retazos verdes de los sembrados, retazos amarillos de los barbechos—. Se ven las chimeneas de los caseríos humear. El río luce como una cintita 20 de plata. Las sendas de los montes suben y bajan, surgen y se esconden como si estuvieran vivas. Si marcha un carro por un camino diríase que no avanza, que está parado: lo miramos y lo miramos y siempre está en el mismo sitio.

La casa está animada. Viven en ella. La habitan un señor, 25 pálido, delgado, con una barba gris, una señora y una niña. Tiene el pelo flotante y de oro la niña. Las hierbas que salían de los arriates sobre los caminejos han sido cortadas. Sobre las mesas de la casa se ven redondos y esponjados ramos de rosas; rosas blancas, rosas bermejas, rosas amarillas. Cuando sopla el aire, se 30 ve en los balcones abiertos cómo unas blancas, nítidas cortinas salen hacia afuera formando como la vela abombada de un barco. Todo es sencillo y bello en la casa. Ahora en las paredes, desnudas antes, se ven unas anchas fotografías, que representan catedrales, ciudades, bosques, jardines. Sobre la mesa de este 35 hombre delgado y pálido, destacan gruesas rimas de cuartillas y libros con cubiertas amarillas, rojas y azules. Este hombre todas las mañanas se encorva hacia la mesa y va llenando con su letra chiquita las cuartillas. Cuando pasa así dos o tres horas, entran la dama y la niña. La niña pone suavemente su mano sobre la cabeza de este hombre; él se yergue un poco y entonces ve una dulce, ligeramente melancólica sonrisa en la cara de la señora. 5

A la noche, todos salen al jardín. Mirad qué diafanidad tiene el cielo. En el cielo diáfano se perfilan las dos copas agudas de los cipreses. Entre las dos copas fulge —verde y rojo —un lucero. Los rosales envían su fragancia suave a la noche. Prestad atentos el oído: a esta hora se va a escuchar el ronco rumor del paso del 10 tren —allá lejos, muy lejos —por el puente de hierro. Luego brillará la lucecita roja del furgón y desaparecerá en la noche obscura y silenciosa.

(En el jardín. De noche. Se percibe el aroma suave de las rosas. Los dos cipreses destacan sus copas alargadas en el cielo 15 diáfano. Brilla un lucero entre las dos alongadas manchas negras.

—Ya no tardará en aparecer la lucecita.

—Pronto escucharemos el ruido del tren al pasar por el puente.

—Todas las noches pasa a la misma hora. Alguna vez se retrasa dos o tres minutos. 20

—Me atrae la lucecita roja del tren.

—Es cosa siempre la misma y siempre nueva.

—Para mí tiene un atractivo que casi no sabré definir. Es esa lucecita como algo fatal, perdurable. Haga el tiempo que haga, invierno, verano, llueva o nieve, la lucecita aparece todas las 25 noches a su hora, brilla un momento y luego se oculta. Lo mismo da que los que la contemplen desde alguna parte estén alegres o tristes. Lo mismo da que sean los seres más felices de la tierra o los más desgraciados: la lucecita roja aparece a su hora y después desaparece. 30

La voz de la niña: Ya está ahí la lucecita.)

La estación del pueblo está a media hora del caserío. Rara vez desciende algún viajero del tren o sube en él. Allá arriba queda

la casa del Henar. Ya está cerrada, muda. Si quisiéramos ir hasta ella tendríamos que tomar el camino de los molinos de Ibangrande, pasar junto a las casas de Marañuela, ascender por la pendiente de Navalosa. Aquí abajo, a poca distancia de la
5 estación, hay un puente de hierro que cruza un río; luego se mete por el costado de una loma.

Esta noche a la estación han llegado dos viajeros: son una señora y una niña. La señora lleva un ancho manto de luto; la niña viste un traje también de luto. Casi no se ve, a través del
10 tupido velo, la cara de esta dama. Pero si la pudiéramos examinar, veríamos que sus ojos están enrojecidos y que en torno de ellos hay un círculo de sombra. También tiene los ojos enrojecidos la niña. Las dos permanecen silenciosas esperando el tren. Algunas personas del pueblo las acompañan.

15 El tren silba y se detiene un momento. Suben a un coche las viajeras. Desde allá arriba, desde la casa ahora cerrada, muda, si esperáramos el paso del tren, veríamos cómo la lucecita roja aparece y luego, al igual que toda las noches, todos los meses, todos los años, brilla un momento y luego se oculta.

·40·

Eduardo Mallea

(1903–)

EL CAPITÁN

Apartándose del sendero, siete chopos enfilados marcaban un nuevo rumbo. Al cabo de ellos radicaba la casa del capitán, sin amparo, solitaria y blanca, como un piñón clavado en la ladera. Aires de fuego quemaban los campos al mediodía, entibiaban las vertientes, provocaban la sed de las mieses; pero las tardes 5 luminosas eran el traje nuevo de las jornadas, el traje limpio y fresco después del baño. Y las gentes, encendidas y parladoras, iban por los caminos llenas de agilidad, con ansias de trepar, un poco asombradas por la flor recién abierta, por el ojo de agua y por el brillo maligno en los ojos del zorro lejano. Y todo el 10 mundo pesaba la vida en oro, y respiraba los vientos cálidos del optimismo, y hasta el capitán reía jovialmente en su casa, en los campos y en el mesón bullicioso. Y la alegría del capitán, tan infantil a fuerza de vieja, penetraba todos los ánimos y se extendía por el pueblo como la noticia de un nacimiento y curaba 15 a los débiles, ablandando a los fuertes. Y en la iglesia pequeña, y en la casa de Gálvez, el labriego, y en la posada de Crende, y en la dulce vecindad de las muchachas, su palabra exaltada cobraba prestigios de cuento. Y las madres le tenían presente al recitar sus fábulas, al orar, y los niños veían en él al ejemplo. 20 Y los ancianos y las ancianas, por las tardes, en la soledad, milagreros, le tomaban las manos con devoción y veían en aquellos surcos lastimados las mil rutas peligrosas de su existencia. Y de lo alto del cielo y de lo alto de las montañas y de las lejanías ondulantes llegaban fuerzas de silencio, aires de recogimiento, 25 mientras él resignaba la cabeza y entornaba los ojos serenos para contar. Y todos querían escucharle y aplaudirle y agitarse en algazara, al tiempo que él sonreía enmudecido, con la garganta dolorida y el ánimo en fervor. Salía de su casa muy temprano, recién abiertas en flor las matinadas, con su gran saco de cuero negro y sus botas curtidas, y comenzaba el cotidiano recorrido de los hogares. Los hombres que se levantaban soñolientos para abrir las ventanas solían verle bajar por la pendiente, aprestándose a cruzar el regato, entonando aquellas canciones que eran la respiración de su espíritu. Y se metía en la primera vivienda, de este lado de las aguas, junto a las jaras liadas el día anterior con gruesos vencejos, y Basilio, el herrero, salía a recibirle. Y el capitán abandonaba su sombrero sobre la mesa rústica y se restregaba las manos y se acercaba a la cuna del niño menor y quedaba contemplándolo, en silencio. Y un brillo ligero le corría por los ojos y los labios le temblaban y, acariciando con ansia las crenchas rubias del pequeño, evocaba un montón de recuerdos. ¿No se parecía asombrosamente al grumete portugués que contrajo las fiebres malignas en Cádiz y murió, un anochecer, cerca de Río? ¿No tenía sus manitas blanquísimas, su frente lisa, sus ojos expresivos y sorprendidos? Pero de aquella historia borraba el capitán las angustias del recuerdo final, y decía solamente las gozosas reminiscencias, y Basilio le escuchaba con emoción y reía y echaba prestamente la sábana sobre el rostro de su hijo.

Y luego el capitán se lanzaba a caminar por el pueblo, y charlaba con el panadero, y alentaba a la viuda, y ofrecía su ayuda para remover la peña, y platicaba con Lucas, el idiota, como si éste fuera cuerdo y entendiera. Y tenía siempre una anécdota oportuna, una historia propicia, porque sus cincuenta años de mar y sus setenta de hombre atezado dábanle pretexto y sabiduría. Y entraba en el mesón, donde todos los hombres se hundían en disputas, y hallaba colocación en un ángulo de la sala, bajo la roja estampa religiosa, el mosquete y el reloj de cuco, y templaba sus manos cabe el hogar, recibía los criterios, y aspiraba lentamente el humo de su pipa y meditaba y luego producía una conclusión, sus ideas.

Y así, por las mañanas y por las tardes, en los días turbios y en los luminosos, en las viviendas y en los caminos, la palabra del capitán, su rudo entusiasmo, sus memorias, iban dejando los ánimos tranquilos y las miradas en simpatía. Porque encontrarle después de la dura jornada y acercársele y encender con él una pipa y corear su estruendosa carcajada, constituían la satisfacción de todos y el descanso. Sobre todo, a las horas del atardecer, cuando el pueblo entero se volcaba en los caminos y las mujeres se sentaban a las puertas, y las muchachas deshojaban las flores del romero, y los mozos tímidos y los gárrulos mirábanlas y las hablaban, a las horas en que los niños encendían ruidosas fogaradas y los labriegos bebían en la taberna, a esas horas el capitán bajaba de su casuca a la plaza, que era redonda y blanca entre las casas, se dejaba caer en el banco rústico, y la gente comenzaba a cercarle, a llegar, y él a echar humaradas. Y hasta el espíritu de la casas, huido por las chimeneas, resbalado por las tejas, parecía encontrarse allí escuchando. Y el peregrino recién arribado y el mendigo trashumante, aliviando cansancios, también encontraban espacio para sentarse y oir. Y todo a lo largo y a lo ancho el pueblo quedaba como robado, en silencio, y solamente en el ámbito estrecho de la plaza, junto al nogal añoso y desmedrado, en el extremo bajo del camino, las ánimas se exaltaban y temblaban, y gozaban. Y todo era como un chisporroteante arder de leños, mientras en los ojos de alguna muchacha las lágrimas lloraban sonriendo. Y ante tales gentes poseídas de ingenuidad milenaria, que abandonaban sus ollas para oirle, el capitán, con aquella voz lenta y débil que cojeaba, los ojos chispeantes, parecido en su éxtasis, bajo la guedeja blanca, a una venerable estampa de retablo, decía las historias de la brújula perdida, del peñasco espectral, del ballenato y del timón.

Pero una tarde, una tarde colocada de través entre las tardes, subiendo Marcela del riacho con un hato de ropa recién lavada, seguida por la cabra negra familiar, encontró al capitán que venía despavorido, sin alientos, la cabeza al aire. Y ella lo miró con sorpresa y oyó que le decía:

"Ya las tenemos, ya las tenemos aquí. Han venido por la montaña, navegando lentamente, y ya están aquí, con la bandera amarilla en el palo mayor y el velamen recogido. Han venido por la montaña... Y la Seria es la mayor y la más linda, toda empenachada y brillante.... Ya están aquí las embarcaciones, Marcela, y todos nos hemos de partir...."

Marcela no daba con el sentido de tales palabras, pero el capitán la abandonó en el camino y echó a correr en dirección a la plaza. Y todavía se escuchaba su grito alborozado, surcando los vientos. Y las gentes, asombradas, salían a las puertas con las manos enjabonadas y las camisas desprendidas. Entonces, Crende, el posadero quiso saber qué sucedía y tomó al capitán por un brazo y se lo preguntó. "¡Ya los tenemos, ya tenemos aquí a los cuatro barcos!" Y el alborozo le agilitaba, refrescándole las mejillas, y quería decir a todos de una vez la buena nueva. Entonces los hombres se miraron estupefactos, y sus semblantes mostraron un gesto doloroso, al tiempo que musitaban palabras ininteligibles. Y de pronto varios de entre ellos, decididos, acercáronse al capitán y le hablaron al oído y le fueron llevando lentamente hacia su casa...

Y ya no volvió a salir. Y aquella noche su voz no tembló en los caminos fragantes, ni en la plaza, ni en las viviendas. Todas las menguadas luces del caserío oscilaban defendiéndose, las mujeres hilaban, los hombres calaban las mesas con cansados cuchillos. Y todo el pueblo súbitamente enmudecido, ahito de día, permaneció apagado y exhausto, como si se hubiera recostado.

·41·

Ricardo Güiraldes

(1886–1927)

ROSAURA*

I

Lobos es un pueblo tranquilo, en medio de la pampa.

Por sus calles, franjeadas de árboles, vaga un aburrimiento indiferente. Pocos peatones asonan en sus veredas pasos delatores como lonjazos, y salvo la hora del tren o los estivales paseos por la plaza, fresca de quietud nocturna, nada se estremece en la seria siesta que una moral de solterona impone a las expansiones francas.

Como todos nuestros pueblos Lobos posee una plaza, donde se encuentra la Iglesia de estilo colonial. Frente al templo, plaza de por medio, está la comisaría. En una de las esquinas la sucursal del Banco de la Nación mira de arriba, pues tiene dos pisos. En la segunda, invitan a hacer la tarde las gastronómicas vidrieras de la confitería del Jardín, que los parroquianos designan familiarmente por "lo del Vasco." Y mientras en la tercera ríen las percalinas claridades de la tienda, en la cuarta la botica recuerda que existen dolores.

Es cuanto requiere la comarca: justicia, dinero, ropa, vicio e ideal en módicas dosis.

Lobos tuvo su alma sencilla y primordial como el macachín de otoño. Lobos pensaba, amaba, vivía a su modo. Mas vino la paralela infinitud de los rieles veloces, y el tren, pasando férreo de indiferencia, de horizonte a horizonte, de desconocido a desconocido, esfumó sobre el caserío su penacho pasajero.

Lobos padeció de aquel veneno.

* Some lengthy descriptive passages have been omitted from this story.

II

Venía esa tarde, en un vagón del F.C.S., un joven vestido a la europea, irreprochablemente: corbata-cuello, sombrero de castor y traje de briches, que aunque gastado, guardaba en el revés de un bolsillo interior la fecha de entrega y el membrete de la casa Poole. Casi hasta las rodillas, sus piernas se encañutaban en botas de curva impecable. A su lado tambaleaba una valija de gran casa londinense, policromada de papeles rectangulares que indicaban residencias en playas y balnearios de moda. Colgando de la incómoda percha, venía el gabán.

La prestanza del mozo, decía su educación ultramarina. Su tez mate, dividida por nariz descarnada, sus pómulos cetrinos, su porte de ósea rectitud, delataban un puro origen castizo; algo de silencioso y hurgador en las pupilas, decía varias generaciones de espectante vida pampeana; y una ingenua alegría de raza nueva hacía robusta su risa fácil.

El inspector lo llamó don Carlos, al pedirle los boletos. Su edad podía avaluarse de fuerte, oscilando al parecer entre los veinte y cinco y treinta años. Su actitud era displicente, pues miraba en un diario los precios de las ventas en corrales.

Dieron los vagones una zamarreada a descompás, calló el asmático jadear de la máquina, pasó un farol amarillo fajado de un letrero ilegible, alzó el nivel de la tierra el andén limitado por un rango de plátanos, detúvose el tren frente al iluminado corredor de la estación, quedando así apartada la noche.

"LOBOS"

Bajó gente, subió gente. La caldera chistaba con alivio de globo que se deshincha. Un zumbido de avispero se exhalaba del gentío: políticos en campaña, mozos elegantes de orión gris y capellada clara,[1] personajes luciendo sus personalidades oficiales, compadritos de chambergo listo a escurrirse por la frente y melena engrasada de perfumes pringosos, cocheros esperando

1. mozos elegantes . . . clara *young men in gray felt hats and high patent-leather shoes with chamois ankle covers*

viajes, peones en busca de correspondencia o encomiendas, mientras como flores de aroma entre el bosque bruto, las exuberantes muchachas de Lobos iban y volvían, con discretos recatos o exageradas risas, nerviosas quién sabe por qué.

Tres pasaron del brazo marchando con pausa: una de celeste caramelo, otra de rosa caramelo, otra de amarillo caramelo. Hacia la ventanilla de Carlos miraron con tan descarada curiosidad, que éste se sintió molesto, pronto a erguir el pecho y congestionarse en agresivas violencias de pavo. Para defenderse fijó la vista en una de entre ellas, pensando intimidarla, pero la chica aguantó la fuerza de sus pupilas, como una madera aguanta una cuña.

Alejábanse ya. Dos o tres veces recorrieron el andén de punta a punta, ablandando el andar con muelle pereza de engatusadoras. Carlos no se ofendió más por si broma había, y se satisfizo en amontonar su vista sobre aquel cuerpito ondeante que se alejaba como a disgusto, o en concentrar sus ojos en las pupilas que se hacían penetrables y mansas.

Y es que ella también se sorprendía de sentir sus ojos así abiertos, como ventanas descuidadas, y su cuerpo oprimido por extraña aureola de languidez.

Pero todo era broma y cuando el tren arrancó tras anuncio de pito y campana, como el mozo elegante les insinuara un saludo, rieron francamente corrigiendo tal incorrección con una escasa reverencia de cabeza que se desmaya hacia el hombro, casi como un abandono.

El furgón pasó ligero, golpeando los vidrios de la estación con vibrante eco cercano.

III

Se llamaba Rosaura Torres y era hija del viejo Crescencio, dueño de la más acaudalada cochería del pueblo.

Se llamaba Rosaura Torres y era bonita. Sus zapatillas le golpeaban los talones con indolencia de babuchas árabes; sus manos eran hábiles, su risa golosa, sus sueños sencillos; la vida esperaba curiosa, detrás de su boca infranqueada.

Para ella la mañana era alegre, vivir un regalo de todos los días, las flores hermosas, las tardes risueñas y quietas con algo de cuna que mece el cansancio.

Rosaura era bonita y esperaba meter las manos hábiles en la vida, como en su matinal canasto de flores.

Rosaura salía a eso de las cinco y media con su traje de amarillo caramelo, empolvada sin reparos y muy contenta de gozar los repetidos incidentes de su peregrinación hasta el andén-corso, donde esperaba como todos el paso del expreso de las seis y treinta y cinco.

La estación es a Lobos lo que Hyde Park es a Londres, el Retiro a Madrid, las Aguas Dulces de Asia a Constantinopla. Si existe modesta y desconocida, culpa suya no es.

Pero llega de afuera el primer tren. Son las seis, hora de apogeo hasta las seis y treinta y cinco, que marcará el paso del importante, del surtidor de emociones bonearenses.

Paseábase la gente, criticábase la gente y una maraña de romanticismos ceñíase exigente sobre el elemento joven.

Golpeábanse los minutos, barranca abajo del reloj que siempre camina.

Rosaura vio muchas veces pasar aquel mozo elegante. Las amigas siempre la embromaron por las miradas insistentes que ellas tal vez deseaban y la chica sintió algo extraño nublarle agradablemente la razón, cuando Carlos la miraba sonriente, espiando la posibilidad de un saludo.

Crecía en Rosaura la emoción de un suspiro, más grande que su pecho henchido en la blusa de amarillo caramelo.

Barranca abajo de los días que siempre caminan, repítense las horas y entre ellas la que trae al gran expreso. Sobre el flanco polvoriento de los coches podrían entrelazarse las iniciales de un idilio y Rosaura puso su nombre en aquel vagón-comedor que traía al elegante de la broma.

¡Oh, maligna sugestión de la indiferente máquina viajadora, para cuyo ojo ciclópeo el horizonte no es un ideal! ¡Tren despiadado que pasa abandonando al repetido aburrimiento del pueblito, la soñadora fantasía de la sentimental Rosaura que escribió en sus flancos su destino!

Pero la pequeña enamorada pertenecía demasiado al asombro del presente, para presentir el desacuerdo de la gente estable con las grandes fuerzas que pasan. Y una tarde, como Carlos bajara so pretexto de caminar un poco y pasara a su lado, muy cerca, parecióle que iba a caer inexplicablemente arrastrada por el leve aire que lo seguía.

IV

Jardincito con parra pequeña, jazmines olorosos, laureles blancos y fríos, y claveles sexuales, algo está presente en ti para llenarte de tiernas eclosiones. En Rosaura, la simple pueblerita de alma pastoral, florece el milagro de un gran amor.

Rosaura vive cerrando los ojos para mejor poseerse en sus más intensas emociones. Ya no son inútiles sus coqueterías: es para él que sus brazos caen significando consentimiento; es para él que sus pupilas sufren como dos concentraciones sentimentales; es para él que el cuerpo se ablanda de pasividades ignotas, cuando camina absorta por turbadores ensueños; es para él también que el pecho se hace grande como un mundo.

¡Qué inmenso es ese mundo insospechado! A veces Rosaura piensa y teme: ¿Qué será de su vida desde ahora? ¿Es eso amor? ¿La querrá también aquel mozo inverosímilmente elegante y distinguido? Piensa y teme y deja irresueltos esos problemas que vagan imposibles de fijar.

Rosaura cierra los ojos para mejor poseerse en sus más intensas emociones.

Ya no son monótonos los días ni largas las horas en el pequeño jardín insospechado, allí en la pampa que canta su eterno cantar de horizonte.

V

Rosaura espera en inquieto pasear el inconsútil idilio de las miradas declaratorias. ¿Vendrá? ¿No vendrá?

Y una tarde ¡qué extraño! mientras buscaba en el marco de la ventanilla el perfil considerado como un ideal intangible que pasa sin más misión que sugerir novelas irrealizables, lo vio bajar con gran valija, cruzar entre el gentío del andén para tomar uno de los coches del viejo Torres, con ademán de patrón que entra en sus bienes.

5 Rosaura sintió en su alma punzar angustias de virgen poseída. No gustó de las bromas agresivas, directas y ahora con causa de sus amigas. Dejólas sin mayores cariños y risas recamar las veredas de insípidos saludos y conversaciones, para entrar en su casa sorprendida, temerosa como una torcaza encandilada.

VI

10 Por suerte no duró aquel estado de cosas. Rosaura se hubiera muerto de pesar. No era posible llorar así durante días y días enrostrándose culpas tan grandes.

Carlos había partido al amanecer siguiente de aquella tarde para él incomprensible.

15 No quedaba sino llorar, siempre llorar, sobre esos recuerdos de su vida rota.

Rosaura hubiera muerto pensando que el hermoso y elegante Carlos del vagón-comedor no volvería nunca más, o pasaría en el tren indiferente a ella como el ojo ciclópeo de la locomotora al 20 ideal del horizonte.

Sonaron secos golpes de nudillos en la puerta anunciando la prudencia de alguna visita. Rosaura ordenó de prisa el patético desorden de su semblante y entró Carmen, la amiga de rosa caramelo tanto tiempo abandonada en el desconsuelo del quebranto 25 amoroso. Y como el abrazo de Rosaura lleno de estrujones apasionados fuere una confesión, Carmen encantadora de consuelos habló sin disimulo:

—¡Ave María, estate quieta!... ¡si te traigo una noticia que te va a hacer reir!

30 Rosaura, vuelta hacia el muro para esconder sus lágrimas, vibraba de hombros a pies con temblores a veces sacudidos por hondos hipos de congoja.

—No llorés así... Mejor sería que te ocuparas en prepararte un vestido bien paquete para el baile que da el Clu la semana que viene... ¿No te importa?

—No estoy para bromas, Carmen.

—¿Bromas? Sentate y escuchame que te voy a dar datos de primera... Ya sé quién es, lo que piensa de vos, para qué ha venido y una punta de cosas más.

—¿Y quién te ha contado todo eso?

—González, que fue el que le ofertó las vacas para Lorenzo Ramallo.

—¿Y qué tiene que ver con Ramallo?

—Poquita cosa, que es el hijo dél no más.

Lejos de desesperarse por aquel nombre conocido entre los más copetudos estancieros, Rosaura exaltó su pasión con aquel nuevo imposible. Mientras Carlos pasara en el tren, mientras viniera de vez en cuando al perdido pueblito de Lobos y la mirara como hasta entonces, su amor no encontraría sino motivos para crecer.

—¿Qué más te ha dicho? —musitó palpitante.

—Que sos una maravilla y que va a venir al baile del Clu para conocerte. ¡Ahora llorá si querés!

Rosaura no lloraba pero empalidecía inverosímilmente. Sufría la tortura del placer y era dolorosa como una preñez aquella plenitud. Más que nunca alucináronsele las ojeras bajo los párpados medio caídos, y mientras Carmen parloteaba con alegres comentarios, una sonrisa le ascendió a los labios desde el fondo calmo de su inmenso amor en contemplación.

VII

Era la hora. Caminó hacia el espejo saboreando en las medidas genuflexiones del paso, la sutileza apenas tangible de las telas huyentes; caminó perfilada, con liviandades de aparición; sonrió apenas, alzando en desconcertado asombro sus cejas inquietas; y pensó que gustaría por aquella inefable docilidad de sus ojos anunciadores de milagro.

Era la hora y estaba lista, pura y vibrante como un cristal

herido por la nota lejana de un campanazo broncíneo. Casi desfallecía en virginales madureces de sacrificio, sintiéndose así adorada por las intactas telas, solemnes en su pompa de ornatos requeridos para la ofrenda. "Oh sí, toda de él". Y una momentánea pérdida de conocimiento la tambaleó hasta el apoyo de la cómoda, donde quedó su mano exangüe y fría como un marfil sobre la roja lucidez de la caoba.

—¡Vamos, vamos!... Abríase la puerta, arrojando al cuarto breve y sonante vocerío. Eran las de Gómez que pasaban a buscarla según convenio, Rosaura se cerró sobre sí misma, celosa como una sensitiva.

En el salón de fiestas del Club Social, inconsideradamente detallado por la crudeza hiriente de las luces, la comisión receptora, solemne de distinción, esgrimía un idioma de circunstancia. Carlos, conociendo ya el recato enguantado de aquellas fiestas, había llegado temprano, para estarse cómodo en los rincones desapercibidos.

Dominaba ya un espíritu de ingenua cordialidad, y era mayor la costumbre del traje ocasional, cuando el rematador González, pasando su mano de izquierda a derecha pronunció quedo los nombres:

—El señor Carlos Ramallo, la señorita Rosaura Torres.

Para Rosaura, aquel acoplamiento de sus nombres cobró la significación de una pregunta ante el altar.

—Mucho gusto, señor —dijo, y le pareció haberlo dicho todo.

El le ofreció el brazo como debía ser:

—Por mi parte confieso que era casi una necesidad hablar con Vd., considerándola ya como una amiga de mucho tiempo.

Sonrojábase Rosaura:

—Es verdad, nos hemos visto tanto.

¡Oh el musical encanto de caminar así, los brazos unidos y la palabra emocionada, en proximidades de confesión!

¡Y todo Lobos que los veía!

—¿Quiere que nos sentemos?

—Como guste.

Salieron hacia el zaguán, rumbo a un banco entrevisto en el

patio, de pronto engrandecido de luminosas elaboraciones estelares, allí, muy lejos en el cielo infinito recuadrado por la ingenua cornisa de color plomizo.

—Aquí se está bien.

Sintiéronse aliviados de ficciones; la noche nada sabe de etiquetas y el amor está en todo, naturalmente. 5

Callaron. Rosaura, quedamente, mirando el broche de su guante puesto para la fiesta, interrogó en el tono fraternal que la noche imponía:

—Yo quisiera saber algo de Vd. ¿No le incomoda contarme? 10 He vivido tan solita aquí.

Permanecía Carlos en silencio. Narrar a la pequeña Lobera, sencilla como los macachines del otoño, sus complicadas aventuras de elegante, fuera sacrilegio de Tenorio barato.

—No creo que valgan gran cosa mis diversiones. 15

—¿Pero, y todo lo que ha viajado por esas tierras de Dios?

—De algunas tengo buenos recuerdos.

Y dejándose resbalar en fantasías sugeridas por Rosaura, atenta en espera de fantásticos relatos, parecióle encontrar recién a las cosas lejanas sus verdaderos encantos. 20

Sorprendióse al oir su voz pronunciar con sincero acento:

—Esos viajes entristecen cuando uno los hace solo.

¿Qué ridiculeces más iba a decir?

Pero Rosaura columbrando una indirecta alusión jugó más atenta que antes con el broche de su guante, comprado para la 25 fiesta.

Maliciando una moda, otras parejas siguieron a Carlos y Rosaura hacia el patio, y la noche, quebrada en su silencio, perdió imperio. Carlos recordó otras escenas donde también gorjeaban risas y mareaban perfumes. 30

—¿No quiere bailar?

Pero un mozo reclamó de Rosaura el compromiso para aquella polca. Carlos se encontró de pronto solo y como pasara cerca su amigo el rematador, rogóle que le presentara niñas, diciéndose que así disimularía el motivo de su asistencia a la fiesta. 35

La hija de Barros era una hermosa guarangota de voz llamativa, de cuya rolliza delantera de paloma buchona salían en balumba los más desconcertadores discursos.

Qué descanso, qué placer, cuando nuevamente se encontró con la simple Rosaura, toda amor, en un banco del patio ahora desierto por la gula que despierta el ambigú, donde se engulle gratis.

—¡Oh, señorita, cómo me cansan sus amigas!

—No me diga señorita.

—Gracias Rosaura, cómo me aburren todas estas personitas de fiesta. Si no me fuera casi necesario sentirme amigo al lado suyo, escaparía a todo galope. Quédese conmigo un rato, tan largo como quiera o pueda sin compromisos, y le agradeceré.

—Ya ve qué pronto nos entendemos —rio Rosaura—. Pero, desgraciadamente, tendría mucho que sufrir del chisme, si me quedara con usted el tiempo que quisiera.

—¿Y es mucho ese tiempo?

Rosaura volvió a absorberse, atenta al broche de su guante y callaron subyugados por lo que recíprocamente se adivinaban.

Y fuerza es, cuando no quiere decirse lo que el alma dicta, tocar puntos sencillos para no distraerse de lo que en uno canta.

—¿Siempre se aburre, Rosaura?

—Antes no. Me bastaba con los quehaceres y los paseos a la estación o la plaza, donde me encontraba con mis amigas y nos divertíamos con bromas y pavadas. Ahora me faltan otra porción de cosas. Me parece tan triste el pueblo y pienso que Vd. corre tanto mundo, conoce tanta cosa. . . .

—Y sin embargo ya ve que vengo al pueblo.

Por decir algo, sintiéndose aterrorizada por la consecuencia de sus propias palabras, Rosaura murmuró:

—Algún motivo tendrá.

—¿Y no lo sabe?

—¿Cómo lo he de saber?

—Esas cosas se adivinan.

Esta vez Rosaura sufría. En las cejas de Carlos una contracción decidida endurecía su expresión. Algo vago en la sonrisa presagió no sé qué frase terrible.

—Por favor Carlos, cállese.

Descansaron las cejas, borróse la sonrisa forzada:

—No necesitamos decirnos mucho.

Era la verdad y como estuviera en pie difícil aquel diálogo fraternalmente comenzado, Carlos volvió a contar cosas de su vida inquieta, ante la infantil atención de la pueblerita de ojos crédulos.

Pasado un grande rato fácil y de confiadas charlas, Carlos tomando rango de consejero dijo en chanza:

—Bueno y ahora vaya a bailar con sus amigos, si no van a decir que somos novios.

—¡Ave María!

—De todos modos ya somos buenos amigos.

—Sí. . . ahora, vaya a saber cuándo vuelve.

—Ya verá. . . tengo arreglado un programa para que no sea tan de tarde en tarde.

Rosaura entró al salón, separóse de Carlos sin ocurrírsele una pregunta explicativa.

Y esa noche concluyó la primera entrevista de la pequeña pueblera con el joven elegante del vagón-comedor, convertido ya en cordial amigo, lo cual es mucho para un ideal que pasa sugiriendo grandes ensoñaciones irrealizables.

VIII

Desde aquel día de fiesta, tan saturado de aproximaciones amorosas, el tren de las seis y treinta y cinco dejó de pasar como un ideal intangible, al joven del vagón-comedor en el recuadro de su ventanilla lumbrosa. Carlos había encontrado solución mejor, y haciendo el sacrificio de voltear perezas de mal dormido, a las cinco de la mañana embarcábase para pasar el día en Lobos.

Los pretextos, aunque malos, eran suficientes: Ver a su amigo el rematador González, asistir inútilmente a sus ferias o simplemente cortar las seis monótonas horas de ferrocarril.

Pero: ¿Qué son los pretextos frente a la obligatoria confluencia de dos vidas?

Blanqueba y muy arriba el sol, cuando Carlos descendía del tren entorpecido por su valija londinense cuadriculada de avisos hoteleros.

Pocas personas en el andén, tan concurrido en la media hora encerrada por el paso de los expresos, de las seis y seis treinta y cinco. Un coche del viejo Torres lo llevaba hasta el Hotel de París, donde "hacía la mañana" con González, Iturri y otros personajes de auge momentáneo. Almorzaba con apetito de viajero y dormía una reponedora siesta hasta las cuatro, hora en que tomaba té a la vera de la calle empedrada, amagada de precursiones paseanderas.[2]

Y todo esto sólo por la media horita de la tarde, en el andén populoso de la estación, abigarrada de compacta concurrencia: Políticos en campaña electoral, mozos de orión gris y capellada clara, personajes luciendo sus personalidades oficiales, compadritos de chambergo listo a escurrirse por la frente y melena engrasada de perfumes pringosos, cocheros esperando viajes, peones en busca de correspondencias o encomiendas. Mientras, como aromáticas flores entre el bosque bruto, paseaban las muchachas de Lobos coquetas y burlonas.

De punta a punta del andén, flanqueada de sus amigas la de rosa caramelo y la de celeste aramelo, Rosaura marchaba con muelle pausa de engatusadora, respondiendo con sonrisas de flor que se abre a las miradas de Carlos, su amigo de cariñosas palabras.

Y Carlos amontonaba su vista en torno al cuerpito gentil y querido que se alejaba como a disgusto, o concentraba sus ojos en las pupilas penetrables y mansas como ventanas abiertas para una cita de amor.

Pero llegaban los vagones del expreso zamarreados a descompás. Callaba el asmático jadear de la máquina.

Deteníase el tren luminoso frente al corredor techado, quedando así apartada la noche.

2. amagada de . . . paseanderas *which showed signs of the beginning of the promenade.*

Subía gente, bajaba gente, golpeábanse los minutos barranca abajo del reloj que siempre camina; sobre los flancos polvorientos del vagón-comedor mientras decía sus últimas frases de discreta despedida, Rosaura escribía entrelazadas iniciales de idilio. Y de improviso, haciendo una gran rasgadura de dolor en el alma de la pueblerita enamorada, anunciaba un chiflido brutal el arranque. Separábanse los coches como estiradas vértebras de reptil en fuga; sonaban desde la máquina al furgón los férreos tirones de las coyunturas y paragolpes. Carlos saludaba de pronto empequeñecido por brusco distanciamiento. El furgón pasaba ligero, golpeando los vidrios con vibrante eco cercano.

Y era al frente la honda indiferencia de la noche estrellada, en la cual se apagaba dolorosamente el estrépito fugaz del tren, que se va mirando con la blanca ceguera de su ojo ciclópeo el horizonte cuya atracción no entiende.

Pobre Rosaura, así abandonada con su pasión demasiado grande para ella, en el insípido aburrimiento del pueblito perdido en la pampa que ignora la vida de las pequeñas románticas pasionarias.

IX

Sin embargo, salvo los desconsoladores momentos de la partida dolorosa como un hecho definitivo, la existencia de Rosaura rebalsaba felicidad.

Inefablemente idénticos íbanse los días por el jardincito de la cochería de Torres, idealizados por el alma intensa de Rosaura, siempre confiada en su Carlos que pasaría mañana, pasado mañana, o la semana entrante, para decirle a ella su amor con los ojos, darle la mano, un ramo de extrañas flores puebleras, e irse a la tarde en la angustia de una separación dolorosa como un hecho definitivo, pero para volver porque ése era su destino.

X

La noche que sabe de sortilegios, tornaba casi fantástica la insípida plaza del pueblo. La noche, el azul, los astros; la reducción del mundo visible a unos cuantos charcos de luz llorados por los faroles, tristes de inmóviles aislamientos, condenados a estar siempre allí malgrado el desesperante anhelo de ser estrella que da la primaveral infinitud del cielo tan inalcanzablemente profundo.

La gente limitada en sus cuerpos, va por la esclavitud de los caminos placeros, hechos para caminar, y no pueden evadirse en deseos perdurables.

Por eso las almas se lanzan en locos futuros imposibles y migran de amor en amor, como la luz de astro a astro, hollando el vacío interpuesto a la victoria de la materia.

La plaza empero es la de siempre. Los arbustos y los cercos tusados como clines prolijas, forman geométricas figuras verdinegras, curiosamente símiles a formas humanas. Los caminos hacen curvas, a falta de mayor espacio para ser verdaderos caminos que saben adonde van. Algunos árboles se enternecen reverdeciendo bajo aquella benignidad primaveral, que vino a la hora de siempre.

Los grupos de muchachas son como grandes vidrieras de almas que amarán y los hombres padecen el imposible anhelo de hacerlas ramo entre sus manos fervorosas.

Carlos viene cuando puede a este dominguero desfile por la plaza estirada en la noche estelar, bajo la santa vigilancia del campanario colonial, desde el cual Dios bendice con infinitos perdones la pasajera locura de sus borregos extraviados en tartamudeos sentimentales.

En la evidencia luminosa de las claras faldas y blusas y abanicos, la más hermosa es Rosaura y también la más evadida de sí en grandes aspiraciones de protagonista romántica, que languidece por el héroe caído de un país inverosímil, con la aureola de un fantástico origen ignoto.

¡Oh!... ser así de entre todas la elegida.

La noche que sabe de sortilegios, infiltra su palabra de tentación en los corazones de aquella gente, que gracias a Dios posee su moral; y por eso no concluye aquí, en la más natural de las soluciones amorosas, este relato.

XI

Así llegó Rosaura al límite de su gloria. Los intervalos de su ausencia eran breves para saborear cada palabra, cada gesto; y en las plenitudes de los diálogos cuando una mutua adivinación hacía supérfluos los juramentos, un grande arrobo desleíase en torno a ellos, como irradiación de sus sentimientos. 5

Mas parece que aquel estado de sus almas, hubiese llamado la desgracia, como llaman el rayo las orantes cruces de las cúpulas.

Carlos, fingiendo no dar importancia a su revelación inesperada, anunció a Rosaura un próximo viaje a Europa:

—. . . ¡Oh! Por muy poco tiempo; tres o cuatro meses cuando 10 más. . . la duración del verano. . . No puedo dejar de ir; mi padre extrañaría si no lo hiciera y hasta es posible que se enojara. . .

Rosaura mortalmente herida le oía hablar con angustia.

—Dígame Carlos. ¿No es el señor Ramallo el que lo manda? 15

—¡Vaya una idea m'hija! ¿Y por qué?

—No sé. . . tal vez le hayan dicho que Vd. pierde el tiempo en un pueblito por ahí.

—¡No, Rosaura, qué ocurrencia!

Carlos volvía a sus explicaciones. ¿Quién podía saber y en caso 20 de saberlo atribuir a nada malo sus visitas a Lobos? Era puramente una satisfacción para el padre verle efectuar ese viaje a Inglaterra, donde a su juicio aprendería mucho estudiando los más reputados "Farms", en compañía de un hombre entendido.

—Tres meses o cuatro. . . ¡me parece tan largo, Carlos! 25

Por primera vez respondió éste, con intención directa:

—Rosaura, créame que aunque fuesen seis, serían muy pocos para borrar ciertas cosas.

—¿Seguro?

—Muy seguro. 30

Renacía el ánimo en la pequeña pueblera. Carlos hablaba con tanta seguridad que le pareció más llevadera su ausencia, y la inflexión especialmente tierna de aquella voz adorada, fue un lenitivo engañador para su alma sensible. Además, Rosaura

poseía la grandeza de una noble credulidad y un extraño, femenino, goce en sacrificarse a las voluntades de su ídolo. Carlos no podía a su entender obrar sino bien. Y esa pobre noche de separación, sus manos más que nunca se confesaron amor por
5 sobre todos los inconvenientes humanos.

XII

Caían las hojas, encogíanse los primeros fríos, sufría Rosaura como los pequeños macachines del otoño, que se helaban faltos de sol.

¿No fue ilusión todo aquel romance?

10 Casi podía creerlo así la pobre chica, decepcionada diariamente por el vacío de la ventanilla del vagón-comedor.

Pero no lo fue, porque una tarde como iba a descorazonarse, Carmen vino y tomándola del brazo le dijo temblorosa ante la magnitud de la noticia:

15 —Vení m'hija, vení, ya lo he visto en otro coche.

¡Oh Rosaura! ¿Cómo no gritar en ese momento? Rehusábanse las piernas a seguir adelante, mientras su amiga la arrastraba del brazo. Era cierto, venía.

¡Carlos!... ¡Oh caer sobre su pecho amado y decirle que
20 nunca dudó de su vuelta y luego tantas, tantas cosas más! Por una ventanilla oscura le reconoció. Casi estirándole los brazos allí delante de todos, levantó su mentón sonriéndole con palideces vecinas a un desmayo; y él la saludó simplemente, como si nunca hubiera mediado entre ellos sino una relación de paso.

XIII

25 Rosaura cayó en el coma de un dolor intenso. Todos en su casa supieron que algo extraño acontecía en ella y la madre se enteró del drama, en aquella noche de delirio que siguió al para otros imperceptible incidente de un saludo.

El amor de Rosaura, arraigado en ella como un organismo
30 inseparable del suyo, la mataba al morirse.

Carmen, la amiga que antes le trajera las primicias de su amor, le trajo la lápida:

—Mirá, hija... no vale la pena sufrir por ese mal hombre.

—Por favor, Carmen, no hablemos más.

—Es que te voy a decir... si querés fijarte otro día cuando pase, verás que va con otra mujer, muy emperifollada, con esos trajes que te gustan a vos.

—Por Dios cayate, Carmen.

Esta tragó los detalles que traía para aproximarse a su amiga, que lívida, con pucheros infantiles pero los ojos secos, comenzó a proferir un llanto largo, doloroso como entrañas de alma que le fuesen arrancadas despacio para intensificar el martirio.

XIV

Rosaura ha venido a la estación, en su traje de muselina floreada, recuerdo de aquella noche inolvidable del Club Social. En su corpiño ha guardado la breve carta, única de Carlos, que decía un adiós y en sus manos convulsas hace cenizas los pétalos secos de las flores que guardaba porque él se las había dado.

Rosaura debe estar un poco loca para venir así vestida al andén. ¿Pero qué le importa el decir de los otros?

Carmen la acompaña cuidándola como enfermera, inquieta de aquellas extrañas fantasías y está siempre vestida de rosa caramelo, no habiendo como su amiga sufrido la intensa influencia de las cosas exteriores.

De pronto, la mano de Rosaura se hunde en la carnosa blandura del brazo de su amiga.

—Vamos, Carmen, vamos por Dios que ya no puedo más.

Así unidas caminan hasta el límite del andén. Carlos (¡Oh la horrible inconsciencia!) viene en un compartimento, con la mujer extraña y Rosaura no quiere verlo.

—Oh, ya no puedo más, no puedo más... y ahora dejáme, te lo pido por lo que más quieras... dejáme, te lo pido por lo que más quieras... dejame y volvé con todas allá que yo me voy a casa.

—¿Pero m'hija, no querés que te abandone así en ese estado, yorando como una perdida?[3]

—Sí, por lo que más quieras, dejame.

¿Qué potente sugestión ha hecho obedecer a Carmen?

5 El chiflido de la locomotora anuncia la partida. Carmen retorna hacia la estación.

Los hierros comienzan a sonar y bufa la máquina sus grandes penachos venenosos sobre Lobos, en jadeante esfuerzo de partida. El tren va a continuar su viaje de desconocido a desconocido, de 10 horizonte a horizonte.

Entonces la pequeña Rosaura, vencida por una locura horrible, grita, llora, despedazando en los dientes convulsos de dolor sobrehumano, frases incomprensibles. Y como una mariposa primaveral y ligera lánzase a correr entre la paralela infinitud de los 15 rieles, los brazos hacia adelante en una ofrenda inútil, clamando el nombre de Carlos, por quien es una voluptuosidad morir así, en el camino que lo lleva lejos de ello para siempre.

—¡Carlos!... ¡Carlos!...

El férreo estrépito se aproxima. Nada son para la veloz victoria 20 del tren sonante, los gritos de una pasión que supo llegar hasta la muerte.

—¡Carlos!...

Y como una pluma ligera y blanca, cede paso la fina figura despedazada en su muselina floreada, a la indiferente progresión 25 de la máquina potente y ciega, para cuyo ojo ciclópeo el horizonte no es un ideal.

3. ¿Pero m'hija . . . una perdida? *But my dear, you don't think I'm going to leave you in that condition, weeping like a lost soul?*

·42·

Miguel de Unamuno

(1864–1936)

JUAN MANSO

Cuento de Muertos

Y va de cuento. . . .

Era Juan Manso en esta pícara tierra un bendito de Dios, un mosquita muerta que en su vida rompió un plato. De niño, cuando jugaban al burro sus compañeros, de burro hacía él; más tarde fue el confidente de los amoríos de sus camaradas, y cuando 5 llegó a hombre hecho y derecho le saludaban sus conocidos con un cariñoso: ¡Adiós, Juanito!

Su máxima suprema fue siempre la del chino: no comprometerse y arrimarse al sol que más calienta.

Aborrecía la política, odiaba los negocios, repugnaba todo lo 10 que pudiera turbar la calma chicha de su espíritu.

Vivía de unas rentillas, consumiéndolas íntegras y conservando entero el capital. Era bastante devoto, no llevaba la contraria a nadie y como pensaba mal de todo el mundo, de todos hablaba bien. 15

Si le hablabas de política, decía:

—Yo no soy nada; ni fu ni fa; lo mismo me da Rey que Roque: soy un pobre pecador que quiere vivir en paz con todo el mundo.

No le valió, sin embargo, su mansedumbre y al cabo se murió, 20 que fue el único acto comprometedor que efectuó en su vida.

* * * *

Un ángel armado de flamígero espadón hacía el apartado de las almas, fijándose en el señuelo con que las marcaban ángeles y demonios en un registro por donde tenían que pasar al salir del mundo. La entrada al registro parecía taquilla de expendeduría en día de corrida mayor. Era tal el remolino de gente, tantos los empellones, tanta la prisa que tenían todos por conocer su destino eterno, y tal el barullo que imprecaciones, ruegos y disculpas en las mil y una lenguas, dialectos y jergas del mundo armaban, que Juan Manso se dijo:

—¿Quién me manda meterme en líos? Aquí debe de haber hombres muy brutos.

Esto lo dijo para el cuello de su camisa, no fuera que se lo oyesen.

El caso es que el ángel del flamígero espadón maldito el caso que hizo de él, y así pudo colarse camino de la Gloria.

Iba solo y pian pianito. De vez en vez pasaban alegres grupos, cantando letanías y bailando a más y mejor algunos, cosa que le pareció poco decente en futuros bienaventurados.

Cuando llegó al alto se encontró con una larga cola de gente a lo largo de las tapias del Paraíso, y unos cuantos ángeles que, cual *guindillas* en la tierra, velaban por el orden.

Colocóse Juan Manso a la cola de la cola. A poco llegó un humilde franciscano, y tal maña se dio, tan conmovedoras razones adujo sobre la prisa que le corría por entrar cuanto antes, que nuestro Juan Manso le cedió su puesto, diciéndose:

—Bueno es hacerse amigos hasta en la Gloria eterna.

El que vino después, que ya no era franciscano, no quiso ser menos, y sucedió lo mismo.

En resolución, no hubo alma piadosa que no birlara el puesto a Juan Manso, la fama de cuya mansedumbre corrió por toda la cola y se transmitió como tradición flotante sobre el continuo fluir de gente por ella. Y Juan Manso, esclavo de su buena fama.

Así pasaron siglos al parecer de Juan Manso, que no menos tiempo era preciso para que el corderito empezara a perder la paciencia. Topó por fin cierto día con un santo y sabio obispo, que resultó ser tataranieto de un hermano de Manso. Expuso éste sus quejas a su tatarasobrino y el santo y sabio obispo le ofreció interceder por él junto al Eterno Padre, promesa en cuyo cambio cedió Juan su puesto al obispo santo y sabio.

Entró éste en la Gloria y, como era de rigor, fue derechito a ofrecer sus respetos al Padre Eterno. Cuando hubo rematado el discursillo, que oyó el Omnipotente distraído, díjole éste:

—¿No traes postdata? —mientras le sondeaba el corazón con su mirada. 5

—Señor, permitidme que interceda por uno de sus siervos que allá, a la cola de la cola. . . .

—Basta de retóricas —dijo el Señor con voz de trueno—. ¿Juan Manso?

—El mismo, Señor; Juan Manso que. . . . 10

—¡Bueno, bueno! Con su pan se lo coma, y tú no vuelvas a meterte en camisa de once varas.

Y volviéndose al ángel introductor de almas, añadió:

—¡Que pase otro!

Si hubiera algo capaz de turbar la alegría inseparable de un 15 bienaventurado, diríamos que se turbó la del santo y sabio obispo. Pero, por lo menos, movido de piedad, acercóse a las tapias de la Gloria, junto a las cuales se extendía la cola, trepó a aquéllas, y llamando a Juan Manso, le dijo:

—¡Tataratío, cómo lo siento! ¡Cómo lo siento, hijito mío! El 20 Señor me ha dicho que te lo comas con tu pan y que no vuelva a meterme en camisa de once varas. Pero. . . ¿sigues todavía en la cola de la cola? Ea, ¡hijito mío!, ármate de valor y no vuelvas a ceder tu puesto.

—¡A buena hora, mangas verdes! —exclamó Juan Manso, 25 derramando lagrimones como garbanzos.

Era tarde, porque pesaba sobre él la tradición fatal y ni le pedían ya el puesto, sino que se lo tomaban.

Con las orejas gachas abandonó la cola y empezó a recorrer las soledades y baldíos de ultratumba, hasta que topó con un camino 30 donde iba mucha gente, cabizbajos todos. Siguió sus pasos y se halló a las puertas del Purgatorio.

—Aquí será más fácil entrar —se dijo—, y una vez dentro y purificado me expedirán directamente al cielo.

—Eh, amigo, ¿adónde va? 35

Volvióse Juan Manso y hallóse cara a cara con un ángel,

cubierto con una gorrita de borla, con una pluma de escribir en la oreja, y que le miraba por encima de las gafas. Después que le hubo examinado de alto a bajo, le hizo dar vuelta, frunció el entrecejo y le dijo:

—¡Hum, *malorum causa!*[1] Eres gris hasta los tuétanos. . . . Temo meterte en nuestra lejía, no sea que te derritas. Mejor harás ir al Limbo.

—¡Al Limbo!

Por primera vez se indignó Juan Manso al oir esto, pues no hay varón tan paciente y sufrido que aguante el que un ángel le trate de tonto de capirote.

Desesperado tomó camino del Infierno. No había en éste cola ni cosa que lo valga. Era un ancho portalón de donde salían bocanadas de humo espeso y negro y un estrépito infernal. En la puerta un pobre diablo tocaba un organillo y se desgañitaba gritando:

—Pasen ustedes, señores, pasen. . . . Aquí verán ustedes la comedia humana. . . . Aquí entra el que quiere. . . .

Juan Manso cerró los ojos.

—¡Eh, mocito, alto! —le gritó el pobre diablo.

—¿No dices que entra el que quiere?

—Sí, pero ya ves —dijo el pobre diablo poniéndose serio y acariciándose el rabo—, aun nos queda una chispita de conciencia. . . y la verdad. . . tú. . .

—¡Bueno! ¡Bueno! —dijo Juan Manso volviéndose porque no podía aguantar el humo.

Y oyó que el diablo decía para su capote:

—¡Pobrecillo!

—¡Pobrecillo! Hasta el diablo me compadece.

Desesperado, loco, empezó a recorrer, como tapón de corcho en medio del Océano, los inmensos baldíos de ultratumba, cruzándose de cuando en cuando con el alma de Garibay.

Un día que atraído por el apetitoso olorcillo que salía de la Gloria se acercó a las tapias de ésta a oler lo que guisaban dentro,

1. malorum causa: *the root of all evil.*

vio que el Señor, a eso de la caída de la tarde, salía a tomar el fresco por los jardines del Paraíso. Le esperó junto a la tapia, y cuando vio su augusta cabeza, abrió sus brazos en ademán suplicante y con tono un tanto despechado le dijo:

—¡Señor, Señor! ¿No prometiste a los mansos vuestro reino? 5

—Sí; pero a los que embisten, no a los embolados.[2]

Y le volvió la espalda.

* * * *

Una antiquísima tradición cuenta que el Señor, compadecido de Juan Manso, le permitió volver a este pícaro mundo; que de nuevo en él, empezó a embestir a diestro y siniestro con toda la 10 intención de un pobrecito infeliz; que muerto de segunda vez atropelló la famosa cola y se coló de rondón en el Paraíso.

Y que en él no cesa de repetir:

—¡Milicia es la vida del hombre sobre la tierra!

2. los embolados: *Bulls with wooden balls placed on their horns to render them harmless* (mansos).

·43·

Rafael Arévalo Martínez

(1884–)

EL HOMBRE QUE PARECÍA UN CABALLO

En el momento en que nos presentaron, estaba en un extremo de la habitación, con la cabeza ladeada, como acostumbran a estar los caballos, y con aire de no fijarse en lo que pasaba a su alrededor. Tenía los miembros duros, largos y enjutos, extrañamente recogidos, tal como los de uno de los protagonistas en una ilustración inglesa del libro de Gulliver. Pero mi impresión de que aquel hombre se asemejaba por misterioso modo a un caballo, no fue obtenida entonces sino de una manera subconsciente, que acaso nunca surgiese a la vida plena del conocimiento, si mi anormal contacto con el héroe de esta historia no se hubiese prolongado.

En esa misma prístina escena de nuestra presentación, empezó el señor de Aretal a desprenderse, para obsequiarnos, de los traslúcidos collares de ópalos, de amatistas, de esmeraldas y de carbunclos que constituían su íntimo tesoro. En un principio de deslumbramiento, yo me tendí todo, yo me extendí todo, como una gran sábana blanca, para hacer mayor mi superficie de contacto con el generoso donante. Las antenas de mi alma se dilataban, lo palpaban, y volvían trémulas y conmovidas y regocijadas a darme la buena nueva: —"Este es el hombre que esperabas; este es el hombre por el que te asomabas a todas las almas desconocidas, porque ya tu intuición te había afirmado que un día serías enriquecido por el advenimiento de un ser único. La avidez con que tomaste, percibiste y arrojaste tantas almas que se hicieron desear y defraudaron tu esperanza, hoy será ampliamente satisfecha: inclínate y bebe de esta agua".

Y cuando se levantó para marcharse, lo seguí aherrojado y preso como el cordero que la zagala ató con lazos de rosas. Ya en el cuarto de habitación de mi nuevo amigo, éste, apenas traspuestos los umbrales que le daban paso a un medio propicio y habitual, se encendió todo él. Se volvió deslumbrador y escénico como el caballo de un emperador en una parada militar. Los faldones de su levita tenían vaga semejanza con la túnica interior de un corcel de la edad media, enjaezado para un torneo. Le caían bajo las nalgas enjutas, acariciando los remos finos y elegantes. Y empezó su actuación teatral.

Después de un ritual de preparación cuidadosamente observado, caballero iniciado de un antiquísimo culto, y cuando ya nuestras almas se habían vuelto cóncavas, sacó el cartapacio de sus versos con la misma mesura unciosa con que se acerca el sacerdote al ara. Estaba tan grave que imponía respeto. Una risa hubiera sido acuchillada en el instante de nacer.

Sacó su primer collar de topacios, o mejor dicho, su primera serie de collares de topacios, traslúcidos y brillantes. Sus manos se alzaron con tanta cadencia que el ritmo se extendió a tres mundos. Por el poder, del ritmo, nuestra estancia se conmovió toda en el segundo piso, como un globo prisionero, hasta desasirse de sus lazos terrenos y llevarnos en un silencioso viaje aéreo. Pero a mí no me conmovieron sus versos, porque eran versos inorgánicos. Eran el alma traslúcida y radiante de los minerales: eran el alma simétrica y dura de los minerales.

Y entonces el oficiante de las cosas minerales sacó un segundo collar. ¡Oh, esmeraldas, divinas esmeraldas! Y sacó el tercero. ¡Oh, diamantes, claros diamantes! Y sacó el cuarto y el quinto, que fueron de nuevo topacios, con gotas de luz, con acumulamientos de sol, con partes opacamente radiosas. Y luego el séptimo: sus carbunclos. Sus carbunclos casi eran tibios; casi me conmovieron como granos de granada o como sangre de héroes; pero los toqué y los sentí duros. De todas maneras, el alma de los minerales me invadía; aquella aristocracia inorgánica me seducía raramente, sin comprenderla por completo. Tan fue esto así que no pude traducir las palabras de mi Señor interno, que estaba confuso y hacía un vano esfuerzo por volverse duro y simétrico y limitado y brillante, y permanecí mudo. Y entonces, en imprevista explosión de dignidad ofendida, creyéndose engañado, el Oficiante me quitó su collar de carbunclos, con movimiento tan lleno de violencia, pero tan justo, que me quedé más perplejo que dolorido. Si hubiera sido el Oficiante de las Rosas, no hubiera procedido así.

Y entonces, como a la rotura de un conjuro, por aquel acto de violencia, se deshizo el encanto del ritmo; y la blanca navecilla en que voláramos por el azul del cielo, se encontró sólidamente aferrada al primer piso de una casa.

Después, nuestro común presentante, el señor de Aretal, y yo, almorzamos en los bajos del hotel.

Y yo, en aquellos instantes, me asomé al pozo del alma del Señor de los topacios. Vi reflejadas muchas cosas. Al asomarse, instintivamente, había formado mi cola de pavo real; pero la había formado sin ninguna sensualidad interior, simplemente solicitado por tanta belleza percibida y deseando mostrar mi mejor aspecto, para ponerme a tono con ella.

¡Oh las cosas que vi en aquel pozo! Ese pozo fue para mí el pozo mismo del misterio. Asomarse a un alma humana, tan abierta como un pozo, que es un ojo de la tierra, es lo mismo que asomarse a Dios. Nunca podemos ver el fondo. Pero nos saturamos de la humedad del agua, el gran vehículo del amor; y nos deslumbramos de la luz reflejada.

Este pozo reflejaba el múltiple aspecto exterior en la personal manera del señor de Aretal. Algunas figuras estaban más vivas en la superficie del agua: se reflejaban los clásicos, ese tesoro de ternura y de sabiduría de los clásicos; pero sobre todo se reflejaba la imagen de un amigo ausente, con tal pureza de líneas y tan exacto colorido, que no fue uno de los menos interesantes atractivos que tuvo para mí el alma del señor de Aretal, este paralelo darme el conocimiento del alma del señor de la Rosa, el ausente amigo tan admirado y tan amado. Por encima de todo se reflejaba

Dios. Dios, de quien nunca estuve menos lejos. La gran alma que a veces se enfoca temporalmente. Yo comprendí, asomándome al pozo del señor de Aretal, que éste era un mensajero divino. Traía un mensaje a la humanidad: el mensaje humano, que es el más valioso de todos. Pero era un mensajero inconsciente. Prodigaba el bien y no lo tenía consigo.

Pronto interesé sobremanera a mi noble huésped. Me asomaba con tanta avidez al agua clara de su espíritu, que pudo tener una imagen exacta de mí. Me había aproximado lo suficiente, y además, yo también era una cosa clara que no interceptaba la luz. Acaso lo ofusqué tanto como él a mí. Es una cualidad de las cosas alucinadas el ser a su vez alucinadoras. Esta mutua atracción nos llevó al acercamiento y estrechez de relaciones. Frecuenté el divino templo de aquella alma hermosa. Y a su contacto empecé a encenderme. El señor de Aretal era una lámpara encendida y yo era una cosa combustible. Nuestras almas se comunicaban. Yo tenía las manos extendidas y el alma de cada uno de mis diez dedos era una antena por la que recibía el conocimiento del alma del señor de Aretal. Así supe de muchas cosas antes no conocidas. Por raíces aéreas, ¿qué otra cosa son los dedos?, u hojas aterciopeladas, ¿qué otra cosa que raíces aéreas son las hojas?, yo recibía de aquel hombre algo que me había faltado antes. Había sido un arbusto desmedrado que prolonga sus filamentos hasta encontrar el humus necesario en una tierra nueva. ¡Y cómo me nutría! Me nutría con la beatitud con que las hojas trémulas de clorofila se extienden al sol; con la beatitud con que una raíz encuentra un cadáver en descomposición; con la beatitud con que los convalecientes dan sus pasos vacilantes en las mañanas de primavera, bañadas de luz; con la beatitud con que el niño se pega al seno nutricio y después, ya lleno, sonríe en sueños a la visión de una urbe nívea. ¡Bah! Todas las cosas que se completan tienen beatitud así. Dios, un día, no será otra cosa que un alimento para nosotros: algo necesario para nuestra vida. Así sonríen los niños y los jóvenes, cuando se sienten beneficiados por la nutrición.

Además me encendí. La nutrición es una combustión. Quién sabe qué niño divino regó en mi espíritu un reguero de pólvora, de nafta, de algo fácilmente inflamable, y el señor de Aretal, que había sabido aproximarse hasta mí, le había dado fuego. Yo tuve el placer de arder: es decir, de llenar mi destino. Comprendí que era una cosa esencialmente inflamable. ¡Oh padre fuego, bendito seáis! Mi destino es arder. El fuego es también un mensaje. ¿Qué otras almas arderían por mí? ¿A quién comunicaría mi llama? ¡Bah! ¿Quién puede predecir el porvenir de una chispa?

Yo ardí y el señor de Aretal me vio arder. En una maravillosa armonía, nuestros dos átomos de hidrógeno y de oxígeno habían llegado tan cerca, que prolongándose, emanando porciones de sí, casi llegaron a juntarse en alguna cosa viva. A veces revolaban como dos mariposas que se buscan y tejen maravillosos lazos sobre el río y en el aire. Otras se elevaban por la virtud de su propio ritmo y de su armoniosa consonancia, como se elevan las dos alas de un dístico. Una estaba fecundando a la otra. Hasta que. . .

¿Habéis oído de esos carámbanos de hielo que, arrastrados a aguas tibias por una corriente submarina, se desintegran en su base, hasta que perdiendo un maravilloso equilibrio, giran sobre sí mismos en una apocalíptica vuelta, rápidos, inesperados, presentando a la faz del sol lo que antes estaba oculto entre las aguas? Así, invertidos, parecen inconscientes de los navíos que, al hundirse su parte superior, hicieron descender al abismo. Inconscientes de la pérdida de los nidos que ya se habían formado en su parte vuelta hasta entonces a la luz, en la relativa estabilidad de esas dos cosas frágiles: los huevos y los hielos.

Así, de pronto, en el ángel transparente del señor de Aretal, empezó a formarse una casi inconsistente nubecilla obscura. Era la sombra proyectada por el caballo que se acercaba.

¿Quién podría expresar mi dolor cuando en el ángel del señor de Aretal apareció aquella cosa obscura, vaga e inconsistente? Había mi noble amigo bajado a la cantina del hotel en que habitaba. ¿Quién pasaba? ¡Bah! Un obscuro ser, poseedor de unas horribles narices aplastadas y de unos labios delgados. ¿Comprendéis? Si la línea de su nariz hubiese sido recta, también en su alma se hubiese enderezado algo. Si sus labios hubiesen sido gruesos, también su sinceridad se hubiese acrecentado. Pero no. El señor de Aretal le había hecho un llamamiento. Ahí estaba... Y mi alma, que en aquel instante tenía el poder de discernir, comprendió claramente que aquel homecillo, a quien hasta entonces había creído un hombre, porque un día vi arrebolarse sus mejillas de vergüenza, no era sino un homúnculo. Con aquellas narices no se podía ser sincero.

Invitados por el señor de los topacios, nos sentamos a una mesa. Nos sirvieron coñac y refrescos, a elección. Y aquí se rompió la armonía. La rompió el alcohol. Yo no tomé. Pero tomó él. Pero estuvo el alcohol próximo a mí, sobre la mesa de mármol blanco. Y medió entre nosotros y nos interceptó las almas. Además, el alma del señor Aretal ya no era azul como la mía. Era roja y chata como la del compañero que nos separaba. Entonces comprendí que lo que yo había amado más en el señor Aretal era mi propio azul.

Pronto el alma chata del señor de Aretal empezó a hablar de cosas bajas. Todos sus pensamientos tuvieron la nariz torcida. Todos sus pensamientos bebían alcohol y se materializaban groseramente. Nos contó de una legión de negras de Jamaica, lúbricas y semidesnudas, corriendo tras él en la oferta de su odiosa mercancía por cinco centavos. Me hacía daño su palabra y pronto me hizo daño su voluntad. Me pidió insistentemente que bebiera alcohol. Cedí. Pero apenas consumado mi sacrificio sentí claramente que algo se rompía entre nosotros. Que nuestros señores internos se alejaban y que venía abajo, en silencio, un divino equilibrio de cristales. Y se lo dije: —Señor de Aretal, usted ha roto nuestras divinas relaciones en este mismo instante. Mañana usted verá en mí llegar a su aposento sólo un hombre y yo sólo encontraré un hombre en usted. En este mismo instante usted me ha teñido de rojo.

El día siguiente, en efecto, no sé qué hicimos el señor de Aretal y yo. Creo que marchamos por la calle en vía de cierto negocio. El iba de nuevo encendido. Yo marchaba a su vera apagado ¡y lejos de él! Iba pensando en que jamás el misterio me había abierto tan ancha rasgadura para asomarme, como en mis relaciones con mi extraño acompañante. Jamás había sentido tan bien las posibilidades del hombre; jamás había entendido tanto al dios íntimo como en mis relaciones con el señor de Aretal.

Llegamos a su cuarto. Nos esperaban sus formas de pensamiento. Y yo siempre me sentía lejos del señor de Aretal. Me sentí lejos muchos días, en muchas sucesivas visitas. Iba a él obedeciendo leyes inexorables. Porque era preciso aquel contacto para quemar una parte en mí, hasta entonces tan seca, como que se estaba preparando para arder mejor. Todo el dolor de mi sequedad hasta entonces, ahora se regocijaba de arder; todo el dolor de mi vacío hasta entonces, ahora se regocijaba de plenitud. Salí de la noche de mi alma en una aurora encendida. Bien está. Bien está. Seamos valientes. Cuando más secos estemos arderemos mejor. Y así iba a aquel hombre y nuestros Señores se regocijaban. ¡Ah! ¡Pero el encanto de los primeros días! ¿En dónde estaba?

Cuando me resigné a encontrar un hombre en el señor de Aretal, volvió de nuevo el encanto de su maravillosa presencia. Amaba a mi amigo. Pero me era imposible desechar la melancolía del dios ido. ¡Traslúcidas, diamantinas alas perdidas! ¿Cómo encontraros los dos y volver donde estuvimos?

Un día, el señor de Aretal encontró propicio el medio. Eramos varios sus oyentes; en el cuarto encantado por sus creaciones habituales, se recitaron versos. Y de pronto, ante unos más hermosos que los demás, como ante una clarinada, se levantó nuestro noble huésped, piafante y elástico. Y allí, y entonces, tuve la primera visión: *el señor de Aretal estiraba el cuello como un caballo.*

Le llamé la atención: —Excelso huésped, os suplico que adoptéis esta y esta actitud. Sí, era cierto: *estiraba el cuello como un caballo.*

Después, la segunda visión: el mismo día. Salimos a andar. Y de pronto percibí, lo percibí: *el señor de Aretal caía como un caballo.* Le faltaba de pronto el pie izquierdo y entonces sus ancas casi tocaban tierra, como un caballo claudicante. Se erguía luego con rapidez; pero ya me había dejado la sensación. ¿Habéis visto caer a un caballo?

Luego la tercera visión, a los pocos días. Accionaba el señor de Aretal sentado frente a sus monedas de oro, y de pronto lo vi mover los brazos como mueven las manos los caballos de pura sangre, sacando las extremidades de sus miembros delanteros hacia los lados, en esa bella serie de movimientos que tantas veces habréis observado cuando un jinete hábil, en un paseo concurrido, reprime el paso de un corcel caracoleante y espléndido.

Después, otra visión: *el señor de Aretal veía como un caballo.* Cuando lo embriagaba su propia palabra, como embriagaba al corcel noble su propia sangre generosa, trémulo como una hoja, trémulo como un corcel montado y reprimido, trémulo como todas esas formas vivas de raigambres nerviosas y finas, inclinaba la cabeza, ladeaba la cabeza, y así veía, mientras sus brazos desataban algo en el aire como las manos de un caballo. —¡Qué cosa más hermosa es un caballo! ¡Casi se está sobre dos pies! —Y entonces yo sentía que lo cabalgaba el espíritu.

Y luego cien visiones más. El señor de Aretal se acercaba a las mujeres como un caballo. En las salas suntuosas no se podía estar quieto. Se acercaba a la hermosa señora recién presentada, con movimientos fáciles y elásticos, baja y ladeada la cabeza, y daba una vuelta en torno de ella y daba una vuelta en torno de la sala. Veía así, de lado. Pude observar que sus ojos se mantenían inyectados de sangre. Un día se rompió uno de los vasillos que los coloreaban con trama sutil; se rompió el vasillo y una manchita roja había coloreado su córnea. Se lo hice observar.

—"Bah —me dijo—, es cosa vieja. Hace tres días que sufro de ello. Pero no tengo tiempo para ver a un doctor".

Marchó al espejo y se quedó mirando fijamente. Cuando al día siguiente volví, encontré que una virtud más lo ennoblecía. Le pregunté: ¿Qué lo embellece en esta hora? Y él respondió: "un matiz". Y me contó que se había puesto una corbata roja para que armonizara con su ojo rojo. Y entonces yo comprendí que en su espíritu había una tercera coloración roja y que estas tres rojeces juntas eran las que me habían llamado la atención al saludarlo. Porque el espíritu de cristales del señor de Aretal se teñía de las cosas ambientes. Y eso eran sus versos: una maravillosa cristalería teñida de las cosas ambientes: esmeraldas, 5 rubíes, ópalos...

Pero esto era triste a veces porque a veces las cosas ambientes eran oscuras o de colores mancillados: verdes de estercolero, palideces verdes de plantas enfermas. Llegué a deplorar el encontrarlo acompañado, y cuando esto sucedía, me separaba con 10 cualquier pretexto del señor de Aretal, si su acompañante no era persona de colores claros.

Porque indefectiblemente el señor de Aretal reflejaba el espíritu de su acompañante. Un día lo encontré, ¡a él, el noble corcel!, enano y meloso. Y como en un espejo, vi en la estancia a 15 una persona enana y melosa. En efecto, allí estaba: me la presentó. Era una mujer como de cuarenta años, chata, gorda y baja. Su espíritu también era una cosa baja. Algo rastreante y humilde; pero inofensivo y deseoso de agradar. Aquella persona era el espíritu de la adulación. Y Aretal también sentía en 20 aquellos momentos una pequeña alma servil y obsequiosa. ¿Qué espejo cóncavo ha hecho esta horrorosa trasmutación? me pregunté yo, aterrorizado. Y de pronto todo el aire transparente de la estancia me pareció un trasparente vidrio cóncavo que deformaba los objetos. ¡Qué chatas eran las sillas...! Todo invitaba 25 a sentarse sobre ello. Aretal era un caballo de alquiler más.

Otra ocasión, y a la mesa de un bullanguero grupo que reía y bebía, Aretal fue un ser humano más, uno más del montón. Me acerqué a él y lo vi catalogado y con precio fijo. Hacía chistes y los blandía como armas defensivas. Era un caballo de circo. 30 Todos en aquel grupo se exhibían. Otra vez fue un jayán. Se enredó en palabras ofensivas con un hombre brutal. Parecía una vendedora de verduras. Me hubiera dado asco; pero lo amaba tanto que me dio tristeza. Era un caballo que daba coces.

Y entonces, al fin, apareció en el plano físico una pregunta 35 que hacía tiempo formulaba: ¿Cuál es el verdadero espíritu del señor de Aretal? Y la respondí pronto. El señor de Aretal, que tenía una elevada mentalidad, no tenía espíritu: era amoral. Era amoral como un caballo y se dejaba montar por cuálquier espíritu. A veces, sus jinetes tenían miedo o eran mezquinos y entonces el señor de Aretal los arrojaba lejos de sí, con un soberbio bote. Aquel vacío moral de su ser se llenaba, como todos 5 los vacíos, con facilidad. Tendía a llenarse.

Propuse el problema a la elevadísima mente de mi amigo y ésta lo aceptó en el acto. Me hizo una confesión: —Sí: es cierto. Yo, a usted que me ama, le muestro la mejor parte de mí mismo. Le muestro a mi dios interno. Pero, es doloroso decirlo, entre dos 10 seres humanos que me rodean, y tiendo a colorearme del color del más bajo. Huya de mí cuando esté en una mala compañía.

Sobre la base de esta percepción, me interné más en su espíritu. Me confesó un día, dolorido, que ninguna mujer lo había amado. Y sangraba todo él al decir esto. Yo le expliqué que ninguna 15 mujer lo podía amar, porque él no era un hombre, y la unión hubiera sido monstruosa. El señor de Aretal no conocía el pudor, y era indelicado en sus relaciones con las damas como un animal. Y él:

—Pero yo las colmo de dinero. 20

—También se lo da una valiosa finca en arrendamiento.

Y él:

—Pero yo las acaricio con pasión.

—También las lamen las manos sus perrillos de lanas.

Y él: 25

—Pero yo las soy fiel y generoso; yo las soy humilde; yo las soy abnegado.

—Bien; el hombre es más que eso. Pero ¿las ama usted?

—Sí, las amo.

—Pero ¿las ama usted como un hombre? No, amigo, no. Usted 30 rompe en esos delicados y divinos seres mil hilos tenues que constituyen toda una vida. Esa última ramera que le ha negado su amor y ha desdeñado su dinero, defendió su única parte inviolada: su señor interno; lo que no se vende. Usted no tiene pudor. Y ahora oiga mi profecía; una mujer lo redimirá. Usted, obse- 35 quioso y humilde hasta la bajeza con las damas; usted, orgulloso de llevar sobre sus lomos una mujer bella, con el orgullo de la hacanea favorita, que se complace en su preciosa carga, cuando esa mujer bella lo ame, se redimirá: conquistará el pudor.

Y otra hora propicia a las confidencias:

—Y no he tenido nunca un amigo—. Y sangraba todo él al decir esto. Yo le expliqué que ningún hombre le podría dar su amistad, porque él no era un hombre, y la amistad hubiese sido monstruosa. El señor de Aretal no conocía la amistad y era indelicado en sus relaciones con los hombres, como un animal. Conocía sólo el camaraderismo. Galopaba alegre y generoso en los llanos, con sus compañeros; gustaba de ir en manadas con ellos; galopaba primitivo y matinal, sintiendo arder su sangre generosa que lo incitaba a la acción, embriagándose de aire y de verde y de sol; pero luego se separaba indiferente de su compañero de una hora lo mismo que de su compañero de un año. El caballo, su hermano, muerto a su lado, se descomponía bajo el dombo del cielo, sin hacer asomar una lágrima a sus ojos... Y el señor de Aretal, cuando concluí de expresar mi último concepto, radiante:

—Esta es la gloria de la naturaleza. La materia inmortal no muere. ¿Por qué llorar a un caballo cuando queda una rosa? ¿Por qué llorar a una rosa cuando queda un ave? ¿Por qué lamentar a un amigo cuando queda un prado? Yo siento la radiante luz del sol que nos posee a todos, que nos redime a todos. Llorar es pecar contra el sol. Los hombres, cobardes, miserables y bajos, pecan contra la Naturaleza, que es Dios.

Y yo, reverente, de rodillas ante aquella hermosa alma animal, que me llenaba de la unción de Dios:

—Sí, es cierto; pero el hombre es una parte de la naturaleza; es la naturaleza evolucionada. ¡Respeto a la evolución! Hay fuerza y hay materia: ¡respeto a las dos! Todo no es más que uno.

—Yo estoy más allá de la moral.

—Usted está más acá de la moral: usted está bajo la moral. Pero el caballo y el ángel se tocan, y por eso usted a veces me parece divino. San Francisco de Asís amaba a todos los seres y a todas las cosas, como usted; pero además, las amaba de un modo diferente; pero las amaba después del círculo, no antes del círculo como usted.

Y él entonces:

—Soy generoso con mis amigos, los cubro de oro.

—También se los da una valiosa finca en arrendamiento, o un pozo de petróleo, o una mina en explotación.

Y él:

—Pero yo les presto mil pequeños cuidados. Yo he sido enfermero del amigo enfermo y buen compañero de orgía del amigo sano.

Y yo:

—El hombre es más que eso: el hombre es la solidaridad. Usted ama a sus amigos, pero ¿los ama con amor humano? No; usted ofende en nosotros mil cosas impalpables. Yo, que soy el primer hombre que ha amado a usted, he sembrado los gérmenes de su redención. Ese amigo egoísta que se separó, al separarse de usted, de un bienhechor, no se sintió unido a usted por ningún lazo humano. Usted no tiene solidaridad con los hombres.

—. . .

—Usted no tiene pudor con las mujeres, ni solidaridad con los hombres, ni respeto a la Ley. Usted miente, y encuentra en su elevada mentalidad, excusa para su mentira, aunque es por naturaleza verídico como un caballo. Usted adula y engaña y encuentra en su elevada mentalidad, excusa para su adulación y su engaño, aunque es por naturaleza noble como un caballo. Nunca he amado tanto a los caballos como al amarlos en usted. Comprendo la nobleza del caballo: es casi humano. Usted ha llevado siempre sobre el lomo una carga humana: una mujer, un amigo. . . ¡Qué hubiera sido de esa mujer y de ese amigo en los pasos difíciles sin usted, el noble, el fuerte, que los llevó sobre sí, con una generosidad que será su redención! El que lleva una carga, más pronto hace el camino. Pero usted las ha llevado como un caballo. Fiel a su naturaleza, empiece a llevarlas como un hombre.

* * * *

Me separé del señor de los topacios, y a los pocos días fue el hecho final de nuestras relaciones. Sintió de pronto el señor de Aretal que mi mano era poco firme, que llegaba a él mezquino y cobarde, y su nobleza de bruto se sublevó. De un bote rápido me lanzó lejos de sí. Sentí sus cascos en mi frente. Luego un veloz galope rítmico y marcial, aventando las arenas del Desierto. Volví los ojos hacia donde estaba la Esfinge en su eterno reposo de misterio, y ya no la vi. ¡La Esfinge era el señor de Aretal! que me había revelado su secreto, que era el mismo del Centauro!

Era el señor de Aretal que se alejaba en su veloz galope, con rostro humano y cuerpo de bestia.

EJERCICIOS

EJERCICIOS

1. Horacio Quiroga
SILVINA Y MONT (págs. 1–10)

Horacio Quiroga (1878–1937), el más grande cuentista hispanoamericano, nació en el Salto, Uruguay. Inició su vida literaria escribiendo poesías, y en 1899 fundó una revista literaria, la *Revista del Salto.* Estudió en la Universidad de Montevideo, y en la misma ciudad organizó un salón literario, el "Consistorio del Gay Saber." Hubo concursos con otra organización rival de jóvenes literatos, la "Torre de los Panoramas," encabezada por el poeta Julio Herrera y Reissig. En 1900 Quiroga hizo un viaje a París, pero volvió de Europa completamente desilusionado. No tuvo ni el más leve deseo de volver a Francia.

Después de la muerte de su más íntimo amigo (Quiroga mismo lo mató con un revólver que creyó "descargado"), se trasladó a Buenos Aires, y en esta ciudad publicó casi toda su obra literaria. Vivió por algunos años en Misiones, en el norte argentino, donde llegó a conocer la psicología y el ambiente de la selva tropical que aparece con tanta frecuencia en sus relatos. También conocía profundamente la vida urbana, y demostraba grandes inclinaciones hacia la interpretación alegórica de la vida. Quiroga ha publicado media docena de tomos de cuentos que figuran entre los mejores de la lengua: *Cuentos de amor, de locura y de muerte* (1917), *Cuentos de la selva* (1918), *El salvaje* (1920), *El desierto* (1924) y *Más allá* (1935).

Quiroga fue el cuentista neto de su generación. En sus relatos no hay ni una sola palabra de más. Profundiza en lo más hondo de la psicología de sus personajes con pocas frases. Demuestra una verdadera obsesión por la psicología anormal. Desarrolla sus cuentos con una maestría que sugiere la trayectoria de una flecha dando en el corazón del blanco. Él mismo ha escrito en su *Decálogo del perfecto cuentista:* "No empieces a escribir sin saber desde la primera palabra a dónde vas. En un cuento bien logrado las tres primeras líneas tienen casi la importancia de las tres últimas.... No escribas bajo el imperio de la emoción. Déjala morir y evócala luego. Si eres capaz entonces de revivirla tal cual fue, has llegado en arte a la mitad del camino."

Para Quiroga el cuento era un género esencial y eterno. Lo amó con pasión, y estudió su técnica con lealtad y tenacidad ejemplares. Aspiró a la perfección y la alcanzó muchas veces, poniéndose en el altísimo nivel a que no han llegado más de diez en el mundo literario occidental, así de Europa como de América.

Discusión

1. ¿Quién tiene más culpa de la tragedia: Montt? Silvina? la madre de Silvina? ¿Por qué?
2. ¿Qué clase de vida llevarán dentro de cinco años: Silvina? Montt?
3. ¿Hubieran sido felices Silvina y Montt si se hubieran casado? ¿Por qué?
4. ¿Cuál es la diferencia ideal entre las edades del marido y su mujer en:
   a. la América Latina, **b.** los Estados Unidos? ¿Por qué?
5. ¿Por qué es la bocina del automóvil el punto donde cambia el cuento?
6. Vuelva usted a contar el cuento desde el punto de vista de:
   a. Silvina, **b.** la esposa de Montt, **c.** X.X.

Vocabulario

Construya una oración original con cada uno de los siguientes verbos o modismos, de acuerdo con el tratamiento que se les da en el texto. Según sea necesario, úsense como modelos las oraciones del texto en que aparecen.

1. tenderse a uno (1:16)[1]
2. a su vez (1:22)
3. en resumidas cuentas (2:22)
4. estar de paso (2:27)
5. volver a (2:33)
6. salir con la suya (4:34)
7. a hurtadillas (6:31)
8. volver en sí (7:29)

·2· Pío Baroja y Nessi
ÁGUEDA (págs. 12–14)

Pío Baroja y Nessi (1872–1956), nació en la provincia vascongada de Guipúzcoa, ciudad de San Sebastián (España). Estudió medicina, y por algunos años ejerció la carrera de médico, pero allá por el año de 1900

1. The first number refers to the page of the text, the second to the line. Thus the expression *tenderse a uno* will be found on page 1, line 16.

abandonó esta vida y se dedicó exclusivamente al periodismo y a la literatura. Ha escrito más de cincuenta novelas y dos tomos de cuentos. El novelista Ernest Hemingway admiraba mucho la obra literaria de Baroja, y llamó al autor, "maestro". Varias de sus novelas han sido traducidas al inglés con bastante éxito: *El mayorazgo de Labraz, La busca, Mala hierba, Aurora roja, César o nada, El árbol de la ciencia,* etcétera.

Baroja es un escritor vigoroso y original, "de estilo seco, claro y cortado, enérgico, a veces colorista". El mismo confiesa haber utilizado como modelos a Dickens, Poe, Balzac, Stendhal, Dostoiewski y Turguenef. Es amargo, humorista, y tiene poca fe en la humanidad. "Cree que la acción es todo en la vida, y un principio voluntarista informa toda su obra, donde se ve siempre la afirmación de la energía humana, puramente natural. Es agnóstico, fanático, aficionado a la paradoja y panteísta." En la parte descriptiva de sus obras poetiza y conmueve, pero sus personajes novelescos muchas veces carecen de sentimiento, y generalmente Baroja escribe en un estilo descuidado y alborotado. Sus novelas son principalmente "novelas de ideas".

Baroja y Azorín se hicieron muy buenos amigos, aunque representan tendencias opuestas en la literatura del siglo XX. "Baroja, burgués y abúlico como persona, es como escritor revolucionario y cantor de la voluntad... Su importancia consiste en ser acaso el único gran novelista español del siglo XX. En él continúa el realismo de los novelistas anteriores, muy modificado por el fondo lírico, personal, de su sensibilidad. En medio centenar de volúmenes ha reflejado la fisonomía moral de la España contemporánea como Galdós—a quien Baroja debe mucho, aunque él lo haya negado con insistencia—reflejó la fisonomía de la España de su tiempo." *

El mismo Pío Baroja ha expresado su credo social y literario en su autobiografía, *Juventud, egolatría.* Se le ve como un hombre amargado de la vida: "En mis libros," escribe, "como en casi todos los libros modernos, se nota un vaho de rencor contra la vida y contra la sociedad. La moral de nuestra sociedad me ha perturbado y desequilibrado. Por eso la odio cordialmente y la devuelvo en cuanto puedo todo el veneno de que dispongo. Ahora, que a veces me gusta dar a ese veneno una envoltura artística."

Discusión

1. Describa usted la vida que Águeda llevará en quince años.
2. ¿Por qué alaban a Águeda la madre y las hermanas?

3. En este cuento el autor usa el tiempo imperfecto menos en un episodio. Explique por qué usa el pretérito en este episodio.

4. Compare a Águeda con los hombres que pasan por la plaza; con las mariposas.

5. ¿Sería feliz Águeda con el hombre de sus sueños? ¿Por qué sí o por qué no?

6. Vuelva usted a contar el cuento desde el punto de vista de:
   a. Luisa, **b.** el abogado, **c.** Matilde.

VOCABULARIO

Construya una oración original con cada uno de los siguientes verbos o modismos, de acuerdo con el tratamiento que se les da en el texto. Según sea necesario, úsense como modelos las oraciones del texto en que aparecen.

1. cansarse de (11:7)
2. ponerse a (11:8)
3. poco transitado (11:18)
4. poco a poco (11:25)
5. decir que no (12:24)
6. haber que (12:33)
7. ponerse (13:14)
8. oponerse (13:23)

·3· Horacio Quiroga (pág. 317)
LOS TRES BESOS (págs. 15–20)

DISCUSIÓN

1. ¿Qué buscaba el hombre en la vida? ¿Por qué tiene miedo?

2. El ángel le dice, "¿Y por qué te quejas a la Altura si sólo en ti está el conseguirlo?" ¿Por qué?

3. ¿Por qué no puede comprender el ángel esta sed de los hombres?

4. Explique en sus propias palabras la idea expresada por el autor en el último párrafo.

5. Vuelva usted a contar el cuento desde el punto de vista de: **a.** el ángel, **b.** la más bella de las mujeres.

VOCABULARIO

Construya una oración original con cada uno de los siguientes verbos o modismos, de acuerdo con el tratamiento que se les da en el texto. Según sea necesario, úsense como modelos las oraciones del texto en que aparecen.

1. he aquí (15:10)
2. hallarse (15:24)
3. de un momento a otro (16:19)
4. importarle a alguien (17:7)
5. no + *verb* + más que (17:7–8)
6. en tanto que (17:12)
7. tener la culpa (17:29)
8. de nuevo (18:1)

·4· Hernando Téllez
ESPUMA Y NADA MÁS (págs. 21–25)

Hernando Téllez, nacido en Bogotá (Colombia), en 1908, es el maestro del cuento corto (*the short-short-story*) en Hispanoamérica. Sus relatos abarcan las anchas realidades psicológicas de la vida latinoamericana. Téllez nunca se larga en descripiciones costumbristas. En cambio, con pocas palabras, las absolutamente imprescindibles, revela el corazón de sus personajes en un momento de crisis. Sus relatos presentan una variedad extraordinaria de tipos e ideas; el autor mismo es cruel, irónico, humorístico, trágico o sobrio según las necesidades literarias. Lo que le interesa profundamente es capturar la esencia de un carácter con una sola experiencia.

Téllez es un escritor de considerable erudición. Colaboró con Germán Arciniegas en la redacción de la revista *Universidad,* y después fue colaborador de *El Tiempo* de Bogotá. Escribió también para *La Tarde* y *El Liberal,* y pasó tres años como cónsul colombiano en Marsella, Francia. Fue elegido al Senado de su país donde sirvió cuatro años con distinción.

Téllez no se distinguió como cuentista hasta muy tarde en su vida periodística. Tenía ya más de cuarenta años cuando apareció su colección de cuentos, *Cenizas para el viento y otras historias* (1950), con la que ganó una popularidad inmediata. Antes se había establecido como ensayista de importancia, habiendo publicado ensayos sobre temas estéticos, sociológicos y literarios. En todas sus obras posee un estilo "de gran limpidez, fluido y concentrado a la vez." Sus cuentos se desarrollan con "un laconismo punzante," y su prosa "da la idea de una gran contención espiritual." Tiene un profundo sentido social, ama la justicia con toda el alma, y desprecia la explotación de los pobres campesinos de su país. Sus cuentos están llenos de violencias y de un complicado erotismo que no admite restricciones.

Discusión

1. En este cuento se emplea mucho el tiempo pretérito. ¿Por qué?
2. Explique por qué se emplea el imperfecto en las siguientes líneas: pág. 23, líneas 2, 3, 4, 17, 32–36.
3. Explique por qué *Barbero y nada más* podría ser un título adecuado para este cuento. ¿Por qué es *Espuma y nada más* un título más adecuado?
4. ¿Cómo es el capitán Torres? ¿Es solamente un hombre cruel?
5. ¿Cómo es el barbero? ¿Es un hombre sin sueños de gloria?
6. ¿Cuál de los dos es más admirable? ¿Por qué?
7. Vuelva usted a contar el cuento desde el punto de vista de: **a.** el capitán Torres, **b.** la mujer de Torres, **c.** la mujer del barbero.

Vocabulario

Construya una oración original con cada uno de los siguientes verbos o modismos, de acuerdo con el tratamiento que se les da en el texto. Según sea necesario, úsense como modelos las oraciones del texto en que aparecen.

1. caerle mal (bien) a alguien (22:10)
2. ocurrírsele a alguien (22:12)
3. haber mucho que hacer (22:16)
4. algo por el estilo (22:18)
5. quedarle bien (mal) a alguien (23:23)
6. tratarse de (23:33)
7. resultar (24:17)
8. calle abajo (arriba) (25:26)

·5· Héctor Velarde
SOCIALES (págs. 26–30)

Héctor Velarde nació en Lima, 1898, hijo de un distinguido diplomático peruano. El muchacho acompañaba al padre en sus viajes a los países extranjeros, y asistió a la escuela en Brazil, Suiza, Francia. Aprendió el francés tan bien que pudo publicar un libro de poesías en este idioma. Estudió arquitectura, llegó a distinguirse en este campo, y ha ganado buena vida diseñando edificios. Ha publicado algunos libros sobre la arquitectura. "Mi actividad," escribe Velarde, "no son las letras, sino los ladrillos, pues gano mi vida como arquitecto y los libros los pongo a pesar mío cada tres años, más o menos, como pone sus huevos una lenta y metódica gallina."

El punto más fuerte de Héctor Velarde es su habilidad extraordinaria para manejar la sutil ironía y el humor penetrante. Es uno de los pocos escritores contemporáneos de la literatura hispanoamericana cuya obra es fundamentalmente humorística. Velarde toma la vida como un espectáculo, y es crítico sano y simpático de nuestra época. El progreso y los placeres materiales le agradan poco. "La gente," dice, "se satisface con la radio y el automóvil. En burro, antes, se llegaba a cosas sublimes."

Paul J. Cooke ha editado un precioso libro de Velarde, *Oh, los gringos,* en el que el humorista peruano presenta sus opiniones sobre este país. "Los Estados Unidos están en una edad que corresponde, poco más o menos, a los 15 años en el hombre. . . . Nosotros sabemos por simple comparación directa y recreativa que todos los americanos tienen alrededor de 15 años." En otra parte de la introducción de este libro Velarde escribe: "Escribo para divertir a los que me lean. El día que no pueda divertir a nadie ya no escribiré más. Será un día triste para mí."

Discusión

1. Describa la vida social de Lima.

2. ¿Se burla el autor de los limeños o de Max? ¿Qué indicaciones hay de la crueldad o indiferencias de los limeños?

3. ¿Qué intención irónica hay en la frase "Este hombre no tiene nada"?

4. ¿Es triste o cómica la exclamación de Max, "Estoy loco con las invitaciones"?

5. Explique la significación de la frase final del cuento.

6. Vuelva a contar el cuento desde el punto de vista de:

   a. Max, **b.** Chabuca, **c.** otro paciente en el manicomio.

VOCABULARIO

Construya una oración original con cada uno de los siguientes verbos o modismos, de acuerdo con el tratamiento que se les da en el texto. Según sea necesario, úsense como modelos las oraciones del texto en que aparecen.

1. cuánto gusto (de) (26:21 & 26)
2. tener que (26:27)
3. estar loco (27:13)
4. ponerse de pie (27:14)
5. pasarle a alguien (27:28)
6. pues bien (27:32)
7. no bien (28:10)
8. dar pésames (28:14)

·6· Wenceslao Fernández Flórez
SOINA (págs. 31–39)

Wenceslao Fernández Flórez (1886–   ), popular novelista y humorista del período contemporáneo español, nació en la provincia de Galicia. En sus primeras obras se perciben el lirismo gallego, el sentido del paisaje, junto a su vivo y original humor. Así dice el crítico español Ángel Valbuena Prat, quien luego agrega que el humorismo de Fernández Flórez es "un humorismo suave que hace sonreír... El mundo grotesco de Fernández Flórez se mueve entre el humorismo (fondo amargo, con apariencia jocosa), y la ironía (apariencia fina y suave) con fondo inquietante y trascendental." Desde luego en sus obras de más categoría este humorismo adquiere tonos sumamente serios o desaparece por completo.

Fernández Flórez ha publicado varias novelas, una de las cuales, *Las siete columnas* (1917), ha sido traducida al inglés. En esta obra el autor presenta los siete pecados mortales como las columnas que sostienen la sociedad. Los cuentos del autor no son tan simbólicos; en éstos Fernández Flórez trata de pintar las pequeñas tragedias de la vida vulgar. El cuento "Soina" pertenece a este género, y es historia de un tipo femenino muy común en la España de nuestra época.

Fernández Flórez ha escrito sátiras para el periódico *ABC* de Madrid, y artículos literarios para varias revistas españolas. También se ha interesado por la industria cinematográfica de España, para la que ha escrito guiones (*scenarios*). Además, ha traducido al español el diálogo de algunas películas extranjeras para que éstas pudieran ser dobladas. En su discurso de inauguración en la Academia Española en 1945 dijo que el humor puede ser de muchos matices: "burla, sarcasmo, cólera, ironía y risa." Agregó que "si no es tierno ni es comprensivo, no es humor." Para Fernández Flórez la compasión es indispensable y la crueldad es imperdonable en el escritor que desea criticar la humanidad por medio del humor.

Discusión

1. Describa el concepto que tienen los madrileños de los gallegos.

2. Describa el concepto que Rosendo tiene de los madrileños.

3. ¿Cómo es la vida de una criada provinciana en Madrid?

4. ¿Qué quiere decir "Soina"? ¿Es este apodo apropiado o no? ¿Por qué?

5. ¿Por qué tiene Soina sus sueños en la cocina?

6. ¿Qué importancia tienen los ensueños en la vida de Soina?

7. ¿Qué filosofía de vida tiene Rosendo? ¿De qué manera difiere Rosendo de Soina? Explique el sentido de la última frase del cuento.

8. Vuelva usted a contar el cuento desde el punto de vista de:

   a. Rosendo, **b.** Soina, **c.** una de las hijas de la familia.

VOCABULARIO

Construya una oración original con cada uno de los siguientes verbos o modismos, de acuerdo con el tratamiento que se les da en el texto. Según sea necesario, úsense como modelos las oraciones del texto en que aparecen.

1. burlarse de (31:4)
2. quejarse de (31:16)
3. haber de (31:21 & 32:32)
4. de cuando en cuando (33:3)
5. servir para (33:31)
6. parecerle a alguien (34:34)
7. fijarse en (35:21)
8. tocarle a alguien (36:4)

·7· Gregorio López y Fuentes
UNA CARTA A DIOS (págs. 40–43)

Gregorio López y Fuentes (1897–) nació en la región de la Huasteca veracruzana de México. Su padre era un agricultor de medianos recursos que tenía una pequeña tienda de abarrotes donde el hijo se familiarizó con los tipos campesinos que después pintaba en sus novelas y cuentos. Su padre le mandó a la escuela normal de maestros en la capital federal, pero el cuartelazo de Victoriano Huerta, que echó abajo al gobierno, puso fin a sus estudios. Empezó a escribir para los periódicos de la capital, y desde entonces se ha dedicado a la vocación de escritor.

López y Fuentes ha producido toda una serie de novelas sobre varios aspectos de la vida mexicana. Entre éstas, dos de las mejores son *Tierra* (1932), la historia novelizada de la vida y muerte de Emiliano Zapata, y *El Indio* (1935), que "podría considerarse como una discreta síntesis de la historia mexicana vista a través de las vicisitudes de una ranchería india." *El indio* ganó el premio nacional de literatura y fue traducida al inglés por Anita Brenner con ilustraciones de Diego Rivera. Ninguno de los personajes de esta novela tiene nombre propio; todos son tipos generales. El autor no se interesa por el individuo, sino por la tribu, la masa.

En su colección de cuentos que apareció en 1940 con el título *Cuentos campesinos de México,* López y Fuentes recuerda episodios y gente de su juventud. Demuestra un gran interés en el folklore, las costumbres y la psicología de los tipos rústicos que pinta. Sus cuentos, como sus novelas, alientan el México real e histórico de la actualidad. "No es un México perfecto ni un México ideal; es simplemente un México verídico; el México que las jóvenes generaciones del siglo presente forjan en el clima apasionado de su tiempo. La literature mexicana contemporánea, por su continente y su contenido, no es sino una fiel expresión de este México convulsionado por sus inaplazables afanes, y por ese noble anhelo de hallarse a sí mismo. No hay que olvidar, en último análisis, que el escritor se nutre de la época en que vive."

Discusión

1. ¿Cómo es Lencho?
   a. ¿Qué clase de vida lleva?
   b. ¿Cómo es su fe?

2. Describa la tempestad y sus efectos. ¿Cómo reacciona Lencho?

3. ¿Cómo es el jefe de correos?
   a. ¿Cómo es su fe?
   b. ¿Por qué ayuda a Lencho?

4. ¿Cómo se relaciona este cuento al servicio postal de México?

5. Vuelva usted a contar el cuento desde el punto de vista de:
   a. Lencho, **b.** el jefe de correos.

Vocabulario

Construya una oración original con cada uno de los siguientes verbos o modismos, de acuerdo con el tratamiento que se les da en el texto. Según sea necesario, úsense como modelos las oraciones del texto en que aparecen.

1. a punto de (40:5)
2. hacer falta (40:8)
3. cuando menos (40:9)
4. ojalá (41:16)
5. echar (al correo) (42:12)
6. plegársele el entrecejo (42:25)
7. darse por vencido (42:34)
8. en cuanto (43:20)

·8· Emilia Pardo Bazán PRIMER AMOR (págs. 44–51)

Emilia Pardo Bazán (1851–1921), condesa gallega y primera mujer en ocupar una cátedra en la Universidad de Madrid, fue también uno de los novelistas más distinguidos de España durante la última mitad del siglo XIX. Se inclinaba hacia el naturalismo, "de una modalidad especial adoptada a España". Expresó sus opiniones al respecto en *La cuestión palpitante,* 1883. El novelista francés, Zola, elogió el ensayo, pero Don Juan Valera, distinguido escritor español, lo combatió.

La Condesa de Pardo Bazán no acepta el determinismo científico de la escuela naturalista francesa; cree que el hombre individual tiene el poder de determinar su propio destino. Dice así: "Someter el pensamiento y la pasión a las mismas leyes que determinan la caída de la piedra; considerar exclusivamente las influencias físico-químicas, prescindiendo hasta de la espontaneidad individual, es lo que propone el naturalismo y lo que Zola llama en otro pasaje de sus obras *mostrar y poner de realce la bestia humana.*" El naturalismo francés explicaba la vida solamente en términos "del instinto ciego y la concupiscencia desenfrenada", y negaba al hombre su dignidad y su alma. Pardo Bazán, como buena católica, no pudo aceptar esta definición. Creyó que un amplio realismo, con detalles naturalistas, abarcaba y expresaba mejor la realidad humana, porque "en el realismo cabe todo, menos las exageraciones y los desvaríos de dos escuelas extremas y, por precisa consecuencia, exclusivistas".

Pardo Bazán fue también uno de los cuentistas más distinguidos de su generación. Ha publicado unos 400 cuentos, algunos de los cuales son de los más bellísimos en su género. Domina perfectamente la técnica del cuento; sus narraciones son breves, intensas, dramáticas, convincentes.

Discusión

1. ¿Qué cambio ocurre en la personalidad de un niño de trece años?

2. ¿Cómo es la tía de este niño? Descríbala.

3. ¿Qué tipo de belleza tiene la mujer del retrato?

4. ¿Qué efecto tiene el retrato en el niño?

5. Vuelva usted a contar el cuento desde el punto de vista de:

   a. la tía, **b.** el padre, **c.** un compañero de clase.

VOCABULARIO

Construya una oración original con cada uno de los siguientes verbos o modismos, de acuerdo con el tratamiento que se les da en el texto. Según sea necesario, úsense como modelos las oraciones del texto en que aparecen.

1. de veras (44:3)
2. antaño (45:18)
3. gastar manga más ancha (45:19)
4. persona de carne y hueso (46:9)
5. encogerse de hombros (48:9)
6. antojársele a alguien (48:32)
7. no caber en sí (49:2–3)
8. no faltar más (50:27)

·9· José Echegaray LA ESPERANZA (págs. 52–59)

José Echegaray (1832–1916) fue el más famoso dramaturgo español de las últimas décadas del siglo XIX. Estudió ingeniería, economía política, y matemáticas; en 1853 llegó a ser Ingeniero de caminos, y después de la Revolución de 1868 fue Director de Obras Públicas y Ministro de Fomento (1869–1872). Fue uno de los más famosos matemáticos de España, y a él se debe la creación del Banco de España (1874). Escribió muchos artículos de vulgarización científica, y publicó una enorme cantidad de dramas, casi todos ellos bien recibidos por el público madrileño. En 1904 recibió el Premio Nobel por sus obras dramáticas.

Echegaray fue siempre un neo-romántico, inspirado en lo pasional. Como él mismo ha escrito: "Escojo una pasión, tomo una idea, un problema, un carácter, y lo infundo, cual densa dinamita, en lo profundo de un personaje que mi mente crea."

Los personajes que Echegaray crea son principalmente "unos cuantos muñecos" que representan la personificación de emociones y pasiones que el dramaturgo ha escogido deliberadamente. *El gran galeoto* (1881) y *O locura o santidad* (1882) son tal vez los mejores ejemplos de su producción dramática. El drama de Echegaray parece un poco artificioso hoy en día, pero no hay duda que este autor maneja bien la técnica, el efecto pasional, y las situaciones dramáticas.

Echegaray escribió muy pocos cuentos, y el que hemos incluido en esta antología se considera como su obra maestra en este género. En él, como en sus dramas, el autor demuestra su afición "a dramatizar casos de conciencia o conflictos morales". El simbolismo del cuento no será difícil de seguir.

Discusión

1. Describa el origen de las aguas medicinales de Fuente-cálida. ¿Cómo es la vida cotidiana de los huéspedes del establecimiento de Fuente-cálida?

2. ¿Cómo es D. Ángel de Alcocer?

   a. Explique el por qué de sus dos apodos ("el sabio tristón" y "el amigo de los animales").
   b. ¿Qué se murmuraba de él?

3. ¿Qué cosa extraordinaria ocurrió cierto día?

4. ¿Qué comparación hace Echegaray entre la noria y la vida humana?

5. Dé un resumen de los amores de Angelito y Adelita. ¿Habrían sido felices si se hubieran casado?

6. Vuelva usted a contar el cuento desde el punto de vista de:

   a. Adela, **b.** algún huésped de Fuente-cálida.

Vocabulario

Construya una oración original con cada uno de los siguientes verbos o modismos, de acuerdo con el tratamiento que se les da en el texto. Según sea necesario, úsense como modelos las oraciones del texto en que aparecen.

1. en vez de (52:14)
2. no caber duda (53:9)
3. dar a entender (53:26)
4. reir a carcajadas (54:16)
5. imaginarse (55:7)
6. dar vueltas (55:14)
7. acudir (en tropel) (56:21)
8. ya no (58:18)

·10· | Héctor Velarde (pág. 323) IN CORIUM (págs. 59–63)

Discusión

1. Explique las metas de la Sociedad Filosófica *In Corium*.
2. ¿Es verdad que un hombre desnudo no miente? ¿Por qué sí o por qué no?
3. ¿Qué problemas podrían impedir la realización de las metas de la Sociedad?
4. ¿En qué lugares de los Estados Unidos se pasea la gente en trajes de baño? ¿Qué fama tiene la gente de esos lugares?
5. Vuelva usted a contar el cuento desde el punto de vista de:
   a. Pepeles; **b.** la señora de los anteojos.

Vocabulario

Construya una oración original con cada uno de los siguientes verbos o modismos, de acuerdo con el tratamiento que se les da en el texto. Según sea necesario, úsense como modelos las oraciones del texto en que aparecen.

1. como si tal cosa (59:8)
2. no dejar de (59:24–25)
3. ir al grano (60:8)
4. al aire libre (60:10)
5. ponerse (60:18)
6. en cuanto a (61:34)
7. hacer caso a alguien (62:6 & 21)
8. seguir adelante (62:22)

·11· | Emilia Pardo Bazán (pág. 328) EL ENCAJE ROTO (págs. 64–68)

Discusión

1. ¿Por qué es tan importante el medio ambiente de este cuento?
   a. Describa la concurrencia de la boda.
   b. ¿Podría pasar este cuento en los Estados Unidos hoy día? ¿Por qué?

2. ¿Está Micaelita justificada en rehusar casarse con Bernardo?
3. ¿Habrían sido felices Micaelita y Bernardo si se hubieran casado? Describa su vida después de cinco años de vida matrimonial.
4. ¿Con qué clase de hombre debe casarse Micaelita? ¿Con qué clase de mujer debe casarse Bernardo?
5. Vuelva usted a contar el cuento desde el punto de vista de: **a.** Bernardo, **b.** el Obispo, **c.** el futuro marido de Micaelita.

VOCABULARIO

Construya una oración original con cada uno de los siguientes verbos o modismos, de acuerdo con el tratamiento que se les da en el texto. Según sea necesario, úsense como modelos las oraciones del texto en que aparecen.

1. verificarse (64:3)
2. a la vez (64:10)
3. figurarse (64:19)
4. cambiar de opinión (66:7)
5. devanarse los sesos (66:10)
6. hacerse (66:23)
7. rodear de (68:1)
8. deber (de) (68:4)

· 12 · Alfonso Hernández-Catá EL MAESTRO (págs. 69–77)

Alfonso Hernández-Catá (1885–1940) fue el mejor cuentista cubano, y uno de los mejores de la literatura hispanoamericana de todas las épocas. "Residió la mayor parte de su vida en España, donde publicó casi toda su obra novelesca; pero como nunca se nacionalizó español—según hicieron otros novelistas cubanos, Insúa y Zamacois, entre ellos—corresponde su inclusión con los escritores de la hermosa Perla de las Antillas."

Cuando el muchacho tenía quince años de edad los padres le mandaron a una escuela militar en Toledo. Detestó la vida regimentada, y se escapó de allí para radicarse en Madrid donde ganaba la vida con grandes dificultades escribiendo para los periódicos y las revistas. Pérez Galdós vio uno de sus primeros cuentos y le ayudó en su carrera literaria.

Además de sus numerosos cuentos y novelas Hernández-Catá escribió ensayos y dramas; también desempeñó cargos importantes en el cuerpo diplomático cubano en varias capitales. Murió en Río de Janeiro en 1940 a consecuencia de un choque de aviones. Característico de su vida es este lema que tenía su ex-libris: "Apasionadamente hacia la muerte."

La psicología anormal obsesiona a Hernández-Catá; el autor demuestra poco interés en el regionalismo o en el costumbrismo. Sus personajes, en su major parte, son patológicos; el autor usa la lanceta de las palabras para profundizar en sus más íntimos seres donde crece la mala hierba que ha causado sus anormalidades. El escritor se inclina hacia la violencia, el sufrimiento, la fantasía, la locura, los amores neuróticos; sus cuentos y novelas son todos intensos análisis del carácter humano. Entre sus mejores obras figuran: *Cuentos pasionales,* 1907; *Los siete pecados,* 1920; *Piedras preciosas,* 1927. Eduardo Barrios escogió y editó una antología de *Sus mejores cuentos,* 1936.

Discusión

1. ¿Qué clase de vida llevará el alumno pobre? ¿El alumno rico?
2. ¿Cómo son los ojos azules del director?
   a. ¿Cuántas veces menciona Hernández-Catá estos ojos?
   b. ¿Qué semejanzas sugiere Hernández-Catá entre los ojos y el oro?
3. ¿Sería mejor si el cuento terminara con la escena en el aula? ¿Por qué sí o por qué no?
4. ¿Qué elementos temáticos se encuentran en la última escena con la esposa?
5. ¿Podría pasar este cuento en los Estados Unidos hoy día? ¿Hace cincuenta años?
6. ¿En qué sentido es este cuento un llamado a la justicia social?
7. ¿Qué advertencia hace el maestro en su discurso?
8. Vuelva usted a contar el cuento desde el punto de vista de: **a.** el director, **b.** el alumno rico, **c.** el alumno pobre.

Vocabulario

Construya una oración original con cada uno de los siguientes verbos o modismos, de acuerdo con el tratamiento que se les da en

el texto. Según sea necesario, úsense como modelos las oraciones del texto en que aparecen.

1. extrañarse (de) (69:16)
2. abrirse paso (70:26)
3. cuanto antes (71:34)
4. tener (poco, mucho) que ver (72:36)
5. avenirse a razones (74:6)
6. acabar de (76:15)
7. merecer (77:1)
8. callar(se) (77:5 & 6)

·13· Emilia Pardo Bazán (pág. 328) LA CAJA DE ORO (págs. 79–81)

DISCUSIÓN

1. ¿Qué es la caja de oro? ¿Por qué despierta la curiosidad del narrador?

2. Explique por qué la línea siguiente es el punto culminante del cuento: "Sírveme de remedio tú; quiéreme mucho, y viviré."

3. ¿Por qué demuestran estas palabras del narrador su falta de amor: "Todo mi capital le doy al curandero por ellas."?

4. ¿De qué muere la mujer?

5. Vuelva usted a contar el cuento desde el punto de vista de:
   a. la mujer antes de morir, **b.** el curandero antes de morir.

VOCABULARIO

Construya una oración original con cada uno de los siguientes verbos o modismos, de acuerdo con el tratamiento que se les da en el texto. Según sea necesario, úsense como modelos las oraciones del texto en que aparecen.

1. enterarse de (78:9)
2. negar (79:2)
3. negarse a (79:11)
4. realizar (79:32)
5. advertir (79:35)
6. empeñarse en (80:3)
7. servir de (80:6)
8. echar(se) a (81:10)

·14· Manuel Beingolea
MI CORBATA (págs. 82–88)

(págs. 82–88)

Manuel Beingolea (1876–1956) nació en Lima (Perú); fue uno de los mejores cuentistas de su generación. El crítico peruano, Armando Bazán, quien escogió dos cuentos de Beingolea para incluirlos en su *Antología del cuento peruano* (1942), escribe del autor: "Pinta ambientes, situaciones y tipos limeños. Es un escéptico incorregible, y su literatura tiene siempre una gran agudeza de ironía. Su juventud fue brillante y fecunda. Entre sus libros más notables están *Bajo las lilas* y *Cuentos pretéritos*."

Beingolea pertenece a un período que produjo grandes cuentistas en el Perú, cada uno de los cuales desarrolló una personalidad literaria distinta a pesar del fondo común de su ambiente y su época. La influencia de los escritores extranjeros en estos cuentistas peruanos (Ricardo Palma, Beingolea, Valdelomar y Vallejo) es obvia y conocida. Aprendieron mucho de Bécquer, de D'Annunzio, de Poe, "según sus afinidades. Pero todos supieron encontrarse a sí mismos a través de sus maestros."

La nota sobresaliente de los cuentos de Beingolea es, tal vez, una sutil ironía que casi parece ser característica fundamental de todos los escritores peruanos de esta época. El cuento peruano se ha enfocado en estos dos aspectos de la vida nacional: la vida limeña, y la vida de las grandes masas indígenas de la sierra. En esta última categoría, José María Arguedas, nacido en 1913, ya goza de una reputación continental; en la primera, se destacan Ricardo Palma y Manuel Beingolea, que representan dos aspectos distintos de la vida limeña.

DISCUSIÓN

1. ¿Qué pasó en la fiesta de los Bocardo?
2. Explique por qué se llama este cuento "Mi corbata".
3. ¿Cómo cambia el protagonista del cuento?
4. ¿Por qué es el olor del jabón de Windsor el símbolo de la verdadera felicidad?
5. ¿Cuál es la relación que existe entre el protagonista y Marta? ¿Cuál es la relación entre el protagonista y su esposa?

6. ¿Hubiera sido el protagonista más feliz con Marta? ¿Qué piensa él?

7. ¿Cómo representa este cuento un conflicto entre la ambición y el amor?

8. Vuelva usted a contar el cuento desde el punto de vista de:

   a. Marta, **b.** la esposa, **c.** la patrona.

VOCABULARIO

Construya una oración original con cada uno de los siguientes verbos o modismos, de acuerdo con el tratamiento que se les da en el texto. Según sea necesario, úsense como modelos las oraciones del texto en que aparecen.

1. atreverse a (84:15)
2. mirar de hito en hito (84:30)
3. dirigirse a alguien (84:31)
4. volver a la carga (84:33)
5. hartarse de (85:27)
6. reparar en (85:32)
7. enamorarse de (87:30)
8. casarse con (87:33)

·15· Gregorio Martínez Sierra PASTORAL (págs. 89–100)

Gregorio Martínez Sierra (1881–1947) inició su fecunda carrera de escritor con la publicación de *El poema del trabajo,* en 1898, de manera que nació a la vida literaria en el mismo año que dio su nombre a la famosa "generación de 1898". Martínez Sierra nunca se identificó con las corrientes pesimistas y voluntaristas de esta generación. Más bien siguió las corrientes modernistas, y siempre fue un escritor más inspirado por la tradición y el romanticismo que por los problemas de su época. La vida la ve toda color de rosa. Su estilo es poético, suave, delicado, y le gustan los personajes simbólicos. Sobresale en la creación de personajes femeninos y paisajes esfumados.

Aunque fue un poeta modernista de cierta reputación, Martínez Sierra se distinguió principalmente en el terreno del drama. Algunos de sus dramas fueron traducidos al inglés y llegaron a ser muy populares en Los Estados Unidos y en la Gran Bretaña: *Canción de cuna, El reino de Dios,* y algunos otros. Angel del Río dice: "Martínez Sierra es el dramaturgo que, con excepción de Benavente, más unido estuvo al modernismo. Creó o colaboró muy activamente en varias revistas de este movimiento, hizo poesía, novela y prosa varia típicamente modernistas que hoy están casi olvidadas, tradujo a Shakespeare y a Maeterlinck, y fue animador de empresas editoriales, como la de Renacimiento, y de varios intentos de reforma de la escena, sobre todo en el Teatro Eslava de Madrid, que con la colaboración de la actriz Catalina Bárcena dirigió muchos años."

Sus dramas están caracterizados por cierta finura psicológica, por tonos de suavidad, delicadeza, ensueño y optimismo. Se puede decir que este autor siempre ha soñado "en voz alta". Su manera de ver el mundo es esencialmente lírica.

Discusión

1. Compare el tema de este cuento al tema de "Mi Corbata". ¿Cómo se parecen los dos cuentos?

2. ¿Qué es lo que le impide a Alcino descubrir el verdadero amor? ¿Es éste un defecto común entre la gente joven?

3. ¿Qué paralelismo establece el autor entre el cambio del amor y el cambio de las estaciones? ¿Cómo sugiere el autor que María Rosa es la reina Sol?

4. ¿Qué palabras y construcciones gramaticales poco comunes usa el autor en este cuento?

   a. ¿Cómo contribuyen a darle al cuento un tono determinado?
   b. ¿Cree usted que cambiaría el efecto del cuento si el autor hiciera uso de un lenguaje más moderno?
   c. ¿Podría tener lugar este cuento en una ciudad?

5. Vuelva usted a contar el cuento desde el punto de vista de:

   a. María Rosa, **b.** Alcino.

VOCABULARIO

Construya una oración original con cada uno de los siguientes verbos o modismos, de acuerdo con el tratamiento que se les da en el texto. Según sea necesario, úsense como modelos las oraciones del texto en que aparecen.

1. junto a (89:12)
2. ser viejo (90:21)
3. en busca de (91:11)
4. más alla de (91:25)
5. secarse (95:1)
6. ser amigo de (95:8)
7. estar contento (96:19)
8. en derredor suyo (98:28)

· 16 · Horacio Quiroga (pág. 317)
EL SÍNCOPE BLANCO (págs. 101–111)

DISCUSIÓN

1. ¿Cuál es la diferencia entre el "síncope blanco" y el "síncope azul"?

2. Describa lo que está pasando dentro del edificio denominado "síncope azul".

3. ¿Cree el autor que existe el amor a primera vista? ¿Por qué cree que sí o por qué cree que no? ¿Qué cree Ud.?

4. ¿Cree Ud. que el protagonista y la joven se habrían casado si hubieran podido regresar a la tierra? ¿Hubieran sido felices?

5. Vuelva usted a contar el cuento desde el punto de vista de:
   a. la joven, **b.** los "guardianes de abajo", **c.** el doctor Fitzsimmons.

VOCABULARIO

Construya una oración original con cada uno de los siguientes verbos o modismos, de acuerdo con el tratamiento que se les da en el texto. Según sea necesario, úsense como modelos las oraciones del texto en que aparecen.

1. estar dispuesto a (101:1)
2. gozar de (101:6)
3. darse por bueno (malo) (101:8)

4. parecerse a (101:21)
5. lograr (104:20)
6. echar una ojeada a (105:5)
7. tomar (a) la derecha (110:34)
8. soñar con (111:12)

·17· Baldomero Lillo INAMIBLE (págs. 112–120)

Baldomero Lillo (1867–1923) fue el gran cuentista chileno de la primera década del siglo XX. El padre de Baldomero había trabajado como minero en California, y había entretenido al hijo narrando sus aventuras en esta parte del mundo. Baldomero mismo consiguió empleo con una compañía minera chilena, y llegó a ser administrador de la tienda minera. Observaba con compasión la vida dura de los pobres mineros chilenos, y odiaba el sistema económico que había producido tal explotación, pero más tarde, al escribir de estas cosas, Baldomero Lillo nunca predica ni moraliza directamente; sólo revela la enfermedad del organismo social.

En 1898 Lillo se radicó en Santiago donde su hermano Samuel ya tenía cierta reputación como escritor y profesor de derecho. La atmósfera literaria e intelectual de la capital chilena inspiró al joven, y se puso a escribir. En 1904 apareció su primera colección de cuentos, *Sub terra,* y en 1907 dio a la luz una segunda colección con el título, *Sub sole.*

Baldomero Lillo "es realista, pero lo domina constantemente la imaginación. En algunos cuentos no logra ser verosímil, pero es grande la impresión que causa... Sus tipos son simples, pero siempre se salvan. No es minucioso. A veces ni siquiera describe físicamente a sus hombres. Una inconsciente sabiduría le permite vitalizar sus creaciones de un trazo. Los detalles casi no hacen falta en sus cuentos porque el tiempo corre veloz. La acción de sus seres es culminante desde el comienzo. El drama lo suple todo."

El cuento "Inamible" es uno de los poquísimos cuentos humorísticos del autor. Aunque queda un poco aparte de la producción característica del autor es indudablemente uno de los mejores cuentos de su género en la literatura chilena.

Discusión

1. ¿Por qué se creía que "El Guarén" era un "pozo de ciencia"? ¿Que habilidad tiene él con las palabras?

2. ¿Qué hizo Martín con la culebra?

3. ¿Qué significado le da "El Guarén" a la palabra "inamible"? Y ¿qué significado le da el juez?

4. ¿Qué defectos humanos nos muestra este cuento?

5. Vuelva usted a contar el cuento desde el punto de vista de:
   a. el oficial de guardia, **b.** el juez, **c.** Martín, **d.** "El Guarén".

Vocabulario

Construya una oración original con cada uno de los siguientes verbos o modismos, de acuerdo con el tratamiento que se les da en el texto. Según sea necesario, úsense como modelos las oraciones del texto en que aparecen.

1. desempeñar (112:5)
2. tocar(le) a uno (112:22)
3. estallar (113:4)
4. alcanzar a (113:16)
5. disponerse a (114:13)
6. comprobar (114:26)
7. a duras penas (119:33)
8. acabársele (120:21)

·18· Horacio Quiroga (pág. 317) LA MUERTE DE ISOLDA (págs. 121–127)

Discusión

1. Describa a Inés y a su marido.

2. ¿Quiénes eran Tristán e Isolda? ¿Qué semejanza existe entre la historia de Tristán e Isolda y la de Inés y Esteban? ¿Qué diferencias?

3. Si Esteban e Inés se hubieran casado, ¿hubieran sido felices? ¿Qué es lo que indica que se habrían cansado el uno del otro?

4. Compare el tema de este cuento con el de *Mi Corbata.*

5. Vuelva usted a contar el cuento desde el punto de vista de:
   a. Inés, **b.** su marido, **c.** su madre.

Vocabulario

Construya una oración original con cada uno de los siguientes verbos o modismos, de acuerdo con el tratamiento que se les da en el texto. Según sea necesario, úsense como modelos las oraciones del texto en que aparecen.

1. referirse a (122:25)
2. como si (123:1)
3. tener razón (123:21)
4. en seguida (125:2)
5. tocar a vivo (125:12)
6. es decir (125:20)
7. tropezar con (126:32)
8. no poder más (127:13)

· 19 · Leopoldo Alas ("Clarín") DOS SABIOS (págs. 128–137)

Leopoldo Alas ("Clarín") nació en España en la ciudad de Zamora en 1852 y murió en el año 1901. Azorín le llama "una de las más grandes, más puras, más esplendorosas figuras literarias contemporáneas". Clarín continuó la tradición de Larra y fue "un antecesor inmediato de la generación de 1898". Casi toda su vida la pasó en Asturias, y fue asturiano por herencia, por educación y por espíritu. Fue crítico literario, novelista, ensayista, cuentista, y profesor de derecho en la Universidad de Oviedo.

Acerca de su obra literaria escribe César Barja: "No fue lo que se dice un clásico ni un romántico; más bien fue ambas cosas a la vez. Concedió a la forma su parte y su importancia, aunque más que a la forma suele atender al fondo, gustó de lo acabado y perfecto; sin embargo, por encima de la obra perfecta puso siempre la obra grande, original y genial; la inspiración por encima de una pulida técnica y de un artístico *savoir faire.* Particularmente influido por el espíritu realista y liberal dominante en la literatura y la filosofía de su tiempo, quiso también para España una literatura realista, liberal en las ideas, de plena actualidad cultural y social. En la novela era esto una tendencia bastante común, en escritores como Galdós y Valera."

La obra maestra de Clarín es *La Regenta* (1884–85), una de las mejores novelas realistas de España. Clarín también publicó media docena de colecciones de cuentos. Domina el género perfectamente, y en *El gallo de Sócrates. Cuentos morales, El Señor y los demás son cuentos* y *Pipá* hay algunas pequeñas obras maestras, como los dos ejemplos que reproducimos en esta antología.

Discusión

1. Describa la relación que existía entre Pérez y Álvarez antes de que fueran al balneario.
2. Describa a los otros bañistas que se encuentran en el balneario. Hable de los huéspedes que se sientan en la mesa redonda.
3. ¿Cómo se parece este balneario a Fuente-cálida en el cuento de Echegaray?
4. ¿Cómo reflejan las teorías de Álvarez su carácter? ¿Qué influencia tiene el carácter de una persona en su trabajo intelectual?
5. Vuelva usted a contar el cuento desde el punto de vista de:

   a. Álvarez, **b.** Pérez, **c.** el canónigo, **d.** el jefe del comedor.

Vocabulario

Construya una oración original con cada uno de los siguientes verbos o modismos, de acuerdo con el tratamiento que se les da en el texto. Según sea necesario, úsense como modelos las oraciones del texto en que aparecen.

1. entenderse (128:3)
2. todo el mundo (128:15)
3. tardar en (129:25)
4. mirar de soslayo (132:15)
5. darse tono (132:28)
6. de día en día (133:7)
7. quedar en (136:4)
8. cuanto antes (136:21)

· 20 · Enrique Amorim
MISS VIOLET MARCH (págs. 138–148)

Enrique Amorim (1900–1960) nació en el Salto, Uruguay, pero pronto se trasladó a la Argentina donde estudió y publicó la mayor parte de su obra literaria. En Buenos Aires fue profesor de literatura, y conoció a casi todos los escritores de la gran capital argentina. También viajó mucho en Europa y en América. Escritor de temperamento inquieto y curioso, sigue en algunas obras las tendencias criollistas, y en otras presenta episodios cosmopolitas inspirados en la vida urbana. Vivió muchos años en Buenos Aires y algunos en su casa de campo en el Salto. Fue gran admirador del cine y realizó algunas películas con bastante éxito.

En las palabras de Alberto Lasplaces, uno de sus críticos, la primera novela de Amorim, *Tangarupá* "llamó la atención por la fidelidad y la crudeza de las escenas de campo uruguayo en ella descritas, lo que se repitió en *La carreta,* novela posterior en la que cargó aun más las tintas sombrías, que han amenguado, considerablemente, en sus dos últimas novelas: *El paisano Aguilar* y *El caballo y su sombra.* Al mismo tiempo que novelas, Amorim publicaba cuentos, género para el que creo está mejor dotado, y en el que ha llegado a producir algunas pequeñas obras maestras. . ." Amorim mismo ha dicho que el realismo en cualquiera de sus formas es la única corriente que apunta hacia el porvenir. Siempre fue fiel a este credo literario.

El caballo y su sombra, la mejor novela de Amorim, fue traducida al inglés por Richard O'Connell y James Graham Luján (New York, Scribner's, 1943). El cuento, *Miss Violet March,* es el estudio psicológico de un carácter femenino. En él se revela el Amorim refinado, equilibrado y curioso—el escritor que se vale de un episodio aparentemente insignificante para delinear su protagonista.

Discusión

1. ¿Cómo era la estancia de los Melideo? Describa usted la pampa y la arboleda alrededor de la casa.

2. Hable de la relación entre Sofía y su novio.

3. ¿Qué concepto del amor tiene Victoria (según ella)? ¿Qué es lo que nos indica que no está diciendo la verdad?

4. ¿Cuál de estas dos mujeres es la más inteligente: Miss March o Mila? ¿Por qué sí o por qué no?

5. Describa usted la reacción de cada una de estas personas hacia la pampa:

   a. Victoria, **b.** Miss March, **c.** el protagonista.

6. Vuelva usted a contar el cuento desde el punto de vista de:

   a. Miss March, **b.** Victoria, **c.** Mila, **d.** Sofía.

Vocabulario

Construya una oración original con cada uno de los siguientes verbos o modismos, de acuerdo con el tratamiento que se les da en el texto. Según sea necesario, úsense como modelos las oraciones del texto en que aparecen.

1. obstinarse en (141:33)
2. hacérsele tarde (142:17)
3. sacar de quicio (142:23)
4. dicho y hecho (142:31)
5. a la deriva (143:15)
6. poner reparos (a) (144:2)
7. de par en par (145:18)
8. sacar partido (145:30)

·21· Juan José Arreola
EL GUARDAGUJAS (págs. 149–155)

Juan José Arreola nació en Ciudad Guzmán, Jalisco (México), en 1918. El padre vendía *tepache,* una bebida alcohólica de piña y cebada, y mataba las horas muertas escribiendo poesías y cuentos, con los que tenía muy poco éxito. Angel Flores, en su *Historia y antología del cuento y la novela en Hispanoamérica,* dice que Juan José era un "muchacho travieso, juguetón, muy dado a recitar versos, a organizar jarabes, a hacer teatro. En casa además gustan de las letras: su hermana mayor escribe poemas, tan bellos, que el mismo Juan José teme la competencia y no la estimula demasiado."

Más tarde Arreola se interesó profundamente en el teatro, y se trasladó a la capital mexicana donde produjo varias farsas teatrales. Se hizo amigo de Rodolfo Usigli y Xavier Villaurrutia, con quienes estudió teatro. Después regresó a Ciudad Guzmán para enseñar historia y literatura en la escuela secundaria. Durante el período 1942–45 se radica en Guadalajara, donde escribe para *El Occidental, Eco,* y *Pan.* Varios cuentos suyos aparecen en las páginas de estas publicaciones. En 1945, invitado por un actor francés, Louis Jouvet, a quien había conocido en Guadalajara, se marcha para París. Su visita a Francia tuvo poco éxito; vuelve a México muy apurado de recursos económicos, y por el día vende sandalias para ganarse algo. Por las noches se asocia con los artistas de la Escuela Teatral de Bellas Artes. En 1950–51 recibe una beca Rockefeller en "creative writing."

Hoy en día Arreola es uno de los valores más atrevidos y admirados entre los prosistas mexicanos. "Su imaginación es lo dominante en sus relatos, a menudo breves y perturbadores. Temas, asuntos, argumentos se arrancan de todo convencionalismo y una luz clara de fantasía, con arbitrarios toques modernos, traspasa su contenido esencial." Ha creado una especie de realismo fantástico al que se podría dar el nombre de "realismo mágico", basado en la verdad filosófica más bien que en la verdad física de la vida.

Discusión

1. ¿Cómo son las guías ferroviarias del país?
   a. ¿En qué difieren los trenes de las guías?
   b. ¿Cómo reacciona la gente a estas diferencias?
2. Dadas las condiciones actuales del servicio ferroviario, ¿qué medidas desesperadas ha tomado la empresa?
3. Cuente usted el incidente heroico de los doscientos pasajeros en un viaje de prueba. ¿Cómo cambió este incidente los planes de la empresa?
4. Describa usted la escuela en donde los viajeros reciben un entrenamiento para abordar un convoy.
5. Una vez en el tren, ¿qué nuevas dificultades puede pasar un viajero? ¿Qué precauciones recomienda el guardagujas?
6. Vuelva usted a contar el cuento desde el punto de vista de:
   a. el guardagujas, **b.** el forastero.

Vocabulario

Construya una oración original con cada uno de los siguientes verbos o modismos, de acuerdo con el tratamiento que se les da en el texto. Según sea necesario, úsense como modelos las oraciones del texto en que aparecen.

1. más bien (149:17)
2. en regla (150:26)
3. pasaje de ida y vuelta (151:2)
4. convertirse en (152:5)
5. a tiempo (152:9)
6. estar a cubierto (153:13)
7. verse obligado (153:18)
8. sin escala (153:31)

·22· Vicente Blasco Ibáñez
LA TUMBA DE ALÍ-BELLÚS (págs. 156–160)

Vicente Blasco Ibáñez (1867–1928) nació en Valencia, España, y sus mejores novelas son de ambiente valenciano. A medida que se va alejando de su provincia natal, va perdiendo efecto como novelista. Blasco llevó una vida violenta y aventurera. Fue periodista, político, reformador social, diputado, viajero, predicador. "Yo soy hombre de acción," dice, "que he hecho en mi vida algo más que libros y no gusta de permanecer inmóvil durante tres meses en un sillón, con el pecho contra una mesa, escribiendo diez horas por día." A continuación agrega: "Yo he sido agitador político, he pasado una parte de mi juventud en la cárcel (unas treinta veces), he sido presidiario, me han herido mortalmente en duelos feroces, conozco todas las privaciones que un hombre puede sufrir, incluso la de una absoluta pobreza. . ."

Algunas obras de Blasco siguen las tendencias naturalistas, pero mientras que Zola es un reflexivo en literatura, Blasco es un impulsivo. Sus mejores novelas son *La barraca* (1898), *Cañas y barro* (1902), *La catedral* (1903); sus cuentos los publica más tarde en la vida: *Cuentos valencianos* (1916), *El préstamo de la difunta* (1921), y *Cuentos de la costa azul* (1924). Sus novelas fueron traducidas al inglés, y se hicieron muy populares en este país, sobre todo *Sangre y arena* (1908) y *Los cuatro jinetes del apocalipsis* (1916) muy conocidas en sus versiones cinematográficas. En toda la obra literaria de Blasco encontramos "el mismo sentido trágico de la vida, el mismo paisaje y el arte españoles; el mismo sentido de protesta contra las realidades de la vida circundante; la misma obsesión por el problema de la decadencia nacional. . ."

Blasco fue siempre un producto de su tierra luminosa y apasionada; las principales características de su obra son "la fortaleza, la exuberancia y la generosidad." No fue nunca un escritor profesional, sino más bien un luchador apasionado en los combates de la vida. A pesar de su descuido tenía una comprensión intuitiva de lo que debía ser la novela, y poseía la habilidad de desarrollar dramáticamente sus personajes. Pero ante todo su obra es "cálida y fuerte, porque antes que escrita ha sido vivida."

DISCUSIÓN

1. Describa la iglesia de Bellús.
2. ¿Qué es lo que estaba haciendo el pintor en la iglesia?

3. ¿Cuál era la actitud de García mientras trabajaba? ¿Cuál era la actitud de la señá Pascuala?
4. ¿Qué concepto tiene el protagonista de los aldeanos?
5. ¿Qué diferencia hay entre el valenciano y el castellano?
6. Vuelva usted a contar el cuento desde el punto de vista de:
   a. Pascuala, **b.** su marido, **c.** el cura.

VOCABULARIO

Construya una oración original con cada uno de los siguientes verbos o modismos, de acuerdo con el tratamiento que se les da en el texto. Según sea necesario, úsense como modelos las oraciones del texto en que aparecen.

1. de vez en cuando (156:24)
2. hacer caso de alguien (157:23)
3. decidirse a (157:25)
4. ser listo (158:21)
5. de corrido (158:24)
6. a chorros (159:16)
7. en torno de (159:33)
8. colmo (160:10)

·23· Manuel Rojas
EL HOMBRE DE LA ROSA (págs. 161–172)

Manuel Rojas nació en la ciudad de Buenos Aires en 1896. Sus padres eran chilenos radicados en la gran capital argentina. Manuel tenía apenas cinco años cuando su padre murió; a la edad de 16 el muchacho se marchó para Chile donde trabajó en la cuadrilla carrilana (*track gang*) del ferrocarril andino. Ha llevado una vida sumamente aventurera, y toda su obra literaria demuestra ciertos tonos autobiográficos. Ha sido actor, apuntador para un grupo de cómicos viajantes, marinero, lanchero, linotipista, estibador (*stevedore*), empleado del servicio civil, periodista, guardia de noche en los muelles de Valparaíso, y director de la prensa de la Universidad de Chile.

Se distinguió con su primera colección de cuentos, *Hombres del sur* (1926), que marca un punto culminante del criollismo chileno. En 1929 apareció otra colección de cuentos, *El delincuente*, y en 1959 se publicó

El vaso de leche y sus mejores cuentos. La novela corta, *Lanchas en la bahía* (1932), es una de las mejores de su género producidas en Hispanoamérica. Entre sus novelas largas, *Hijo de ladrón* (1951) es tal vez la más interesante: es la historia existencial del hijo de un ladrón profesional.

Toda la obra literaria de Rojas exalta la dignidad del hombre. El alma individual y la personalidad constituyen un "yo" que es indestructible. La solidaridad es el gran amor de los hombres. Si uno es fiel a su "yo" podrá verse vencido, pero no se verá nunca permanentemente derrotado. La dignidad del hombre individual en la lucha por la vida es el elemento más noble del espíritu humano.

Rojas mismo, como escritor y como hombre, es completamente sincero y honrado. En uno de sus ensayos ha escrito que la cualidad imprescindible de los grandes creadores literarios "es crear personajes que responden siempre a su íntima y orgánica constitución moral, sea esta moral de la índole que sea. Esto es indiferente para el arte. . . . Hay una innegable y profunda relación entre la novela, el hombre y la humanidad. Tienen idéntico desarrollo y posiblemente igual dirección. Al reflejarse en sus obras, el creador literario refleja al hombre, y éste, a su vez, a la humanidad."

Discusión

1. ¿Qué diferencias hay entre el Padre Espinoza y los individuos de las demás órdenes religiosas?
2. Hable de las obras misioneras del Padre Espinoza y de sus colegas.
3. ¿Qué es la magia negra?
4. ¿Qué prueba va a realizar el desconocido? ¿En qué estado encuentra el Padre Espinoza al desconocido cuando entra en la celda?
5. ¿Por qué no se cree ya en la magia negra en el mundo occidental?
6. ¿Qué es lo que hace el autor para hacer verosímil el cuento? ¿Sería el cuento más verosímil si pasara en una gran ciudad como Buenos Aires?

7. Vuelva usted a contar el cuento desde el punto de vista de:

a. el hombre de la rosa, **b.** el Padre Espinoza.

VOCABULARIO

Construya una oración original con cada uno de los siguientes verbos o modismos, de acuerdo con el tratamiento que se les da en el texto. Según sea necesario, úsense como modelos las oraciones del texto en que aparecen.

1. a través de (162:5)
2. dar una vuelta (163:30)
3. demorar en (165:1)
4. tranquilizarse (165:15)
5. preocuparse (168:4)
6. ante (168:13)
7. sacar en limpio (168:32)
8. dar cuenta a (170:23)

·24· Felipe Trigo
LUZBEL (págs. 173–176)

Felipe Trigo, nacido en España (1865–1915), médico militar, fue uno de los más populares novelistas de su generación. Además de sus novelas publicó cuentos que son de antología. Sus novelas siguen las tendencias naturalistas que estaban tan de moda entre los escritores de aquella época. Trigo perteneció al grupo de novelistas—Pedro Mata, Alberto Insúa, Eduardo Zamacois, y López de Haro—que cultivaron principalmente la novela erótica que les conquistó muchos lectores entre el público poco exigente. Felipe Trigo fue el iniciador y tal vez el escritor de más talento de este grupo, pero por lo general escribió rápidamente sin corregir lo que había escrito y sus obras a menudo sufren de un estilo defectuoso y descuidado. Entre sus muchos secuaces está Pedro Mata, quien cuida escrupulosamente la forma y evita las descripciones groseras.

En las novelas de Felipe Trigo, escribe el crítico español Valbuena Prat, se encuentra "la unión de la sátira apasionada, la energía heroica, y el detallismo chocarrero." En cambio, sus cuentos son más convincentes y más moderados, sin la dominante nota erótica de las novelas, en las que emplea "toda clase de procedimientos, aun exagerados, para defender sus teorías."' En sus cuentos Trigo se expresa en un estilo sencillo, directo, sin tergiversaciones. Demuestra honda comprensión de la psicología humana. Es lástima que su nombre, hoy en día, está vinculado casi exclusivamente con la novela erótica.

Las obras más importantes de Felipe Trigo son: *Las ingenuas* (1901), *La Altísima* (1906–07), *En la carrera* (1908), y *Las Evas del Paraíso* (1910). Todas estas novelas lo muestran como un novelista francamente pornográfico.

Discusión

1. ¿Cuál es la relación entre la marquesa y Rangel?

2. ¿Cuál es la relación entre el marqués y la marquesa?

3. ¿Cómo precipita el desenlace del cuento la mirada que cambian Rangel y la marquesa?

4. ¿Cómo desmuestra el marqués tener gran habilidad?

5. ¿De qué manera es la marquesa responsable de la destrucción de la pintura?

6. ¿Cómo provoca Rangel la enemistad del marqués?

7. ¿Por qué se llama el cuento "Luzbel"?

8. Vuelva usted a contar el cuento desde el punto de vista de:
   a. el marqués, **b.** Rangel, **c.** la marquesa, **d.** Luzbel.

Vocabulario

Construya una oración original con cada uno de los siguientes verbos o modismos, de acuerdo con el tratamiento que se les da en el texto. Según sea necesario, úsense como modelos las oraciones del texto en que aparecen.

1. con motivo de (173:1)
2. cada vez más (173:9)
3. a pesar suyo (174:2)
4. en fuerza de (175:8)
5. derecho (176:1)
6. acabar de (176:25)

·25· Augusto D'Halmar EN PROVINCIA (págs. 177–186)

(págs. 177–186)

Augusto D'Halmar (1882–1950) fue el seudónimo de Augusto Goeminne Thomson, uno de los más destacados prosistas chilenos de la primera mitad de este siglo. Se inspiró en las obras de los grandes novelistas rusos. En efecto, D'Halmar y algunos amigos fundaron una colonia tolstoyana, tal fue su admiración por el gran filósofo y novelista ruso. Escribe el crítico chileno, Fernando Alegría: "En el turbulento cristianismo de Dostoiewsky, en la pasión de Tolstoy y la devoción revolucionaria de Gorki, aprenden (estos chilenos) una lección de grandeza espiritual, de autenticidad regionalista y de apostolado social.... La literatura rusa empieza a estampar su sello en la nuestra; deposita una semilla que ya no cesará de florecer, manteniéndose viva aún bajo el influjo de variadas modas y escuelas que no lograrán sofocar su poder de inspiración." La colonia duró algunos meses, y luego se desintegró debido a las inevitables debilidades humanas de sus fundadores.

En 1907 D'Halmar ingresó al servicio consular de su país: se marchó a Calcuta y, dos años después, a Eten, en el Perú. Hay reflejos de esos años en dos de sus obras: *Nirvana* y *La sombra del humo en el espejo.* La novela corta *Gatita,* incluida en la segunda obra, es un bosquejo de su monótona vida en tierras peruanas. "Después de abandonar el servicio consular y tras breve permanencia en Chile, partió a Europa; vivió en París, y la guerra mundial de 1914 le llevó a Madrid, donde permaneció los mejores años de su vida literaria."

En 1942 D'Halmar recibió el Premio Nacional de Literatura. El cuento, "En provincia," que reproducimos en esta antología, fue premiado por la revista madrileña *Estampa.* D'Halmar, además de ser rey de brumas y hechicero maestro de filtros fantasmagóricos, fue también el mayor exponente de un realismo que pudiéramos llamar alegórico. El conjunto de la obra literaria de D'Halmar representa un elemento exótico y único en el desarrollo de la literatura chilena.

Discusión

1. ¿Cómo es Borja Guzmán?

   a. ¿Cómo es Clara?
   b. ¿Cómo es su marido?

2. ¿Tiene Borja la culpa de haber vivido su vida de la manera como lo ha hecho?

3. Describa los conciertos que tenían lugar en la casa del patrón.

4. ¿Ama Clara a su marido?
   a. ¿Es feliz ella en su matrimonio?
   b. ¿Ama Borja a Clara?
   c. ¿Le corresponde ella?

5. ¿En qué se parecen Clara y Borja?

6. Vuelva usted a contar el cuento desde el punto de vista de: **a.** Clara, **b.** su marido, **c.** Pedro.

Vocabulario

Construya una oración original con cada uno de los siguientes verbos o modismos, de acuerdo con el tratamiento que se les da en el texto. Según sea necesario, úsense como modelos las oraciones del texto en que aparecen.

1. dolerle a alguien (178:2)
2. dejar de (178:9)
3. a sus anchas (178:11)
4. de ahí en adelante (178:21)
5. caminar a tientas (179:3)
6. a lo mejor (179:13)
7. echar de menos (180:34)
8. a pesar de (181:21)

·26· Manuel Rojas (pág. 347) EL VASO DE LECHE (págs. 187–194)

Discusión

1. ¿Por qué llora el marinero?

2. ¿Por qué va el joven a la lechería en vez de ir a un restaurante barato?

3. Describa:
   a. la relación que hay entre el marinero y el mar;
   b. entre el marinero y la ciudad.

4. ¿Qué clase de vida tendrá el marinero en
   a. cinco años?
   b. quince años?

5. Vuelva usted a contar el cuento desde el punto de vista de:
   a. la mujer en la lechería, **b.** el marinero cuando tenga cincuenta años.

Vocabulario

Construya una oración original con cada uno de los siguientes verbos o modismos, de acuerdo con el tratamiento que se les da en el texto. Según sea necesario, úsense como modelos las oraciones del texto en que aparecen.

1. manchar de (187:3)
2. frente a (187:9)
3. dar un paso (187:16)
4. ir a dar (189:29)
5. cubrir de (190:8 & 13)
6. a cuenta (de) (190:18)
7. tener con que (191:17)
8. dar ganas de (192:1)

·27· Manuel Gutiérrez Nájera — LA MAÑANA DE SAN JUAN (págs. 195–199)

Manuel Gutiérrez Nájera (1859–1895) fue el iniciador del modernismo en México. Con Carlos Díaz Dufóo fundó en 1894 *La Revista Azul,* una de las primeras y mejores revistas modernistas de aquella época. Las poesías de Gutiérrez Nájera se recitaban en todos los salones, y eran popularísimas entre el público femenino. Se han equivocado algunos críticos al llamar "precursores" del modernismo a Gutiérrez Nájera, Casal, Silva, y Martí, porque realmente estos cuatro escritores fueron los iniciadores del movimiento. Los precursores pertenecieron más bien a la generación anterior.

Los *Cuentos frágiles* de Gutiérrez Nájera aparecieron en 1883, cinco años antes de la publicación de *Azul,* de Rubén Darío. En efecto, la prosa de *Azul* procedía en gran parte de la de Gutiérrez Nájera. El estilo del cuentista mexicano se caracteriza por la elegancia, la ternura, el humorismo y la comparación simpática, mientras que la prosa de *Azul* está mucho más elaborada y profusa en adornos. De los dos escritores Gutiérrez Nájera es incomparablemente el mejor estilista al principio de su carrera literaria. Un crítico mexicano, Justo Sierra, maestro de la generación a la que perteneció Gutiérrez Nájera, ha encontrado la palabra exacta para caracterizar este estilo: *la gracia,* "especie de sonrisa del alma que comunica a toda su producción no sé qué ritmo ligero y alado," prestando a las frases cierta suerte de magia singular.

Gutiérrez Nájera fue uno de los más productivos escritores modernistas; toda su vida fue un esforzado del periodismo. Influido por el positivismo, en aquella época la filosofía dominante en México, el autor resuelve su conflicto religioso haciéndose *intelectualmente* agnóstico, pero interiormente el conflicto continuaba. "Fuera de ese conflicto interno, casi puede decirse que Gutiérrez Nájera no tiene biografía. No había cumplido veinte años cuando ingresó en el periodismo, al que se dedicó todo el resto de su vida. Contrajo matrimonio en 1888 con Cecilia Maillefert, que por la rama paterna era de origen francés. De esa unión nacieron dos hijas. Actuó accidentalmente en la vida pública, y el mismo año de su matrimonio fue electo diputado por el Estado de México, cargo que continuó desempeñando hasta su muerte.... Nunca viajó, salvo algunos cortos recorridos dentro de su país. ¡Fue un parisiense que nunca estuvo en París!" (La cita es de Max Henríquez Ureña.)

Discusión

1. Describa la mañana de San Juan.
2. ¿Cómo cayó Carlos en la presa?
3. ¿Por qué siente el lector que la naturaleza es indiferente a la tragedia?
4. ¿Cuál es el papel de la muerte en este cuento?
5. Vuelva usted a contar el cuento desde el punto de vista de:
   a. Gabriel, **b.** Gabriel veinte años más tarde.

Vocabulario

Construya una oración original con cada uno de los siguientes verbos o modismos, de acuerdo con el tratamiento que se les da en

el texto. Según sea necesario, úsense como modelos las oraciones del texto en que aparecen.

1. luego que (195:5)
2. semejante a (195:22)
3. acordarse de (196:14)
4. caer en cama (196:26)
5. a viva fuerza (197:20)
6. faltarle a alguien (197:32)
7. de pronto (197:32)
8. gustarle a alguien (198:7)

·28· Alfonso Hernández-Catá (pág. 332) LA CULPABLE (págs. 200–206)

DISCUSIÓN

1. ¿Qué efecto tendrá este incidente en la vida de Emilio y Luisa?
2. ¿Cómo reacciona Raúl al ver los tiburones?
3. ¿Qué siente Emilio durante la expedición? ¿Por qué trata de recordar algún episodio heroico de su pasado?
4. ¿Tiene Luisa la culpa de haber ocasionado la muerte de Raúl? ¿Por qué? ¿Qué culpa tiene Emilio? ¿Qué culpa tienen los otros?
5. Vuelva usted a contar el cuento desde el punto de vista de:

   a. Emilio, **b.** Luisa, **c.** el patrón.

VOCABULARIO

Construya una oración original con cada uno de los siguientes verbos o modismos, de acuerdo con el tratamiento que se les da en el texto. Según sea necesario, úsense como modelos las oraciones del texto en que aparecen.

1. luego de (200:2)
2. separarse de (200:17 & 201:10)
3. disfrazar de (200:18)
4. por si acaso (200:26 & 202:33)
5. de tiempo en tiempo (201:16)
6. de modo que (202:4)
7. más de (202:17)
8. trocarse en (204:2)

·29· María Luisa Bombal
EL ÁRBOL (págs. 207–217)

María Luisa Bombal nació en Viña del Mar, Chile, en 1910. Un crítico chileno, Ricardo Latcham, da estas notas biográficas: María Luisa Bombal estudió en la Sorbona, donde presentó una tesis sobre Próspero Mérimée. Volvió a Chile y escribió obras teatrales. Luego se trasladó a Buenos Aires, y en la revista *Sur,* dirigida por Victoria Ocampo, publicó sus primeros cuentos. Desde el primer instante alcanzó una reputación literaria "por su novedoso talento y el aire distinto que tenían sus relatos, llenos de gracia poética y de vida psicológica". El crítico chileno caracteriza sus cuentos así: "Ahí está la vida; pero también está el sueño; no se distingue, a veces, si lo que cuenta es cierto o la ha inventado, si está hablando realmente o en trance creador."

La primera obra de María Luisa Bombal, *La última niebla,* 1935, a la que pertenece el cuento "El árbol", mató al criollismo en Chile. La segunda obra de la misma autora, *La amortajada,* 1938, aseguró su reputación continental. Bombal tiene un estilo delicado, femenino, poético, verdaderamente hipnotizante. Para esta escritora, como para el gran novelista francés, Marcel Proust, los sentidos son más importantes que el intelecto. Con los sentidos y con la memoria el individuo puede recrear su personalidad y su esencia.

En el año 1944 María Luisa Bombal se casó con un banquero de ascendencia francesa, Fal de Saint Phalle, y con él fue a vivir a Nueva York. En 1947, con la ayuda de su esposo, se hizo una versión inglesa de su cuento "La última niebla". La novela se titula en inglés, *The House of Mist;* fue elogiada por la crítica norteamericana. Desde entonces reside en los Estados Unidos, "silenciada su voz". Es una gran pérdida para las letras hispanas.

Discusión

1. Describa la vida de Brígida y Luis.

2. ¿Cómo es Brígida? ¿Cómo fue la niñez de Brígida? ¿Por qué creían que era una niña retardada?

3. ¿Qué siente Brígida cuando está en su cuarto de vestir?

4. Compare la relación de Brígida y Luis con la de Silvina y Montt.

5. ¿Cómo reacciona Brígida ante la vejez de su esposo al ver sus arrugas, venas, etc.? ¿Cómo reacciona Silvina ante la vejez de Montt?

6. ¿Por qué se casó Brígida con Luis?

7. Explique el sentido de la última frase del cuento.

8. Vuelva usted a contar el cuento desde el punto de vista de:

   a. Luis, **b.** el segundo marido de Brígida.

VOCABULARIO

Construya una oración original con cada uno de los siguientes verbos o modismos, de acuerdo con el tratamiento que se les da en el texto. Según sea necesario, úsense como modelos las oraciones del texto en que aparecen.

1. olvidarse de (207:6)
2. allá él (ella, etc.) (207:25)
3. tratar de (210:8)
4. más vale que (211:2)
5. avergonzarse de (211:9)
6. dar portazos (213:6)
7. asomarse a (215:7)
8. apoderarse de (216:10)

·30· Emilia Pardo Bazán (pág. 328) SÍ, SEÑOR (págs. 218–221)

DISCUSIÓN

1. ¿Qué diferentes clases de timidez existen?

2. ¿Podría este cuento pasar en los Estados Unidos? ¿Por qué sí o por qué no?

3. Si Agustín y la condesa se hubieran casado, ¿hubieran sido felices?

a. ¿Hubiera perdido Agustín su timidez si se hubiera casado?
b. ¿Es esta timidez indicio de un problema más profundo en el carácter de Agustín?

4. ¿Qué semejanza existe entre este cuento y *El encaje roto?* ¿Qué nos dicen estos cuentos acerca de las costumbres y trato social de los jóvenes del siglo XIX?

5. Vuelva usted a contar el cuento desde el punto de vista de:

a. Agustín, **b.** la condesita, **c.** su marido.

VOCABULARIO

Construya una oración original con cada uno de los siguientes verbos o modismos, de acuerdo con el tratamiento que se les da en el texto. Según sea necesario, úsense como modelos las oraciones del texto en que aparecen.

1. acercarse a (219:14)
2. a solas (219:16)
3. todas partes (220:1)
4. de reojo (220:15)
5. del todo (221:11)
6. consistir en (221:23)
7. acertar a (221:26)
8. reirse de (221:30)

·31· Jorge Luis Borges
EMMA ZUNZ (págs. 222–227)

Jorge Luis Borges (1899–   ) nació en Buenos Aires (Argentina), estudió en Ginebra, y residió por algún tiempo en España donde se inició su carrera literaria. Escribió poesías ultraístas y en 1924 fundó en Buenos Aires la revista *Proa* para dar voz a sus ideas estéticas; más tarde fue uno de los colaboradores más fieles de *Sur.* Sabe inglés y francés perfectamente, y es un gran admirador de H. G. Wells, Chesterton y Poe. Ha traducido con fidelidad y gran habilidad artística obras de autores tan distintos como Melville, Kafka, Michaux, Faulkner y Virginia Woolf. Perfeccionó su inglés en la Universidad de Cambridge y al volver a la Argentina obtuvo un profesorado en la literatura inglesa y norteamericana en la Universidad de Buenos Aires. Durante varios años ha sido también Director de la Biblioteca Nacional.

Borges es uno de los pocos escritores hispanoamericanos que gozan de una reputación internacional. Ha sido traducido a varias lenguas, y las versiones inglesas de sus cuentos han tenido gran éxito en los Estados Unidos y en la Gran Bretaña. En 1961 ganó (con Samuel Beckett) el premio internacional de literatura Formentor. Escrupuloso estilista y lector infatigable Borges es el creador de "una literatura que tiene su propia retórica y estilística, una metafísica que le da unidad y convierte una obra en apariencia fragmentaria en un todo coherente." En sus relatos hay una mezcla de fantasía, metafísica e intelectualización que nos hace pensar en *las posibilidades humanas.* El autor ha creado un mundo donde la inteligencia y la imaginación existen libres de las limitaciones de lo temporal y conocido. Sus cuentos son maravillosos juegos de fantasía y de erudición.

Algunos críticos opinan que Borges ha dado forma a una mitología cabalística que abre caminos desconocidos. Para este cuentista las facultades perdidas del hombre, el laberinto simbólico, las múltiples formas y manifestaciones del tiempo, el universo, la personalidad, la metafísica y la historia todos se confunden para formar la nueva realidad producida por la imaginación del escritor. En este mundo esquemático de la idea los valores físicos se reducen a su esencia y todas las cosas imaginables caben en lo posible.

Una de las mejores antologías de los relatos de Borges es la publicada en 1958 por Monticello College, U.S.A., con un prólogo del profesor John G. Copeland: *Cuentos de Jorge Luis Borges.* Una de las mejores colecciones en inglés es la titulada, *Labyrinths: selected stories and other writings,* con un prefacio de André Maurois, New Directions Press, 1962.

Discusión

1. Describa a Emma Zunz y la clase de vida lleva.
2. ¿Cuál es el acuerdo que Lowenthal tiene con Dios? ¿El que Emma Zunz tiene con Dios?
3. ¿Por qué motivo mata Emma a Lowenthal?
4. ¿Queda el lector convencido de que Lowenthal era el verdadero ladrón? ¿Por qué sí o por qué no?
5. ¿Qué circunstancias en la muerte de Lowenthal parecen confirmar la versión de Emma?

6. Si usted fuera detective, ¿cómo interpretaría "los quevedos salpicados sobre el fichero"?

7. Vuelva usted a contar el cuento desde el punto de vista de un periodista de *La Prensa* que tiene una entrevista con Emma.

8. Prepare usted un reportaje de esta historia para ser usado en un programa de noticias de televisión.

Vocabulario

Construya una oración original con cada uno de los siguientes verbos o modismos, de acuerdo con el tratamiento que se les da en el texto. Según sea necesario, úsense como modelos las oraciones del texto en que aparecen.

1. dejar caer (222:12)
2. de vuelta (223:23)
3. anteanoche (224:6)
4. optar por (224:21)
5. apenas (225:8)
6. apearse (en) (225:18)
7. apretar el gatillo (226:22)
8. hacer fuego (226:27)

· 32 · Alfonso Hernández-Catá (pág. 332) LA GALLEGUITA (págs. 228–236)

Discusión

1. ¿Cómo se parece este cuento a "Soina"? ¿Cómo difiere?

2. ¿Qué impresión tiene el lector de la familia del doctor y de los cubanos en general?

3. Al principio, ¿por qué no puede la familia del doctor comprender a la galleguita? ¿Cómo cambia después su actitud hacia ella?

4. ¿Qué cambios aparentes se ven en la galleguita cuando regresa de Galicia?

5. ¿Cómo será la vida de la galleguita dentro de cinco años?

6. Vuelva usted a contar el cuento desde el punto de vista de:

   a. el padre de la galleguita, **b.** el sacerdote del barco, **c.** el rondador, **d.** la galleguita.

VOCABULARIO

Construya una oración original con cada uno de los siguientes verbos o modismos, de acuerdo con el tratamiento que se les da en el texto. Según sea necesario, úsense como modelos las oraciones del texto en que aparecen.

1. resarcirse (228:6)
2. en torno a (228:9)
3. no ocuparse de (229:2)
4. camino de (229:25)
5. apenas si (229:25)
6. ayudar a (235:24)
7. como si tal cosa (236:8)
8. de ligero (236:15)

·33· Emilia Pardo Bazán (pág. 328) AFRA (págs. 237–241)

DISCUSIÓN

1. Describa a Afra Reyes. ¿Por qué no se parece ella a las demás marinedinas.
2. ¿Qué tipo de educación recibió Afra y cómo afectó esto su personalidad?
3. ¿Por qué no volvió a verse nunca más al novio en Marineda?
4. Por qué no se había vuelto Afra a sonreir desde la muerte de Flora? Dé dos interpretaciones.
5. ¿Podrá Afra ser feliz algún día? ¿Por qué sí o por qué no?
6. Vuelva usted a contar el cuento desde el punto de vista de:

   a. el novio de Flora, **b.** Afra.

Vocabulario

Construya una oración original con cada uno de los siguientes verbos o modismos, de acuerdo con el tratamiento que se les da en el texto. Según sea necesario, úsense como modelos las oraciones del texto en que aparecen.

1. susodicho (237:13)
2. diferenciarse de (237:16)
3. llamar la atención (238:10 & 239:16)
4. así que (239:4)
5. afición a (239:26)
6. apartarse de (240:3)
7. armarse (240:6)
8. como de costumbre (240:13)

·34· Jorge Luis Borges (pág. 358) EL MILAGRO SECRETO (págs. 242–248)

Discusión

1. Hable del juego de ajedrez en el sueño de Hladík.
2. Dé las razones que encuentra Julius Rothe para condenar a muerte a Hladík.
3. Describe las "vacilaciones preliminares" de los soldados encargados de ejecutar a Hladík.
4. Explique lo que es el "milagro secreto."
5. Cuente usted la historia de *Los enemigos* desde el punto de vista de:

   a. Julia de Weidenau; **b.** Kubin.
6. Vuelva usted a contar el cuento desde el punto de vista de:

   a. Julius Rothe; **b.** el sargento del piquete.

Vocabulario

Construya una oración original con cada uno de los siguientes verbos o modismos, de acuerdo con el tratamiento que se les da en

el texto. Según sea necesario, úsense como modelos las oraciones del texto en que aparecen.

1. entrar en (242:22)
2. cansarse de (243:21)
3. fuera de (244:14)
4. dar la hora (245:8 & 25)
5. verse en la obligación de (245:20)
6. hacer notar (245:24)
7. quitarse (246:18)
8. dar término (248:18)

·35· Manuel Gutiérrez Nájera (pág. 353) RIP-RIP (págs. 249–254)

DISCUSIÓN

1. Cuente la historia de Rip Van Winkle. ¿Qué diferencias hay entre el cuento de Rip Van Winkle y el de Rip-Rip?
2. ¿Qué efectos tiene el paso del tiempo sobre el protagonista de este cuento?
3. ¿Qué efectos tiene el paso del tiempo sobre el protagonista de "El Milagro secreto"?
4. Explique el uso del futuro de probabilidad en el pasaje que comienza: "Caminando, caminando. . . ."
5. ¿Por qué es triste este cuento?
6. Vuelva usted a contar el cuento desde el punto de vista de:

   a. Juan, **b.** Rip, **c.** la niña, **d.** Luz.

VOCABULARIO

Construya una oración original con cada uno de los siguientes verbos o modismos, de acuerdo con el tratamiento que se les da en el texto. Según sea necesario, úsense como modelos las oraciones del texto en que aparecen.

1. pensar para sí (249:10)
2. darse cuenta de (250:8)
3. ser viejo (250:11)
4. explicarse (250:22)
5. sin sentido (250:27)
6. embriagarse (251:16)
7. asustarse (de) (252:26 & 253:4)
8. estar viejo (254:13)

·36· Emilia Pardo Bazán (pág. 328) LA ÚLTIMA ILUSIÓN DE DON JUAN (págs. 255–258)

DISCUSIÓN

1. ¿Qué clase de persona es don Juan?
   a. Describa la vida que lleva.
   b. ¿Cómo cambia su vida después del matrimonio de Estrella?

2. ¿Cómo es Estrella?
   a. ¿Podrá Estrella ser feliz en su matrimonio? ¿Ama a su esposo?
   b. ¿Qué relación existe entre don Juan y Estrella? ¿Se aman?

3. ¿Qué opinión tienen todos de don Juan? ¿Qué opinión tiene la autora del cuento? ¿Qué piensa usted?

4. ¿Cree usted que Estrella tenía derecho a casarse? ¿Por qué sí o por qué no?

5. Vuelva usted a contar el cuento desde el punto de vista de:
   a. Estrella, **b.** don Juan.

VOCABULARIO

Construya una oración original con cada uno de los siguientes verbos o modismos, de acuerdo con el tratamiento que se les da en el texto. Según sea necesario, úsense como modelos las oraciones del texto en que aparecen.

1. de paso (255:16)
2. desmentir (255:21)
3. quedarse (256:7)
4. lo cierto (256:8)
5. apagarse (257:12)
6. a toda costa (257:19)
7. carecer de (257:29)
8. a pedir de boca (257:34)

·37· Carlos E. Zavaleta
LA REBELDE (págs. 259–262)

Carlos Eduardo Zavaleta nació en 1928 en el pueblo peruano Callejón de Huaylas. Estudió en dos colegios provinciales, y luego se trasladó a Lima donde ingresó en la Facultad de Ciencias para seguir la carrera de médico, pero a los dos años abandonó esta idea para dedicarse exclusivamente a la literatura. En 1954 se graduó de bachiller en Humanidades con una tesis sobre William Faulkner. "Ha seguido estudios de postgraduado en los Estados Unidos, asistiendo a cursillos y breves ciclos de literatura en las Universidades de North Carolina, Kansas, Washington y en la de Columbia, en Nueva York. Posteriormente se trasladó a España." En los últimos años ha llegado a ser uno de los cuentistas más leídos y más admirados de su país.

Los cuentos de Zavaleta a veces recuerdan los de Faulkner, Conrad y Kafka, pero el escritor peruano nunca produce pálidas imitaciones de modelos extranjeros. Domina la técnica del cuento, y con frecuencia presenta sus personajes llevando doble vida en dos niveles de existencia. Zavaleta es gran admirador de Güiraldes, Rómulo Gallegos, Manuel Rojas, Ciro Alegría y Alfredo Díez-Canseco, pero se distingue de todos ellos en el realismo esquemático de sus cuentos y novelas, por su preocupación psicológica, y por su sentido de la angustia. Quiere profundizar en los fundamentales problemas sociales y psicológicos de su país. Desprecia el costumbrismo pintoresco y superficial; lo que le atrae más hondamente es la condición del hombre crucificado por las presiones de su época.

Discusión

1. Describa a Hilda. Hable de su vida cotidiana.
2. Describa al hombre rico. ¿Qué notas de crítica social se encuentran en el cuento?
3. ¿Por qué se llama este cuento *La Rebelde?*
4. ¿Qué signos de locura se ven en Hilda? ¿Es ella responsable de lo que ha hecho?
5. Vuelva usted a contar el cuento desde el punto de vista de:
   a. Hilda, **b.** Grimanesa, **c.** la esposa del hombre rico.

VOCABULARIO

Construya una oración original con cada uno de los siguientes verbos o modismos, de acuerdo con el tratamiento que se les da en el texto. Según sea necesario, úsense como modelos las oraciones del texto en que aparecen.

1. al azar (259:6)
2. dejar en paz (259:22)
3. pensar en (260:15)
4. ser feliz (260:26)
5. dar rienda suelta (a) (261:13)
6. tratar de (261:31)
7. de espaldas (261:36)
8. un canalla (262:10)

· 38 · Mario Benedetti
SÁBADO DE GLORIA (págs. 263–269)

Mario Benedetti, poeta, periodista, cuentista, dramaturgo, novelista, ensayista, y director editorial, nació en Montevideo (Uruguay) el 14 de septiembre de 1920. Ha colaborado en varias revistas hispanoamericanas: *Marcha, Marginalia* y *Número,* de *Montevideo; Sur* y *Mundo Argentino,* de Buenos Aires; y *Revista Mexicana de Literatura,* de México. En tres ocasiones ganó el Premio del Ministerio de Educación Pública. Desempeñó, en distintas épocas, la dirección de la revista *Marginalia* y la de la sección literaria de *Marcha.* En 1950 fue nombrado codirector de la revista *Número,* y en 1955 fue elegido presidente de la Sociedad de Escritores Independientes (SEI). En 1958, a invitación del Departamento de Estado, visitó los Estados Unidos, donde dio conferencias sobre la literatura hispanoamericana.

Benedetti es el novelista de la vida cotidiana de la ciudad, de Montevideo. Hace vivir a sus tipos "de una manera única dentro de esa atmósfera cotidiana, revelando aquellos matices que constituyen su originalidad, su humana condición. Quizás esa condición pueda parecer irrisoria y hasta anodina—el autor la caricaturiza con cierta crueldad—pero por debajo de su monotonía y su mediocridad siempre se halla el rasgo que la humaniza y la hace rescatable para el arte." Al pintar las pequeñas tragedias de la ciudad Benedetti domina la acción con maestría y demuestra una penetración psicológica admirable.

Entre las obras más importantes de Benedetti se encuentran las siguientes: *Esta mañana* (cuentos), 1949; *Marcel Proust y otros ensayos,*

1951; *El último viaje y otros cuentos,* 1951; *Quién de nosotros* (1953); *Montevideanos* (cuentos), 1959; *La tregua* (novela), 1963; y *Literatura uruguaya, siglo* XX (1963). Benedetti es, sin duda, uno de los más altos valores de la literatura uruguaya de nuestra época.

Discusión

1. Describa la vida cotidiana de los protagonistas.
2. ¿Cuáles son las preocupaciones que tiene el protagonista?
3. ¿Qué hacen los sábados Gloria y su marido. ¿Por qué se titula este cuento "Sábado de Gloria"?
4. ¿Por qué se enoja el protagonista con tanta facilidad?
   a. ¿Por qué le grita al doctor?
   b. ¿Cuál es su actitud hacia Dios?
5. Vuelva usted a contar el cuento desde el punto de vista de:
   a. el médico, **b.** la madre de Gloria.

Vocabulario

Construya una oración original con cada uno de los siguientes verbos o modismos, de acuerdo con el tratamiento que se les da en el texto. Según sea necesario, úsense como modelos las oraciones del texto en que aparecen.

1. echar un vistazo (264:5)
2. a eso de (264:7)
3. meterse en (264:12)
4. no tener inconveniente (265:6)
5. reducirse a (265:15)
6. resignarse a (266:31)
7. a horcajadas (267:28)
8. calcular a ojo (268:12)

·39· Azorín (José Martínez Ruiz) UNA LUCECITA ROJA (págs. 270–273)

Azorín es el nombre de pluma de José Martínez Ruiz, uno de los más famosos ensayistas de la generación de 1898. Nació en Monóvar, Alicante (España), en 1873, y es el que definió esta generación caracterizándose a sí mismo: "el amor a los viejos pueblos y a los poetas primitivos, la admiración hacia El Greco y la afinidad con Larra". Sus primeras obras importantes son *Alma castellana,* 1900, *La Voluntad,* 1902, y *Las confesiones de un pequeño filósofo,* 1904.

Azorín ha publicado novelas, pero es siempre más ensayista que novelista; en todo lo que escribe procura capturar "la esencia de las cosas". Tiene aficiones descriptivas, y a veces se excede en detalles que parecen insignificantes, pero tiene una habilidad extraordinaria para buscar "en lo menudo y fugaz valores que son grandes y significativos". En todos sus ensayos hay poca acción y mucha emoción, una emoción poetizada y depurada.

En sus ensayos sobre tierras, ciudades y lugares de España: *Los pueblos,* 1905, y *Castilla,* 1912, "recrea los valores eternos del alma española". En esto tiene cierto parentesco con el gran novelista norteamericano, Thomas Wolfe, para quien cada momento es una ventana que da a la eternidad. Al descubrir uno de los viejos pueblos de Castilla, Azorín dice: "He vuelto a oir el susurro del agua, los gritos de las golondrinas que cruzan raudas por el cielo, las campanadas del viejo reloj que marca sus horas, rítmico, eterno, indiferente a los dolores de los hombres. . ."

Discusión

1. El autor describe el camino del pueblo hasta la casa de Henar tres veces.

   a. ¿Qué tiempo del verbo usa en cada descripción?
   b. ¿Qué otras variaciones hay en la forma del verbo?
   c. ¿Cómo puede el lector percibir el transcurso del tiempo?

2. ¿Cómo es la casa de Henar cuando el autor la describe la primera vez?

   a. ¿La segunda vez?
   b. ¿La tercera vez?

3. ¿Cómo se relaciona la lucecita roja con la casa? ¿Con los habitantes de la casa?

4. Vuelva usted a contar el cuento desde el punto de vista de:

   a. la niña; **b.** la madre; **c.** el conductor del tren que pasa por el pueblo cada noche.

Vocabulario

Construya una oración original con cada uno de los siguientes verbos o modismos, de acuerdo con el tratamiento que se les da en el texto. Según sea necesario, úsense como modelos las oraciones del texto en que aparecen.

1. a la derecha (la izquierda) (270:9 & 12)
2. de noche (272:14)
3. lo mismo da (272:26 & 28)
4. descender del tren (272:33)
5. subir a *o* en el tren (272:33)
6. de luto (273:8)
7. subir a un coche (273:15)
8. al igual que (273:18)

· 40 · Eduardo Mallea
EL CAPITÁN (págs. 274–277)

Eduardo Mallea (1903–) nació en la ciudad de Bahía Blanca, Argentina, hijo de un culto cirujano que ejercía su carrera en aquella urbe. El padre, en su propia autobiografía, recuerda aquellos días diciendo que hacía medicina, hacía cultura, y hacía política en un ambiente completamente hostil. Murió la madre de la familia y los hijos se marcharon a Buenos Aires donde se matricularon en una escuela inglesa. En 1926 Eduardo publica sus *Cuentos para una inglesa desesperada,* con los que atrae la atención del público culto de la capital. Luego viaja a Europa, da conferencias en Roma y en Milano, se satura de la atmósfera del viejo continente, y regresa a la Argentina con nuevas inspiraciones. Se asocia con los escritores de la revista *Sur,* editada por Victoria Ocampo, y llega a ser Director del suplemento literario de *La Nación.* Publica libros de ensayos y novelas, les traducen a varias lenguas extranjeras, y poco a poco adquiere una reputación universal.

Toda la obra literaria de Mallea es como una busca del alma auténtica de su país. El autor es un verdadero agonista argentino. Mallea cree que "la humanidad sufre un vicio de precipitación. . . . Y no contento el hombre de nuestros días con precipitarse en ésta o la otra secta, en ésta o la otra fronda, asiste (lo que señala su diferenciación radical con aquel que tomaba furiosamente partido en los antagonismos bifrontes de otros tiempos) a una precipitación más importante que todas las demás, *su precipitación interior.*"

Para Mallea el individuo es como una isla en medio del océano de la humanidad; cada individuo tiene su "clima" especial; hay una gran falta de comunicación entre los seres humanos, y las palabras no existen para que nos entendamos sino para que nos comentemos. Este mutismo y esta aislación espiritual han resultado en la agonía de nuestro tiempo.

El cuento "El capitán" (tal vez sea más anécdota que cuento) narra la historia de un capitán jubilado que entretiene a los habitantes de un pequeño pueblo aislado en las montañas relatando las aventuras de su juventud. Un día sin más ni más, el capitán se vuelve loco. El autor no explica, pero el lector, sin duda, podrá sugerir varias interpretaciones.

Las obras más importantes de Mallea son: *Cuentos para una inglesa desesperada* (1926), *Historia de una pasión argentina* (1935), *La bahia de silencio* (1940), *Todo verdor perecerá* (1941); *Las águilas* (1943), y *Los enemigos del alma* (1950).

Discusión

1. Describe usted la vida que llevaba el capitán en el pueblo. ¿Qué opinión tenían de él los habitantes del pueblo?

2. ¿Qué es lo que pasa todas las tardes en el pueblo a la hora del atardecer?

3. ¿Qué quiere decir "una tarde colocada de través entre las tardes..."?

4. ¿Qué efecto produce la muerte del capitán en los habitantes del pueblo? ¿Qué es lo que ha desaparecido de sus vidas?

5. Vuelva usted a contar el cuento desde el punto de vista de:

   a. Cren[illegible]e, **b.** Marcela, **c.** Lucas.

Vocabulario

Construya una oración original con cada uno de los siguientes verbos o modismos, de acuerdo con el tratamiento que se les da en el texto. Según sea necesario, úsense como modelos las oraciones del texto en que aparecen.

1. hasta (274:12)
2. extenderse por (274:14)
3. lanzarse a (275:24)
4. sobre todo (276:6)
5. comenzar a (276:13)
6. dar con el sentido (277:5)
7. echar a (277:6)
8. de una vez (277:13)

·41· Ricardo Güiraldes ROSAURA (págs. 278–295)

Ricardo Güiraldes nació en Buenos Aires y vivió algunos años en el pago de San Antonio de Areco, donde se hizo gaucho y donde conoció a don Segundo Ramírez, prototipo de *Don Segundo Sombra.* Viajó por Europa, y residió largo rato en París, donde murió a la edad de 41 años. La publicación de su obra maestra, *Don Segundo Sombra,* en 1926, le da casi en seguida una reputación universal. Esta novela gauchesca, escrita en un estilo sumamente poético, ya es un libro clásico de las letras hispanoamericanas.

Güiraldes ha escrito tres o cuatro novelas, dos libros de cuentos, y algunas poesías. El autor "no concede gran valor a la ficción sino que confía en el encanto de la remembranza." Acerca de sus cuentos él mismo escribió: "Son en realidad anécdotas oídas y escritas por cariño a las cosas nuestras. He intitulado *Cuentos* no teniendo pretensión de exactitud histórica." Güiraldes conocía bien la vida campesina de su país, pero la pintaba con ojos de poeta, idealizada.

Sus primeros cuentos eran tan violentos y crudos que la madre de la familia prohibió que las hijas los leyeran. Tampoco fueron bien recibidos por la crítica, y Güiraldes mismo quedó tan avergonzado que tiró toda la edición al pozo, creyendo destrozarla. Algunos ejemplares fueron sacados y salvados. *Rosaura* (1922), cuento largo o novela corta, "fue escrita para satisfacer el deseo de las jovencitas de la familia, que reprochaban a Güiraldes escribir cosas que todavía no les era permitido leer. Con honda ternura se solazó Ricardo en tratar el romance cursi, volcando en él toda la humanidad con que estaba cargado su gran corazón." El símbolo del tren, personificación de la vida mecánica y la industrialización del país, aparece contrastado con la figura frágil, romántica, poetizada de Rosaura, evocación destilada de la hermosura ingenua y primitiva de la pampa. Si es verdad lo que ha dicho el gran novelista francés Marcel Proust, "sólo la metáfora puede dar una suerte de eternidad al estilo," el lenguaje de *Rosaura,* con su trabazón de brillantes imágenes, representa algo único en la literatura de su generación.

DISCUSIÓN

1. ¿Como es Lobos?

a. ¿Qué influencia ha tenido el tren diario que pasa por el pueblo?
b. ¿Qué importancia tiene la estación ferroviaria en la vida social de los lobeños?

2. Describa a Rosaura y diga algo de su vida cotidiana.

a. Describa a Carlos. ¿Qué clase de vida lleva?
b. ¿Cómo están separados los dos jóvenes por la posición social que ocupan?

3. ¿Cómo se conocieron Rosaura y Carlos?

a. ¿Qué es lo que escribe Rosaura en el vagón-comedor la primera vez? ¿La segunda vez?
b. ¿Cómo llega esto a ser simbólico?

4. ¿Qué clase de relaciones llegan a tener Rosaura y Carlos?

5. ¿Qué siente Carlos por Rosaura? ¿Ha tratado de crear falsas ilusiones en la joven?

6. ¿Qué defectos tiene el carácter de Rosaura?

a. ¿Hay en Rosaura falta de sinceridad en cuanto a sí misma?
b. ¿Está ella firmemente convencida de que Carlos la ama?
c. ¿Qué concepto del amor tiene Rosaura?

7. ¿Hubiera sido feliz Rosaura si se hubiera casado con Carlos?

8. ¿Cómo influyen, directa o indirectamente, los siguientes elementos en la muerte de Rosaura:

a. Carmen; **b.** el tren; **c.** la pampa; **d.** Carlos;
e. la misma Rosaura?

9. Cuente usted la historia desde el punto de vista de:

a. Carmen; **b.** Carlos; **c.** la esposa de Carlos.

VOCABULARIO

Construya una oración original con cada uno de los siguientes verbos o modismos, de acuerdo con el tratamiento que se les da en el texto. Según sea necesario, úsense como modelos las oraciones del texto en que aparecen.

1. en medio de (278:1)
2. gustar de (283:6)
3. estar para (+ *noun*) (284:4)
4. rumbo a (285:36)
5. pasado mañana (290:25)
6. la semana entrante (290:26)
7. cuando más (292:10)
8. valer la pena (294:3)

· 42 · Miguel de Unamuno JUAN MANSO (págs. 296–300)

Miguel de Unamuno y Jugo (1864–1936) fue sin duda el pensador más importante de la *generación de 1898.* Tras la niñez y la mocedad en tierras vizcaínas estudió filosofía y letras en Madrid. Durante varios años fue profesor de griego y luego rector de la Universidad de Salamanca. En sus ideas fue influido por Angel Ganivet, Nietzsche, y por el danés, Kierkegaard, pero la filosofía de Unamuno es muy suya y muy española a pesar de estos antecedentes. No es una filosofía bien desarrollada, sino más bien un testamento espiritual del hombre y de la raza. Poseedor de una gran cultura y lector infatigable, Unamuno "refleja casi siempre en sus escritos sus últimos estudios, lo cual es causa de las muchas contradicciones y paradojas que en él se notan." Ha sido un pensador azorante, disperso, lleno de dificultades y errores filosóficos, pero al mismo tiempo existen en su obra geniales adivinaciones y aciertos.

Unamuno y Ortega y Gasset son los dos grandes pensadores españoles del siglo veinte; el primero escribe con el alma, el segundo con el intelecto. Juntos representan los dos aspectos de la literatura española de esta época. Unamuno ha hecho su profesión de fe en varios de sus ensayos, especialmente en el titulado "Mi religión" donde ha escrito: "Mi religión es buscar la verdad en la vida y la vida en la verdad, aun a sabiendas de que no he de encontrarlas mientras viva; mi religión es luchar con Dios... Rechazo el eterno ignorabimus. Y en todo caso quiero trepar a lo inaccesible."

Con su espíritu combatiente y dinámico Unamuno se ha opuesto a todas las tendencias dogmáticas y científicas de la filosofía moderna. También ha criticado severamente las instituciones contemporáneas de su país: la monarquía en sus últimos tiempos, la dictadura de Primo de Rivera (por esto fue exiliado), la república española por sus excesos políticos y su falta de orden, y el movimiento nacionalista del General Franco por sus violencias y arbitrariedades. En todas sus críticas de las realidades pasajeras Unamuno siempre ha procurado "afirmar su anhelo de eternidad."

Los cuentos, las novelas, los dramas, las poesías y los ensayos de Unamuno constituyen una vigorosa literatura de pasión y búsqueda espiritual. Los personajes suyos representan símbolos o puntos de vista más bien que tipos de carne y hueso. Las mejores obras del autor son: *En torno al casticismo* (1902), *La vida de don Quijote y Sancho* (1905), *Del sentimiento trágico de la vida* (1912), *Niebla* (1914) y *Abel Sánchez* (1917). Las últimas dos obras son novelas (Unamuno dice "nivolas") recargadas de realidades íntimas. La autobiografía póstuma del autor, *Mi vida y otros recuerdos personales,* fue publicada en 1960.

Discusión

1. ¿Qué clase de vida lleva Juan Manso la primera vez que vive? ¿La segunda vez?

2. ¿Por qué no puede Juan Manso entrar:
   a. en la Gloria? **b.** en el Purgatorio? **c.** en el Infierno?

3. Explique el sentido de las palabras del Señor: "Sí, pero a los que embisten, no a los embolados."

4. ¿Qué título daría usted a este cuento en inglés? Explique en español el sentido del título.

5. Vuelva usted a contar el cuento desde el punto de vista de:
   a. Juan Manso, **b.** su tatarasobrino.

Vocabulario

Construya una oración original con cada uno de los siguientes verbos o modismos, de acuerdo con el tratamiento que se les da en

el texto. Según sea necesario, úsense como modelos las oraciones del texto en que aparecen.

FRASES HECHAS	NEAREST ENGLISH EQUIVALENT
1. Y va de cuento (296:1)	Once upon a time
2. un bendito de Dios (296:2)	a simpleton
3. un mosquita muerta (296:3)	a deadpan, hypocrite (a person who hides his feelings)
4. que en su vida rompió un plato (296:3)	who never in his life hurt a fly
5. un hombre hecho y derecho (296:6)	a full-grown man
6. arrimarse al sol que más calienta (296:9)	to know on what side your bread is buttered
7. ni fu ni fa (296:17)	neither fish nor fowl
8. decir para el cuello de su camisa (297:10)	to say to himself
9. maldito el caso que hizo de él (297:12)	paid very little attention to him
10. con su pan se lo coma (298:11)	he made his own bed, let him lie in it
11. meterse en camisa de once varas (298:12)	to meddle in other people's business
12. a buena hora mangas verdes (298:25)	too little and too late
13. tonto de capirote (299:11)	a complete idiot
14. ni cosa que lo valga (299:13)	nor anything like it
15. el alma de Garibay (299:32)	the soul of Garibay (who was supposedly barred from both Heaven and Hell)

·43· Rafael Arévalo Martínez
EL HOMBRE QUE PARECÍA UN CABALLO (págs. 301–313)

Rafael Arévalo Martínez (1884–) es el más distinguido poeta y prosista guatemalteco de su generación. Durante su larga vida ha sido maestro de escuela, embajador de su país a la Unión Panamericana, periodista, y Director de la Biblioteca Nacional (1926–46). Al contrario de la mayoría de los escritores hispanoamericanos siempre ha admirado a los Estados Unidos. Por ejemplo, ha dicho: "En los Estados Unidos se encuentran todas las excelencias. Subido nivel de civismo, el más alto que ha conocido la humanidad, el de los Estados Unidos. Merece el primado del mundo; y nunca se debe desesperar de él. Este noble pueblo ama la justicia por sobre todas las cosas. Toda superioridad tiene aquí su asiento."

En sus ficciones Arévalo Martínez sorprende resortes nuevos y echa el ancla en mares desconocidos. Ha sido una personalidad única en la literatura hispanoamericana. "Ha creado un tipo muy suyo de novela cerebral, introspectiva, que aun con el antecedente de Huysmans resulta lleno de novedad. La más famosa de esas novelas, *El hombre que parecía un caballo* (1914), con su complemento *El trovador colombiano* (1922), es el retrato psicológico de ese hombre contradictorio y extraño que se llamó Miguel Angel Osorio..." Osorio fue un poeta colombiano de violentos impulsos sensuales que era conocido en el mundo de las letras por el nombre *Ricardo Arenales.* En su historia Arévalo Martínez le apellida "El señor de Aretal," y presenta una disección simbólica de su carácter.

Para comprender bien esta historia es preciso conocer el simbolismo modernista en el que las piedras preciosas representan las nuevas poesías de precioso lenguaje. Hay muchos otros símbolos mitológicos, estéticos y psicológicos que el estudiante debe buscar antes de interpretar las ideas del autor.

Arévalo Martínez es también un distinguido poeta; sus libros de verso son: *Maya* (1911), *Los atormentados* (1914), y *Las rosas de Engaddi* (1915), caracterizados todos ellos "por un lirismo muy personal y muy hondo." Entre sus novelas largas, tal vez la más conocida es *Viaje a Ipanda* (1939), historia de una utopía imaginaria.

Discusión

1. ¿En qué aspectos se parece el señor de Aretal a un caballo?

2. Dé el significado de las siguientes imágenes:

   a. carbunclos, **b.** pozo, **c.** raíces, **d.** ardor, **e.** rojo, **f.** azul.

3. ¿Qué tiene que ver el señor de Aretal con la moral?

4. ¿Cómo son sus relaciones con las mujeres? ¿Cómo son sus relaciones con los hombres?

5. ¿Qué importancia tiene el amor en este cuento? ¿Qué importancia tiene la religión?

6. Vuelva usted a contar el cuento desde el punto de vista de:

   a. el señor de Aretal, **b.** un psiquíatra.

VOCABULARIO

Construya una oración original con cada uno de los siguientes verbos o modismos, de acuerdo con el tratamiento que se les da en el texto. Según sea necesario, úsense como modelos las oraciones del texto en que aparecen.

1. desprenderse de (301:13)
2. desasirse de (302:23)
3. por encima de (303:36)
4. a veces (304:2)
5. regocijarse (307:15)
6. tender a (310:6)
7. complacerse en (311:1)
8. concluir de (311:17)

VOCABULARIO

The vocabulary is intended to aid the student in understanding the text. Omitted from it are most cognates, days of the week and months of the year, the most common prepositions, diminutives that present no problems in comprehension, proper names except those with historical significance, superlatives and numerals. A list of abbreviations used throughout the vocabulary follows:

adj.	adjective	*inf.*	infinitive
adv.	adverb	*Lat.*	Latin
Arg.	Argentine	*m.*	masculine
aux.	auxiliary	*Mex.*	Mexican
coll.	colloquial	*naut.*	nautical
f.	feminine	*neut.*	neuter
fig.	figurative	*pl.*	plural
Fr.	French	*p.p.*	past participle
Gal.	Galician	*sing.*	singular
Ger.	German	*Val.*	Valencian

VOCABULARIO

A

abajo down, downward; below, underneath; **allá abajo** down there; **venirse abajo** to collapse, tumble down
abandonar to abandon, give up, leave; **abandonarse** to give oneself over to
abandono ease, abandon
abanico fan; **en abanico** fan-shaped
abarcar to encompass, include, take in
abastecido stocked, supplied
abatido discouraged
abatimiento dejection, discouragement
abatir to fold down, knock down, fell; to discourage; to abate, subdue; **abatirse** to calm down
abdicar to renounce, relinquish
abeja bee
Abenesra = Aben-Ezra, Abraham *(1092?–1167) Spanish-Jewish rabbi, astronomer and commentator on the Bible*
abierto open, opened
abigarrado motley, alive with, colorful
abismo abyss, chasm
ablandar to soften
abnegación abnegation, self-denial
abnegar to abnegate, deny oneself
abochornarse to wilt, become flushed (*with fever*)
abofetear to slap
abogado lawyer
abombado convex, billowing
abordaje *m.* boarding
abordar to board; to approach
aborrecer to abhor, hate
abrasador burning
abrasar to burn
abrazar to embrace
abrazo embrace
abrevarse to water (*cattle*); to drink
abreviar to shorten, abbreviate
abrigarse to wrap oneself up
abrir to open; **abrirse** to open up; **abrirse camino (paso)** to open the way, make one's way; **un abrirse paso** a way through, an opening
abrochar to button, hook
absoluto absolute; complete; **en absoluto** absolutely
absorber to absorb; **absorberse** to preoccupy; to become absorbed, engrossed
absorto absorbed in thought; amazed, entranced
abstraído withdrawn, absorbed in thought
abuelo grandfather; *pl.* grandparents; **abuela** grandmother
abultado large, bulky
abundancia abundance
abundar to abound, be numerous
abundante abundant; *pl.* numerous, many
abundoso abundant
aburrimiento boredom
aburrir to bore; **aburrirse (de)** to get bored (with)
abusar de to take advantage of; to betray
abuso abuse, overuse
abyecto abject

acá here, around here; **las de acá** those from around here; **más acá de** closer to; **venga para acá** come here
acabamiento end; exhaustion
acabar to end, finish; to die; **acabar de** + *inf.* to have just + *past part.;* **acabar por** + *inf.* to end in; **acabarse** to be finished, be exhausted; **acabarse** + *dative* to run out of (**se me acabó:** I ran out of)
acaecido: lo acaecido what happened
acaparar to seize; to monopolize
acariciador caressing
acariciar to caress; to cherish; to pat
acaso maybe, perhaps; **por si acaso** (just) in case; **si acaso** perhaps
acaudalado rich
acceso fit, attack
accidente *m.* accident
acción action
accionar to gesticulate
acechar to spy on
aceite *m.* oil
acelerar to accelerate, hasten
acentuar to accent, emphasize
aceptar to accept
acequia irrigation ditch
acera sidewalk
acerado sharp
acerca de about, concerning
acercamiento closeness, rapprochement
acercar to bring near; **acercarse a** to approach, come near
acerico pincushion
acero steel; razor
acertar (ie) to succeed; **acertar a** to succeed in
acezar to gasp, pant
acíbar bitter, sour
acierto triumph, success; lucky hit
aclarar to clarify
aclimatación acclimatization
acodar to lean (*on the elbows*)
acogedor kindly
acoger to welcome, accept
acometer to attack
acompañante *m.* companion
acompañar to accompany, go with
acompasado rhythmic, regular
acondicionar to arrange
acongojado grieved
aconsejar to advise
acontecer to happen
acontecimiento happening, event
acopio gathering; **hacer acopio** to gather
acoplamiento coupling
acordar (ue) to decide; to grant; **acordarse de** to remember
acorde *m.* chord, sound
acorralar to corner; to intimidate
acortar to shorten
acostumbrado accustomed, customary
acostumbrar to accustom, get used to; **acostumbrar a** + *inf.* to be accustomed to + *inf.;* **acostumbrarse a** to get used to
acrecentar (ie) to increase
acreditar to accredit, substantiate
acreedor deserving
actitud attitude
actividad activity
acto act; event; deed; **acto continuo** right afterwards; **en el acto** at once
actriz (*pl.* **actrices**) *f.* actress
actuación performance
actual present, present-day, at this time
actuar to act; to move about
acuario aquarium
acuchillado stabbed to death
acudir to come, respond; to attend
acullá over there
acumulación accumulation
acumulamiento accumulation
acurrucarse to huddle up
acusación accusation

acusador accusing
acusar to accuse
acuse *m.* acknowledgement
achacoso sickly, ailing
achaque *m.* indisposition
achira *South American aquatic plant with an edible tuber*
adecuado fitting, suitable
adelantar(se) to move forward, advance
adelante ahead, forward; **en adelante** in the future; **hacia adelante** forward
adelanto advance payment
adelgazar to get thin
ademán *m.* gesture, attitude
además besides, moreover; **además de** in addition to
adentro inside, within; **hacia adentro** inside
aderezo (*set of*) jewels
adherido adhering
adhesión adherence, espousal
adiestrado trained
adinerado rich, moneyed
adiós good-by
adiposo adipose, fatty, fat
adivinación intuitive guess
adivinar to guess, divine, make out
adivinatorio inspired
adjetivo adjective
administrador *m.* administrator
administrativo administrative
admirador *m.* admirer
admirar to admire
admitir to admit; to accept
adolescente adolescent
adonde where; **¿adónde?** where?
adoptar to adopt
adoración adoration
adorador *m.* adorer
adorar to adore, worship
adormecerse to go to sleep, fall asleep
adornar to adorn
adorno adornment
adquirir (ie) to acquire
aduana customs, customhouse
adueñar to take possession
adujo (*inf.* **aducir**) he adduced
adulación adulation
adular to flatter, adulate
adulterado adulterated
adulterio adultery
adúltero adulterous
adusto gloomy
advenimiento coming, arrival
adversario adversary
advertir (ie, i) to warn; to notice
aéreo aerial
afabilidad affability
afable affable
afán *m.* anxiety, eagerness
afanoso laborious
afección affection
afectar to affect, pretend
afecto affection
afectuoso affectionate(ly)
afeitar to shave
aferrar to seize, grasp; **aferrarse a** to stick to
afición a fondness, liking, taste for
aficionado a fond of
afiebrado feverish
afinar to sing
afirmar to affirm; to secure, steady
aflicción affliction, grief
aflojar to relax, let go
afónico aphonic, soundless
afortunado fortunate
afrontar to confront, defy
afuera outside; *f. pl.* outskirts, suburbs
agachado crouched
agarrarse to grasp (*each other*); **agarrarse a** to seize
agasajar to entertain, shower with attention
agasajo attention, kindness
agente *m.* agent
ágil agile
agilidad agility
agitación agitation

agitar to agitate, shake; **agitarse** to get excited
agosto August; harvest, harvest time
agotar to wear out, exhaust
agradable agreeable
agradar to please
agradecimiento thanks
agrado pleasure, liking
agrandar to enlarge
agravar to make worse; **agravarse** to become worse
agraz: en agraz quite short
agredir to attack; to insult
agregar to add
agresivo aggressive, offensive
agreste rustic
agua water
aguacero shower; heavy rain
aguantar to tolerate, stand, endure
aguardar to await, wait (for)
agudo acute, sharp
Águeda Agatha
aguja needle; sailfish; hand (*of a clock, watch*)
agujerear to pierce
aguzamiento sharp twinge
aherrojado fettered
ahí there; **no pasaba de ahí** did not go beyond that; **por ahí** around there
ahincar to urge, hasten
ahito disgusted, fed up
ahogar to drown; to smother, suffocate, choke
ahondar to probe
ahora now; **ahora mismo** right now; **por ahora** for the present
ahorcarse to hang oneself
ahorradora saver
ahorrar to save
ahorro economy; *m. pl.* savings
ahuecar to hollow out; to evanesce
ahumado smoked
aínda (*Galician*) **aún; aínda que** though
airado angry; wild; violent
aire *m.* air; **al aire libre** in the open air; **levantar por los aires** to lift
airecillo breeze, air, attitude
airoso light, graceful
aislamiento isolation
aislar to isolate, detach
ajedrez *m.* chess
ajenjo absinthe
ajeno another's, foreign; **out of** place
ajime *m.* mullioned window
ajuar *m.* trousseau
ajustar to adapt, adjust; **to fasten**
ala wing; nostril
alabar to praise; **alabarse** to boast
alambre *m.* wire
alameda tree-lined walk
álamo poplar (*tree*)
alarde *m.* display
alargar to stretch, extend; **to hand;** to increase
alarido shout, scream
alarma alarm
alarmante alarming
alarmar to alarm
alba dawn
albedrío free will, fancy
alberca pool, pond
alborozado joyful
alborozo joy
álbum *m.* album
alcaide *m.* warden
alcalde *m.* mayor
alcaldía town hall, city hall
alcance reach, range; extent; **al alcance de** within reach of
alcanzar to reach, attain; to overtake; **alcanzar a** + *inf.* to manage to
alcarraza jug
alcoba bedroom
Alcorán *m.* Koran (*the Mohammedan scriptures*)
aldea village
aldeana village girl
alegar to allege

alegrar to cheer, make glad; to brighten; **alegrarse (de)** to be glad (of)
alegre glad, joyful, cheerful
alegría joy, gaiety
alejarse to move away
alemán German
alentar (ie) to encourage, inspire; to breathe; to give life to
alenzón lace (*from the French town of Alençon*)
aletargado benumbed, lethargic
aleta fin, wing; *pl.* nostrils
aletear to flutter, flap
aleteo fluttering
Alfeo Alpheus
alfiler *m.* pin
alfombra carpet
algazara uproar
algo something; *adv.* somewhat, rather
alguien someone
algún, alguno some, any; not any
aliento breath; **sin aliento** breathless
alimentar to nourish, sustain
alimento food, nourishment
alineado lined up
alisar to smooth; to iron, press
aliviar to alleviate, lighten, relieve
alivio alleviation, relief; ease
alma soul; heart
almacén *m.* shop, department store
almadreña wooden shoe
Almagro *area of Buenos Aires*
almendro almond tree
almidonado starched
almohada pillow, cushion
almohadón *m.* large pillow
almorzar (ue) to have lunch
almuerzo lunch
alocadamente wildly; foolishly
alojamiento lodging
alojarse to lodge
alongado extended
alquilar to rent
alquiler *m.* rent; **de alquiler** rented
alrededor around; **a su alrededor** around him; *pl.* environs, outskirts
alsaciano Alsatian
alterado altered
alternar to alternate
altivez *f.* pride
altivo haughty
alto high, upper; tall; loud; late (*hour*); prominent; **¡alto!** halt!, stop!; **de alto a bajo** from head to foot; **en alto** up high; **en lo alto** on top of; **lo alto** the heavens; **los altos** upstairs, the upper floor(s); *m.* floor, story
altura height, altitude; heaven; **hasta media altura** half-way up
alucinación hallucination
alucinadora hallucinatory, delusive
alucinar to hallucinate, delude; **alucinarse** to be deluded
aludir to allude
alumbrado lighting system
alumbrar to light, illuminate
alumno student
alusión allusion
alzar to raise; **alzarse** to rise, get up
allá there; **allá él (ella, *etc.*)** that's his business, let him be
amabilidad amiability, friendliness
amable kind, affable
amagar to threaten; to show signs of, hint
amalgar to amalgamate
amanecer to dawn; to awake; *m.* dawn, daybreak; **al amanecer** at daybreak
amante *m.* & *f.* lover; *adj.* **amante de** fond of
amanuense *m.* & *f.* secretary
amapola poppy
amar to love
amargo bitter
amargura bitterness
amarillear to yellow
amarillento yellowish
amarillo yellow

amarra cable, tie
amarrar to lash, tie up
amarteladísimo very much in love
amasar to knead
amatista amethyst
amazona horsewoman
ambar *m.* amber
ambición ambition
ambicionar to strive for, desire earnestly
ambicioso ambitious, pretentious
ambiente *m.* atmosphere
ambigú *m.* refreshment bar, buffet
ámbito limit, scope
ambos both
ambulancia ambulance
ambular to walk, wander
amedrentar to frighten
amenaza threat
amenazador threatening
amenazar to threaten
ameno pleasant
ametrallar to machine-gun
amigo friend; **amigo de mi vida** my dear friend; **hacerse amigo de** to become friends with; **ser amigo de** to be fond of
amiguita little friend
amistad friendship
amistoso friendly
amo master, landlord, proprietor
amoníaco ammonia
amontonamiento accumulation
amontonar to concentrate; **amontonarse** to gather, crowd
amor *m.* love, beloved; **amor propio** self-esteem; *pl.* love affair
amoral amoral, unmoral
amoratar to turn purple
amorío love affair
amoroso loving; affectionate; amorous
amortajado shrouded
amortiguamiento dimming, lessening
amortiguar to dim, lessen
amoscarse to become annoyed
amotinado milling about
amparar to protect, shelter
amparo refuge, shelter
ampliar to amplify
amplio ample, roomy; bold; magnanimous
amplificar to amplify
amputar to amputate
amuebladas furnished houses
amueblar to furnish
anales *m. pl.* annals; **anales ferroviarios** railroad history
analisis *m. & f.* analysis
analizar to analyze
anatomía anatomy
anca rump, buttocks
anciano old; *n.* old man, old woman
ancla anchor
ancho broad, wide; **a mis anchas** in comfort
anchuroso spacious
andamio scaffold
andar to walk; to run; to go; to be; to pass; **anda** come now; *m.* walk, pace
andén *m.* railway platform
andrajo rag, tatter
anécdota anecdote
anegar to flood, wash away
anejo annexed, attached
anestesia anesthesia
angélico angelic
Angol *city in the central part of Chile*
ángulo angle, corner
anguloso angular
angustia anguish, distress, suffering
angustioso distressed
anhelante panting, yearning
anhelar to desire greatly; **anhelar** + *inf.* to long to + *inf.*
anhelo yearning, longing
anheloso eager
anilla ring, hoop
ánima soul, spirit
animosamente bravely

animar to animate, enliven, encourage; **animarse** to become enlivened
ánimo spirit; mind; courage; **dar ánimos** to encourage; **templar el ánimo** to bolster up one's courage
anoche last night
anochecer to grow dark; *m.* nightfall
anónimo anonymous; *m.* anonymous letter
anormal abnormal
anotación annotation, note
anotar to note
Anschluss (*Ger.*) *movement for the annexation of Austria to Germany*
ansia anxiety, anguish, longing
ansiedad anxiety, worry
ansioso anxious, anguished; yearning
antaño long ago
ante before, in the presence of; **ante todo** first of all
anteanoche night before last
antebrazo forearm
anteojos glasses, spectacles
antepalco antechamber (*of a box in the theater*)
antepasado ancestor
anterior anterior, previous, preceding
antes before, formerly, previously; sooner; **antes bien** rather, on the contrary; **antes de** before; **cuanto antes** as soon as possible
antesala sitting room
antevíspera two days before
anticipadamente in advance
anticipar to anticipate, hasten
antiguo old, ancient
antigüedad seniority; antiquity
antipatía dislike, antipathy
antiquísimo very old
antojadizo capricious
antojarse to have a notion to; to seem
antología anthology
antorcha torch
antropológico anthropological
anual annual
anudar to knot, tie; **anudarse** to get knotted
anular to annul, remove
anunciador announcing, revealing
anunciar to announce
anuncio announcement
anzuelo fishhook
añadir to add
añagaza trick
año year; **llevar veinte años de unión conyugal** to have been married for twenty years
añoranza longing
añoso old, aged
apacible peaceful
apagado weak, listless, dull
apagar to put out, turn off; **apagarse** to be extinguished; to calm down; to muffle
apalear to beat
aparato apparatus, device
aparecer to appear; to turn up
aparejos gear; implements
aparición apparition
apariencia appearance
apartado distant, remote; *m.* distribution, allocation
apartar to separate, remove; to set aside; **apartarse** to move away
aparte apart, aside; **aparte de** aside from
apasionado passionate; tender(ly), fond(ly)
apasionamiento passion; enthusiasm
apático apathetic
apearse to get off
apedrear to stone; to hail (*weather*)
apego fondness
apelar to appeal; to have recourse
apelotonado curled up
apellido surname
apenar to grieve

apenas hardly, scarcely; with difficulty; **apenas si** hardly, as soon as; **unos cuantos apenas** just a few
apéndice *m.* appendix
apendicitis *f.* appendicitis
apetecer to long for, crave
apetito appetite
apilar to drift
apiñarse to crowd, gather
aplacado placated
aplastante astounding
aplastar to flatten, crush
aplaudir to applaud
aplauso applause
aplazar to postpone
aplicación application
aplicar to apply
aplomo aplomb; self-possession
apocado vacillating, of little courage
apocalíptico apocalyptic
apocamiento bashfulness
apoderarse de to take hold of, take possession of
apogeo apogee, height of glory
apolillado moth-eaten
aporcelanado enameled
aporrear to beat
aportar to bring
aposento room
apóstol *m.* apostle
apostura bearing
apoyar to lean, rest, support; to stress
apoyo support, prop
apreciar to appreciate
aprehendido apprehended
aprehensor *m.* captor
apremiante urgent
aprender to learn
aprendiz *m.* apprentice
aprendizaje *m.* apprenticeship
aprensión apprehension
aprestarse a to get ready, prepare to
apresuradamente hurriedly
apresuramiento haste
apresurar to hurry, quicken; **apresurarse a** + *inf.* to hurry to + *inf.*
apretadamente tightly
apretar to tighten, squeeze, hold tight; to hurry; to pursue, press on
apretón *m.* handshake
aprisionar to imprison
aprobar (ue) to approve
apropiado appropriate, fitting
aprovechar(se) to make use of; to take advantage of; to benefit
aproximación proximity, closeness
aproximadamente approximately
aproximarse to come near, approach
apto apt
apuesto handsome, good-looking
apuntar to point out, note
apurar to hurry, press; to exhaust; **apurarse** to worry
apuro need; haste
aquel, aquella that
aquél, aquélla that one, the former
aquello that, that affair
aquí here; **de aquí** hence, from here; **por aquí** around here
ara altar
árabe Arabic
arabesco arabesque
arañazo scratch
araucano Araucanian (*pertaining to the Araucanian Indians of Chile*)
arbitrariamente arbitrarily
arbitrio expedient
árbol *m.* tree
arboleda grove
arbusto shrub
arcabuz *m.* harquebus
arcada arcade
arcaico archaic
arcángel *m.* archangel; **arcangel caído** fallen angel
arco arch
archivar to file away

archivero archivist, filing clerk
arder to burn
ardid *m.* trick
ardiente burning
ardor *m.* ardor; eagerness
ardoroso fiery
arduo arduous
arena sand
arenal *m.* sandy ground
arengar to scold, harangue
arequipeñita girl from Arequipa (Peru)
argumentación argumentation, plea
argumento argument
arguye (*from* **arguir** to argue)
aristocracia aristocracy
aristocrático aristocratic
aritmética arithmetic
arma arm, weapon; **arma arrojadiza** a weapon to throw (*at someone*); **arma de dos filas** two-edged sword
armadura armor
armar to arm; to stir up, cause; to equip
armario wardrobe, closet
armonía harmony
armónico harmonic
armonioso harmonious
arqueólogo archeologist
arrabal *m.* outskirts, suburb
arraigado rooted
arrancar to root up, tear away; to start up
arranque *m.* sudden start
arrasar to fill to the brim
arrastrar to drag, drag along (down)
arrebatar to snatch, carry away, stir, move
arrebato rage, fury; ecstasy
arrebolarse to redden
arreciar to grow worse
arredrar to frighten
arreglar to arrange, put in order
arrellanarse to loll
arrendamiento rent
arrepentimiento repentance
arrepentirse to repent
arrestar to arrest
arresto arrest, imprisonment
arriar to lower; to slacken
arriate *m.* border (*of a garden*)
arriba up, upward; above, high; **¡arriba!** up!, get up!; **de arriba** up, above
arribado arrived
arrimar to move close to, bring close
arrobado entranced
arrobo ecstasy
arrodillarse to kneel down
arrogante arrogant
arrojadizo easily thrown
arrojar to throw, hurl; to spout
arrollado rolled, wrapped
arrostrar to face
arroyo stream, brook
arroz *m.* rice
arruga wrinkle
arrugar to wrinkle; to crumple; to crease
arrullo lull, strain (*of a melody*)
arte *m. & f.* knack; skill
arteria artery
artero artful, sly
articular to articulate
artículo article
artificio artifice, device
artificioso cunning, tricky
artimaña trick
artista *m. & f.* artist
artístico artistic
asaltar to assault, assail
ascendente ascending
ascender to ascend, go up; to rise
ascensor *m.* elevator
asco loathing, disgust, nausea; **dar asco** to nauseate, make sick
ascua ember
asediar to besiege
asedio siege

asegurar to assure; to make secure; to assert; to fasten; **asegurarse** to make sure
asentar (ie) to place; to seat; to hone, sharpen
asentir (ie, i) to assent, agree
aseo cleanliness
aséptico aseptic
asequible obtainable
aserín *m.* sawdust
asesino assassin, murderer
asestar to aim, deal a blow
asfalto asphalt
asfixiar to asphyxiate, suffocate
así so, thus; **así que** as soon as; **algo así como** something like; **no así** not that way
asiduidad persistence
asiento cost; entry (*bookkeeping*); **asientos contables** entries (*in ledger*)
asignar to assign
asimismo in like manner
asir to grasp, seize
Asís = San Francisco de Asís Saint Francis of Assisi
asistencia attendance
asistir to assist; **asistir a** to attend, be present
asmático asthmatic
asnal asinine
asomar to appear, show; to look out of; to lean out of
asombrar to astonish; to shade
asombro surprise; astonishment; fear
asombroso astonishing, amazing
asomo sign, appearance
asonar (ue) to sound, make a sound
aspaviento excitement
aspecto aspect
aspereza roughness
áspero rough, harsh
aspirante *m.* candidate
aspirar to aspirate, aspire; to inhale
aspirina aspirin
astral astral, heavenly
astro star
asunto affair, business matter
asustar to scare, frighten; **asustarse** to be scared, frightened
ataque *m.* attack
atar to tie, fasten; to paralyze
atardecer to get late (*in the afternoon*); *m.* late afternoon
atareado busy
atarearse to work, move
ataviado dressed, attired
atención attention; **prestar atención** to pay attention; *pl.* favors, courtesies
atender (ie) to attend to, take care of
atenerse a to rely on
atento attentive, kind
aterciopelado velvety
aterrador frightening
aterrar to frighten, terrify
aterrorizado terrified
atestado crowded
atezado tanned
atinado wise
atinar a to succeed in, manage
atisbar to observe
Atlántida Atlantis (*mythical continent in the Atlantic Ocean*)
atlético athletic
atmósfera atmosphere
atolondrar to amaze
atónito aghast
atontado stupefied
atorrante good-for-nothing, vagrant
atrabiliario ill-humored
atraer to attract
atragantado choked
atrás back, previously; **echar(se) atrás** to lean back, back out; **hacia atrás** backward
atrasado behind, retarded; **lo atrasado** the arrears
atravesar to go through, go across; to pierce; **atravesarse** to interrupt, meddle
atreverse a to dare to

atrevido bold, impudent
atribuir to attribute
atril *m.* lectern
atropellado tumultuous
atropellar to run into, run over
atroz (*pl.* **atroces**) atrocious
aturdido reckless; bewildered, stunned
aturdimiento amazement, confusion
aturdir to bewilder; to amaze, stun
audaz bold
auditorio audience, assembly of listeners
auge *m.* vogue, popularity
aula classroom
aullido howl
aumentar to augment, increase
aumento increase; access
aun even, still
aún yet, still, as yet
aunque although, even though, even if
aura aura, atmosphere
áureo golden
aureola halo
aurora dawn
ausencia absence
ausente absent, missing.
austral austral, southern
austríaco Austrian
auto car; sentence, edict
autómata *m.* automaton
autoridad authority
auxiliar to aid, help
auxilio help
avalorado encouraged
avaluar to evaluate, estimate
avanzar to advance; to increase
avaro miserly; *m.* miser
ave *f.* bird; **Ave María** Hail Mary
avenida avenue
avenirse to agree
aventar to fan, winnow
aventura adventure; **aventura galante** escapade, love affair
aventurar to risk, hazard
avergonzar to shame; **avergonzarse** to be ashamed, embarrassed
averiado damaged
averiguar to find out, ascertain
avidez avidity, greediness
ávido avid, greedy
avinagrado soured
avisar to inform, warn, advise
aviso notice, information
avispero swarm of wasps
axioma *m.* axiom, maxim
ayer yesterday
ayuda help, assistance
ayudar (a) to help, aid
azafate *m.* tray
azagador *m.* path (*for cattle*)
azahar *m.* orange blossom
azar *m.* chance; **al azar** at random
ázoe *m.* nitrogen
azogado quivering, shaking
azorante disturbing
azotar to whip, beat; to lash
azúcar *m. & f.* sugar
azufre *m.* sulphur
azul blue
azuleado bluish
azuzado incited

B

babear to drivel; to foam, froth
baboso fool; **un baboso de carne y hueso** an old fool
babuchas slippers
bacanal *f.* bacchanal, orgy
badana sheepskin, strop (*of sheepskin*)
bagatela trinket
bahía bay
bailar to dance
baile *m.* dance
bajar to go down; to descend, lower, get off
bajeza servility
bajo low, lower; short; *adv.* below, in a low voice; *prep.* under; *m.* basement

bala bullet
baladí trivial
balancear to balance, swing
balandrán *m.* cassock
balazo bullet wound
balbucear to stammer
balbuceo stammering
balbuciente stammering
balcón *m.* balcony, balcony window
balde *m.* bucket, pail
baldío uncultivated (*area*)
baldosa paving stone, floor tile
balneario spa, bathing resort
balsa pool
balumba bundle (*of many miscellaneous things*); **en balumba** in great number
ballenato young whale
banca bank
bancada seat, bench
bancal *m.* orchard
banco bench; bank
banda band; group; side (*of a boat*)
bandada flock, group
bandera flag, banner
bandido bandit
bando group
banquete *m.* banquet
banquero banker
bañar to bathe, wash; **bañarse** to go bathing, swimming
bañero bath-house attendant
bañista *m. & f.* bather
baño bath; **baños de sol** sun baths
barandal *m.* balustrade, railing
barandilla railing
baratija trifle
barato cheap; shoddy
barba beard, whiskers; chin; **y con toda la barba** and in full possession of their faculties; **reirse en sus barbas** to laugh in their faces
barbecho fallow
barbilla (*tip of*) chin
barbudo bearded
barca bark, small boat
barco boat, ship
barniz *m.* cosmetic; polish
barnizador *m.* varnisher
barra bar
barranca ravine
barrer to sweep
barriga belly
barrio neighborhood, district
barro clay
barrote *m.* heavy bar, cross brace
bartola: a la bartola carelessly
barullo tumult, uproar
bastante enough; *adv.* enough, rather
bastar to be enough; **¡basta!** stop!, enough!
bastidor *m.* frame, stretcher
basto coarse
bastón *m.* cane, walking stick
bata smock; dressing gown
bataclánico burlesque, strip-tease
batir to beat
baúl *m.* trunk
bautismo baptism
bautizo baptism
bayeta cleaning rag
beatita little saint
beatitud beatitude
bebé *m.* baby
bebedor *m.* drinker
beber to drink; **beberse** to drink up
Beethoven, Ludwig van (*1770–1827*), *German composer*
bellaco sly
belleza beauty
bello beautiful
bellota acorn
bendecir to bless
bendición blessing; **dar la bendición** to bless
bendiga *see* **bendecir**
bendito blessed; **un bendito de Dios** a simple-minded soul
beneficiado benefitted
beneficio benefit
benignidad benignity, favor

berlina: en berlina in a ridiculous position
bermejo bright red, vermilion
bermellón *m.* vermilion
berrear to bellow (*like a calf*)
berrido screech, bellow
berrinche *m.* rage, tantrum
besar to kiss
beso kiss
bestia beast; **bestia de trabajo** work horse
bibelot (*French*) small, valuable decorative object
biblioteca library
bibliotecario librarian
bichito little beast
bien well; very; fine, good; properly; **más bien** rather; **no bien** as soon as; **si bien** while, though; *m.* possession; **no saben su bien** don't know how lucky they are; *m. pl.* property, riches, possession
bien aventurado blissful, blessed
bienestar well-being
bienhechor beneficent; *m.* benefactor
bifronte double-faced
bigote *m.* mustache
billete bill (*paper money*)
birlar to filch, swipe
bisabuelo great-grandfather
bisturí *m.* bistoury, surgical knife
bizcocho biscuit, cake
blanco white; *m.* target
blancura whiteness
blandir to brandish, swing
blando soft
blanducho softish, whitish
blandura softness
blanquear to whiten, turn white
blanquecino whitish
blasfemar to blaspheme, curse
blasfemia blasphemy, insult
blasonado emblazoned
blindado armored
blusa blouse; student smock
bobalicón stupid
boca mouth; **boca abajo** face down; **boca del estomago** pit of the stomach; **a pedir de boca** to one's heart's content, ideal; **reir con toda la boca** to laugh heartily
bocacalle *f.* corner, intersection
bocado bite, mouthful
bocanada whiff
bocina horn
bochorno embarrassment, humiliation
boda, bodas wedding
bodega hold (*of a ship*)
Boehme, Jakob (*1575–1624*), *German mystic*
bofetoncito pat on the face
boj *m.* boxwood; spindle *or* bobbin (*made of boxwood*)
bola ball; lump
bolchevique *m.* Bolshevik
bolero bolero (*music*)
boletero ticket agent
boleto ticket
bolita little ball
bolsa bag; **bolsa de agua caliente** hot-water bottle; **bolsa de hielo** ice bag
bolsillo pocket; coin purse
bolso purse
bomba bomb, pump
bombeado bulging
bombilla light bulb
bombón *m.* bonbon, candy
bonachón good-natured
bondad kindness, goodness; **tener la bondad de** please
bondadoso kind, good
bonaerenses from Buenos Aires
bonito pretty
borbotón *m.* bubbling; **a borbotones** in torrents
borda gunwale (*of boat or ship*)
bordado embroidered; *m.* embroidery
bordadora embroiderer
bordar to embroider

borde *m.* edge, border
bordo (*naut.*) board; **a bordo** on board
borla tassel
borona corn bread
borrar to erase, blot out
borracho drunk; *m.* drunkard
borraja borage (*herb*)
borrego lamb
borrico donkey
borriquillo little donkey
borrón *m.* blot, ink blot
borroneado scribbled
borroso blurred
boscaje *m.* thicket, grove
bosque *m.* forest, woods
bosquear to sketch, outline
bostezar to yawn
bostezo yawn
bota shoe, boot
botar to hurl, throw
bote *m.* boat; thrust; prance
botica pharmacy, drug store
boticario pharmacist
botón *m.* button
boutonniere (*Fr.*) flower (*worn on lapel*)
bóveda dome *or* vault (*of heaven*)
boya buoy
bracero: de bracero arm in arm
bracito small arm
Bradley, Francis (*1848–1924*), *English philosopher and author of* Appearance and Reality
brasa live coal
Brasil, el Brazil
bravío wild
bravo wild, fierce; rough (*sea*)
brazalete *m.* bracelet
brazo arm; **de brazo** arm in arm
bregar to work
breve short, brief
breviario breviary
briche: traje de briches riding habit
bridge bridge (*card game*)
brillar to shine, sparkle
brillo brilliance, luster; **sacar brillo** to polish
brinco leap, jump
brindar to offer; to invite; to drink a toast, toast
brío spirit, determination
brisa breeze
brocha brush
broche hook and eye, clasp
broma joke
bromear to joke
bromista *m. & f.* joker
broncíneo bronzelike
brotar to shoot forth, gush, burst out, spring
bruja witch
brujo sorcerer
brújula compass, magnetic needle
bruma mist, fog; particle
bruñido polished
brusco brusque, sudden; abrupt
brusquedad roughness, rudeness
bruto rough, brutish, brutal; *m.* brute
bucle *m.* curl
buchona: paloma buchona pouter pigeon
budismo Buddhism
buen, bueno good, kind, well; **buenos estaban ellos para** they were in no mood to; **¡buena la haría!** a fine mess I'd be in!
buenamente easily, freely
buey *m.* ox
bufanda scarf, muffler
bufar to puff, chug
bufete *m.* desk
buffet *m.* refreshment table
bufido snorting
buhardilla garret, attic
bujía candle
bulto piece of baggage
bullanguero turbulent; *m.* disturber of peace
bullicioso bustling
bullir to swarm, rustle; to bubble up

buque *m.* ship
burguesía media middle class
burla trick, joke
burlador *m.* rake, seducer
burlar to outwit, elude; **burlarse de** to make fun of, scoff at
burlesco comic
burlón joking
burra female jackass
burro burro, donkey
busca search; **en busca de** in search of
buscar to look for, search
búsqueda hunt, search
busto torso
butaca orchestra seat
buzón *m.* letter box, letter drop

C

cabal complete; exact; **a carta cabal** in every respect; **no cabal** not completed
cabalgar to ride horseback, ride
caballería mule, mount
caballero gentleman; **caballero de industria** adventurer
caballo horse
cabaña cabin; **La Cabaña** *fortress in Havana harbor*
cabecera bedside
cabecita little head
caber to fit; **no cabe duda** there is no doubt; **no caber en sí** to be beside oneself
cabellera head of hair, hair
cabello hair
cabeza head
cabida space, room; **dar cabida a** to make room for
cabildo cathedral chapter
cabizbajo crestfallen, dejected
cabo cape; captain; **al cabo** at last, finally; **al cabo de** after; **doblar el cabo de la felicidad** to be perfectly happy
cabra goat
cacería hunt; hunting party
cacofonía cacophony, repetition of a harsh sound
cacha: las dos cachas the handle *(of a razor)*
cachado broken
cacharro earthen pot, casserole
cachazudo slow, phlegmatic
cacho selection, choice
cachorro cub
cachucho rowboat
cada each, every; **cada cual** each one
cadena chain
cadencia cadence
cadera hip
caer to fall; to become, get to be; **caer mal** to create a bad impression, be unbecoming
café *m.* coffee
caído fallen; *f.* fall; **a la caída de la tarde** in the late afternoon
caja box, case
cajero cashier
cajón *m.* drawer
calabozo prison, cell
calandria lark
calar to cut; **calarse** to slip on
calabozo prison, cell
calcetín *m.* sock
calcular to calculate, reckon
cálculo calculation, reflection
caldera boiler *(of ship or steam engine)*
caldo broth
calendario calendar
calentar (ie) to warm
calidad quality; capacity; importance
cálido warm
caliente hot, warm
calificación grade, mark
calma calm, tranquility
calmar to calm, quiet, abate; **calmarse** to calm down

calor *m.* heat, warmth; **hacer un calor de todos los demonios** to be blazing hot
calumniar to slander
caluroso warm, hot
calvicie *f.* baldness
calvo bald
calzada sidewalk
calzado shod
calzoncillos underwear
callar to silence; **callarse** to become silent, be (keep) quiet; to stop talking; to keep (*something*) to oneself
calle *f.* street; **calle abajo** down the street
calleja alley, side street
callejuela side street, alley
callo callus
cama bed; **cama de dobleces** folding bed; **caer en cama** to fall sick
camalote *South American aquatic plant*
camarada *m.* comrade
camaraderismo comradeship, friendship
camarera chambermaid
camarote *m.* stateroom, cabin
camastro rickety old bed
cambiante changing
cambiar to change, exchange; **cambiar de** to change
cambio change; **a cambio de** in return for; **en cambio** on the other hand
camilla stretcher
caminante *m. & f.* walker, passer-by
caminar to walk; to go (by); to move (along)
caminejo walk, path
camino road, way; **camino de** on the way to; **a mitad del camino** halfway; **abrir camino** to get ahead, make one's way; **ir camino adelante** to go in the opposite direction
camisa shirt; nightshirt; **meterse en camisa de once varas** to meddle in other people's business
camiseta undershirt
campana bell
campanada ringing of a bell, stroke of a bell
campanario belfry, bell tower
campanazo bell stroke
campanudo pompous
campaña campaign
campera country clothes
campesino peasant, rustic; *m.* peasant, farmer
campestre rustic, rural, country
campo country, field; **campo de lucha** battlefield
can *m.* dog
Canadá = **el Canadá** Canada
canal *m.* canal, channel
canalla *m.* cur, cad
canario canary
canasto large basket; **¡canastos!** gracious!, confound it!
cancela front door, gate
canción song
cancha roasted beans
candidato candidate
cándido innocent; white
cano gray, gray-haired; **canas** gray hair
cangilón *m.* a large jug *or* bucket
canónigo canon (*churchman*)
canoso gray
cansancio tiredness, fatigue
cansar to tire; **cansarse** to get tired
cantar to sing, sing out; to chant
cantidad quantity
cantiga song, poem (*of Galicia*)
cantina restaurant, lunchroom
cantinela old song; **conozco la cantinela** I know that old story
canto song
cañaveral *m.* canebrake
cañon *m.* well (*of a staircase*)

cañutillo twisted silver thread
caoba mahogany
caos *m.* chaos
capa cape; coat; layer
capacidad capacity
capacitar to enable
capataz *m.* foreman
capaz capable
capcioso deceptive
capellada cap *or* toe piece (*of a shoe*)
capilla chapel
capirote *m.* hood; dunce-cap
capital *m.* capital (*money*); *f.* capital (*city*)
capitanear to lead, command
capitanía harbor master's office
capote *m.* cloak; **decir para su capote** to say to oneself
capricho whim, caprice
caprichoso capricious, willful
capuchino Capuchin (*monk*)
capullo bud (*flower*); **capullo a medio abrir** half-opened bud
cara face
caracol *m.* snail
caracoleante prancing
carácter *m.* (*pl.* **caracteres**) character; characteristic; letter (*printing*)
¡caramba! confound it!
carámbano icicle
caramelo sweet; light
caramillo heap; **se armó un caramillo de chismes y murmuraciones** stirred up a heap of gossip
carátula face (*of a watch*)
¡caray! confound it!
carbunclo ruby
carcajada burst of laughter; **reir a carcajadas** to laugh heartily
cárcel *f.* jail, prison
carcomer to undermine
cardíaco cardiac
carecer (de) to lack
carencia lack
careta mask
carga cargo, load; burden; responsibility, charge; **volver a la carga** to persist, persevere
cargador *m.* stevedore
cargar to load; to raise (*naut.*)
cargo burden, duty; position; **cargo de conciencia** sense of guilt
caricia caress
caridad charity
carilla page
cariño affection, love; **tomarle cariño a** to become fond of; *pl.* affectionate words, farewell
cariñoso affectionate, loving
carita little face
caritativo charitable
carmín *m.* carmine, redness; **había hecho correr su carmín** had smeared her lipstick
carne *f.* meat, flesh
carnicero butcher
carnoso fleshy
caro dear, expensive
carpintero carpenter
carrera run, race
carretela calash, carriage
carretelero driver (*of a calash*)
carretera road
carrilano track
carro cart
carruaje *m.* carriage
carta letter; official document, papers; **a carta cabal** in every respect; **cartas tirabuzón** gouging letters
cartapacio notebook
cartear to correspond, write letters
cartero postal clerk, mailman
cartón *m.* cardboard
cartulina card, postcard
casa house, home; **casa solariega** manor house; **poner (una) casa** to set up housekeeping
casada married woman
casarse (con) to get married
cascada cascade, waterfall
cáscara shell

casco crown, headpiece; hoof
caserío group of houses, hamlet; country house
caserón *m.* big run-down house
casi almost, nearly
caso case, event; **darse el caso** to occur, happen; **en todo caso** in any case; **hacer caso (a)** to pay attention (to); **maldito el caso que hizo de él** paid absolutely no attention to him
castaño chestnut-colored
castellano Castilian, Spanish
castigar to punish
castigo punishment
castizo pure-blooded, native
casto chaste
castor *m.* beaver, beaver cloth
casual accidental, casual
casualidad chance, accident; **por casualidad** by chance
casuca cottage
catalogar to catalogue
catarata cataract, cascade
catarro head cold
catástrofe *m.* catastrophe
catecismo catechism
catecúmeno catechumen
cátedra professorship
catedral *f.* cathedral
categoría category; quality; status; **de categoría** of importance
catequista *m. & f.* teacher of catechumens
catequizar to catechise, convert
caucho rubber
caudaloso copious, carrying much water
causa cause; **a causa de** on account of
causante *m. & f.* cause, originator
causar to cause, bring about
cauteloso cautious
cautivador captivating
cautivar to captivate, attract
cautivo captive
caverna cavern
cayate (*Arg.*) = **cállate** be quiet
cayendo falling
caza chase, pursuit
cazar to hunt
cebado baited
Ceca: andar de Ceca en Meca to go from place to place, hither and yon
ceder to cede, yield, give up
cedro cedar
cegar (ie) to blind
ceguera blindness
ceja eyebrow, brow
cejar to cease, slacken
celda cell
celebrar to celebrate, hold (*a meeting*); to be famous (*well known*); to praise
célebre famous
celeste sky-blue; heavenly
celo zeal; *pl.* jealousy
celoso zealous; jealous; suspicious
celta *m. & f.* Celt
cementerio cemetery
cena supper
cenar to have supper
ceniciento gray, ashen; contemptuous
cenital zenith
ceniza ashes, cinders
censo census
centavo cent
centella flash, spark
centellear to flash, sparkle
centelleo flashing
centenar *m.* hundred
centenario centenarian
centímetro centimeter (*.393 inches*)
centolla spider crab
centro center, middle; downtown
centurión *m.* captain
ceñir (i) to surround; to fasten; to encircle
cepillo brush
cera wax
cerca near, close by; **cerca de** near; **de cerca** at close range, closely

cercano near, close, nearby
cercar to surround, crowd around
cercenado trimmed; lopped off, severed
cerco edge, border
cerda bristle
cerdo pig
cerebro cerebrum
ceremonia ceremony; **dispensarse de ceremonias** to dispense with formalities
ceroso waxy, waxen
cerrado closed; thick, close
cerradura lock, keyhole
cerrar (ie) to close, shut; to obstruct; to enclose
cerro hill
certamen *m.* contest, match
certeramente accurately
certeza certainty
certidumbre *f.* certainty
cesar (de) to cease, stop
césped *m.* grass, lawn
cestita little basket
cesto basket, pile; **cesto de la compra** shopping basket
cestón *m.* large basket, pannier
cetrino sallow
cetro sceptre
cicatriz *f.* scar
ciclópeo Cyclopean, one-eyed
Cid: el Cid Campeador *Rodrigo Díaz de Vivar (1040?–1099), semi-historical, semi-legendary military figure of Spain, protagonist of the epic* Cantar de Mío Cid
ciego blind
cielo sky, heaven; **cielo de tempestad** stormy sky; **ganar el cielo** to win a place in Heaven
cien hundred
ciencia science; knowledge
científico scientific
cierne budding; **en cierne** incipient
cierto certain, a certain
cifra cipher, number
cifrar to calculate
cigarra locust
cigarrillo cigarette
cigarro cigar
cima top
cinc *m.* zinc
cincelado carved
cine *m.* movie
cinematográfico motion-picture
cinematógrafo motion pictures
cínico cynical
cintita little ribbon
cintura waist
cinturrón *m.* belt
ciprés *m.* cypress
circo circus
circulación circulation
circular to circulate, run
círculo circle
circundante surrounding
circundar to surround
circunstante *m.* bystander, onlooker
cirio wax candle
cirujano surgeon
cisne *m.* swan
cita engagement, appointment; tryst
ciudad city
ciudadano urban; *m.* citizen, urbanite
clamar to cry out
clandestino clandestine, secret
claridad clarity, light
clarín *m.* clarion (*trumpet*)
clarinada clarion call
claro clear, bright; light, obvious; **a las claras** openly, publicly; **poner en claro** to clear up; *adv.* clearly; **¡claro!** of course!
clase *f.* class, kind
clausurar to close, conclude
clavar to nail; to fix, stick; to dig in
clave *f.* key
clavel *m.* carnation; **clavel del aire** *parasitic plant, similar to Spanish or Florida moss, that hangs from trees*

claveteado studded (*with gold or silver tacks*)
clavo nail
clérigo cleric, clergyman, priest
cliente *m. & f.* customer
clientela customers
clima *m.* climate
clin *f.* mane
clorofila chlorophyll (*green*)
cloroformizar to chloroform
cloroformo chloroform
clu = club *m.* club
coartada alibi
cobarde cowardly
cobardía cowardice
cobrar to acquire, get
cobre *m.* copper
cocer to bake
coces *f. pl.* kicks; **dar coces** to kick
cocina kitchen
cocinero cook
coco bogeyman
coche *m.* car; carriage
cochería livery stable
cochero driver
cochino nasty, dirty
codicia covetousness, greed
codiciado coveted
codicioso covetous
código code
codo elbow; **comerse los codos** to be starving; **romperse los codos estudiando** to study like crazy
coger to take hold of, take up, take; to catch, seize
cogote *m.* back of the neck
cohibir to restrain, inhibit
coincidencia coincidence
coincidir to coincide
cojear to limp, halt
cojín *m.* cushion
cola tail, line; **a la cola de la cola** at the tail end of the line
colarse to sneak in; to pass through
colcha bedspread
colección collection
coleccionador *m.* collector
colega *m. & f.* colleague
colegio academy; elementary school
cólera anger
colérico irritable, angry
coleto (*coll.*) one's body, self; **para su coleto** to oneself
colgante hanging
colgar (ue) to hang
colina hill
colmar to fill; to heap; **colmar de** to shower, overwhelm
colmena beehive
colmo height, limit; **para colmo de** to top off
colocación place, location
colocar to place, put; to set
Colón = Cristóbal Colón Christopher Columbus (1451–1506)
colonia colony
color *m.* color
colorado reddish, colored; blushing
colorear to color; to redden
colorete *m.* rouge
columbrar to perceive, detect
columna column
columpiarse to shake
collar *m.* necklace, chain
coma comma; coma
comadre *f.* gossip (*person*)
comarca region
combate *m.* combat
combatiente *m.* combatant, fighter
combatir to combat, fight; to argue against
combinación combination; plan
combinar to combine; to work out
comedia comedy; play; drama
comedor *m.* dining room
comentar to comment on, expound
comentario commentary; *m. pl.* chit-chat
comenzar (ie) to begin, start
comer to eat; **comerse** to eat up
comerciante *m.* businessman
comercio commerce; store, shop
cometer to commit
cómico comic

comida dinner; meal; food
comidilla snack; talk, gossip
comienzo beginning, start
comisaria police station
comisión commission; **comisión receptora** reception committee
como like; as; how; **así como** as soon as; **así como así** just like that; **como si tal cosa** as if nothing had happened
¿cómo? how?, why?, what?
cómoda chest of drawers
comodidad comfort, convenience
cómodo comfortable
compacto compact, dense
compadecer to pity, feel sorry for; **compadecerse** to sympathize
compadre *m.* friend, companion; pal
compadrito young dandy (*usually of lower urban class*)
compañero companion, mate; **compañero de armas** companion at arms
compañía company; society
comparación comparison
comparar to compare
comparecer to appear
compartir to share, divide
compasivo compassionate
compendio: en compendio in brief
compensar to make up for, compensate for
competencia competence; competition; adequacy
complacencia pleasure
complacer to accommodate; **complacerse (en)** to be pleased (with)
complejo complex
completar to complete, perfect
completo complete; **por completo** completely
complexión complexion; constitution
cómplice *m. & f.* accomplice
complicidad complicity
componerse to dress up, primp
compota compote, stewed fruit
compra shopping, purchase
comprador *m.* shopper, buyer
comprar to buy; to shop
comprender to understand, comprehend; to comprise
comprensión comprehension, understanding
comprensivo understanding
comprobar (ue) to verify; to prove; to check
comprometedor compromising
comprometer to compromise; **comprometerse** to become involved
compromiso compromise; engagement; date; betrothal; embarrassment; **contraer compromiso** to become engaged
comulgar to take communion
común common
comunal common, community
comunicar to communicate
con with, to, by
concávo concave, hollow
concebir (i) to conceive
conceder to concede, grant
concentrar(se) to concentrate, fix (*one's eyes*)
concepto concept, opinion
concerniente a concerning
conciencia conscience, consciousness; **a conciencia** conscientiously; **de conciencia** conscientious
concierto concert
concluir (de) to conclude, finish
concluyente conclusive
concretarse to limit oneself
concreto concrete; specific
concurrencia gathering; contest
concurrido crowded, frequented
concurrir to attend
concurso gathering
condenado accursed, damned
condenar to condemn
condesa countess
condescendencia acquiescence
condición condition, state; nature

conducir to conduct, lead, guide; to transport, carry
conducta conduct
conducto: por conducto de by means of, through
confeccionar to make
confesar(se) (ie) to confess, go to confession
confesionario confessional
confesor *m.* confessor (*priest*)
confiado confiding; confident
confianza confidence
confiar to trust, entrust; to confide
confidente *m.* & *f.* confidant(e), close friend
confinado confined
confirmar to confirm
confite *m.* delicacy (*candy*)
confitería ice-cream parlor
confluencia confluence, coming together
conformarse to limit *or* resign oneself
conforme as; **conforme a** according to; **conforme con** in accordance with
conformidad conformity; **de conformidad con** in accordance with
confortar to console, comfort
confundir to mix, jumble
confuso confused
congestionarse to become congested; to get upset
congoja anguish
congregarse to gather
conjetura conjecture
conjeturar to conjecture, guess
conjurar to ward off; to conspire
conjuro spell, exorcism
conmigo with me
conmovedor moving
conmover (ue) to move, stir, touch; to shake, upset; **conmoverse** to be moved, touched
conmutable commutable
conocedor *m.* expert
conocer to know, meet; **conocerse** to know (*one another*); to meet
conocido acquaintance
conocimiento knowledge, understanding, consciousness, acquaintance; *pl.* knowledge
conquista conquest
conquistar to conquer; to win
consabido above-mentioned; well known
consecuencia consequence; **en consecuencia** accordingly
consecutivo consecutive, following
conseguir (i) to obtain, get, succeed in
consejero counselor, adviser
consejo council, advice
consentido tolerated
consentimiento consent
consentir (i) to consent
conservación preservation
conservar to conserve; to hold, keep
considerar to consider
consigna sign
consignar to consign; to assign
consiguiente: por consiguiente therefore
consistir en to consist in
consistorio consistory, council
consolar (ue) to console, comfort
consonancia agreement, consonance
consorte *m.* & *f.* consort
constar to be evident, clear, on record; **constar de** to consist of
constituir to build, construct
consuelo consolation
consumar to consummate; to commit
consumir to consume; **a medio consumir** half consumed; **consumirse** to waste away
consumo consummation
contabilidad bookkeeping
contabilizado: contabilizado en fecha posted as of current date
contable countable

contacto contact
contado few
contagiarse to become affected by
contar (ue) to count; to tell, relate; **contar . . . años (de edad)** to be . . . years old; **contar con** to count on, take into consideration
contemporización temporization, compliance
contener to contain; to restrain
contenido moderate, restrained; *m.* content(s)
contentar to please; **contentarse** to content oneself, be satisfied with
contento happy, satisfied; *m.* joy
contera: por contera on top of everything else
conterráneo countryman
contestación answer
contestar to answer
contiguo adjacent
continuar to continue
continuo continuous, continual; **de continuo** continuously
contoneo strutting, strut
contorno contour, outline
contra against
contrabando: de contrabando smuggled, forbidden
contraer to contract, tighten; to catch
contrario contrary; **al** *or* **por el contrario** on the contrary; *f.* opposite; **llevar la contraria** to disagree with
contrata contract
contratar to rent, engage
contratiempo mishap
contrato contract
contribuir to contribute
contrincante *m.* opponent
control *m.* check, verification
convalecer to convalesce, recover
convencer to convince
convenientemente appropriately
convenio agreement; **según convenio** as agreed upon
convenir to be necessary, be suitable; **convenir en** to agree on *or* to
conventillo tenement house
convento convent, monastery
convergir to converge, aim, point at
conversar to converse, chat
convertir (ie, i) to change, convert; **convertirse en** to become, turn into
convicción conviction, belief
convidar to invite
convivir to live together
convoy *m.* train
convulso convulsed
conyugal conjugal, marital
cónyuges *m. pl.* husband and wife, couple
coñac *m.* brandy
copa goblet; cup; crown, top of a tree
copetudo snobbish
copia copy
copiar to copy
copiosamente abundantly
copla couplet, ballad; song
copo de nieve snowflake
coqueta flirtatious, coquettish
coquetear to flirt
coquetuela flirtatious, coquettish
coquetería coquetry
coraje *m.* courage; anger
corazón *m.* heart; courage
corbata necktie; **usar corbata** to wear a tie
corcel *m.* steed, charger
corcho cork
cordaje *m.* rigging
corderillo, corderito lamb, little lamb
cordero lamb, little lamb
corear to repeat; to join in, answer in chorus
corium: in corium (*Lat.*) = **en cueros** stark naked
córnea cornea (*of the eye*)
cornisa cornice, edge
corola corolla (*petals of a flower*)

corona crown
coronar to crown
coronel *m.* colonel
corpiño bodice
corporal bodily, physical
corpulento corpulent, stout
corral *m.* barnyard, porch, platform
corredor *m.* porch, gallery; corridor
corregir (i) to correct
correo mail; **echar al correo** to mail; *pl.* post office
correr to run; to extend; to pass; to blow (*breeze*)
correrías adventures, escapades
correspondencia correspondence; mail
corresponder to correspond; to respond; to suit; to belong
correspondiente corresponding
corretear to race around
corrida bullfight
corrido: de corrido fluently, right off
corriente running (*water*); *m.* current month; *f.* current, stream; **estar al corriente (de)** to be informed (about)
corro circle (*of people*)
corso promenade
cortar to cut, cut off
corte a length of material; outline; **hacer la corte** to court (*a woman*)
cortejar to court (*a woman*)
cortés polite, gracious
cortesía courtesy, politeness
corteza bark (*of a tree*)
cortina curtain
cortinón *m.* curtain, drape
corto brief, short
Coruña, La *seaport in Galicia*
cosa thing; **¿cosa formal?** a serious matter?; **cosa rara** strange thing; **cosas de** things *or* tricks of; **no . . . gran cosa** not very much; **otra cosa** something (anything) else
coscorrón *m.* bump (*on the head*)
cosecha harvest, crop
cosechar to reap
coser to sew
cosmografía cosmography (*science describing order of universe*)
costa coast; cost; **a su costa** at your own expense; **a toda costa** at any price
costado side; **de costado** on the side; **a los costados** along the sides; **por los cuatro costados** by birth (*i.e.,* on both sides of the family)
costar (ue) to cost
costilla rib
costoso costly
costumbre *f.* custom, habit; **como de costumbre** as usual; **de costumbre** usually, always; **tomar la costumbre** to acquire the habit
costura sewing
cotidiano daily
coyuntura hitch (*between railroad cars*)
Creador, el the Creator
crear to create
crecer to grow, grow up; **crecerse** to get bolder
creces *f. pl.* increase; **con creces** with interest
crecido grown, long, large
creciente growing
credo Creed (*prayer from the Mass*)
credulidad credulity, believing
crédulo credulous, trustful
creer to believe; to think
creencia belief
crenchas locks of hair
crepitar to crackle; to resound
crepúsculo twilight
crespo curly
cresta crest
cretona cretonne (*a fabric*)
criada maid; **de criada** as a maid
criado servant

crianza breeding
criatura child
crimen *m.* crime; crime page of newspaper
crispado braced
cristal *m.* crystal; windowpane, glass; **de cristal** crystal clear
Cristo Christ; **¡Cristo!** Heavens!
criterio opinion
criticar to criticize; to find fault with, gossip
crítico critical
crónico chronic
cruces *f. pl.* crosses
crucifijo crucifix
crudeza crudeness, harshness
crudo crude; harsh
crueldad cruelty
crujiente creaking
crujir to creak, rustle
cruzar to cross, exchange; **cruzarse con** to meet, encounter
cuadra block; **a media cuadra escasa** within a scant half block
cuadrado at attention
cuadrarse to come to attention
cuadriculado stamped
cuadrilla work gang
cuadrito: a cuadritos checked (*as in a fabric*)
cuadro picture, painting
cuádruple quadruple
cuajado decorated, ornamented
cuajar to condense; to appear
cuajo: arrancar de cuajo to tear completely off
cual which, who; such, such as, as, like; one; **cual si** as if; **por lo cual** for which reason
¿cuál? which, which one, who
cualidad quality, characteristic
cualquier any one, whichever, any, anybody
cuán how
cuando when, during; **cuando más** at most; **cuando menos** at least; **de cuando en cuando** from time to time
¿cuándo? when?
cuantía importance
cuantiosa substantial
cuanto as much as, all that; **cuanto antes** as soon as possible; **en cuanto** as soon as; **en cuanto a** as for; **unos cuantos** some, a few
¿cuánto? how much?, how?; **cuánto gusto (de)** what pleasure; *pl.* how many?
cuaresma Lent
cuartel *m.* jail; barracks
cuartelazo coup d'êtat
cuartilla sheet of paper
cuarto room; quarter; fourth
cubierta deck of ship; top of table; book cover; **cubierta de mesa** table cover
cubierto covered; **a cubierto** sheltered, protected
cubrir (de) to cover (with); **cubrirse** to become covered
cucharada spoonful
cuchicheo whispering
cuchillo knife
cuco crafty; *m.* cuckoo
cucurucho paper cone
cuello neck; collar; **decir para el cuello (de su camisa)** to say to oneself
cuenco earthen bowl
cuenta bill, account; bead; **a cuenta** on account; **caer en la cuenta** to realize, **dar cuenta** to account, report; **darse cuenta de** to realize; **en resumidas cuentas** in short; **hagan de cuenta** just imagine; **llevar la cuenta** to keep count; **tomar en cuenta** to take into account
cuento story, tale; **cuentos de ánimas** ghost stories; **sin cuento** countless; **y va de cuento** once upon a time

cuerda rope, line; (*fig.*) strength; **dar cuerda** to wind; **quedar cuerda** to have enough energy
cuerdo sane
cuerno horn; **cuerno de la abundancia** horn of plenty
cuero leather, hide; **en cueros** stark naked
cuerpo body, corpse; **a pocos cuerpos** a few feet away
cuesta hill, slope; **a cuestas** on one's back
¡cuidadito! careful!
cuidado care, solicitude; worry; attention; **¡cuidado!** be careful!; **tener cuidado** to be careful
cuidadosamente carefully
cuidar to take care of, look after, be careful with
culebra snake
culebreo zigzag
culminante culminating
culpa blame, guilt, fault, sin; **tener la culpa (de)** to be to blame (for)
culpable guilty, guilty one
culpado guilty (*person*)
culpar to blame
cultivar to cultivate
culto religion; cult
cumplimiento fulfillment; courtesy, correctness
cumplir to fulfill, complete; satisfy; to do one's duty; **cumplir . . . años** to be . . . years old; **cumplir con** to fulfill one's obligation to
cuna cradle
cuña wedge
cuñado brother-in-law
Cupido Cupid
cúpula cupola, dome
cura *m.* priest; *f.* cure
curandero witch doctor, healer
curar to heal; to comfort
curiosear to pry, snoop
cursi cheap, vulgar
curso course; academic year
curtido tanned
custodiar to guard, take care of
custodio guard; **ángel custodio** guardian angel
cuyo whose, which

Ch

chacra small farm
cháchara idle talk, chatter
chaleco vest
chambergo *man's hat with soft crown*
champaña champagne
chamusquina scorched
chanza joke; **en chanza** jokingly
chápiro: ¡voto al chápiro! by golly!
chaquet *m.* jacket, suit coat
chaqueta jacket, suit coat
charco pool, puddle
charla chat, conversation, talk
charlar to talk, chat
charlatán *m.* charlatan; gossip
charol *m.* patent leather
chasqueado tricked
chasquear to clack (*the tongue*)
chasquido creak; clack (*of the tongue*)
chato commonplace; short
chico small; *m.* boy; **chica** girl
chicuelo little boy
chicha: calma chicha complete calm
chiflado crank, "nut"
chiflido whistle
Chilotas, Islas *archipelago off the southern coast of Chile between Valdivia and Patagonia*
chilotes *natives of the province of Chiloé in southern Chile*
chillar to screech, scream
chillido scream, shriek
chillón loud
chimenea chimney; fireplace
chino Chinese
chiquillo little boy

chiquito very small; *m.* little boy; **chiquita** little girl
chirimbolo container
chisme *m.* gossip
chispa spark; small particle
chispita little spark; **una chispita de conciencia** a shred of conscience
chisporroteante sparkling, sputtering
chisporroteo sparking, sputter
chistar to hiss
chiste *m.* joke
chistera top hat
chocar to hit, strike; to collide
chocarrero vulgar, coarse
chocho doting
Chopin = **Frédéric Chopin** (*1809–1849*), *Polish composer*
chopo black poplar tree
chorro spurt, stream; **a chorros** in abundance, copious(ly)
choza hut
chupar to suck

D

dádiva gift
dama lady
damiselilla girl; little girl
danza dance; disorderly collection
danzar to dance
dañar to hurt, harm
daño hurt, harm; **hacer daño** to hurt; **hacerse daño** to hurt oneself
dar to give; to lead; to cause; to strike (*hour*); to hit; **dar a** to face, overlook; **dar a entender** to suggest; **dar con** to find, come across, hit upon; **lo mismo da** it amounts to the same (thing); **darse a** to devote oneself to; **darse por** to consider oneself as, be considered as
dardo dart, lance
datar to date (from)
dato fact, datum, information
de of, from, by, with, than
debajo (de) under, underneath
debatirse to struggle
deber to owe; *aux.* must; **deber de** must; *m.* duty
debidamente properly
debido proper; **debido a** due to
débil weak, feeble
debilidad weakness
debilitar to weaken
debutar to begin
decaer to decay; to decline
decapitar to behead, decapitate
decente decent, proper; respectable
decepcionado disappointed
decidir to decide; **decidir a** to persuade; **decidirse a** to make up one's mind, decide to
decir to say, tell; to speak; **es decir** that is to say; **por decirlo así** so to speak; **por mejor decir** rather, in other words; **decir que sí** to say yes; *m.* opinion; story; **en un decir Jesús** in an instant
declaración declaration (*of love*)
declarar to declare
declaratorio declaratory, amorous
declinar to descend, diminish; to turn down
decoro decorum, respect
decreciente deteriorating
decrépito decrepit
decretar to decree
dedicar to dedicate; **dedicarse** to devote oneself
dedicatoria inscription
dedo finger; **dedo gordo** thumb; **chupar los dedos** to lick one's fingers
defender (ie) to defend, protect
deferente deferential (*to another's opinion*)
definir to define, fix
definitivo definitive; **en definitiva** in short

defraudar to disappoint, cheat
degollar (üe) to cut somebody's throat
degüello beheading
deidad *f.* deity
dejame (*Arg.*) = **déjame**
dejar to leave, allow, leave alone, abandon; **dejar caer** to drop, let fall; **dejar de** to stop, fail to
dejo trace, touch
delantal *m.* apron
delante de in front of, before
delantera chest; front; **rolliza delantera de paloma buchona** rounded pouter pigeon chest
delantero front, forward
delatar to give away, reveal; to denounce
delator informing, tattling, betraying; *m.* informer
deletrear to spell
delgado slender, thin
delicadeza attention
delicia delight
delicioso delightful, delicious
delirio delirium, rapture
delito crime, transgression
demacrado wasted away
demanda petition; **en demanda de** looking for
demás other, rest of the; **lo demás** the rest; **los demás** the others; **por lo demás** furthermore
demasiado too much; *pl.* too many; *adv.* too
demonio demon, devil; **¡que vaya al demonio!** the devil with it!
demontre: al demontre to the devil
demora delay, procrastination
demorar to delay
demostrar (ue) to demonstrate
demudar to change color *or* countenance suddenly
denegador obstinate, negative
denominar to call; to name
denso dense; thick; dark
dentadura set of teeth
dentellada bite
dentro (de) inside (of), within
denuncia denunciation
deparar to provide
departamento apartment; rooms; compartment (*railroad car*); naval district
depender (de) to depend (on)
dependiente *m. & f.* employee, clerk
deporte *m.* sport
depositar to put
depuesto having set aside
derechito right away, directly
derecho right, straight; **tomar a la derecha** to turn to the right; *adv.* directly, right away; *m.* law, right; **derecho de prioridad** priority rights
deriva: a la deriva adrift
derivar to derive
derramar to shed; **derramarse** to spill, overflow
derredor: en derredor suyo around him
derretir (i) to melt
derribar to cut down, knock down
derrochar to waste
derrota defeat
derrumbarse to collapse
desabrochar to unbutton
desacuerdo forgetfulness
desaforadamente wildly; excessively
desagradable disagreeable
desagrado displeasure
desahogarse to unburden oneself
desaire *m.* rebuff
desalentado discouraged
desaliento dismay, discouragement
desamor *m.* indifference, coldness
desanimar to discourage; **desanimarse** to become discouraged
desaparecer to disappear
desapercibido inconspicuous
desarmar to take apart, disarm
desarrapado ragged, tattered

desarrollar to develop
desarrollo development
desarticular to disjoint, take apart
desasirse (de) to free oneself (from)
desasosiego anxiety
desastroso disastrous
desatado loosened
desatar to undo, let loose
desatinado wild; foolish
desatracar to push off
desayunarse to have breakfast
desazonar to annoy
desbarajuste *m.* confusion
desbocarse to lose control of oneself; to swear, curse
descalzo barefoot
descansar to rest
descanso rest, quiet
descarado bold, fresh, impudent
descarga firing (*of a gun*)
descargado unloaded, not loaded
descarnado lean, thin
descartado discarded, rejected
descendente downward
descender (ie) to descend, go down, get off
descifrar to decipher
descolorido discolored, faded
descompás: a descompás discordantly
descomponerse to decompose
descomposición decomposition
descompuesto angry
descomunal enormous
desconcertador disconcerting
desconcertar (ie) to disturb, baffle, confuse
desconchar to chip, peel
desconocer to not know, be ignorant of
desconocido unknown
desconsoladamente disconsolately
desconsolador discouraging, disconsolate
desconsuelo grief
descontento discontented; *m.* displeasure; discontent
descorazonarse to become disheartened
descortés rude
descoser to unstitch, rip
descreído unbelieving
describir to describe
descubierto uncovered, bare; **al descubierto** exposed
descubridor *m.* discoverer
descubrimiento discovery
descubrir to discover; to reveal; to find out
descuento discount
descuidar to neglect
descuido mistake
desde since, from, after; **desde ahora** from now on; **desde entonces** ever since, since then; **desde hace** for; **desde luego** of course; **desde que** since
desdén *m.* scorn, disdain
desdeñar to disdain, scorn
desdeñoso scornful
desdibujado blurred
desdicha misfortune
desdichado unfortunate
desdoblar to unfold
desear to want, wish
desechar to cast off
desecho: de desecho discarded
desembocar to disembark, go ashore
desempeñar to fulfill, carry out (*a job*)
desempleado unemployed
desencajado contorted, run down
desencanto disenchantment, disillusion
desenfado ease, freedom
desenfrenado wanton
desengaño disillusionment
desenvoltura ease
desenvolver (ue) to unfold, cast
desenvuelto free, easy
deseo wish, desire
deseoso (de) anxious to
desequilibrado unbalanced, insane; *m.* madman

desesperación despair, desperation
desesperado desperate
desesperante despairing
desesperar to despair, lose hope
desestero removing mats (*from a room*); time for removal of mats
desfachatez *f.* effrontery, impudence
desfalco embezzlement
desfallecer to faint
desfallecimiento weakening, decline
desfavorablemente unfavorably
desfigurar to disfigure, change
desfilar to pass by, pass through, file by
desfile *m.* row, file; procession, parade
desgajar to disjoint, break off
desgañitarse to scream oneself hoarse, bawl
desgarradura laceration
desgarrar to claw; to rend
desgarrón *m.* tearing, ripping
desgracia misfortune, mishap; **por desgracia** unfortunately
desgraciado unfortunate; *m.* wretch
desgreñado disheveled
desguazar to break up (*a ship*), wreck
deshacer to undo; to diminish; to untie; **deshacerse de** to get rid of
deshecho undone; destroyed
deshonra dishonor
deshinchar to deflate
deshojar to tear out (*of a book*), tear leaves off (*a plant*)
desierto deserted; *m.* desert
designar to designate, name, point out
desigual unequal, uneven
desintegrar(se) to disintegrate
desinteresado disinterested
desistir (de) to give up
desleal disloyal
desleir to emanate, dissolve; to diffuse
deslizar to slip, glide; **deslizarse** to glide, slip away
deslucido dull; worn
deslumbrador dazzling
deslumbramiento glare, dazzling
deslumbrante dazzling
deslumbrar to dazzle, bewilder
desmantelado run down
desmayarse to faint; to droop
desmayo faint, fainting fit
desmedrado wasted
desmejorar(se) to decline, lose one's health; to become thin
desmentir (ie, i) to belie
desmesurado excessive
desnudar to undress
desnudez *f.* nakedness
desnudo naked, bare
desobedecer to disobey
desocupado idle
desolado desolate; disconsolate
desorden *m.* disorder
desordenado disordered, unruly
desordenar to disarrange, muss
desoir to be deaf to; to be heedless of
desorientación confusion, disorientation
desorientado confused
despachar to send off
despacho office, study
despacio slowly
despacito slowly, gently
despampanante flashy
despanzurrado disemboweled
desparpajo flippancy
desparramar to spread, smear
despatarrar to dumbfound, overwhelm
despavorido terrified, frightened
despectivo contemptuous
despechado dejected
despecho dejection; **a despecho de** in spite of
despedazar to tear to pieces, cut to pieces

despedir (i) to see a person off (*on a journey*); to give off; **despedirse (de)** to take leave (of), say good-by (to)
despegar to open
despensa pantry
despeñar(se) to plunge downwards
desperdicio rubbish
despertar (ie) to awaken; **despertarse** to wake up; *m.* awakening
despiadado merciless, pitiless
desplegar (ie) to display
desplomarse to collapse, fall over
despoblar to empty, rid
despojar to strip, deprive, divest
despojos *m. pl.* remains
despreciable despicable
despreciar to scorn
despreciativa contemptuous
desprecio scorn
desprenderse to come out; to part with; to loosen; **desprenderse de** to free oneself from, become detached
despreocupadamente unconcernedly
desprevenido off guard
después after, afterwards, then, later, next; **después de** after; **después que** after
desquite *m.* exchange; compensation; revenge
destacar(se) to stand out; to project
destapado uncovered
destejer to unravel, unweave
desteñido, discolored
destilar to distil, exude
destinar to destine; to appoint, assign; to design
destinatorio addressee
destino destination, destiny
destreza skill, dexterity
destrozado worn out
destrozar to destroy, annihilate
destrozo havoc, destruction
destruir to destroy, demolish
destruye (*see* **destruir**)
desvaído dull, drab
desvanecer to vanish; **desvanecerse** to swoon, faint
desvanecimiento dizziness, faintness
desventurado unfortunate
desvestirse (i) to undress
desviar(se) to separate, part; to deviate, deflect, divert, avert
detallado detailed
detallar to examine in detail
detalle *m.* detail, particular
detener to detain, check; **detenerse** to stop, delay, halt, pause
detenido thorough, careful; *m.* prisoner
detenimiento care
determinado specified, definite
detestar to detest, abhor
detrás (de) behind, in back (of)
devanarse: devanarse los sesos to rack one's brains
devoción piety, devotion; prayer; **hacer sus devociones vespertinas** to say her evening prayers
devolver (ue) to return, give back
devorar to devour
devoto devout
devuelto *see* **devolver**
día *m.* day; **día de fiesta** holy day, holiday; **día feriado** holiday; **al otro día** the next day; **dar un buen día** to say hello; **poner al día** to bring up to date; **todo el día** the whole day; **de día en día** from day to day
diafanidad transparency
diáfano diaphanous, clear, transparent
diagnóstico diagnosis
dialogar to converse, chat
diálogo dialogue, conversation
diamante *m.* diamond
diamantear to shine, sparkle
diamantino diamond-like
diaño (*Gal.*) **diablo** devil
diapasón *m.* diapason, pitch

diariamente daily
diario newspaper, daily; **a diario** daily
dibujar to draw
dibujo drawing, design; outline
dictar to dictate, prompt
dicha happiness, good, fortune
dicho (*p.p of* **decir**) said; **dicho y hecho** no sooner said than done
dichoso happy, lucky
diente *m.* tooth; **de tan buen diente** of such a good appetite; **decir (murmurar) entre dientes** to mutter, mumble
diestro: a diestro y siniestro right and left; *f.* right (*hand*)
diferenciarse to differentiate, differ
diferir (ie, i) to be different
difícil difficult, hard
dificultad difficulty
difuso diffuse, wordy
dignarse to deign
dignificante dignifying
digno worthy
dilatar to dilate, spread
diligente prompt
diminuto tiny, very small
dinero money
dintel *m.* lintel, threshold
Dios God
diosa goddess
diputado congressman
dique *m.* pier, wharf
directo direct, straight
director *m.* principal (*of a school*); **director de conciencia** father confessor
dirigir to direct; to turn; to address; to aim; **dirigirse a** to address; to go to; **dirigirse hacia** to go toward
discernir to discern, distinguish
discípulo student, pupil; disciple
díscolo intractable, mischievous
discreto discreet, circumspect
disculpa excuse
disculpar to excuse
discurrir to plan; to roam
discurso speech
discutir to discuss, argue
disecado stuffed
diseñado outlined
disfrazar to disguise, misrepresent
disfrutar de to enjoy
disgustar to displease; to disgust
disgusto annoyance; disgust; dislike; **a disgusto** against one's will
disidencia dissent
disimuladamente furtively
disimulado hypocritical
disimular to dissimulate, disguise, make inconspicuous
disimulo dissimulation; indulgence
disipar to drive away; **disiparse** to vanish
dislocado dislocated, disjointed
disminuir to diminish, lessen
disolver (ue) to dissolve
disparar to discharge, explode; to hurl, throw
disparate *m.* foolish remark, blunder
disparo discharge, shot
dispensar to dispense; **dispensarse de** to excuse oneself from, dispense with
dispersar(se) to disperse
disperso dispersed, scattered
displicente ill-humored
disponer to dispose, arrange, take care of; to direct, order; **disponer de** to have at one's disposal, make use of; **disponer(se) a** to be (get) ready to, disposed to
dispositivo device
dispuesto ready, prepared, disposed
disputa argument, debate
disputar to dispute, argue over, fight for, contend
distanciamiento separation
dístico distich, couplet
distinguir to distinguish, show regard for; to single out; to esteem
distinto distinct, different

distracción distraction, amusement
distraer to distract; to divert, amuse
disuadir to dissuade
diván *m.* sofa
diverso diverse; *pl.* various, different
divertir (ie, i) to amuse; **divertirse** to have fun
dividir to divide
divisa emblem, banner
divisar to perceive (*at a distance*), make out
divulgar to divulge, disclose
doblar to fold, double; to dub; to turn (*a cape or a corner*); to toll (*a bell*); **doblarse** to double *or* bend over; to bow
doble double
doblegar to bend, double over
doblez *m.* fold
docena dozen
dogal *m.* noose, hangman's rope
doler (ue) to ache, hurt, pain
dolor *m.* ache, pain; grief, sorrow
dolorido sore, painful, hurt, heartsick
doloroso painful, grief-stricken
dombo dome
domicilio residence
dominar to dominate, control
domingo Sunday
dominguero *adj.* Sunday
dominio dominion, control
don *m.* gift; Don (*title used before a masculine Christian name*)
donante *m. & f.* donor, giver
donde where, in which, wherever; **por donde** where
¿dónde? where?; **¿a dónde?** where?; **¿de dónde?** where?, whence?
dondequiera anywhere, wherever
doña *title used before a feminine Christian name*
doquiera anywhere (*poetic*)
dorado golden, gilt
dorar to turn golden, gild
dormido asleep, dormant
dormir (ue, u) to sleep; **dormirse** to go to sleep
dormitar to doze
dormitorio bedroom
dorso back
dosel *m.* canopy
dosis *f.* dose
dotar to endow
dote *m. & f.* dowry; gift, talent
doublé gilt
ducha shower
duda doubt
dudar (de) to doubt
dudoso dubious
dueña mistress (*of a house*); matron, lady
dueño master, owner
dulce sweet; soft; pleasant; *m. pl.* candy
dulcificar to sweeten, soften
dulzura sweetness; mildness
durante during
durar to last
dureza hardness, harshness
durmiente *m. & f.* sleeper
duro hard, stubborn; *m. Spanish silver coin worth five pesetas*

E

e and
¡ea! hey!, here, now!
ébano ebony
ebrio drunk
eclosión beginning, manifestation, budding
economía economy
echar to throw, throw out, cast, fling; to dismiss, fire; **echar a** to start, begin to; **echar a perder** to spoil, ruin; **echarse** to lie down, stretch out; **echar(se) atrás** to back out, lean back
edad age
edificio building, structure

editor *m.* publisher
editorial *f.* publishing house
educación education; politeness, good breeding
efectivo actual, real, true
efecto effect, result; **en efecto** in fact, actually, as a matter of fact; *pl.* effects, belongings
efectuar to make, do; to carry out
eficacia effectiveness, efficacy
efigie *f.* effigy, image
efímero ephemeral, temporary
efluvio exhalation
efusión shedding, effusion
efusivo effusive, exaggerated
égloga eclogue, pastoral poem
egoísmo selfishness
egoísta selfish
¡eh! huh!
eje *m.* axle
ejecutar to carry out, execute, perform
ejemplar example, specimen
ejemplo example
ejercer to perform; to exert; to hold office
ejercicio exercise; study
ejercitar to practice, put into practice, bring out
elástico elastic, flexible, light, springy
elección choice
elegir (i) to choose, select
elevado high, noble
elevar to raise; **elevarse** to ascend
elogio praise
emanar to emanate, give off
embalsamado embalmed
embarazar to embarrass, inhibit
embarazo embarrassment
embarcación ship, embarcation
embarcar(se) to embark, go aboard
embargar to take possession, seize
embargo: sin embargo however, nevertheless
embebido absorbed
embelesado fascinated
embestir (i) to attack
embobar to fascinate; **embobarse** to be fascinated
embolado tricked, fooled
emborracharse to get drunk; **emborracharse con** to get drunk on
emboscarse to hide behind
embotado dull, stupefied
embriagar to intoxicate, enrapture, transport; **embriagarse** to intoxicate, get drunk
embrollado muddled
embromar to tease, make fun of
embrutecer to brutalize
embuste *m.* lie, fraud
emerger to emerge, surface
emigrante *m. & f.* emigrant
eminente eminent, prominent
emitir to emit, express
emocionado moving
empalagoso sickening, fawning
empalidecer to become pale
empalizada fence
empapar to drench, soak
empaque *m.* look, appearance
empaste *m.* covering; coloring
empedrado paved with stones
empellón *m.* push, shove
empenachado plumed; adorned
empeñarse en to insist on
empeño determination, desire; **tomar empeño en** to persist in, be determined to
empequeñecido diminished, belittled
emperejilarse to dress up
emperifollado very dressed up
empero however
empezar (ie) a to begin to
empinarse to stand on tiptoe, rise high, tower
emplazado summoned, called upon
empleado employee, clerk
emplear to use, employ
empleo job; use
empolvado dust-covered; powdered

emporio emporium, general store
empotrado embedded
emprender to undertake, engage in, start; **emprenderla con** to have it out with; to begin scrapping with
empresa undertaking, enterprise, company
empujar to push, shove, impel
empuñar to seize, clutch
emular con to vie with, compete with
en in, into, at, on
enajenar to alienate, take away
enamorado in love; *n.* sweetheart
enamoramiento being in love
enamorar to enamor, love; **enamorarse de** to fall in love with
enano dwarf, dwarfish
enardecimiento intense excitement, inflamed with passion
encabezamiento heading
encadenado chained
encadenamiento chain (*of events*)
encadenar to paralyze, tie down
encaje *m.* lace
encalado whitewashed
encalmar to calm down
encaminado directed
encaminarse to go toward
encandilado blinded, dazzled
encantado delighted, enchanted
encantador enchanting, charming
encantar to enchant, delight
encanto enchantment, charm; delight
encañutar to encase, put into
encaramarse to climb, climb over
encararse con to confront
encarecer to praise, extol
encargado in charge
encargar to order; **encargarse de** to be in charge of
encargo commission, job
encarnadura rosy complexion
encarnizado fierce, bitter
encarnizamiento cruelty
encarnizarse to become infuriated
enceguecedor blinding
encender (ie) to light, kindle; **encenderse** to ignite, catch fire; to become excited
encendido bright, inflamed, red; excited; flushed
encerado blackboard
encerrar (ie) to contain; to lock up, confine; to include; **encerrarse** to lock oneself in
encía gum (*of mouth*)
encima on top, above; on; **por encima de** in spite of, over, beyond
encinchar to harness
enclenque *m. & f.* weakling
encogerse to shrink, shrivel
encomendar (ie) to entrust
encomienda parcel post, package
encontrar (ue) to find, meet; **encontrarse** to be, be situated; to find oneself; **encontrarse con** to meet, run into
encopetado aristocratic; stuck up
encorvar to bend, curve; **encorvarse** to bend over
encuadrar to frame
encubrir to hide, conceal
encuentro meeting, encounter
encumbrado high, lofty
enderezar to straighten; **enderezarse** to straighten up
endiablado devilish
endomingado dressed up, in Sunday best
endulzado sweetened
endurecer to harden, inure
enemigo enemy
enérgico energetic, strong
enero January
enfermante consuming
enfermarse to get sick
enfermedad sickness, illness
enfermero, enfermera nurse
enfermizo unhealthy, morbid

enfermo sick, sickly; **ponerse enfermo** to get sick; *n.* sick person, patient
enfilado in a row
enfilar to go down, enter
enfocarse to focus
enfrascarse to become deeply involved (*in work*)
enfrentar to face, confront
enfrente in front, opposite; **de enfrente** opposite
enfriar to cool; **enfriarse** to cool off
enfurecerse to become enraged
engalanado bedecked, dressed in finery
enganchar to catch
engañador deceiving
engañar to deceive, fool, cheat; **engañarse** to be mistaken
engaño deception
engañoso deceptive
engatusador enticing, flirting
engranaje *m.* gears
engranar to link, interweave
engrandecido enlarged
engrasado greasy, oily
enguantado gloved
engullir to gorge, stuff oneself
enhorabuena all right; surely; well and good
enjabonado soapy
enjabonar to lather
enjaezar to adorn (*a horse*)
enjambre *f.* swarm
enjugar to dry, wipe off
enjuto lean, thin
enlace *m.* wedding
enlazar to link, embrace
enlodar to debase
enloquecedor maddening
enloquecer to madden, drive crazy; to distrust; **enloquecerse** to go mad
enlutado dressed in mourning
enmarañado entangled
enmohecido rusty
enmudecido speechless, hushed
enojar to annoy; **enojarse** to get angry
enojo anger
enojoso annoying, irritating
enorme enormous, huge
enramada arbor
enredarse to get entangled
enrevesado intricate, entangled
enriquecer to enrich
enrojecer to redden, blush
enrostrar to reproach
ensalzar to extol, exalt
ensanchar to grow larger, widen
ensayar to practice, try, attempt
ensayo experiment
enseñar to show; to teach
enseres *m. pl.* utensils, implements
ensillar to saddle
ensimismamiento self-absorption
ensombrecerse to darken
ensoñación daydream
ensueño dream; daydream
entablar to set up, start
enteco feeble
entender (ie) to understand; **entenderse** to get along; *m.* understanding; opinion
entendido expert, skilled
entendimiento understanding
enterado informed, aware; **darse por enterado** to be aware, know
enterar to inform, acquaint; **enterarse de** to find out about, learn
entereza firmness; confidence
enternecerse to touch, move to pity, soften
entero whole, complete, entire
entibiar to warm
entierro burial
entintar to dip in ink
entonar to intone, sing
entonces then; **en aquel entonces** at that time
entornar to half close
entorpecer to obstruct
entrada entrance

entrante next, coming
entrar (en) to enter
entrañablemente deeply
entrañas *f. pl.* entrails; inmost recesses (*of one's being*)
entre between, among; **entre tanto** meanwhile
entreabierto half-open
entreabrir to half-open
entreacto intermission, interlude
entrecejo space between the eyebrows; **fruncir** *or* **plegar el entrecejo** to frown
entrecerrar (ie) to half-close
entrecortado intermittent, panting
entrecruzar to interweave
entrega delivery
entregar to deliver, hand over, surrender; **entregarse** to abandon oneself
entrelazar to interlace, entwine
entremezclar to intermingle
entrenamiento training
entrepuente half-deck
entretanto meanwhile
entretejer to interweave
entretener to entertain, amuse; to allay
entretenimiento entertainment, diversion
entrevista meeting
entrevisto glimpsed, half-seen
entristecer to sadden; **entristecerse** to become sad
entrometido busybody, meddler
entusiasmar to enthuse
entusiasta enthusiastic; *m. & f.* enthusiast
envalentonarse to become encouraged
envejecer to get old, age
enviar to send
envidia envy
envidiable enviable
envidiar to envy
envilecido degraded, debased
envío shipment, remittance
envoltorio bundle
envolver (ue) to surround; to wrap
epidermis *f.* skin
epílogo epilogue
episodio episode; **episodio de radio** soap opera
epístola epistle, letter
epiteto epithet
época epoch, time, period
equilibrio equilibrium, balance
equitación horseback riding, horsemanship
equivaler to be equivalent
equivocación mistake
equivocado mistaken
equivocarse to be mistaken
equívoco equivocal
erguir to straighten; to raise, rear; **erguirse** to straighten up
ermita shrine
errante nomadic
errar to wander
errata erratum, error
erróneo erroneous
erupción outpouring, eruption
esbelto slender; well built
esbozar to sketch, attempt
escala gangplank; stopover; **sin escala** nonstop
escalera stairway, stairs
escalinata front steps
escalofrío chill
escalonar to space out, stagger
escandalizarse to be scandalized
escándalo scandal
escapar to escape, run away; **escaparse de** to get away from
escaparate *m.* store window, showcase
escape *m.* escape; **a (todo) escape** at full speed
escarabajo beetle
escardar to dig out
escarlata scarlet
escarmentar to learn from experience
escarpado steep

escarpín *m.* dancing shoe (*opera pump*)
escaso scant, small; limited, slight; *pl.* few
escena scene, incident
escenario setting
escénico theatrical
esclarecerse to clear up, brighten up
esclavitud slavery
esclavo slave; **esclavo de** faithful to
escoba broom
escoger to choose, select
escoltado escorted
escombros debris, rubbish
esconder(se) to hide, conceal
escondidas: jugar a las escondidas to play hide-and-seek
escondite *m.* hiding place; **jugar al escondite** to play hide-and-seek
escopeta shotgun
escotado low-necked, cut low
escote *m.* low neck, décolleté
escotilla hatchway
escribiente *m.* clerk
escribir to write
escrito written; *m.* writing; **escrito a máquina** typewritten
escritor *m.* writer
escritorio office; desk
escritura deed, legal document
escriturar to record, enter (*for bookkeeping*)
escrúpulo scruple
escuchame (*Arg.*) = **escúchame** listen to me
escuchar to listen to, hear
escuela school
escultor *m.* sculptor
escultural sculpturesque
escupir to spit
escurrirse to slip out, escape, slip up and down
ese, esa (*pl.* **esos, esas**) that (*pl.* those)
ése, ésa (*pl.* **ésos, ésas**) that (*pl.* those)
esencia perfume
esfera sphere; order of society, set
esfinge *m. & f.* sphinx
esforzarse (ue) en to try hard to, make an effort to, strive
esfuerzo effort
esfumado hazy, half-hidden; softened
esfumar to spread (*smoke*); **esfumarse** to vanish, fade away
esgrimir to wield, brandish
esmaltado enameled
esmaltar to veil, cover, adorn
esmalte *m.* enamel
esmeralda emerald
esmero care; **con esmero** painstakingly
eso *neut.* that; **a eso de** around, about; **por eso** therefore
espacio space, room, place; period
espada sword; **espada de Dámocles** sword of Damocles (*which hung over his head by a single thread*)
espadaña cattail, reed
espadón *m.* large sword
espalda(s) back, shoulders; **a espaldas de** back, behind (*a building*); **volver la espalda** to turn one's back
espantable frightful
espantarse to become frightened
espanto fear
espantoso frightful, dreadful
especie *f.* species, kind
espectante = **expectante** expectant
espectral spectral, ghostly
espectro spectre, ghost
espejeante shining
espejear to reflect; to shine
espejismo mirage
espejo mirror
espensas = **expensas** expense
espera wait, waiting
esperanza hope; **cifrar las esperanzas en** to place one's hopes in
esperar to hope, hope for; to wait; to expect

espesar to thicken
espeso thick, heavy
espesura thickness
espía *m. & f.* spy
espiar to spy (on); to wait (for); to watch
espiga spike
espina thorn
espinazo spine
espino hawthorne
espíritu *m.* spirit, soul
espolón *m.* sword (*of swordfish*); breakwater, jetty
esponjado fresh
esponjar to soak
espontáneo spontaneous
esposa wife
esposo husband
espuma foam; lather
espumoso foamy
esquela note, announcement
esquina corner
esquivar to evade
esquivez *f.* aloofness
estable stable, conservative
establecer to establish, set up
establecimiento establishment; store, place of business
establo stable
estación station; season; stop
estacionar to remain stationary
estada stay
estadio stadium
estado state, condition; status; **estado de cosas** state of affairs
estafar to swindle, overcharge
estallar to break out
estampa print; press; picture
estampar to stamp, print; to seal
estampido report (*of a gun*), explosion
estancia ranch; stay; room
estanciero rancher
estantería shelves
estar to be; **estar para** to be about to, be in the mood for
estatua statue
estatura stature, height (*of a person*)
este, esta (estos, estas) this (these)
éste, ésta (éstos, éstas) this one (these)
estelar starry, stellar
estera mat, matting
estereóscopo stereoscope
estéril sterile, futile
estibador *m.* stevedore
estilarse to be in style
estilo style; **algo por el estilo** something like that
estimar to esteem, be fond of; to think, believe
estimulante stimulating
estimular to stimulate
estímulo stimulus
estío summer
estipular to stipulate
estirar to stretch, stretch out, pull out
estival summer, summery
esto (*neut.*) this, this one
estómago stomach; **estómago de oro** excellent digestion
estoque *m.* rapier
estorbar to annoy, disturb
estornudo sneeze
estrado lecture platform
estrago damage
estrangular to strangle, choke
estratagema stratagem, trick
estrechar to tighten, bring together; to hold; to cement; to embrace
estrechez *f.* poverty, closeness; stinginess
estrecho narrow, close, limited; exact
estrella star
estrellarse to crush; to cover with stars
estremecer(se) to shake, tremble
estremecimiento trembling, shuddering
estrépito noise, uproar
estrepitoso noisy, boisterous

estribador *m.* stevedore
estribor *m.* starboard
estricto strict
estrofa stanza, strophe
estropeado damaged
estruendo din, crash, roar
estruendoso loud, roaring
estrujar to squeeze, crush
estrujón *m.* crush, squeeze, pressure
estuche *m.* case; container
estudiar to study
estudio study; studio; musical composition
estupefacto stupefied
estupidez *f.* stupidity
etapa stage
eternidad eternity
eternizar to perpetuate
etiópico Ethiopian
etiqueto formality
eu (*Gal.*) = yo I
eufónico euphonic, pleasant-sounding
evadirse to escape, evade
evangelizador evangelizing, evangelistic
evaporar(se) to evaporate, vanish
evidencia evidence; **poner en evidencia** to display, show off
evidenciar to make evident
evitar to avoid, prevent
evocación evocation, recalling
evocar to evoke, recall; to invoke
evolucionar to evolve, maneuver; to change
exacerbar to irritate, exasperate
exactitud exactness, accuracy
exagerado exaggerated
exaltación exaltation, excitement
exaltar to exalt; to glorify; to magnify; **exaltarse** to become excited
examen *m.* examination
exangüe bloodless, limp
exánime lifeless
exasperar to exasperate
exceder to exceed; **excederse** to outdo oneself
excelso noble, sublime
excitación excitation, excitement
excomulgar to excommunicate
exculparse to exonerate
exhalar to exhale, emit
exhibir to exhibit, show off; **exhibirse** to show off, display oneself
exhortación admonition
exhortar to exhort, admonish
exigencia exigency, demand
exigente exigent, demanding
exigir to demand, require, exact
eximir to exempt
existir to exist
éxito success; **tener éxito** to be successful
expansión expansiveness, confidence
expediente *m.* expedient
expedir (i) to send, ship
expendeduría: taquilla de expendeduría ticket office
expender to sell
experiencia experiment
expiación expiation, atonement
explicar to explain; **explicarse** to understand
explicativo explanatory
explorador explorer
explotación exploitation, working; **en explotación** in operation
exponer to lay bare, expose, reveal, expound
expresionista expressionistic (*modern German artistic and literary movement*)
expreso express (*train*)
expuesto (*p. p. of* **exponer**) exposed
expulsar to expel, throw out
extender(se) (ie) to stretch out, spread, spread out, extend
extensión extent; range; **en toda su extension** to the fullest extent
extenso extensive
extenuado emaciated
exterminio extermination
extinguirse to become extinguished, conclude

extraer to extract, take out
extranjero foreign; *m.* foreigner, stranger; **del extranjero** from abroad
extrañar(se) to wonder, be surprised
extrañeza surprise
extraño strange, foreign; *m.* stranger, foreigner
extravasarse to exude, reach out
extraviado gone astray
extremidad extremity, tip
extremo extreme, end; **en extremo** extremely

F

fa = llave de fa key of F
fábrica factory; work, product
fabricar to make; to construct, build; to invent
fábula story
facciones *f. pl.* features (*of the face*)
fácil easy
facilidad facility, ease
facilitar to facilitate
factura bill, invoice
facultades ability, intelligence
fachada façade
facha ugly-faced, ridiculous
faena job, work
fajado wrapped
falacia fallacy
falaz (*pl.* **falaces**) fallacious, deceptive
falda skirt
faldón coat-tail
falsía duplicity
falta lack, fault, shortcoming: **a falta de** for lack of; **hacer falta** to be lacking, be needed, be necessary; **sin falta** without fail
faltar to be lacking, be missing, need; **no faltaba más** that's all that's needed, of course (*sometimes ironic*)
falto (de) lacking (in)
faltriquera handbag
fallecer to die
fallecimiento death
fama fame, reputation, renown
famélico famished, starving
familiar familiar, family
fanega (de tierra) a land measure (*about 1.59 acres*)
fantasía imagination, fantasy
fantasioso imaginary
fantasma *m.* phantom
fardo package, bundle
farol *m.* light, streetlight
farsa farse, sham, pretense
fascinar to fascinate
fastidiado vexed, bothered, tired
fastidio nuisance, bother
fatal fatal, fateful
fatalidad fate
fatiga fatigue, weariness
fatigante tiring, fatiguing
fatigar to tire, make weary; to bother; **fatigarse** to get tired
fauces *f.* fauces, jaws
favor favor; **hacer el favor** please; **por favor** please
faz *f.* face
fe *f.* faith
fealdad ugliness
febril feverish
fecundar to fertilize
fecundo fecund, fertile
fecha date; **a estas fechas** by this time
fechado dated
felicidad happiness; (good)luck
felicitación congratulations
felicitar to congratulate
feliz (*pl.* **felices**) happy, lucky
felpa plush, velvet
felpudo velvety
femenil feminine
fenómeno phenomenon
feo ugly
feria market; fair
feriado legal holiday
feroz (*pl.* **feroces**) ferocious, fierce

férreo (*made of*) iron, harsh
ferrocarril *m.* railroad, railroad travel
ferrocarrilero railroad employee
ferroviario railroad
fervoroso fervent
festejar to appear to enjoy
festón festoon, garland
fiar to entrust
ficción fiction, pretense
fichero file cabinet
fidelidad loyalty, fidelity
fiebre *f.* fever; passion; excitement
fiel faithful
fiera wild animal
fierro = **hierro** iron
fiesta party; **hacer fiesta de** to make a show of
figón *m.* cheap restaurant, tavern
figura figure; face
figurar to appear; **figurarse** to imagine, figure, seem
fijar to fix, stare, establish, set, arrange; **fijarse (en)** to pay attention, take notice of, concentrate
fijo fixed, set
fila line, row; **en fila india** Indian file
filamento filament
filete *m.* ornamental edging
filigrana filigree
filo sharp edge
filósofo philosopher
filtración filtration, leak
filtrarse to filter
fin *m.* end; **a fin de** in order to; **al fin** finally, at last; **en fin** in short; **por fin** finally, in a word; **sin fin** endless, endlessly
finado terminated, deceased
final final; *m.* end
finamente delicately, carefully
finca plantation, farm
fincar to put, reside
fineza courtesy, kindness
fingido false, sham
fingir to pretend, feign
finlandés Finnish
fino fine, delicate
finura politeness, courtesy
firma signature
firmar to sign
firme firm, steady, solid, unswerving
firmeza firmness, constancy
fiscalización prying, inspection
fisgón *m.* busybody
físico physical; **física** physics
fisonomía physiognomy, countenance
fláccido flaccid, soft
flaco skinny
flamante shiny, brand new
flamígero flaming
flanco side
flanqueado (de) flanked by
flaquear to give way
flaqueza weakness
Flaubert, Gustave (*1821–1880*), *French novelist*
flauta flute
flemático phlegmatic, sluggish
flirt *m. & f.* flirt, flirting; person with whom one flirts
flirtear to flirt
flirteo flirting
flojo loose
flor *f.* flower; **recién abierta en flor la matinada** just after daybreak
floreado flowered
florecer to flourish, bloom
floresta woods, country
florete *m.* fencing foil
florido flowered, florid, flowery
flotante floating, flowing
flotar to float
Fludd, Robert (*b. 1574*), *English philosopher, proponent of Rosicrucian doctrine*
fluir flow
foco light (*bulb*)
fogarada bonfire
fogón *m.* stove
follaje *m.* foliage

fomentar to foment, promote
fonda inn, restaurant
fondeado anchored
fondil (*pertaining to*) restaurant, *or* dining room
fondo bottom, background, depths; **a fondo** thoroughly
forastero stranger, outsider
forcejear to struggle
forjar to forge, fabricate, imagine
forma form, shape
formal formal, serious
formar to form; **formarse** to grow, develop
formol *m.* formol (*chemical solution*)
formular to formulate, make
fornido husky, robust
foro bar (*legal association*)
forrado lined, covered
forro lining
fortaleza fortitude, strength
fortificar to fortify, strengthen
fortuna fortune, means, wealth; **por fortuna** fortunately
forzar (ue) to force
forzosamente unavoidably
forzoso necessary; **es forzoso** it is necessary
fosas nasales nasal passages
fósforos matches
fotógrafo photographer
frac *m.* full dress coat, tails
fracaso failure
fragancia fragrance
fragante fragrant
fraile *m.* friar, priest
Francia France
franciscano *member of the order of St. Francis*
franco open, free, frank
francote open-hearted
franjeado edged, lined
franquear to open
franqueza directness, frankness; **tener franqueza** to be frank
frasco flask, bottle
frase *f.* phrase
frazada covers; blanket
frecuentar to frequent
fregar (ie) to scrub
frenesí *m.* frenzy
frenético frenetic, frenzied
freno bridle; brake
frente *f.* forehead, brow, front, face; **frente a** facing, in the face of, in front of; **frente a frente** face to face
fresa strawberry
fresco fresh, cool; *m.* fresh air; **tomar el fresco** to get some fresh air
frescura freshness, coolness
frialdad coldness, frigidity
frío cold, frigid
frijol *m.* bean
friolento chilly
frisar en to border on
frito (*p.p. of* **freir**) fried, bored, fed up; **tenerle frito a uno** to be bored to death (*by someone*)
frívolo frivolous
frivolidad frivolousness
fronda frond (*of a plant*), foliage; leaf of a fern
frondoso leafy, woodsy
frontera opposite, facing
frontispicio frontispiece (*of a book*)
frotar to rub
fruición delight, enjoyment
fruncir to wrinkle
frutal fruit tree
fruto fruit, result
fu: ni fu ni fa neither one thing nor the other
fuego fire; **dar fuego** to light, set on fire; **hacer fuego** to fire, shoot
fuente *f.* fountain; source
fuer: a fuer de in the function of, as a
fuera out, outside; **fuera de** outside of, except for; **fuera de sí** beside oneself; **desde fuera** from the outside

fuere, fueren *future subjunctive of ser*
fuero right, pride; **fuero interno** conscience, inmost heart
fuerte strong, heavy, severe, harsh
fuerza strength, force, power; **a fuerza de** by force of; **a viva fuerza** by main strength; **en fuerza de** on account of
fuga flight
fugaz transitory, fleeting
fugitivo fugitive, brief
fulgir to shine
fulgor *m.* splendor, brilliance
fulgurante flashing
fulminante striking
fulminar to fulminate, strike with lightning
fumar to smoke
función duty, obligation
funcionario official, functionary
funda holster
fundador founder
fundar to found
fundir to fuse, melt; to merge, blend
funesto ill-fated
furgón *m.* caboose; baggage car
fusil *m.* gun, rifle
fusilamiento shooting, execution
fútbol *m.* soccer

G

gabán *m.* overcoat; **gabán de pieles** fur coat
gabinete *m.* study; **gabinete de lectura** reading room
gacho drooping, flopping
gafas eyeglasses, spectacles
galaico Galician
galán *m.* suitor
galante gallant
galantear to court, flirt
galas finery, regalia
galeote *m.* galley slave
galería gallery, corridor
Gales Wales
galgo greyhound
galicismo Gallicism (*the use of a French word in Spanish or the hispanicization of a French word*)
galoneado decorated with goldbraid
galopa to gallop
galope *m.* gallop; **a todo galope** full speed
gallardía gracefulness, elegance; gallantry
gallardo elegant, graceful
gallego Galician
galleguita Galician girl
gallina hen
gallo rooster
gana desire; **dar (tener) ganas** to feel like, want to; **de buena gana** willingly
ganado cattle
ganar(se) to earn; to reach; to win (over); **ganarle al reloj** to beat the clock (*arrive on time*)
ganchudo claw-like
garbanzo chickpea
garganta throat
garra claw
garrapatear to scribble
gárrulo garrulous, talkative
garzo blue
gasa veil, netting
gastar to spend, to waste; to wear out; **gastar manga ancha** to give more leeway, be more liberal
gatillo trigger
gasto expense
gato cat
gaveta drawer
gaviota sea gull
gemebundo groaning, moaning
gemelo cuff link; *pl.* opera glasses
gemido moan, groan
gemir (ie) to moan, groan
género type, kind; **género humano** mankind, human race

geniazo great genius (*ironic*)
genio temperament, genius
gente *f.* people; **gente evolucionada** enlightened people
gentil graceful, kind
gentileza gracefulness
gentío crowd
genuflexión curtsey
geranio geranium
gerente *m.* manager; director
germen *m.* germ, seed
gestapo *secret police of the Nazi party in Germany*
gesticulante grimacing, gesticulating
gesticuloso grimacing
gesto gesture; expression
gigante *m.* giant
girar to rotate, turn
giratorio revolving, rotary
giroflé (*Fr.*) *m.* clove; **Giroflé** *heroine of a French comic opera first performed in 1874*
girón *m.* tear, shred
gis *m.* chalk
glacé (*Fr.*) glazed
globo balloon, globe
glogotear to gurgle
gloria glory; **la Gloria** Heaven; **oler a gloria** to smell divinely
gobernación government office
gobierno government
goce *m.* enjoyment, joy
golondrina swallow
golosina sweets, candy
goloso greedy
golpe blow, knock; stroke; **de golpe** all of a sudden
golpear to hit, strike; to knock; to bump
gollería delicacy; **por gollería** in excess
goma rubber; gum
gomero rubber tree
gordo fat, stout; big
gorjear to warble, trill
gorjeo warble, trill
gorra cap
gorrión *m.* sparrow
gorro cap
gota drop
gotera spout, leak
gótico Gothic
gotoso gouty
gozar (de) to enjoy
gozo joy, pleasure
gozoso pleasurable, joyful
grabado engraving
gracia grace, charm; **hacer gracia** to amuse, strike as funny; *pl.* thanks; **dar las gracias** to give thanks
gracioso graceful, charming, amusing
grado degree
gran, grande great, large, grand, big
granada pomegranate
granate *m.* garnet, dark red
grandemente fully, highly
grandeza greatness, grandeur
granel: a granel at random
granizo hail
grano grain; seed; bead; **ir al grano** to come to the point
grasa grease
grato pleasing; **a su grata** to your (pleasant) letter
gratis gratis, free
gratuito gratuitous, free
grave grave, serious; deep
gravedad gravity, seriousness
griego Greek
grieta crack
grillo cricket
grima: dar grima to be disgusting, annoying
gris gray
gritar to cry out, shout, scream
griterío outcry, uproar
grito scream, cry, shout; **a gritos** loudly; **dar gritos** to scream
grosería coarseness, crudeness
grosero coarse, gross, crude, vulgar
grueso thick, heavy; big

grulla crane
grumete *m.* cabin boy
grumo blob, clot
gruñir to grunt, grumble
gruñón grumpy, grouchy
gruta grotto
guante *m.* glove
guapetona big and good-looking
guapo good-looking
guarangota wench
guarda: ángel de la guarda guardian angel
guardagujas *m.* switchman
guardapolvo white medical coat; laboratory coat
guardar to guard, keep, protect; **me guardaré mucho** I'll take good care not to
guardia: de guardia on duty
guardián *m.* guard; guardian; officer
guarecer to shelter
guarén *corruption of* **guardián**
guarnición garrison
guedeja long lock (*of hair*)
guerra war
guerrillero guerrilla leader
guía guide book, time table; (*m. & f.*) guide
guiar to guide
guindilla policeman
guiñar to wink
guiño wink
guión *m.* scenario
guirnalda wreath, garland
guisante *m.* pea
guisar to cook
guiso (*cooked*) food
gula gluttony
Gulliver: Libro de Gulliver *Gulliver's Travels*
gustar to taste; to please, like; **gustar de** to like
gusto taste; flavor; **a gusto** to one's taste
gustoso willingly, with pleasure

H

Habana(s), la(s) Havana
haber to have; to be; **haber de** must, to have to; **había** there was, there were; **habrá** there will be, there probably is; **haber que** to be necessary; **ha habido** there has been; **hay mucho que hacer** there's a lot to do
hábil skilled, skillful
habilidad skill, ability
habitación room; dwelling
habitante *m.* inhabitant
habitar to inhabit, live in
hábito habit, cassock
hablador talkative
hablar to speak, talk
hacanea horse, mare
hacer to do, make; **hace** + (*amount of time*) = (*amount of time*) + ago; **hacerse** to become, get to be
hacia toward, in the direction of, about; **hacia abajo** down(ward); **hacia adelante** forward; **hacia atrás** back(ward)
hacienda farm, property; interior
hacinamiento crowding, congestion
hacha axe
hachazo blow *or* stroke (*with an axe*)
halagar to flatter, please
halagueño flattering
Halicarnaso Halicarnassus (*ancient Greek city in Asia Minor*)
hálito breath; gentle breeze
halo halo
hallar to find; **hallarse** to find oneself
hallazgo discovery
hambre *f.* hunger; **morir de hambre** to starve to death; **pasar hambre** to go hungry; **tener hambre** to be hungry
hambriento hungry, starving
haragán *m.* loafer, good-for-nothing

harapo rag, tatter; **hecho harapos** in rags
harina flour
hartarse (de) to be fed up (with)
harto very much; **harto de** fed up with
hasta until, up to, as far as, even
hastío disgust; weariness
hatillo small bundle
hato bundle
hay *see* **haber;** there is, there are
haz *m.* bunch, bundle
haza field
hazaña deed, feat, exploit
he *see* **haber; he aquí** here is, here you have, here is where
hebilla buckle
hechicero bewitching; *m.* magician, sorcerer
hecho (*p.p. of* **hacer**) done, made; inured, hardened; **buena la había hecho** a fine mess he got himself into; *m.* act, fact
hedor *m.* stench
helado frozen; *m.* ice cream
helar to freeze
helecho fern
heliotropo heliotrope, reddish purple
hembra female
henchir to fill
heredad country estate
heredar to inherit
heredero heir
herencia inheritance
herida wound
herir (ie, i) to strike, wound
hermano brother; **hermana** sister
herméticamente hermetically, airtight
hermoso beautiful, handsome
hermosura beauty
herocidad heroism
herramienta tool
herrero blacksmith
herrumbrado rusty
hervir (ie, i) to boil
hervor *m.* boil, boiling; fervor
hesitar to hesitate
hexámetro hexameter (*a verse of six metrical feet*)
hidalgo nobleman
hiel *f.* gall, bitterness
hielo ice
hierático hieratical, sacerdotal
hierba grass
hierbajo weed
hierro iron, piece of iron hardware; *pl.* chains
hígado liver
hijo son; **hija** daughter; **hija de mi alma** my dear child
hilar to spin
hilera row, line
hilo thread; strand, string (*of pearls*)
hinchar to swell
Hinton, James (*1822–1875*) *English physician and philosopher. Author of* Chapters in Art of Thinking
hipar to hiccough
hipo hiccough
hiriente wounding, moving
historia history; story; **toda una historia** the long story
historiador *m.* historian
hito: mirar de hito en hito to stare at
hocico snout, nose (*of an animal*)
hogaño nowadays
hogar *m.* home; hearth
hoja blade; leaf, sheath
hojarasca foliage; leaf work; fallen leaves
hojear to scan, leaf through
hola hello; ¡**hola!** Say!, I say!
hollar to trample, thread
hombre *m.* man; **hombre de mérito** worthy man; **hombre hecho y derecho** full-grown man
hombrera shoulder padding
hombro shoulder; **encogerse de hombros** to shrug one's shoulders

hombrón big man
homecillo little man
homenaje *m.* homage
homúnculo little man
hondo deep; low; profound
hondura depth
honestidad chastity
hongo mushroom
honor honor; **en honor de ella** in her behalf, for her sake
honorario salary, fee
honra honor
honradez honesty, honor
honrado honest, honorable
honrarse (de) to be proud of
hora hour, time; **a altas horas de la noche** late at night; **a buena hora** opportunely; **a la hora de almorzar** (*or* **del almuerzo**) at lunch-time; **a toda(s) hora(s)** at all times, always; **dar la hora** to strike (*the hour*)
horario schedule
horca gallows
horcajada: a horcajadas astride, straddling
hormiga ant
hormigueo crawling sensation
hornillo portable stove
horno oven
horrorizado horrified
horroroso horrible, hideous
hortalizas vegetables
hortelano vegetable gardener
hortera *m.* drygoods clerk
hostia Host (*consecrated wafer used in Mass*)
hotelero hotel (*adj.*)
hoy today, now; **hoy en día** nowadays; **si pasa de hoy** if she gets through the day
hoyo dimple, hole
hoyuelo dimple
hoz *f.* (*pl.* **hoces**) sickle
hueco hollow
huelga strike
huelo, huele, *etc. see* **oler**
huella trace, mark; footprint
huerta orchard, garden; irrigated region
huerto vegetable garden
huesa grave
hueso bone
huésped *m.* host; guest
huevo egg
huir to flee
humarada a cloud of smoke
humear to give off smoke
humedad humidity, moisture; dampness
humedecer to moisten
húmedo moist, humid, damp
humilde humble
humillado humiliated
humo smoke
humor *m.* humor, mood
hundir(se) to sink, lower, plunge
húngaro Hungarian
hurgador inquisitive
hurgar to poke
hurtadillas: a hurtadillas on the sly
huya, huye, *etc. see* **huir**

I

ida departure; **ida y vuelta** round trip
idear to devise
idilio idyl
idioma *m.* language; **esgrimía un idioma de circunstancia** parried a jargon befitting the occasion
idiotizarse to go crazy, lose one's head
ídisch *m.* Yiddish
idolatrado idolized
ídolo idol
iglesia church
ignorar to be ignorant of, not to know

ignoto unknown
igual equal, same; **al igual de** as, like
igualdad equality, sameness
iluminar to illuminate, light up
ilusión illusion, hope
ilusionado hopeful
ilustración illustration, magazine
ilustre prominent, illustrious
imagen *f.* image, picture
imaginar(se) to imagine
imán *m.* magnet
imantado magnetized
imberbe beardless
imborrable indelible, ineradicable
imitar to imitate
impacientar to make impatient
impalpable impalpable, not concrete
impar uneven
impávido calm; fearless
impedir (ie, i) to prevent, impede
impensado unexpected
Imperial, La *river and department of the Chilean province of Cautín*
imperio empire; control; sovereignty
impertinentes *m. pl.* lorgnette
ímpetu *m.* impetus
impiedad sin, sacrilege
imponer to impose
importar to be important, matter, make a difference
importe *m.* amount, price
importunar to bother, pester, importune
impostergable not postponable
imprecación imprecation, insult
impregnado full
imprescindible absolutely essential
impreso printed
impresionado impressed
impresionante impressive
imprevisible unforeseeable
imprevisto unforeseen, unexpected
imprimir to impart
improcedente unfit, not right
improvisar to improvise
improviso unexpected; **de improviso** unexpectedly
impudor *m.* immodesty
impugnación opposition, challenge
impulsar to move, prompt, impel
impunemente with impunity
impurificar to make impure
imputar to impute
inadvertido inadvertent, unwitting
inalcanzablemente unreachably
inamible (*a coined word*) lifeless, dead
inamovible unchanging, undetachable
inanimado inanimate
inaplazable undeferrable
inaudito unheard of
incansable indefatigable, untiring
incapaz (*pl.* **incapaces**) incapable
incendio fire; (*fig.*) passion
incitar to incite
inclemencia inclemency, bad weather
inclinar(se) to incline, bend; **inclinarse a** to be inclined to
incluir to include
incluso including
incoherencia incoherence
incomodar to inconvenience; **¡incomódate!** bestir yourself!, get busy!
incomprensible incomprehensible
inconcluso incompleted, unfinished
inconexo disconnected
inconmensurable incommensurable, not measurable
inconsciencia insensibility
inconsciente unconscious, unaware
inconsecuencia inconsistency
inconsútil seamless, unbroken
incontable countless
incontenible irrepressible
inconveniente inconvenient; *m.* obstacle; **no tener inconveniente** not to have any objection
incorporarse to rise, sit up, get up
incorrección impropriety, blunder

increíble incredible, unbelievable
incubar to incubate, nurture
incumplimiento nonfulfillment, breach
indeciso indecisive, undecided
indefectiblemente unfailingly
indefenso defenseless
indefinible undefinable
indemne unhurt
indescifrable indescipherable
indeterminado indefinite, indeterminate
indiana calico
indiano newly rich (*a Spaniard who returned from the New World with recently acquired wealth*)
indicar to indicate
indicio evidence, sign
indígena indigenous, native
indignar(se) to become indignant, irritated
indigno unworthy, low
indio Indian
individuo individual (*person*)
indócil unruly
índole *f.* kind, nature
indudable doubtless, certain
indumentaria clothing, attire
indumento clothing
inefable ineffable, unutterable
ineludible unavoidable
inepcia silliness
inequívoco unequivocal, unmistakable
inesperado unexpected, unforeseen
inestabilidad instability
inexorable inexorable, fixed
infame infamous; *m.* scoundrel
infamia infamy, base act
infausto unlucky
infeliz (*pl.* **infelices**) unhappy
inferir (ie, i) to infer
infierno hell
ínfimo insignificant, small
influir to influence
influjo influence
informe amorphous, shapeless; *m.* report
infortunio misfortune, mishap
infranqueado unopened, unawakened
infringir to infringe, violate
infructuoso fruitless
infundir to infuse, instil
ingeniero engineer
ingeniarse to find means, be resourceful
ingenio ability, talent
ingenioso ingenious
ingenuidad ingenuousness
ingenuo candid, unselfconscious
ingerir (ie, i) to take in, swallow
Inglaterra England
inglés English; *m.* Englishman
ingrato cruel; ungrateful
ingrávido empty, weightless; light
ingresar to enter
iniciar to initiate, begin
iniciador *m.* initiator
injuria offense, insult
injuriar to insult
inmóvil motionless
inmovilizarse to become motionless
inmundicia filth, indecency
inmutarse to become disturbed
inolvidable unforgettable
inoportuno intruder
inquebrantable unbreakable, firm
inquietante disturbing, disquieting
inquieto anxious, worried, restless
inquietud restlessness, anxiety, uneasiness
inquirir to inquire, ask
inquisidor inquiring, inquisitive
insalvable insurmountable
inscribirse to register, enroll
inseguro insecure
insensato foolish
insignia emblem
insinuar to insinuate
insistir (en) to insist (on)
insólito unusual
insomne sleepless

insomnio insomnia
insondable unfathomable
insoportable insupportable, unbearable
insospechado unsuspected
inspirar to inspire; to inhale
instalar to install; **instalarse** to become settled
instancia instance, entreaty
instante *m.* instant, moment
instantero second hand (*of a watch*)
instintivo instinctive
instinto instinct
instituto Spanish secondary school
insufrible unbearable
insulso heavy, meaningless
insultar to insult
intacto intact, whole, pure
integrar to integrate, make up
íntegro whole, entire
intemperancia intemperance
intemperie *f.* storm
intempestivo untimely, inopportune
intención intention, purpose
intencionado: mal intencionada ill-disposed
intensificar to intensify
intentar to try, attempt, try out
interceptar to intercept, cut out
interesante interesting
interesar to interest
interino temporary, provisional
interior inner, interior, inside; *m.* interior; mind, soul
interlocutor *m.* interlocutor, speaker
internarse to go (*into the interior*); to penetrate
interno internal, inward
interpelado person being questioned
interpuesto interposing, placed between
interrogante questioning
interrogar to question, interrogate
interrogatorio questioning, cross-examination
interrumpir to interrupt
intervenir to intervene, take part
intimar to become close to; to intimate; to notify
intimidad intimacy, close friendship
íntimo intimate, intimate friend; **ropa íntima** underwear
intranquilo worried, uneasy
intransitable impassable
intrépido intrepid, fearless
intriga intrigue
intrigante *m. & f.* intriguer, schemer
intrigar to intrigue, plot
intrincado intricate, dense
introducirse to go into, gain access
introductor *m.* introducer
intruso intruder
intuir to guess, sense
inundar to inundate, flood
inusitado unusual
inútil useless
invadir to invade, overcome
inválido invalid, weak
invención invention, means
inventar to invent, make up
inverosímil improbable, unlikely, unbelievable
inverso opposite
invertido inverted, reversed
investigar to investigate, examine
invierno winter
inviolado inviolate
invitado guest
invitar to invite
invocar to invoke
inyección injection
ir to go; **ir a dar (en)** to end up (in); **irse** to go away
ira ire, wrath
irradiar to radiate, irradiate
irradiación radiation
irrealidad unreality
irrealizable unattainable
irreencontrable (that) cannot be found again, lost forever
irresuelto unresolved
irretornable forever gone

irritar to irritate; **irritarse** to become angry
Isolda *heroine of Wagner's opera,* Tristan und Isolde
istmo isthmus
izar to hoist, raise
izquierdo left; **a la izquierda** on *or* to the left

J

jabalí *m.* wild boar
jabón *m.* soap
jadeante panting
jadear to pant
Jahrbuch (*Ger.*) Yearbook (*collection of scholarly articles*)
jalar to pull
jalones *m. pl.:* **a modo de jalones** at intervals
jamás never
jara rockrose; arrow
jardín *m.* garden
jarro earthen jug
jaula cage
jayán *m.* robust, burly person
jazminero jasmine plant
jefe *m.* chief, boss, leader; **jefe del comedor** maître d'hôtel, headwaiter; **jefe de correos** postmaster
jerarquía hierarchy
jerárquico hierarchic
jerez *m.* sherry
jerga jargon
jilotear to ear, form ears (*of corn*)
jinetas: jinetas de cabo sergeant's shoulder knots *or* stripes
jinete *m.* horseman
jonio Ionian
jorná = **jornal** *m.* wage; salary
jornada working day
jornal *m.* wage; salary
joven *m. & f.* young man, young woman
joya jewel
jubilado retired
júbilo joy, rejoicing
judaizante Judaizing, having Jewish sources
judío Jewish
juego game; set; **juego de comedor** dining room set *or* suite
jueves Thursday
juez *m.* judge; umpire
jugada play; trick
jugar (ue) to play
jugarreta dirty trick
jugo juice, essence
jugoso juicy
juguete *m.* toy, plaything
juguetón playful
juicio judgement
juiciosamente judiciously, skillfully
junco rush
Juno Juno (*goddess, wife of Jupiter*)
juntarse to unite
junto near; united; together; **junto a** next to, near
juntura juncture, seam, crack
juramento oath, curse
jurar to swear
justificar to justify
justo just, exact; **más de lo justo** more than they should be
juvenil juvenile, youthful
juventud youth; **en plena juventud** in the flower of youth
juzgado court, tribunal

K

kepis *m.* military cap

L

laberinto labyrinth, maze
labio lip; **no sabía despegar los labios** he was speechless
laboriosidad industriousness
laborioso industrious; painful; dull

labrar to cultivate, till
labriego peasant, farmer
lacio limp, loose
Lacroze *public transportation system in Buenos Aires*
lácteo milky
ladear to tilt
ladera hillside, slope
lado side
ladrador barking
ladrar to bark
ladrido bark
ladrillo brick; tile
ladrón thievish; *m.* thief
lagartija lizard
lago lake
lágrima tear
laguna lagoon
lamer to lick
lámpara lamp; light
lana wool
lance *m.* incident; **lance de honor** affair of honor, duel
lanceolado lance-shaped
lancha launch
langosta locust
languidecer to languish
languidez languor
Lanús *city in Argentina*
lanza lance
lanzar to launch, hurl, throw; **lanzarse** to throw oneself; to begin; to dash, rush
lápida gravestone
lápiz *m.* pencil
lapso lapse, distance
laqué lacquered
largar to give, let go; **largarse** to get out, leave; to slip away
largo long; **largo a largo** one side to the other; **a lo largo** along; **pasar de largo** to pass by without stopping
lascivia lasciviousness, lust
lástima pity
lastimado injured; pitiful
lateral side
latigazo whiplash
látigo whip
latiguillo small whip
latir to beat, throb
laúd *m.* lute
lavabo washstand
lavandera washerwoman
lavar to wash
lazo tie, knot
leal loyal, faithful
lealtad loyalty
lebrel *m.* whippet (*small swift hunting dog*)
lección lesson
lector *m.* reader (*person*)
lectura reading
leche *f.* milk
lechería dairy barn and snack shop
lecho bed
leer to read
legar to bequeath
legua league (*land measure of about three miles*)
legumbre *f.* vegetable
lejanía distance; remoteness
lejano distant
lejía lye; bleach
lejos far, distant; **a lo lejos** in the distance; **desde lejos** from a distance
lelo stupefied
lengua language; tongue
lenguaje *m.* language
lenitivo softening, mitigating
lentejuela sequin, spangle
lentes *m. pl.* eyeglasses
lentitud slowness
lento slow
leña firewood, cut wood
leñador *m,* woodsman, woodcutter
leño log
león lion
leona lioness
letanía litany
letra letter, handwriting; *pl.* literature
letrero sign

levantar to raise, lift; **levantarse** to get up
leve light, slight
levita frock coat
levitón *m.* heavy coat
ley *f.* law
leyenda legend
liar to tie, bind up
libar to imbibe
libertino libertine, rake
librar to free
libre free
libreta notebook, memorandum book
libro book; **libro diario** day book, journal; **libro de novedades** police logbook, police blotter
liceo high school, academy
lícito licit, correct
licor *m.* liquor, liquid
lidiar to fight
lienzo canvas
ligadura ligature, tie
ligero slight, light, fast; **de ligero** lightly, rashly
lijado sanded, worn
lila lilac
limeño from Lima
limitar to limit, bound
límite *m.* limit, end, boundary
limonero lemon tree
limosna alms; **pedir limosna** to beg
limosnero beggar
limpiar to clean
limpio clean, pure; **sacar en limpio** to figure out, clear up
lindar to border, adjoin
linde *m. & f.* edge, limit
lindo pretty, beautiful
línea line
linterna lantern
lío bundle, mess, difficulty; **meterse en líos** to get involved in difficulties
liquidar to liquidate, finish
lirio lily
liso smooth
listo ready; clever; **ser listo** to be clever
Liszt, Franz (*1811–1886*), *Hungarian Romantic composer*
liviandad superficiality; lightness
liviano light
lívido livid, black and blue, discolored
living *m.* living room
lo (*neut.*) **lo del Vasco** the Basque's shop; **¡lo que...!** How...!, how much...!; **lo que es yo** as for me, as far as I'm concerned
lobera girl from town of Lobos
lobo wolf
lóbrego dark, gloomy
lobreguez darkness, gloominess
local local; place, premises
loco mad, crazy, insane; *n.* madman (woman)
locuaz loquacious, talkative
locura madness, insanity
logogrifo logogriph, riddle
lograr to get, achieve, succeed in
loma low hill
lomo back (*of an animal*)
lona canvas, sailcloth, sail
londinense from London
Londres London
lonjazo lash of a strap
lorando = llorando weeping
losa slab, flagstone
losange lozenge (*diamond-shaped*); pane
lote portion, group
lúbrico lewd
lucecilla, lucecita small light
lucero star
luciente shining
luciérnaga glowworm, firefly
lucir to shine; to show, display
lucha struggle, fight, battle
luchar to fight, struggle
luego (de) then, after; **desde luego** of course; **luego que** as soon as
lugar *m.* place; room
lúgubre lugubrious, dismal, gloomy

lujo luxury
lujoso luxurious
lumbre *f.* fire
lumbrera luminary, light
lumbroso luminous
luminoso luminous, bright
luna moon; **luna de miel** honeymoon
lunes Monday
lustro lustrum, five-year period
lustroso lustrous, shiny
luto mourning
luz light
Luzbel Lucifer

Ll

llaga wound
llama flame
llamada call
llamamiento call, appeal
llamar to call; **llamarse** to be named, called
llamarada flash, flare-up
llamativo loud
llano treeless plain
llanura plain
llanto flood of tears, crying
llave *f.* key; **cerrar con llave** to lock; **echar llave** to lock
llegada arrival
llegar to arrive, to come to; **llegar a** + *inf.* to come to, get to, to succeed in
llenar to fill; **llenarse** to fill up
lleno full
llevadero tolerable, bearable
llevar to carry, take, wear, bear; to lead (*a life*); **llevar a cuestas** to bear, to be; **llevarse por delante** to knock over
llorá (*Arg.*) = **llora**
llorar to cry, weep
llorés (*Arg.*) = **llores**
lloroso weeping
llover (ue) to rain
lluvia rain
lluvioso rainy

M

macachín *m. an Argentine plant, like the oxalis, which bears a yellow flower and has an edible tuber*
Macías *legendary medieval Spanish lover and poet*
macizo solid mass; clump
maculado stained, spotted
machi (*Arg.*) medicine man
macho male; mule
madera wood, piece of wood
maderero lumberman
madre *f.* mother
madreselva honeysuckle
madrugada daybreak
madrugar to get up early
madurez *f.* (*pl.* **madureces**) ripeness
maduro mature, middle-aged; ripe
maestría mastery
maestro, maestra teacher
magia magic
mágico magic, magical
magistrado magistrate, judge
magnífico magnificent
magno great; chief
magulladura bruise
Maimónides, Mosheh ben Maimón (*1135–1204*), *medieval Sephardic philosopher & physician*
maíz *m.* corn
majadero bore
majestad majesty
majestuoso majestic
mal badly, wrong; evilly
maldad wickedness
maldecir to curse, damn
maldición curse
maldito damn, damned, cursed
malecón *m.* seawall; waterfront
malestar *m.* indisposition
maleta valise, suitcase
maleza thicket, weeds
malhadado unfortunate

malhumor *m.* bad humor, bad temper
malhumorado cross, ill-humored
malicia malice
maliciar to spoil
maligno malign, evil
Malmo *port in Sweden*
malo bad; evil; out of order; **estar malo** to be sick
malogrado frustrated
malquerencia ill will
malsano unhealthy
malva mauve; *f.* mallow
malvivir to live badly
malvón *m.* a variety of geranium
malla mesh; knitted goods
mallorquín *m.* Majorcan
mamarracho botch, mess
mampara door
manada herd; group
manantial *m.* spring, source
manar to flow
manaza big hand
mancomunado common, mutual
mancha spot, stain
manchar to stain
manda gift, bequest
mandar to send; to order, command
mandato order, command
mandíbula jaw
mandil *m.* apron
mando command
manecita little hand
manejar to handle, manage
manejo conduct, technique
manera manner; **a manera de** like; **de manera que** so that; **de todas maneras** in any case
manga sleeve; **¡a buena hora, mangas verdes!** too late for that!
manía obsession, mania
maníaco maniac
maniático maniacal, crazy
manicomio insane asylum
manifestar (ie) to indicate
maniobra maneuver
manipular to manipulate
maniquí *m.* manikin, fashion plate
mano *f.* hand; **mano maestra** skilled hand; **abrir la mano** to be lenient; **echar mano a** to seize; **echar mano de** to resort to; **irse (venirse) a las manos** to come to blows
manojo handful
mansedumbre *f.* meekness
manso meek
manta blanket
mantener to maintain, keep, remain
manto mantle, cloak; gown
manzana apple; Adam's apple
manzano apple tree
maña skill; **darse maña** to manage ably
mañana morning; tomorrow; **¿dónde tan de mañana?** where are you going so early in the morning?; **hacer la mañana** to have a drink; **muy de mañana** very early in the morning; **el mañana** the future; **pasado mañana** day after tomorrow
máquina machine, locomotive
maquinal mechanical
maquinar to scheme, plot
maquinaria machinery
maquinista *m.* mechanic
mar *m. & f.* sea; **mar brava** *or* **mar contraído** rough sea; **la mar de** a lot of, many; **meter mar adentro** to go far out at sea
maraña tangle
maravilla wonder, marvel; **a maravilla** wonderfully
maravilloso marvelous
marca mark
marcar to mark
marcial martial
marco frame, picture frame; door frame; mark (*unit of money*)
Marco Aurelio: Marcus Aurelius (*121–180 A.D.*), *Roman emperor and philosopher*

marcha march, progress; **en marcha** in motion
marchar to come along, progress; **marcharse** to go (away), proceed
marchito withered, faded
marear(se) to get dizzy, nauseated
mareo seasickness, nausea; dizziness
marfil *m.* ivory
margarita daisy
margen *f.* border, bank
marido husband
marina navy
marinedina girl from **Marineda**
marinero sailor
marino naval officer; seaman; *adj.* marine, pertaining to the sea
mariposa butterfly
marmaja marcasite
marmita pot, kettle
mármol *m.* marble
marqués *m.* marquis; **supo caer en marqués** had wits enough to become a marquis
marquesa marchioness
marron glacé (*Fr.*) glazed chestnut
Marsilla *Spanish Romantic hero and protagonist of* Los Amantes de Teruel *by Juan Eugenio Hartzenbusch* (*1806–1880*)
martes Tuesday
martirio martyrdom, suffering
marzo March
mas but
más more, most; **más allá (de)** beyond, farther; **más bien** rather; **más de** more than; **a más y mejor** strenuously; **no...más que** only; **por más que** however much, no matter how much
masa mass; dough; pulp
mascar to chew
mascullado chewed
masticar to chew
mata shrub, bush; plant
matar to kill
mate dull, lusterless
materia matter
materializar to materialize
matinada morning; **recién abiertas en flor las matinadas** the mornings scarcely in full bloom
matinal matinal, morning
matrimonio couple; wedding; matrimony
máxima maxim, rule
mayo May
mayor elder, eldest; greater, greatest; larger, largest, bigger, biggest; big
mayorcitas older girls
mayoría majority
mazorca ear of corn
Meca Mecca; **ir de Ceca en Meca** to go from place to place, all over
mecánica mechanism
mecedora rocking chair
mecer to rock
medallita religious medal
mediación mediation
mediado half-gone
mediano average
mediante by means of
mediar to take place, intervene
medias stockings
médico doctor, physician; **médico de confianza** personal physician
medida measure; moderation; **a medida que** as, while
medio half, middle; means; **a medio** half; **de medio a medio** completely; **en medio** in the middle; **plaza de por medio** half-way in the square; **quitar de en medio** to do away with, take out of the way
mediodía *m.* noon
medir (i) to measure
meditabundo meditative
médula marrow
mejilla check

mejor better, best; **mejor dicho** rather; **a lo mejor** like as not
mejora improvement
mejorar to improve, get better
mejoría improvement
melena long lock of hair; mane
meloso sweet, gentle
membrete *m.* address; label
memorista *m. & f.* memorizer
mendigar to beg
mendigo beggar
menear to shake; to stir
menester: ser menester to be necessary
menguado timid, silly, cowardly; dim
menguar to diminish, dim
menor less; lesser; least; smaller, smallest; younger, youngest; except
menos less, least; fewer, fewest; **echar de menos** to miss; **al menos** at least; **cuando menos** at least; **no poder menos de** not to be able to; **por lo menos** at least
menosprecio scorn
mensaje *m.* message
mensajero messenger
mensual monthly
mente *f.* mind
mentir (ie, i) to lie
mentira lie
mentón *m.* chin
menudo small; **a menudo** often
mercader *m.* merchant
mercancía merchandize
mercantil mercantile; mercenary
merecer to deserve, merit
meridional southern
merienda afternoon snack
merma reduction
mermar to diminish
mero mere
mes *m.* month
mesa table; desk; **mesa de operaciones** operating table
meseta plateau
mesón *m.* inn
mesura dignity, gravity
meta goal
meter to put, put in; **meterse en** to go into
métrico metric, versified
metro meter
mezclar to mix
mezquino petty, small, wretched
mezquita mosque
miedo fear; **meter miedo** to frighten; **tener miedo** to be afraid
miel *f.* honey
miembro member
mientras while; **mientras que** while; **mientras tanto** meanwhile
mientre = **mientras**
mies *f.* grain; **mieses** grain fields
miga crumb; bit
migrar to drift
mil thousand
milagrero superstitious; *m.* faker
milagro miracle
milagroso miraculous
milanesa veal cutlet milanese style
milenario millenial, ancient
milicia (*art of*) warfare
militar military
milpa corn field
millar *m.* thousand; great number
mimo pampering, indulgence
mina mine
minar to consume, undermine
mineralizar to mineralize; to strengthen
mínimo minimum
ministerio ministery, department; **ministerio de hacienda** Department of the Interior
minucioso minute, meticulous
minúsculo tiny, small
miosotis *m.* forget-me-not (*flower*)
miquis: tiquis miquis fussiness
mirá (*Arg.*) = **mira**
mirar to look at, watch; **mirar por** to look out for, look after

misa Mass
misal *m.* missal, Mass book
miseria misery; poverty
misericordia mercy, pity
misericordioso merciful
misionero missionary
mismo same, own; very; **ahora mismo** right now; **allí mismo** right now; **él mismo** he himself; **por lo mismo** for that very reason; **lo mismo da** it's all the same, it doesn't matter
mismísimo very same
Misti *volcano near Arequipa (Peru)*
mitad half
mitigar to appease, mitigate
mitón *m.* lace glove (*which leaves the fingers bare*)
mocedad youth
mocetón *m.* husky youth
mocito youngster
moco de pavo crest of a turkey
moda fashion, style; **de moda** in fashion, fashionable
modales *f. pl.* manners
modestia modesty
modesto modest
módico reasonable
modificable modifiable
modificar to modify, change
modo mode, manner, way; **de modo de** like, in the manner of; **de modo que** so that; **de otro modo** otherwise, in another way; **de todos modos** at any rate
mofarse de to sneer at, scoff
moflete *m.* chubby cheek
mohino annoyed, peeved
mojar to wet; **mojarse** to get wet
Moldau *river in Czechoslovakia*
mole *f.* bulk
moler (ue) to grind; to ache
molestar(se) to bother, annoy
molestia bother, annoyance
molesto annoyed; annoying
molino mill, windmill
momentáneo momentary
momento moment, point (*of time*)
monada trinket
moneda coin
Monitor, El *name of a newspaper*
monja nun, sister; **monjas claras** Poor Clares (*religious order*)
monje *m.* monk
mono monkey; **estar de monos** to be mad at; *adj.* cute
monografía monograph
monosílabo monosyllable
monótono monotonous
monserga gibberish
montaña mountain
montar to mount, ride
monte *m.* woods, woodland; mountain; **Monte de los Olivos** Mount Olive
montón *m.* pile, heap; great many
morada dwelling
morado purple
morar to dwell
moral *f.* moral; morals; ethics, morality
mórbido soft, enticing
morbidez softness
mordida bite
moreno brown, dark, brunet; **morena** brunette; **y sobre ello, morena** and on top of everything, stubbornness
moribundo dying
morir(se) (ue, u) to die
moro Moor
morriña homesickness, nostalgia
Morro, El *fortress in Havana harbor*
mortal mortal; fatal
mortecino dying away, pale
mortífero death-dealing
mortificar to mortify; to vex, bother
mosca fly
moscón *m.* bumblebee
mosquete *m.* musket
mosquita muerta hypocrite, one who feigns meekness

mostrador *m.* counter (*in a store*); showcase
mostrar (ue) to show; **mostrarse** to be, appear
mote *m.* nickname
motín *m.* mutiny, uprising
motivo, motive, reason; **con motivo de** because of
movedizo shifting, moving
mover(se) (ue) to move, stir
movible mobile, changeable, movable
Mozart, Wolfgang Amadeus (*1756–1791*) *Austrian composer*
mozo boy, youth
mucama maid
muchacha girl
muchacho boy, young man
muchedumbre *f.* crowd, gathering
mucho much, a lot, a great deal; **ni mucho menos** far from it, nor anything like it; *pl.* many
mudar to change
mudez *f.* silence
mudo silent, mute, dumb
muebles *m. pl.* furniture
mueca grimace
muela tooth; molar
muelle soft, luxurious; *m.* pier, wharf
muerte *f.* death; **doblar a muerte o a gloria** to toll for the dead or to ring joyously
muerto (*p.p. of* **morir**) dead; dull, boring
mugir to moo, low, bellow
mugriento dirty, filthy
mujer *f.* woman; wife
mujerío the women present, gathering of women
mujerona big woman
mulo mule
multa fine
multiplicar to multiply
mullido soft
mundanal worldly
mundano worldly, mundane
mundo world; **mundo elegante** high society; **andar por el mundo** to wander around; **correr mundo** to travel; **todo el mundo** everybody, the whole world
muñeca doll; wrist
muñeco doll, puppet
mura (amura) cross beam (*of a boat, situated near the prow*)
muralla wall
murallón *m.* thick wall
murillesco in the style of Murillo
Murillo, Bartolomé Estebán (*1617–1682*), *Spanish artist famous for his paintings of the Virgin*
murmullo murmur
murmuración gossip
murmurador *m.* gossip, backbiter
murmurar to murmur, whisper, rustle; to gossip
muro wall
músculo muscle
musculoso muscular
muselina muslin; **muselina clara** light summer dress
museo museum
musgo moss
música music
músico musician
musitar to mutter, whisper
mustio faded
mutilar to mutilate, torture
mutismo silence, muteness
mutualista health insurance plan (*Uruguay*)
mutuo mutual
muy very, too, most

N

nacarado pearl-like
nacer to be born; to begin; to grow
nacimiento birth
nada nothing, nothingness; not anything, not at all; **nada de eso** none of that; **no...nada** not at all, nothing at all

nadar to swim
nadie nobody, no one, not anybody
nafta naphtha; kerosene
nalga buttock
naranja orange
nariz (*pl.* **narices**) *f.* nose; nostril
narrar to narrate, tell
naturaleza nature; temperament
naturalidad naturalness
navaja razor; knife
nave *f.* ship; nave, aisle
navegar to navigate
Navidad Christmas
navío ship
neblina mist
nebulosa nebula (*celestial structure composed of matter in a gaseous state*)
nebuloso vague, hazy
necedad stupidity, nonsense
necesario necessary
necesidad necessity, need
necesitar to require, need, be in need of
necio stupid, foolish; *m.* fool
negar (ie) to deny, refuse; **negarse (a)** to refuse (to)
negativo negative; *f.* refusal, denial
negligente negligent, careless
negocio business, affair, deal; store *or* place of business; *pl.* business, commerce
negro black, dark; *m.* Negro
negrura darkness, blackness
neno (*Gal.*) baby, child
neniño (*Gal.*) little baby, child
nervios nerves
neurópata *m.* neuropath
nevar (ie) to snow
nervioso nervous
ni neither, nor; **ni...ni** neither... nor; **ni siquiera** not even
nido nest
niebla fog, mist, haze
nieto grandchild
nieve *f.* snow
nimio small
ninguno not, not any, neither
Ninón = **Ninon de Lenclos** (*1620–1705*), *French beauty and wit; heroine of Zola's* Contes à Ninon (*1864*)
niñera nursemaid
niñería childishness
niño child, boy; *f.* girl
niquel *m.* nickel
nitidez *f.* brightness, clearness
nítido clear, bright
nivel *m.* level
niveo snowy; pure white
no no, not
nobleza nobility, nobleness
noche *f.* night, evening; **noche a noche** night after night; **todas las noches** every night; **de noche** at night
nochebuena Christmas Eve
nogal *m.* walnut; walnut tree
nombrar to name, appoint
nombre *m.* name; **nombre de pila** first name, given name
noreste *m.* northeast
noria chain pump, water wheel
noroeste *m.* northwest
norte *m.* north
nortero north, northern
nota note; grade, mark; **de nota** well known
notabilidad notable person
notar to note, notice
noticia news, information, news item
notorio well known
novato beginner
novedad news; event
novelador *m.* story-teller
novia girl friend; fiancée; bride; **echarse una novia** to have a girl friend, get engaged.
noviazgo engagement, courtship
novio boy friend; financé; bridegroom
nube *f.* cloud
nublar to cloud over

nuca nape of the neck
nudillos knuckles
nudo knot
nuevo new; **de nuevo** again; **nueva** news
nuez *f.* (*pl.* **nueces**) walnut
nulo null, void, nonexistent
número number
nunca never
nutrir to nourish
nutria nutria; otter

O

o or; **o...o** either...or
obedecer to obey
obispo bishop
oblea wafer
oblicuo oblique
obligación obligation; **verse en la obligacion de** to be obliged to
obligar to obligate, force
óbolo contribution
obra work; **poner en obra** to put into effect, do
obrar to act
obrera factory worker
obscurecer to obscure, darken
obscuro dark, obscure
obsequiar to entertain, court
obsequioso obsequious, subservient
obstante: no obstante nevertheless
obstar to hinder, stand in the way
obstinar to be obstinate; **obstinarse en** to persist in
obtener to obtain, get
ocasión occasion, opportunity; **presentarse rodada la ocasión** the occasion presented itself accidentally
ocasional occasional, casual
ocasionar to cause
ocaso sunset; taps (*mil.*)
occidental western
ocio leisure; idleness
octubre October
ocultar(se) to hide, conceal
ocultamente secretly
oculto hidden
ocupar to occupy; **ocuparse de** *or* **en** to pay attention to, bother, get busy with
ocurrir to occur, happen; **ocurrírsele** to occur (*to one*), get an idea
ocurrencia bright idea, witticism, occurrence
ochavo small coin
odiar to hate
odio hatred
odioso odious, hateful
oeste *m.* west
ofender to offend; **ofenderse** to take offense
ofensa offense
oferta offer
ofertar to offer
oficial official; *m.* officer, official
oficiante *m.* officiant, officiator; high priest
oficina office; **oficina de correos** post office
oficio occupation, trade, craft
ofrecer to offer
ofrecimiento offering
ofrenda offering, gift
ofuscar to dazzle, confuse
oído (*p.p. of* **oír**) hearing; ear; **al oído** confidentially; **decir al oído** to whisper; **prestad atentos el oído** pay close attention; **tocar de oído** to play by ear
oir to hear, listen
ojal *m.* buttonhole
ojalá I wish, Would that...
ojèada glance; **dar (echar) una ojeada** to cast a glance
ojeras circles under the eyes
ojeriza ill will
ojiacanto: verde ojiacanto bright green
ojo eye; **a ojo** by sight, by guess; **ojos nublados** tear-filled eyes

ojota Indian sandal
ola wave
oleada wave, whiff
oleaje *m.* rush of waves, surge
óleo oil (*paint*)
oler (ue) to smell, sniff; **oler a** to smell of
olivo olive tree
olmeda elm grove
olmo elm
olor *m.* odor, smell
oloroso fragrant; odorous
olvidar to forget; **olvidarse de** to forget
olvido forgetfulness, oblivion
olla pot; stew; **olla de grillos** pandemonium, uproar
ombligo navel
omnibus *m.* bus
onda wave
ondeado wavy
ondeante waving, undulating
ondulación curve
ondulado wavy, rolling
ondulante undulant
ondular to undulate, vibrate
onza ounce; coin
opacar to obscure, cloud
opaco opaque; cold; dim
opalo opal
operar to do, work; to operate
opinar to be of the opinion, judge
opinión opinion; **cambiar de opinión** to change one's mind
oponer to put up, offer; **oponerse** to oppose, resist, object
oporto port (*wine*)
oportunidad opportunity; **con la debida oportunidad** in due time
oportuno opportune, appropriate
oposición opposition; competitive examination
oprimir to oppress, press
oprobio opprobrium; disgrace
optar por to choose, select
opuesto (*p. p. of* **oponer)** opposed; opposite
oración prayer; sentence
orante praying
orar to pray
oratorio small chapel
orden *m.* order, sequence; *f.* order, command; religious order, military *or* chivalric order; **de primer orden** the most important
ordenanza ordinance, command
ordenar to order, command; to arrange
ordeñar to milk
oreja ear
organillo hand organ, hurdy-gurdy
organizar to organize
orgía orgy
orgullo pride; **finca su orgullo** puts his pride; **tener orgullo de** to have pride in
orgulloso proud, haughty
oriente *m.* east
origen *m.* origin, source, native country
orilla edge; shore, bank
orión felt hat (*Arg.*)
oriundo native, coming from
orla border, edge
ornato adornment, finery
oro gold
orondo pompous, big
osar to dare
osadía daring, boldness
oscilación oscillation; shaking
oscilante oscillating
oscilar to oscillate, waver, swing back and forth
oscurecer to get dark; *m.* nightfall
oscuridad darkness
oscuro dark; obscure
óseo bony
Osorno *city in central Chile and capital of the province of the same name*
ostentar to show, show off, display
otate *m. cane plant* (*Mex.*) *used for making furniture and fences*
otoño autumn

otorgar to grant, confer
otro other, another
oveja ewe
ovillo ball; **hacerse un ovillo** to curl up
oyente listener

P

pabellón *m.* pavilion
pábulo encouragement; fuel; **dar pábulo** to substantiate, add fuel
pacto pact, covenant, agreement
padecer to suffer, endure
padecimiento suffering
padre *m.* father; *pl.* parents
padrino godfather
paella *Valencian dish made with rice and meat or seafood*
pagar to pay, pay for
página page
pago payment
país *m.* country
paisaje *m.* landscape
paisanaje *m.* common citizenship
paisano countryman
paja straw
pajar *m.* hayloft, haystack
pájaro bird
paje *m.* page (*boy*)
pajonal *m.* stand of tall grass
palabra word; **cruzar palabras con** to exchange words with; **dirigir la palabra a** to address, speak to
palabreja odd word
palacio palace, mansion
paladar *m.* palate, taste
palanca stick, pole, crowbar
palangana wash basin
palco theater box
palidecer to turn pale
palidez *f.* paleness, pallor
pálido pale; **ponerse pálido** to turn pale
paliza beating
palma palm (*of the hand*)
palmada pat; slap
palmatoria candlestick
palmear to clap, pat
palmera palm tree
palo stick; **palo mayor** mainmast; **andar a palos** to come to blows
paloma pigeon, dove
palpar to feel, touch
palpitante palpitating, throbbing
palpitar to palpitate, throb
pampa Pampas, extensive plains
pámpano tendril
pampeano of the Pampas
pamplinas nonsense
pan *m.* bread; **pan de Dios** person as good as gold; **pan duro** hard-hearted (*person*); **con su pan se lo coma** that's his business
panacea panacea, cure-all
panadería bakery
panadero baker
pando curved, bulging
panecillo roll
panneau (*Fr.*) panel
pantalla shade, screen
pantalón *m.* (*pl.* **pantalones**) trousers, pants
pantano swamp, marsh
pañuelo handkerchief
papagayo parrot
papel *m.* paper; role; **papel comercial** business letter
paquete *m.* package; **bien paquete** handsome, good-looking
par *m.* pair; **a la par de** together with, alongside of; **de par en par** wide open
para to; for; towards; compared to; by (*time*); **para que** in order that, so that; **¿para qué?** what for?, for what purpose?; **para sí** to oneself
parada stop; parade; **parada de taxi** cab stand
paradójicamente paradoxically
paragolpe *m.* bumper
paraguas *m.* umbrella

paraíso paradise; gallery, top balcony
paraje *m.* place, spot
parar(se) to stop
parasol *m.* parasol
parco meager, frugal
parecer to appear, seem, resemble; **parecerse a** to look like, resemble; **al parecer** apparently; **al parecer de** in the opinion of; *m.* opinion
parecido similar, like; *m.* resemblance, likeness
pared wall
pareja couple
parentela relations, relatives
parienta female relative
pariente *m. & f.* relative
parisino Parisian
parlador talkative
parlotear to chatter, prattle
Parménides *Greek philosopher (VI century B.C.)*
parodia parody
párpado eyelid
parra grapevine
párrafo paragraph
párroco parish priest
parroquiano client, customer; parishioner
parsimonioso parsimonious, frugal
parte *m.* report; *f.* part; **a todas partes** everywhere; **en ninguna parte** nowhere; **la mayor parte** the majority; **por otra parte** elsewhere
participar to communicate, inform, participate
partícipe *m. & f.* participant, sharer
particular particular, private
particularidad distinctiveness, individuality
partida departure; party, group; game; entry
partidario partisan, supporter
partidarismo favoritism, partisanship
partido cut, split; **partido en dos** cut in two; *m.* game, match; **sacar partido** to take advantage of; **tomar partido** to decide what to do
partir to leave; to divide, split
partitura musical score
parturienta woman in confinement
pasadizo passageway, corridor
pasado past
pasaje *m.* passage; ticket
pasajero fleeting, passing; *n.* passenger
pasar to pass; to go (by, through); to spend (*time*); to happen; to come in; to transfer; **pasar de** to go beyond; **¿qué pasa?** what's wrong?
paseandero walking, strolling
pasear(se) to walk, take a walk, stroll
paseo promenade, walk
pasillo aisle, hall
pasionaria passionflower
pasmado astounded
pasmoso astounding
paso step; way; passage; passing; **paso de lobo** stealthily; **abrirse paso** to get through; **ceder paso** to make way; **dar paso** to let pass, make way; **dar un paso** to take a step; **de paso** in passing; **estar de paso** to be passing through; **sacar del paso** to solve one's problem; **salir al paso** to come upon; **salir del paso** to get out of a situation; **un abrirse paso** an opening, a way through; **volver sobre sus pasos** to retrace her steps
pasta paste, dough; cake of soap
pastel *m.* pastry; mess, blunder
pasto pasture, meadow, grass
pastor *m.* shepherd
pastorear to pasture, feed, nourish
pata paw; leg; **patas de gallo** crow's feet, wrinkles

pataco silver coin; **buenos patacos de jorná** good daily wages
patán *m.* boor, churl; peasant
patear to kick
patente evident, clear; **poner patente** to make evident, clear
patilla sideburn
patinar to skate
patio patio, courtyard
patito duckling; yellow
patraña hoax, trick
patrón *m.* boss, owner; **patrona** landlady
pausa pause, delay
pausadamente slowly, deliberately
pavada inanity, foolishness
pavimento pavement, floor
pavo turkey; **pavo real** peacock
pavor *m.* fear, terror
pavoroso awful, frightful
paz *f.* peace; **dejar en paz** to leave alone
peatón *m.* pedestrian
pecado sin
pecador *m.* sinner
pecaminoso sinful
pecar to sin
pechera shirt front
pecho chest, breast, bosom
pedante pedantic
pedantón *m.* big pedant
pedazo piece; **hacer pedazos** to break into pieces
pedir (i) to ask for; to order (*merchandise*); to request
pedrada stoning, hit *or* blow with a stone
pedrería precious stones
pagar to stick, cling; to hit, beat
peinado hairdo
peinar(se) to comb
peldaño step (*of stairs*)
pelear to fight
peliagudo delicate; ticklish; tricky
peligrar to endanger, be in danger
peligro danger
peligroso dangerous
pelo hair; **el pelo partido en dos bandas** her hair parted in the middle
pelota ball
pelo hair
peluquería barber shop
pellizcar to pinch
pena pain; sorrow, grief; **a duras penas** with great difficulty
penacho plume, crest
penado prisoner, convict
pender to hang
pendiente hanging, pending; sloping; **en pendiente** downhill, sloping; *f.* slope
penetrable penetrable, comprehensible
penetrante penetrating, clearsighted
penetrar to penetrate, enter; to pervade
penitente penitent
penoso painful, laborious
pensamiento thought
pensar (ie) to think, intend, plan; **pensar en** to think of; **pensarlo** to think about it, consider it
pensativo pensive, thoughtful
pensión boarding house
penumbra penumbra; semi-darkness; shaded area
peña rock, boulder
peñasco spire of rock, pinnacle
peón *m.* laborer, farm worker
peor worse, worst
pequeñez *f.* pettiness, trifle
pequeño small, little, young; *n.* child
pequeñuelo child, infant
percalina percaline (*a fine cotton fabric*)
percatarse de to notice, be aware of; to suspect
percibir to perceive, discern; to collect
percha perch, clothes rack
perder (ie) to lose, ruin
pérdida loss

perdidamente hopelessly, madly
perdido sinner, profligate; *f.* lost soul
perdón *m.* pardon, forgiveness
perdonar to forgive, excuse, pardon
perdulario vagabond; rascal; rake
perdurable lasting, long-lasting
perdurar to last, last a long time
peregrinación peregrination, pilgrimage, wandering
peregrinar to wander, go on a pilgrimage
peregrino wandering; *m.* pilgrim
perentorio urgent, peremptory
pereza laziness, slowness
perezoso lazy, slow
perfidia perfidy, treachery
pérfido treacherous, perfidious
perfil *m.* profile
perfilar to profile, outline
perfumista *m. & f.* person who makes cosmetics
periódico newspaper
periodista *m. & f.* journalist
período period
peritonitis *f.* peritonitis (*inflamation of the lining of the stomach*)
perjudicar to harm, prejudice
perla pearl
perlino pearl-like
permanecer to remain, stay
permitir to permit, allow
pero but, yet
perplejidad perplexity
perplejo perplexed, worried, anxious
perrería dirty trick, treachery
perrillo little dog; **perrillo de lanas** poodle
perro low, mean; *m.* dog
perseguidor *m.* pursuer
perseguir (i) to pursue, persecute, harass
persiana venetian blind, shutter
persistir to persist, persevere
persona person
personaje *m.* personage, person of importance; character
personal personal; *m.* personnel
personalidad personality; **con toda mi personalidad** with all my being
personita: personitas de fiesta pretentious boors
perspicaz (*pl.* **perspicaces**) perspicacious, clear-sighted, discerning
pertenecer to belong; to concern
perteneciente belonging
peruano Peruvian
pesadilla nightmare
pesado heavy
pesadumbre *f.* sorrow, weight
pésame *m.* condolence
pesar to weigh; *m.* sorrow, regret; **a pesar de** in spite of; **a pesar suyo** in spite of himself
pesca fishing
pescado fish
pescador *m.* fisherman
pescar to fish, catch
pescuezo neck
peseta *Spanish monetary unit*
peso weight, burden; *Spanish American monetary unit*
pesquisa inquiry, investigation
pestaña eyelash
pestañear to blink
peste *f.* plague
pez (*pl.* **peces**) *m.* fish
piadoso pious, merciful
piafante pawing, stamping (*of a horse*)
pian, pianito slowly, softly
picadísimo very rough
picante hot, biting
picar to bite, nibble; to pierce
picardía mischief, knavery; **con picardía** mischievously
picaresco picaresque
pícaro rascally, crooked, scheming
picarona wench
pico pickax; small amount; **frisaba en los viente y pico** was in her early twenties

pie *m.* foot; **ir a pie** to go on foot; **ponerse de** (*or* **en**) **pie** to be standing, to stand
piedad piety; pity, mercy
piedra stone, rock; **sueño de piedra** heavy slumber
piel *f.* skin; fur; leather
pierna leg
pieza room; piece, musical composition; **de una pieza** worthy, upright, solid
pila basin; holy water basin; pile; **pila de baño** bath compartment
píldora pill
pileta swimming pool; pool
pillar to catch
pincelada brush stroke
pino pointed, steep; *m.* pine tree
pinchar to prick, pierce
pintar to paint, picture; to begin to ripen
pintor *m.* painter
pintoresco picturesque
pintura painting, paint
piña cluster
piñón pine kernel
pipa pipe
piquete *m.* squad (*detachment of soldiers*)
pisada footstep, tread
pisar to tread, step on
piso floor; flooring, pavement; level; stool; **piso giratorio** high revolving stool
pista trail, track
pito whistle
placa plaque; insignia
plácemes *m. pl.* congratulations, compliments
placentero pleasing
placer to please; *m.* pleasure
placero public
placidez placidity
plagar to plague, infest
plancha plate, sheet; gangplank; flatiron
planchada gangplank
planchar to iron; to be a wallflower
planear to plan, outline
planicie *f.* plain
plano plane, level; blueprint
planta plant; foot, sole of foot
plantación planting
plantar to plant; **plantarse** to stand
plañidero mournful; wailing
plastrón *m.* starched shirt front
plata silver; money
plataforma platform
plátano banana; banana tree
platear to coat with silver
plática talk, chat, conversation
platicar to chat, converse
plato plate, dish
Platón Plato (*427?-347 B.C.*), *Greek philosopher*
playa beach; **playa adentro** farther out on the beach
plaza plaza, town square
plazo time; period of time; deadline
plegar to fold; to wrinkle; to purse
plenitud fullness, plenitude
pleno full
pliego sheet of paper
pliegue *m.* fold; wrinkle
plomizo lead-colored
plomo lead; bullet
pluma pen; feather
plumaje *m.* plumage
población town, village
poblado crowded, inhibited
poblar (ue) to people, populate
pobre poor; **el pobre despojado** the poor little thing; *n.* poor person
pobreza poverty
poco little; **poco a poco** little by little; **poco simpático** unpleasant; **a poco** shortly after
poder to be able, can; **no poder más** not to be able to do more, be exhausted; **no poder menos de** not to be able to help; *m.* power

poderoso powerful
podredumbre *f.* decay; putrid matter
podrido rotten, decayed
poema *m.* poem
poesía poetry
poeta *m.* poet
policía *m.* policeman; *f.* police force
policial (*pertaining to the*) police
policromado many-colored
polícromo multi-colored
política politics
político polite, tactful, courteous; *m.* politician
polvillo powder, fine dust
polvo powder; dust; **polvos de arroz** rice powder (*used as a cosmetic*)
pólvora gunpowder; powder
polvoriento dusty
pollo chicken; young man
pompa splendor, ostentation, pomp
pomposo magnificent, pompous
pómulos cheek bones
poner to put, place; to get; **ponerse** to become, get (*furious, sick, etc.*), put on (*clothing*); **ponerse a** to begin, start to
populoso crowded, populous
por by, through; for; over; on account of, for the sake of; on; around; **por lo menos** at least; **por lo mismo** by the same token, by the very fact; **por lo tanto** therefore; **por si acaso** just in case; **por supuesto** of course
porción portion, number
pormenor *m.* detail
poro pore
¿por qué? why?
porqué *m.* why, reason, motive
porque because
portal *m.* entry, entrance way
portalón *m.* gate
portarse to behave
portazo bang *or* slam of door; **dar portazos** to slam the door
porte *m.* bearing, carriage; **su porte de ósea rectitud** his erect bearing
portería main gate, porter's office
portero porter; custodian
pórtico portico, threshold, entrance
portón front door
porvenir *m.* future
posada inn
posadero innkeeper
posarse to settle, alight
poseedor *m.* possessor
poseer to possess, own, hold
postdata postscript
postergar to postpone
posteridad posterity
posterior back; following, subsequent
postizo false
postre *m.* dessert; **hasta la postre** to the last
postrer, postrero last, last one
postura posture, position
potente potent, powerful
potrero pasture ground
pozo well, pit; **pozo de ciencia** fountain of knowledge
práctica practice, habit; exercise
practicante practicing, church-going
practicar to practice
práctico practical; **en lo práctico** in practice
prado meadow, pasture
Praga Prague (*capital of Czechoslovakia*)
preciarse to take pride
precio price
precioso precious, beautiful
precipitar to hasten; **precipitarse** to rush headlong, throw oneself
precisamente precisely, exactly, necessarily
preciso necessary
preconizar to praise, commend
precoz (*pl.* **precoces**) precocious

precursor precursory, preceding
predecir to predict, foretell
predicador *m.* preacher
predilecto favorite, preferred
prefecto prefect, chief
preferir (ie, i) to prefer
prefijado set, prearranged
pregunta question; **hacer una pregunta** to ask a question
preguntar to ask
preguntón nosy
prejuicio prejudice; **por prejuicio** through habit
prejuzgar to prejudge
premiar to reward
premio reward, prize
prenda garment; piece; treasured article; **prenda de vestir** article of clothing
prender to catch; to pin; to dress up; to light
prensa press; newspaper; **La Prensa** *leading newspaper of Buenos Aires*
preñez *f.* pregnancy, fullness
preocupar(se) to preoccupy, worry
preparar to prepare; **prepararse** to get ready
presa water dam; catch; **hacer presa** to seize, take hold
presagiar to foretell
prescribir to specify, prescribe
presencia presence; **presencia de espíritu** presence of mind, poise
presenciar to witness, be present at
presentación introduction
presentante presenting; *n.* person who introduces
presentar to present, introduce; to show
presente present; **tener presente** to have in mind
presentir (ie, i) to have a presentiment of
presidiario prisoner
presidio prison, barracks
presidir to preside
presión pressure
presionar to press, put pressure on
preso prisoner, imprisoned; **tener preso** to imprison, hold back
prestanza elegance
prestar to lend; to give; **prestarse** to lend oneself
presteza quickness; **con presteza** quickly
prestigio prestige
presto quick, quickly
presumir to presume
presunción presumption, vanity
presunto conceited
pretender to pretend, try to (do); to aspire to; to court
pretendiente *m.* suitor
pretil *m.* railing
prevenir to warn
prever to foresee
previo previous
previsión foresighted, far-seeing
primado primacy, first place
primavera spring
primaveral (*pertaining to*) spring, springlike
primer, primero first, first one; **de primera** first, first of all
primicia beginnings, first fruits
primitivo primitive, original
primo cousin
primogénito first-born
primordial primordial, primal
primus *m.* gas burner
principal *m.* chief, ringleader
principala owner's wife
príncipe *m.* prince
principiar to begin, start
principio beginning, start; **al principio** at first; **en un principio** at the beginning
pringoso greasy
prisa hurry, haste; **correrle (tener) prisa** to be in a hurry; **de prisa** quickly
prisión prison, imprisonment; arrest
prisionero prisoner

pristino pristine, first
proa prow
probar(ue) to try, test; to taste
procedencia origin
procedente de coming from
proceder to act, behave; **proceder a** to proceed to; **proceder de** to come from
procedimiento procedure, process
prócer lofty, dignified
proceso process *(of time)*; trial, execution
procurar to try, strive; to get, obtain
prodigar to lavish; to squander
prodigio prodigy
profano profane, worldly; indecent
proferir (ie, i) to utter, express
profesar to profess
prófugo fugitive
profundidad depth
profundizar to explore
profundo profound, deep
progresión progression, advance
progresista progressive
progresos progress, development
prohibido prohibited, forbidden
prójimo neighbor; **las prójimas** the girls of the neighborhood
prolijo prolix, tedious
prolongación prolongation, extension
prolongar to prolong, extend, protract
prometer to promise, offer
prometida fiancée, betrothed
prontitud promptness, swiftness
pronto quick, speedy, prompt, soon, quickly; **al pronto** at first, right off; **de pronto** suddenly; **pronto a** about to, ready to; **por de pronto** for the present
pronunciar to pronounce, utter
propicio propitious, favorable; **propicios ante su corazón** greatly preferred by her
propiedad property; propriety, fitness
propietario owner, landowner, proprietor
propinado given
propio own, proper; same; self; very; **no era propio de** it was not befitting
proponer to propose, propound; **proponerse** to propose to, plan, intend
proporcionar to give, furnish
propósito purpose, intention; **a propósito** fit, on purpose
prorrumpir to burst
proseguir (i) to continue, go on, proceed
proteger to protect
protocolar formal
provinciano provincial
provisto *(p.p. of* **proveer)** provided
provocar to provoke, cause, incite
provocativo provocative, provoking
proximamente approximately
proximidad proximity; **en proximidades de** bordering on
próximo near, close, next, nearby
proyectar to project, plan
proyecto plan, project
prudencia prudence, moderation
prudente prudent, cautious
prueba proof, test, trial; **hacer la prueba** to try; **poner** *or* **someter a prueba** to put to test
pubertad puberty
publicar to publish, reveal
puchero pouting
pudor *m.* modesty, shyness, chastity
pudrir to rot, putrefy
puebla town
pueblera small-town; *n.* small-town girl
pueblo town, people; common people
puebluco little town
puente *m.* bridge

pueril childish, puerile
puerta door; doorway; gate
puerto port; harbor; waterfront
pues well, then, since, because, for; **pues bien** well then, now then
puesta setting; **la puesta del sol** the sunset
puesto (*p.p. of* **poner)** place, position, job; **puesto a** determined to; **puesto que** since, inasmuch as
pugna struggle, conflict
pulcritud neatness, tidiness
pulga flea
pulgada inch
pulido smooth; clean
pulir to make smooth; to clean, polish
pulmón *m.* lung
pulmonía pneumonia
pulsar to take the pulse of
pulsera bracelet
pulso pulse
pulular to swarm
punta point, tip; **de punta a punta** from end to end
puntada stitch
puntazo jab, stab
puntiagudo sharp-pointed
puntilla edging, lace edging; **de** *or* **en puntillas** on tiptoe
punto point, period, dot; **a punto de** on the point of; **al punto** at once; **de** *or* **a punto fijo** exactly, with certainty; **subir de punto** to increase, get worse; **poner la verdad en su punto** to establish the truth
punzar to prick, wound
puñado handful
puñetazo blow with the fist, punch
puño fist; **a puño cerrado** firm, firmly; **de más puños** stronger; **de puño y letra** in his own handwriting
púrpura purple
putrefacto rotten

Q

que that, which, who, whom; then; for; because; let; **el que** he who, the one who
¿qué? what?, which?; **¿a qué...?** why...?; **¡qué!** what!, what a...!, how...!; **¡qué de...!** how much...!, how many...!
quebrada broken, roughened; furrowed
quebrantar to break
quebranto: quebranto amoroso broken love affair
quebrar (ie) to break, weaken
quedamente quietly
quedar to remain, stay; to be left, be left over; **quedar bien** to look well, be appropriate; **quedar en** + *inf.* to agree to; **quedarse** to stay, remain, to be
quedo quietly
quehacer *m.* task, chore
queiroas *f. pl. wild heather that grows in the mountains of Galicia*
queja complaint
quejarse to complain
quejido moan
quemadura burning, burn
quemar to burn
quemarropa: a quemarropa point-blank
querencia: a la querencia at will
querer to wish, want, desire; to like, love; **querer decir** to mean; *m.* love, affection
querés (*Arg.*) = **quieres**
querido dear, beloved
quevedos *m. pl.* eyeglasses
¡quiá! oh, no!
quicio: sacar de quicio to drive one mad, exasperate
quid *m.* main point, gist, core
quiebra bankruptcy
quien who, whom, he who, the one who
¿quién? who?, whom?, whoever?

quieto quiet, still
quietud peaceful, quiet
quijada jaw
quilla keel (*of a ship*)
quimera chimera, dream
química chemistry
químico chemist
quincuagésimo fiftieth
quinta villa, country house
quitar to remove, take away; **quitarse** to take off
quitasol *m.* parasol
quizá, quizás perhaps, maybe

R

rabia anger, rage
rabiar to get mad, be furious
rabioso rabid, mad
rabo tail
racimo cluster, bunch
racha streak, interval; **a rachas** in gusts
radicar to be located
radio *m.* radius, spoke, stem; *m. & f.* radio
radioso radiant
rafaguear to streak
raído threadbare
raigambres *f. pl.* intertwined roots; characteristics
raíz *f.* (*pl.* **raices**) root
raleado thin, sparse
rama branch
ramaje *m.* foliage, branches
ramalazo lash, blow
ramera prostitute
ramo bouquet, cluster
ramplón vulgar, common
rana frog
rancio old
rango rank; line, row
rapacino (*Gal.*) little boy
rapaz *m.* young boy, lad
rapaza lass
rapidez *f.* rapidity, speed
rapsodia rhapsody; **Rapsodia húngara** Hungarian Rhapsody (*musical composition for the piano by Franz Lizst*)
raro rare, odd, unusual
rascacielos *m.* skyscraper
rascar to scratch
rasgadura tear, rip
rasgo trait, characteristic
raso satin
raspado scratched
rastreante crawling
rastro trace
rastrojo stubble
rato period of time, time, while; **a ratos** from time to time
raya line, stroke
rayo ray, beam; lightning, flash
raza race, breed
razón *f.* reason, right; **razón social** firm (*trade*) name; **avenirse a razones** to come to terms; **dar la razón a** to agree with; **tener razón** to be right
razonar to reason, reason out
reacio stubborn, obstinate
realizar to fulfill, carry out, accomplish, perform
realzado enhanced
reanimar to revive
reanudar to resume, renew
reaparecer to reappear
rebaja rebate, reduction
rebalsar to accumulate
rebanada slice, chip
rebaño flock, herd
rebasar to exceed, pass
rebelde *m. & f.* rebel
rebeldía rebellion
rebosante de overflowing, thick with
rebosar to overflow with, burst with
rebotar to bounce, strike
rebuscar to search, search carefully
rebuscas pickings; profit
recamar to embroider, cover with

recapitular to recapitulate
recargar to load, stuff full
recatado circumspect, modest
recato circumspection, reserve, caution
recelar to fear, distrust
recelo fear, distrust
receptor receiving
receso: en receso set aside
recibir to receive, greet
recibo receipt
recién recently, just, just now
reciente recent
recio strong, robust; loudly
recipiente *m.* container
recitar to recite, tell
reclamar to claim, demand; to regain
recodo bend, turn
recoger to pick up, get, gather; **recogerse** to retire, go to bed; to take refuge
recogido taut, tight
recogimiento concentration
recomendar (ie) to recommend
reconciliador reconciling
recóndito recondite, hidden
reconocer to recognize
reconocible recognizable
reconocimiento recognition
reconquista recovering, reconquest
reconvención accusation, reproach
recordar (ue) to remember, recall, remind
recorrer to go over, go through; to travel; to retrace
recorridor trip; rounds
recostar(se) (ue) to recline, lean, lean back
recova pack, group
recrudecer to get worse, flare up, break out again
recto straight
recuadrado divided into squares, squared off
recuadro square
recuerdo memory, remembrance
recuesto slope
recuperar to recuperate, recover
recurrir to resort, have recourse
recurso resource
rechazar to refuse, reject
rechifla catcall, hissing
rechinante creaking
redactar to edit; to write
redactor *m.* editor
red *f.* net, snare
redecir to repeat, say again
rededor *m.* surroundings; **en rededor** around
redención redemption
redimir to redeem; to rescue
redoblar to double
redondeado rounded off, finished
redondez (*pl.* **redondeces**) *f.* roundness
redondo round
reducción reduction; settlement (*of converted Indians*)
reducido reduced, diminished
reducirse a to be reduced to; to boil down to
reemplazado replaced, substituted
reemplazo replacement, substitution
referir (ie, i) to refer, tell, relate; **referirse a** to refer to
refitolera refectioner (*one in charge of the refectory or dining hall in a convent*); **La Refitolera** *painting by Murillo*
reflejar to reflect
reflejo reflection, glare
reflexión reflection, thought
reflexionar to think, reflect
reformador *m.* reformer
reforzar (ue) to strengthen, reinforce
refractario refractory, obstinate, resistant
refrescar to refresh, freshen
refresco refreshment, cold drink
refrigerante cooling
refugiarse to take refuge
refugio refuge, shelter

refulgente shining
refulgir to shine
refunfuño grumbling; snort
regalar to give, present
regalo gift, present
regato stream, creek
regar (ie) to sprinkle, shower
regazo lap
regentear to boss, manage
regio royal, magnificent
registrar to register, list, record; to search
registro enrolling office, registry
regla rule, order; **en regla** in order
reglamentación rules, regulation
reglamento regulation; regulations, rules
regocijar to cheer, gladden; **regocijarse** to rejoice
regocijo joy, gladness, rejoicing
regresar to return, go back
regreso return
reguero furrow, rill; **un reguero de pólvera** a shower of gunpowder
regular to regulate, put in order; *adj.* normal, medium
regularizar to regularize, regulate
rehacer to do over; **rehacerse** to recover, rally
rehuir to flee, avoid, evade
rehusar to refuse, decline
reich (*Ger.*) state; **Tercer Reich** *German government during the Hitler era*
reidor laughing
reina queen
reinado reign
reinar to reign, prevail
reino kingdom
reir(se) (i) to laugh; **reirse de** to laugh at
reiterado reiterated, repeated
reja grate, grating, grillwork
rejuvenecer to rejuvenate, become young
relación relation, relationship; narrative, report; **una relación de paso** a casual relationship; *pl.* acquaintances, connections, relations
relámpago lighting, flash of lightning
relatar to relate, narrate
relato story, report
relegar to relegate
relente *m.* night dew, dampness; **relentes de locura** maddening scents
religioso religious; *m.* monk *or* friar; *f.* nun
reloj *m.* clock, watch; **reloj de cucu** cuckoo clock; **reloj de pie** grandfather clock
relleno stuffed
remanente *m.* remainder, amount left over
remangar to turn up
remansarse to dam up, back up
rematador *m.* auctioneer
rematar to end, finish, terminate; to auction
remedar to imitate, mimic, mock
remedio remedy, medicine
remembranza remembrance
remero rower, oarsman
remitir to send
remo oar
remolcador *m.* tugboat
remolino swirl of hair; throng; eddy
remontar to rise up
remordimiento remorse
remover (ue) to stir; to remove
renacer to be born again; to revive
rencilla feud, quarrel
rencor *m.* rancor, animosity, grudge
rendido worn out, tired; overcome, defeated
rendir (i) to conquer; to render, yield; **rendirse** to become exhausted, surrender
renegrido blue-black
renglón *m.* line (*of writing*)
rengo lame; broken down

renombre *m.* renown
renovar (ue) to renew
renta income
rentillas small income
renuncia renunciation
renunciar to give up, renounce
reñir (i) to quarrel; to scold
reo criminal; culprit
reojo: de reojo out of the corner of the eye
repantigadamente sprawled out, stretched out comfortably
reparar en to notice, pay attention to
reparo objection; **poner reparo a** to raise an objection to; **sin reparo** without restraint
repartición distribution
repartidor *m.* sorter, distributor
repartir to distribute, divide; to part company, disband
reparto distribution, awarding
repasar to strop; to review, go over again; to mend (*clothing*)
repatriar to repatriate, send back home
repente: de repente suddenly
repentino sudden, unexpected
repercutir to resound, re-echo
repetir (i) to repeat
repletarse to be crammed full
repleto crowded, full
replicar to answer, reply
reponedor recuperative, restoring
reponer to answer, reply
reposar to repose, rest
reposo repose, rest
reprender to reprehend, scold
representante *m.* agent, representative
representar to represent, show; to appear
reprimenda reprimand
reprimir to repress, check
reprochar to reproach
reproche *m.* reproach
repudiar to repudiate
repugnar to cause disgust; to avoid
reputado reputable
requerido necessary
requerir (ie, i) to summon; to need, require
requerimiento request
requiebro flattery, compliment
requisito requirement, requisite
resaltar to hit, stand out; to be
resarcir(se) de to make up for
resbalar to slide, run down, go astray
rescatar to rescue, ransom, redeem
resentido offended, resentful
resentimiento resentment
reserva reserve, reticence
reservar to reserve, retain, conceal
resguardo protected
resignar to resign; **resignarse a** to resign oneself to
resistir to resist; to bear, bear up, endure; **resistirse a** to refuse to
resolución resolution, determination; **en resolución** in short, in a word
resolver(se) (u) to decide, resolve, solve
resonar (ue) to resound, resonate
resorte *m.* spring, motive
respaldo back (*of chair, sofa*)
respecto respect, reference; **respecto a** *or* **de** with regard or respect to
respetar to respect
respeto respect, consideration
respetuoso respectful
respirar to breathe, exhale
resplandecer to shine, glitter
resplandeciente brilliant, resplendent
resplandor *m.* brilliance, radiance, light; glare
responder to answer, respond, reply
respuesta answer, response
restante remaining; *m.* remainder
restar to take away
restaurar to restore
restituir to return, restore

resto rest, remainder, residue
restregar(se) to rub
resucitar to resuscitate, resurrect
resuelto determined, resolved
resulta result; **de resultas de** as a result of
resultado result
resultar to turn out. turn out to be; to prove to be; to result; to be
resumir to sum up, summarize
retablo altar piece
retardo delay
retazo piece, scrap, patch
retemblar to shake
retener to retain, keep (back); to detain
retentiva retentiveness, memory
retirar(se) to retire, withdraw, take away
Retiro = **El Buen Retiro** *famous park in Madrid*
retomar to go back over
retorcer(se) (ue) to twist
retóricas sophistries, subtleties
retornar to return
retozar to frolic, gambol
retraído reserved, shy
retraimiento solitude, shyness
retrasarse to be late
retratar(se) to portray, be reflected
retrato picture, portrait; **retrato al óleo** portrait in oil
retreta retreat, tattoo
retroceder to back away, recede
reunión gathering, meeting
reunir to unite, gather, assemble
revelador revealing
revelar to reveal, show
reverberar to reverberate, reflect
reverdecer to turn green again, come to life again
reverencia to bow, nod
revés *m.* back; inside
revestido covered, adorned
revisación (*Arg.*) **revisión** review, checkup
revisar to review, check
revista review, magazine; **pasar revista a** to go over, review
revivir to relive; to revive, come (bring) back to life
revolar (ue) to flutter
revolotear to flutter, fly around, hover
revolver (ue) to stir; to turn around, disarrange
revólver *m.* revolver, pistol
revuelto (*p.p. of* **revolver**) disarranged, mussed, stirred up
rey *m.* king; **lo mismo me da rey que roque** it's all the same to me
rezar to pray
rezo prayer
riacho stream
ribazo mound, sloping bank, embankment
ribera shore, bank
ribeteado irritated; studded, edged
rico rich
ridiculez *f.* ridiculousness, absurdity
ridículo ridiculous; *m.* reticule (*woman's network bag*)
riego irrigation, irrigation water
riel *m.* rail
rienda rein; **dar rienda suelta** to give free rein
rigidez *f.* rigidity
rigodón *m.* quadrille, rigadoon (*dance*)
rigor *m.* rigor, severity, heat; **de rigor** necessary, obligatory, unfailing; **en rigor** in fact, strictly speaking
riguroso rigorous, exact
rima heap, pile
rincón *m.* corner, nook
riñón *m.* kidney
río river
riqueza wealth, riches
risa laugh, laughter
risotada boisterous laugh; **dar risotadas** to laugh boisterously
risueño smiling, agreeable

ritmo rhythm
rizar to curl, furrow
rizo curl
robar to steal, rob; to abduct
roble *m.* oak
robo theft
robustecer to strengthen
robusto robust, strong
roca rock, stone
rocío dew, spray
rodar to roll, roll about, roll down
rodear to surround, encircle
rodeo turn, detour
rodete *m.* knot *or* ring of hair
rodilla knee; **de rodillas** kneeling, on (one's) knees
roer to gnaw
rogar (ue) to beg, request, entreat
rojizo reddish
rojo red, red-haired
rollizo rounded, plump
rollo roll
romano Roman
romántico romantic
romanza romantic song
romero rosemary
romper(se) to break, break off; to tear; **romper a** to burst out, begin suddenly; **romper el hielo** to break the ice; **romper en** to exclaim; **romperse las muelas** to make a great effort; **romperse los codos** to study hard, cram
ronco hoarse
rondador *m.* suitor (*circling the house*)
rondar to hang around; to court
rondón: de rondón brashly
ropa clothing, clothes; **ropa blanca** linens; **ropa de deshecho** cast-off clothing; **ropa íntima** underclothing
ropaje *m.* clothing
ropero armoire, wardrobe
ropita: ropitas de día feriado little holiday (*or* Sunday) best
roque *m.* rook (*chess*; *see* **rey**)
rosado pink
rosal *m.* rosebush
rosario rosary
roseta red spot (*on cheek*), flushed cheek; **tiene rosetas de fiebre** he has the flush of fever
rostro face
roto (*p.p. of* **romper**) broken, torn
rotular to address
rotundo round, sonorous
rotura breaking
rozar to graze, skim, brush
rubio blond, fair
rubor *m.* blushing; bashfulness
rubricar to seal; to sign with a flourish
rudo coarse, rough; rude
rueca distaff (*for spinning*)
rueda wheel; **hacer rueda** to flatter
ruego plea, entreaty
ruido noise
ruidoso noisy
ruiseñor *m.* nightingale
rumbo direction; **rumbo a** bound for, toward
rumiar to meditate, ruminate
rumor *m.* sound, murmur, rumor
rumorear to murmur
runrún *m.* murmur
ruta route; road, path
rutina routine, method

S

sábado Saturday; **Sábado de Gloria** Holy Saturday
sábana sheet
sabañón *m.* chilblain
saber to know, know how; to find out
sabiduría wisdom, knowledge, learning; **Sabiduría = Libro de la Sabiduría** Book of Solomon (*Old Testament*)
sabio learned, wise; *m.* scholar
sabor *m.* taste, flavor

saborear to savour, taste
sabroso flavorful, tasty, pleasant
sacar to take out, get, take
sacerdote *m.* priest
saciar to satiate, appease
saco suit coat; robe; sack
sacudida shake, jerk
sacudir to shake, shake off
sagrado sacred
sainete *m.* one-act play, farce
sala sitting room, living room, parlor; **sala de conciertos** concert hall; **sala de espera** waiting (reception) room; **sala de operaciones** operating room
salida exit; going out; day off
saliente salient, projecting
salina salt marsh
salir to go out, leave, depart; to come out; to appear; **salir con** to exclaim, come out with (*an unexpected remark*); **salir(se) con la suya** to get one's way
salita small sitting room
salmodia psalmody, singsong
salón *m.* salon, living room; room; **salón de fiestas** ballroom
salpicar to splash, bespatter
salsa sauce
saltar to jump, jump over, leap; to come loose; to burst (out); **saltar a la vista** to be self evident
saltarín dancing; restless
salto leap, jump; **dar saltos** to leap, jump up; **dar un salto** to leap, jump up
salud *f.* health
saludar to greet
saludo greeting
salvador saving
salvaje wild, savage
salvar(se) to save; to jump over
salvo except (for)
San *m.* saint; **San Martiño** = **San Martín** Saint Martin; **San Yago** = **Santiago** Saint James (*feast day, July 25th*)
sándalo sandalwood
sangrar to bleed
sangre *f.* blood
sangriento bloody
sanguinolento bloody
sano healthy, healthful; sane; strong; **cortar por lo sano** to take quick action, remedy quickly
santamente completely, simply
santiaguino pertaining to Santiago
santo saint; holy
sapo toad
sarampión *m.* measles
sarga serge, twill
sarmiento vine shoot, runner
sastre *m.* tailor
satinado satin-like, smooth
sátiro satyr
satisfacer to satisfy
satisfecho (*p.p. of* **satisfacer**) satisfied
saturar to saturate
sauce *m.* willow
sazón *f.* season; **a la sazón** at that time
Scarlatti, Domenico (*1683–1757*) *Italian composer*
secarse to dry, dry up
seco dry, plain
secreter *m. lady's portable chest with drawers that lock*
secuaz (*pl.* **secuaces**) *m.* follower
secuestrar to sequester, abduct
sed *f.* thirst; drought; **tener sed** to be thirsty
seda silk
sediento thirsty
sedoso silky
seducir to seduce; to captivate
seductor tempting, seductive, captivating
segado harvested; mowed down, cut
segador *m.* harvester
seguido followed, successive, in a row; **en seguida** at once, immediately

seguir (i) to follow, pursue; to continue, go on; **seguir adelante** to go ahead
según according to; following; as, depending on
segundo second; instant
seguro sure, certain
seguridad security, certainty
selva forest, woods, jungle; **en plena selva** in the heart of the jungle
selvático wild
sellar to seal
sello seal, stamp
semana week; **la semana que viene** next week
semanal weekly
semblante *m.* face; look, appearance
sembrar (ie) to sow, seed, scatter
semejante (a) like, similar (to); such a
semejanza resemblance
semiapagado half-extinguished
semidesnudo half-naked
semiinterrogación half-question
semioculto half-hidden
sempiterno eternal, everlasting
senado senate, senate hall
senador *m.* senator
senaduría senatorship
sencillez *f.* simplicity
sencillo simple, plain, unaffected
senda path
sendero path, footpath
sendos one each; respective; both
seno bosom, breast
sensible sensitive, noticeable
sentate (*Arg.*) = **siéntate** sit down
sentar (ie) to seat; **sentarse** to sit down
sentenciado prisoner
sentencioso sententious
sentido sense, feeling, meaning; **privado de sentido** unconscious; **sin sentido** unconscious
sentimental emotional; sentimental
sentimiento feeling
sentir (ie, i) to feel, perceive, hear, regret, feel sorry (about); **sentirse** to feel (*sick, happy, etc.*)
seña sign, mark; *pl.* address
señal *f.* sign, signal
señalar to point out, mark, stamp; to indicate
señor mister, sir; lord
señora Mrs., lady; **Nuestra Señora** Our Lady (*the Virgin Mary*)
señorear to dominate
señorita Miss, young lady
señuelo sign, mark, stamp
separarse de to separate oneself from
sepulcro sepulchre
sequedad dryness, drought
ser to be; *m.* being; **resumió su ser** summed up the reason for her existence
seresfantasmas *m. pl.* phantoms
seriamente really, truly
serie *f.* series
seriedad seriousness
serio serious; reliable; correct (*socially, morally*)
serpear to wind, meander, curve
serpenteo winding; *m.* curve; **hacer serpenteos** to wind, twist
serranita country *or* mountain girl
serrano simple, peasant, highland
servicio service; **de servicio** on duty
servir (i) to serve; be of use; to do; **servir de** to serve as; **servirle de algo** to be of any (some) value; **servir para** to be used for, be good for
servilleta napkin
seso brain, brains; **devanarse los sesos** to rack one's brains
Shaw, George Bernard (*1856–1950*), *Irish dramatist*
si if, whether, wonder if
sí yes; **sí que** of course, indeed
siembra sown field

siempre always; **de siempre** usual; **para siempre** forever
sien *f.* temple; forehead
sierra sierra, jagged mountain range
siervo slave, servant
siesta nap, sleep
sigiloso cautious, quiet
siglo century
signar to make the sign of the cross, to cross (oneself)
significación meaning
significado meaning
significar to signify, mean; to indicate
siguiente following, next
sika *Uruguayan plant*
sílaba syllable
silbar to whistle
silbido whistle
silencioso silent, quiet
silla chair
sillón *m.* armchair
Sills, Milton *Hollywood screen star of the 1920's*
silueta silhouette
silvestre wild
sima abyss, chasm
simetría symmetry
símil similar
simpatía liking, friendliness
simpático likeable, pleasant, congenial
simulacro vision; show
sin without; **sin embargo** however, nevertheless; **sin más** immediately
sincopal syncopal, fainting, swooning
síncope *m.* syncope (*loss of consciousness*), swoon
siniestro left; sinister
sinnúmero countless
sino but, except, only
síntoma *m.* symptom
siñá (*Val.*) = **doña**
siquiera at least, even, although
sirena siren, mermaid
sirvienta servant girl
sitio place, spot; room
situado situated
so under
sobaco armpit
soberanamente supremely
soberbia pride, haughtiness, arrogance
soberbio superb, magnificent
sobrar to have left over, be more than enough
sobras leftovers, surplus
sobre on, upon, over, above; *m.* envelope
sobrecoger to surprise, catch
sobreexcitado over-excited
sobrehumano superhuman
sobremanera exceedingly, very much
sobrepasar to exceed, excel, surpass
sobreponerse to overcome
sobrepujar to excel, surpass, outdo
sobresaltar to frighten, startle, surprise
sobresalto fright; surprise; shock
sobretodo overcoat
sobrevenir to overtake, come over
sobrino nephew
sobrio grave, temperate
socarrón cunning, crafty
social social; **sociales** social obligations
socorrer to help, aid
socorro help
soez (*pl.* **soeces**) base, vile, coarse
soga rope
sol *m.* sun; *Peruvian monetary unit*
solapa lapel
solapado crafty, underhanded, sneaky
solar *m.* vacant lot
solariego ancestral
solas: a solas alone
soldado soldier
soledad isolation; solitude, loneliness; desolate and solitary place

soler (ue) to be accustomed to, be in the habit of
solicitar to solicit, ask for
solícito solicitous, attentive
solicitud solicitude, attention
solidaridad solidarity, harmony
sólido solid
solo (*adj.*) only, alone
sólo (*adv.*) only
soltar (ue) to untie, unfasten; to let loose; to let drop (*a remark*)
soltero single, unmarried; *m.* bachelor; *f.* unmarried girl, spinster
solterón *m.* old bachelor
solterona old maid
solucionar to solve, resolve
sollozar to sob, cry
sollozo sob
sombra shadow, shade
sombrero hat; **sombrero hongo de copa** derby (*hat*)
sombrío shaded; gloomy; taciturn
someter to subject; **someterse** to submit
somnoliento sleepy
sonámbulo sleepwalker
sonante sounding, sonorous
sonar (ue) to sound; to ring; **sonar a** to sound like; **sonarse** to blow one's nose
sondear to probe, sound
sonido sound
sonoro sonorous, resounding
sonreir(se) (i) to smile
sonrisa smile; **esbozó una sonrisa** smiled faintly
sonrojarse to blush
sonrosado rosy
sonsacar to draw out
sonsonete *m.* singsong
soñador dreamy; *m.* dreamer
soñar (ue) (con) to dream, daydream (about)
soñoliento sleepy
sopesar to estimate the weight of, fathom
soplar to blow
soplo gust, breath
sopor *m.* stupor, sleepiness, lethargy
soportar to support, bear, stand
sorbo sip
sordo deaf; silent; muffled
sorna cunning, dissimulation
sorprendente surprising
sorprender to surprise, catch
sorpresa surprise; **de sorpresa** by surprise; **por sorpresa** unexpectedly
sortilegio sorcery
sos (*Arg.*) = **eres**
sosegado calm, quiet
sosegar (ie) to calm, quiet
soslayo oblique; **mirar de soslayo** to look out of the corner of one's eye
sospechar to suspect
sospechoso suspicious
sostener to support, hold up; to maintain
sotana cassock
suave soft; smooth
subalterno subordinate; *m.* subaltern, subordinate
subasta auction; **en subasta** at auction
subido high
subir to go up; to rise; to get on *or* in; to raise
súbito sudden, unexpected; **de súbito** suddenly
sublevarse to revolt
subsistir to subsist, exist
subvención subsidy
subyugado subjugated
suceder to happen, follow
sucesión succession
suceso event, happening
sucio dirty
sucursal *f.* branch
sudar to sweat; **¡lo que sudaron!** how they worked!
sudor *m.* sweat
sudoroso sweaty
sueco Swedish
suegro father-in-law; **suegra** mother-in-law

sueldo salary, pay
suelo floor, ground
suelto loose, free; *m.* newspaper clipping
sueño dream; **en sueños** while dreaming; **si no hace demasiado sueño** if I'm not too sleepy; **tener sueño** to be sleepy
suerte luck, fortune, chance; **por suerte** luckily; **tener suerte** to be lucky
suficiencia sufficiency, self-satisfaction
suficiente enough
sufragio support, help
sufrimiento suffering
sufrir to suffer, undergo
sugerir (ie, i) to suggest
Suiza Switzerland
sujeción subordination, subjection
sujeta papeles paper clip
sujetarse to hold fast, grip
sujeto fastened; *m.* individual, person; type
Sullavan, Margaret *Hollywood screen star (1911–1960)*
suma sum, amount
sumamente highly, exceedingly
sumergir to submerge
sumido sunken, swallowed up
sumir to sink
suntuoso sumptuous, luxurious, rich
superchería fraud, deception, trick
superficie *f.* surface
superior superior, upper
suplente *m. & f.* substitute
súplica supplication, entreaty
suplicante supplicant, entreating
suplicar to implore, entreat
suplicio torture, suffering
suponer to suppose, assume
suprimir to suppress, eliminate, get rid of
supuesto (*p.p. of* **suponer**) supposed, hypothetical, assumed; **por supuesto** of course
sur *m.* south
surah (surá) surah (*a rough silk fabric*)
surcar to cut through, go through, streak through
surco furrow, rut, wrinkle
surgir to come forth, appear, arise, spring up
surtidor *m.* source, fountain
suscitar to stir up
susodicho above-mentioned
suspender to hang, suspend, postpone
suspenso (*p.p. of* **suspender**) held, suspended
suspicaz suspicious, distrustful
suspirar to sigh
suspiro sigh
sustituir (*variant of* **substituir**) to substitute
susto scare, fright
susurrar to whisper, murmur
sutil subtle
sutileza subtlety

T

taberna tavern, inn
tabla board
tablero chessboard
tacañería stinginess
tacita little cup
tahona bakery
tajada cut, slice
tajo blow (*with a cutting instrument*), slash; **con sendos tajos** with cross cuts
tal such, such a, so; **tal como** just as; **tal cual** such as; **tal o cual** such-and-such; **tal vez** perhaps; **un tal** + *proper name* someone called..., a certain...
talón *m.* heel
tallado carved
talle *m.* outline, figure
taller *m.* workshop
tallo stalk, stem

tamaño size, dimension; **tamaño como** as big as
tambalear to stagger, totter, jiggle
también also, too, likewise
tamizado screened, filtered
tamo dust, chaff
tampoco neither, not either
tan so; **tan solo** merely, only
tantear to feel out, try out, test
tanto so much; very great; **a tanto** so far, to such an extent; **en tanto que** meanwhile, while; **entre tanto** meanwhile; **por lo tanto** therefore; **un tanto** somewhat
tantôt: a tantôt (*Fr.*) so long
tapa lid, cover
tapar to cover
tapete *m.* rug, runner; **tapete verde** green felt desk pad
tapia wall
tapioca tapioca (*obtained from the edible root of a South American plant*), manioc
tapiz (*pl.* **tapices**) *m.* tapestry; carpet
tapón *m.* stopper, plug
taponcito little stopper, little plug
tapujo covering, concealment
taquilla box office
tara disadvantage; defect
tararear to hum
tardar to delay, be late; **tardar en** to be late in, delay in, be slow
tarde late; *f.* afternoon, evening; **de tarde en tarde** now and then; **hacer la tarde** to have a drink (*in Argentina, usually* **mate**); **hacerse tarde** to get late
tardío tardy, delayed
tarea job, task
tarifa fare
tarjeta card
tarro jar, jug
tartajoso stuttering
tartamudear to stutter
tartamudeo stuttering
tartera baking pan
tarumba confused; **volverse tarumba** to drive (one) crazy
tataranieto great-great-grandchild
tatarasobrino great-great-nephew
tataratío great-great-uncle
taza cup
té *m.* tea
techado roofed
techo roof
techumbre *f.* roof
tedio tedium, boredom
teja roofing tile
tejer to weave
tejido fabric; texture; tissue
tela fabric, cloth
telaraña spiderweb
telón *m.* curtain (*in theater*)
tema *m.* theme, subject
temblar (ie) to tremble, quiver
temblón *m.* shaking, quivering
temblor *m.* tremor, trembling
tembloroso tremulous, shaking
temer to fear
temeroso fearful, afraid
temible dreadful, fearful
temor *m.* fear, dread
témpano ice floe
tempestad storm
templar to temper; to warm; to soften
templo temple
temprano early
Temuco *capital of the province of Cautín in Southern Chile*
tenaz tenacious
tender (ie) to stretch out, extend; to tend, have a tendency; to recline; **tenderse** to lie full length, stretch out, extend
tenedor de libros *m.* bookkeeper
tener to have, hold, keep; **tener para sí** to think, have one's own opinion; **tener por** to consider as, take for; **tener que** to have to; **tener con qué** to have the wherewithal

teniente *m.* lieutenant
Tenorio = Don Juan Tenorio, a rake, seducer of women
tenso taut, tense
tentación temptation
tentado tempted
tentador tempting
tentar (ie) to touch, feel, examine, tempt
tentativa attempt
tenue tenuous, light, faint; fragile
teósofo theosophist (*one who seeks knowledge of God and the world by mystic insight and philosophical speculation*)
tercia one-third of a **vara,** the latter 2.8 feet
terciopelo velvet
terminante definitive, complete, conclusive
terminar to terminate, end, finish
término end; term; **dar término** to end; **llevar a término** to bring to an end; **tocar a su término** to come to an end
ternura tenderness, fondness
terral *m.* land breeze
terráqueo terraqueous (*consisting of land and water*)
terraza terrace, veranda
terremoto earthquake
terrenal earthly
terreno earthly, worldly; *m.* land, ground; soil; field; **terreno impracticable** rough terrain
terrón *m.* lump
terso smooth, polished
tesón *m.* tenacity, pluck
tesoro treasure
testarudez *f.* stubbornness, pigheadedness
testigo witness
tête-à-tête (*Fr.*) intimate conversation
tetilla nipple
tez *f.* complexion
tía aunt; old woman, biddy
tibio tepid, lukewarm, warm
tiburón *m.* shark
tiempo time, weather, season; period, epoch; **a tiempo** in time; **a un mismo tiempo** at the same time; **¿cuánto tiempo?** how long?; **de poco tiempo a esta parte** for a short time; **de tiempo en tiempo** from time to time; **en tiempo de España** during the Spanish rule; **hace tiempo** a long time ago; **mucho tiempo** a long time
tienda shop, store
tientas: a tientas groping
tierno tender, tearful
tierra land, country, earth, ground; **echar tierras sobre** to forget, hush up
tieso stiff, straight, tense
timbrado stamped
timbrazo loud ring (*of a bell*)
timbre *m.* bell; stamp
Times, el The Times (*London newspaper*)
timidez timidity
tímido timid
timón *m.* helm, rudder; steering wheel
tinaja large earthen jar
tiniebla darkness
tinta ink
tintineo clinking, jingling
tío uncle; old guy
tipo type; guy; kind
tiquis miquis (*or* **tiquismiquis**) *m.* insignificant details, trivialities
tirante pressing, tense
tirar to throw, cast, throw away, pull; **tirarse (a)** to give oneself over to, start
tiritante shivering, shaking
tiritar to shiver, shake
tiro shot; throw; **andar a tiros** to "shoot it out"; **de un tiro** all at once

tirón jerk, pull, tug; **de un tirón** all at once, without interruption
tirso thyrsus, staff (*decorated with grapes and grape vines*)
tísico consumptive, person with tuberculosis
tisis *f.* tuberculosis
titileo twinkling
titubeante stammering, wavering
titubear to hesitate, stammer; to stagger
titular to entitle, name; *m.* titular, regular official
título title
toalla towel
tobillo ankle
tocar to touch, feel; to play (*an instrument*); to inherit; to reach; to ring; **tocarle a uno** to be one's turn, fall to one's lot; **tocarse** to put on, cover oneself
todavía still, yet, even; **todavía no** not yet
todo all, every, whole, everything, any; **ante todo** first of all; **del todo** entirely, completely; **sobre todo** especially, above all; **todo lo que** all that; **todos** all, everybody
toilette = **juegos de toilette** comb and brush set
tomar to take; to drink; to catch; **tomar sobre sí** to take upon oneself
tomo volume, tome
tongo derby
tono tone, color; **a tono con** in tune with, in harmony with; **dar el tono** to set the standard; **darse tono** to put on airs
tontería foolishness, nonsense
tontiloco idiot
tonto fool; **tonto de capirote** blockhead
topacio topaz
topar to find, run across, meet
toque *m.* ring (*of a bell*)
torbellino whirlwind; spray
torcaza wild pigeon
torcer (ue) to turn, twist, bend
torcido twisted, bent
tordo thrush
tormenta torment; storm
tornar to return; to change; to make; **tornar a** + *inf.* to... again; **tornarse** to become
torneado curved; well turned
torneo tournament, tourney, match
torno turn; **en torno de** *or* **a** around, about; **en torno suyo** around him
torpe slow, dull, stupid
torpeza stupidity, dullness
torre *f.* tower
tórrido torrid
torsión torsion, twist
tortilla omelet
tos *f.* cough, coughing
tosco rough, coarse, crude
toser to cough
tosquedad clumsiness; crudity, coarseness
traba tie, bond
trabajador hard-working
trabajar to work
trabajo work; labor; job
trabar to strike up, begin
trabazón *f.* chain, linking, bond
traducción translation
traducir to translate
traductor *m.* translator
traer to bring, carry, wear
tráfago drudgery, toll
tragar to swallow
trago swallow
traición treachery
traicionar to betray
traidor treacherous, traitorous
traíña deep-sea fish net; **andar en la traíña** handle the sardine net
traje *m.* suit; dress; **traje de baño** bathing suit; **traje de novia** wedding dress; **traje marinero** sailor suit

trajeado dressed
trajín *m.* coming and going, bustle
trajinado well used, worn
trama *m.* plot (*of a play*); texture; network
tramar to contrive, plot, scheme
trámite *m.* transaction, step
tramo section, stretch
trampa trap, trick; **hacer trampas** to cheat
trance *m.* critical moment; predicament; **a todo trance** at any cost
tranquilizar(se) to calm down, quiet down, tranquilize
tranquilo calm, quiet, tranquil, confident, peaceful
transatlántico ocean liner, ship
transcender (ie) to come to be known, border on
transcribir to transcribe
transcurrir to pass, elapse
transformar to transform; **transformarse** to become transformed
transitar to travel; **poco transitado** quiet, with little traffic
tránsito transit, traffic
tranvía *m.* streetcar
trapería rags, pile, of rags
trapo rag, piece of cloth; **sean a todo trapo** be given widespread publicity
tras after, behind
trascendental far-reaching
trasero rear, rump
trasfundir transmit, transfuse
trashumante nomadic
trasladarse to move
traslado movement
traslúcido translucent
trasmutación metamorphosis, transmutation
traspasar to go beyond; to exceed
traspatio back courtyard
traspillado declining, deteriorating
trasponer to go through
trastornado upset, disturbed
trastornar to upset, disturb
trastorno upset, disturbance
tratar to treat, deal with; **tratar de** to try to; **tratarse de** to be a question of, deal with
trato treatment, manner, social behavior, friendship
través: a *or* **al través de** across, through; **colocada de través** unlucky, fateful
travesaño rung
travieso naughty, mischievous
trayecto journey, stretch, passage
trayectoria trajectory
traza appearance; trace, mark
trazado graph, design
trazar to plan, design
tregua truce, respite, letup; **sin tregua** without letup, without stopping
tren *m.* train; **tren directo** express train
trencilla braid
trenza braids, hair
trepar to climb
tribu *f.* tribe
tributar to render (*homage*)
trigal *m.* wheat field
trigo wheat
trinar to trill, warble
trino trill
tripulante m. crew member
tripular to man
Tristán Tristan *or* Tristram (*the protagonist of Wagner's opera* Tristan und Isolde)
triste sad
tristeza sadness; **dar tristeza** to sadden, make sad
tristón rather sad, melancholy
triturado crushed
triza shred; **hacer harapos y trizas** to tear to pieces
trocar (ue) to change; **trocarse en** to change into
trocito little piece
trofeo trophy

trompa horn; **pasar de trompa** to get over sulking
tronco trunk
tronchado cut off
trono throne
tropa troop; herd
tropezar (ie) to trip, fall over; **tropezar con** to run into, encounter, come across
tropel *m.* crowd; **en tropel** in a mad rush
trote *m.* trot
trovador *m.* troubadour; poet
trozo piece
trueno thunder
trueque exchange; **a trueque de** in exchange for
truncado truncated, cut off
tubo tube, pipe
tuétano marrow; **hasta los tuétanos** through and through
tugurio hovel
tul *m.* tulle, veiling
tupido dense, thick
turbación disturbance, embarrassment
turbador disturbing
turbamulta rabble
turbar to disturb, upset
turbio muddy; dark, cloudy
turno turn, shift; **por turno** in turn
turolense from Teruel (*city in Spain*)
turquesa turquoise
tusado clipped
tutear to address familiarly (*with* **tú**)

U

u or
ubicación location
ubicar to locate; to reside, live
ubicuo ubiquitous, omnipresent
ubre *f.* breast
Ucayali *river in Peru;* wilds
ufano conceited, proud
ulterior ulterior, later
último last; latest; **por último** at last
ultimar to finish off
ultrajante outrageous, insulting
ultrajar to offend, insult; to outrage
ultraje *m.* outrage, insult
ultramarino overseas, abroad
ultraterrestre out-of-this-world
ultratumba beyond the grave
umbral *m.* threshold
un, uno, una, a, an; one; **unos, unas** some, a few; **unos a otros** one another
unánime unanimous
unción fervor
uncioso fervid, devout
undívago wavy
ungir to anoint
único only, sole, unique
unidad unity; **las unidades de tiempo, lugar y acción** the unities of time, place and action (*dramatic precepts derived from Aristotle*)
uniforme uniform, even, steady
unión marriage, union; **unión conyugal** marriage
unir to unite, join
uña nail; **ser uña y carne con** to be hand in glove with
urbanidad politeness, courtesy
urbano urban, urbane
urbe *f.* large city
urdir to dress up, fabricate, make up
urraca magpie
US = useñoría: vuestra señoría your honor
usar to use, make, wear
usurpado usurped, stolen
uva grape

V

vaca cow
vacilante unsteady, hesitant
vacilar to vacillate, hesitate, stagger
vacío empty; *m.* emptiness, void

vacuna vaccination
vagabundear to wander
vagabundo vagabond, tramp
vagar to roam, wander
vagido cry of a newborn child
vago vague
vagón *m.* railroad car; **vagón capilla ardiente** funeral (railroad) car; **vagón cementerio** burial car; **vagón comedor** dining car
vahido dizziness, faintness
vaho fume, breath, vapor
vaina pod
vainilla vanilla wafer
vaivén *m.* unsteadiness, swaying; coming and going
Valdivia *Chilean seaport and capital of province of same name*
valer to be worth; **valer la pena** to be worthwhile; **valerle (a uno)** to help (*someone*); **más vale que** it is better to; *m.* worth, value
valentía courage
valija suitcase, valise
valioso valuable
valor *m.* worth, valor, courage
vals *m.* waltz
válvula valve
valla hurdle
vanagloria vainglory, conceit
vanidoso vain
vano vain, futile
vapor *m.* ship, steamship; **a todo vapor** full steam ahead
vaporoso vaporous, diaphanous, billowy
vara measure of length (*2.8 feet*)
variado various, diverse
variar to vary, change
varilla stem, twig
varón *m.* man, male
varonil masculine, manly
vasco Basque
vasillo blood vessel
vaso glass; vase
vasto vast, large
vecindad proximity, neighborhood
vecindario neighborhood, community
vecino neighbor, neighboring, near
vedado forbidden; **el Vedado** *residential district of Havana*
vega plain
vegetal vegetal, plant-life
vejaminoso vexatious, annoying
vejete *m.* little old man
vejez *f.* old age
vela sail; candle
velada party, gathering
velado hidden, cloudy
velamen *m.* sails
velar to watch, watch over; to veil, conceal, guard; to look out
veleidad delight, pleasure, caprice
velo veil
veloz (*pl.* **veloces**) rapid, fast, swift
vellón *m.* fleece
vena vein
venadito small deer, fawn
vencejo band, string
vencer to conquer, overcome, vanquish, defeat; **vencerse** to control oneself
vendaje *m.* band, bandage
vendaval *m.* strong wind
vendedor *m.* vendor
vender to sell
vendimia vintage
vendimiador *m.* vintager, harvester
veneno poison
venenoso poisonous
venera medal, badge
vengador *m.* avenger
venganza vengeance, revenge
vengar(se) to avenge, take revenge
vení (*Arg.*) = **ven**
venir to come; **venir colgado** to be late
venta sale; **ponerse en venta** to put oneself up for sale
ventaja advantage
ventana window
ventanilla window in a vehicle; post-office window

ventura happiness, luck
venturoso happy, fortunate
ver to see; **no tener nada que ver con** to have nothing to do with; **ya ve usted** you see
vera edge, side
veraneo summer vacation
verano summer
veras truth; **de veras** truly, in truth **enamorarse tan de veras** to fall in love so deeply
verdad truth; **¿verdad?** isn't that so?; **a decir verdad** as a matter of fact; **a la verdad** as a matter of fact; **de verdad** truly; **en verdad** really; **poner la verdad en su punto** to establish (fix) the truth
verdaderamente really
verdadero true, real
verde green
verdinegro dark green
verdor *m.* verdure, greenness
verdugo executioner
verdura verdure, foliage; *pl.* vegetables, greens
vereda path, walk, sidewalk
vergonzoso shameful
vergüenza shame; **no le da vergüenza** aren't you ashamed; **tener vergüenza** to be ashamed
vericueto rough place; uneven ground
verídico truthful
verificar to verify; **verificarse** to take place
verja grate, grating; gate
veronal *m.* veronal (*barbiturate*)
veronés Veronese (*from Verona*)
verosímil probable; credible
verso verse, poetry
vértice *m.* core, vertex
vertiente *m. & f.* slope; stream
vertiginoso vertiginous, dizzy
vértigo vertigo, dizziness
vespertino vespertine, evening
veste *f.* article of clothing; dress
vestido dress; clothing; suit; **un vestido en receso** a discarded dress
vestidura clothing
vestigio vestige
vestir (i) to dress; **vestir de** to dress, clothe in; **vestirse** to get dressed
vetustez *f.* great age, antiquity; old-fashioned appearance
vez (*pl.* **veces**) *f.* time; turn; **a la vez** at the same time; **a su vez** in turn; **cada vez más** more and more; **de una vez** once and for all; **de vez en cuando** from time to time; **de vez en vez** from time to time; **en vez de** instead of; **otra vez** again; **pocas veces** few times; **rara vez** rarely, seldom; **tal vez** perhaps; **a veces** at times
vía way, road; **vía láctea** milky way
viajar to travel
viaje *m.* trip, journey
viajero traveler
vial *m.* row *or* avenue of trees
vianda food
víbora viper
viboreante winding
vibrar to shake, vibrate
vicio vice; defect
vicioso luxuriant, overgrown
vida life, living; **en su vida** never in his life
vidriera window, store window
vidrio glass, window pane
viejo old; *m.* old man; *f.* old woman
vientiño (*Gal.*) little wind, light wind
viento wind
vientre *m.* stomach
viernes Friday
viga beam, girder
vigilar to watch over, look out, watch
vil base, vile

vileza baseness, infamy
villano villain; darn thing
vínculo link, tie, bond
vino wine
viñedo vineyard
virgen *f.* virgin
Virgilio Vergil: Publius Vergilius Maro *(70–19 B.C.) Roman poet*
virtud *f.* virtue
víscera organ (*of the body*)
visera visor
visillo window curtain, shade
visitante *m. & f.* visitor
visita visit; visitor; **visita de agradecimiento** duty call *or* visit
vislumbrar to glimpse, see imperfectly at a distance, loom up
víspera eve, day before; **en vísperas de** on the eve of, just before
vista sight, vision, view; **a la vista** in front of one's eyes; **descifrar a primera vista** to sight-read (music)
vistazo glance, look; **echar un vistazo** to cast a glance
vitalicio life-long
viuda widow
víveres *m. pl.* groceries
vivienda house, dwelling
vivir to live
vivo alive, living; intense, vivid; **tocar a vivo** to cut *or* wound to the quick
vocablo word, term
vocerío shouting
vociferar to shout
volante *m.* ruffle
volar (ue) to fly, fly away
volcar (ue) to dump; to pour (out)
voltear to turn, turn away, give up
volumen *m.* volume, bulk
voluntad will, determination, wish
voluta scroll
volvé (*Arg.*) = **vuelve**
volver (ue) to come back, return; to turn; **volver a** + *inf.* to... again; **volver en sí** to regain consciousness; **volverse** to turn back, turn toward, turn around, become; **volverse atrás** to back out
vos you (*sing.*)
voto vow
voz (*pl.* **voces**) *f.* voice; word; **a media voz** in a low voice; **a voces de mando** commanding voices; **con voz de fiesta** in a happy voice; **en lo velado de la voz** in the guarded tone of her voice; **en voz alta** aloud, in a loud voice
vuelo flight; **levantar el vuelo** to take off, take flight
vuelta turn, return; small change (*money*); **dar una** (*or* **la**) **vuelta** to walk; **dar vuelta** to turn around; **dar vueltas** to circle; **darse una vuelta** to take a (little) trip *or* walk; **de vuelta** on returning; **tomar la vuelta** to go around, turn
vulgar common; unrefined; popular; vulgar
vulgaridad commonplace, banality
vulgarización popularization
vulgo populace, common people

W

Wagner, Richard *(1813–1883), German composer*

Y

y and
ya already; now; finally; at once; **ya no** no longer; **ya que** since
yacer to lie, lie buried
Yago, San Saint James
yanqui Yankee
yema: yema del dedo finger tip
yergue *see* **erguir**
yerto rigid, stiff
yorando (*Arg.*) = **llorando** weeping

Z

zaga rear; **a la zaga** behind
zagala shepherdess
zaguán *m.* vestibule, entrance hall
zalamero flattering
zamarreada jolt; **una zamarreada a descompás** a bone-rattling jolt
zamarrear to shake, jolt
zambullir(se) to dive in, plunge in
zampar(se) to gobble down
zancadilla tripping; trick; **echar la zancadilla** to trip someone
zanja trench
zapatilla slipper
zapato shoe
zarabanda sarabande (*dance*)
zarco light blue
zarpar to set sail, sail
zarrapastroso ragged person, poor person
zarza blackberry bush
zarzal *m.* underbrush, brambles
¡zas! bang!
Zéphiros = **Céfiro** West Wind
zempazuchil = **cenpasúchil** (*a variety of marigold used in Mexico to adorn graves*)
zoológico zoo
zopenco dolt
zoqueira (*Gal.*) dolt, clod
zorro fox
zumbante buzzing, humming
zumbar to buzz, hum
zumbido buzz, hum
zumbón joking, waggish